I0256873

Matthew Dunn

De rekruut

ISBN 978-90-225-5784-6
NUR 330

Oorspronkelijke titel: *Spycatcher* (William Morrow, HarperCollins)
Vertaling: Hugo Kuipers
Omslagontwerp: Studio Jan de Boer
Omslagbeeld: © Roy Bishop / Trevillion Images (boven), © Dawn Bowery / Arcangel Images (onder)
Zetwerk: Text & Image, Gieten

Voor mijn kinderen
En voor de inlichtingenmensen en geheim agenten van MI6, de CIA en hun bondgenoten

I

1

‘Weet je zeker dat het vandaag niet mijn dood wordt?’ De spion wreef over zijn gladde gezicht en keek naar het natte gras van Central Park. Het was nog heel vroeg in de ochtend en de geluiden van New York buiten het park waren ver weg en klonken gedempt. Hij fronste zijn wenkbrauwen en schudde licht het hoofd. Er stond geen wind en het motregende. ‘Ik vind het allemaal nogal vreemd.’

Will Cochrane keek de man een tijdje aan en zei toen: ‘Soroush, het is ook vreemd. Daarom zullen er drie bekwame mannen in de buurt zijn om je te beschermen.’

De rimpels in Soroush’ voorhoofd werden nog dieper. Hij keek op naar de lange, stevig gebouwde Will. ‘Drie maar? Is dat alles wat je bazen van British Intelligence je konden geven?’

Will duwde zijn vingers door zijn kortgeknipte donkere haar en legde zijn hand toen op de arm van de Iraniër. ‘Ruimschoots voldoende voor wat er moet gebeuren.’

De spion grinnikte wat. ‘Ik dacht dat ik je waardevolste medewerker was.’

‘Dat ben je ook.’

Soroush draaide zich opzij om Will recht aan te kijken. ‘Maar aan alles komt een eind?’

Will haalde zijn hand weg en keek vlug naar links en rechts. Er waren niet veel mensen bij hen in de buurt, en er was helemaal niemand dicht bij hen. De British Intelligence-agent keek zijn metgezel weer aan. ‘Nee, zo is het niet. De Iraniërs hebben om de ontmoeting gevraagd; wij niet. Als we dit niet doen, komen we niet te weten wat ze willen.’

Soroush stak zijn handen in de zakken van zijn jas. Hij liet zijn hoofd weer zakken.

Will twijfelde opeens aan zijn spion en maakte zich zorgen om hem, maar hij wist die emoties te verbergen en zei kalm: ‘Ik heb je al die jaren geleden gevonden, toen je nog voor het Iraanse ministerie van Inlichtingen en Veiligheid werkte. Ik haalde je over om voor het MIV te blijven werken en tegelijk voor de Britten te spioneren. Ik haalde je uit Iran toen het ernaar uitzag dat je ontmaskerd zou worden. En toen bleek dat die vrees ongegrond was, leerde ik je vanuit het veilige Europa je land te bespioneren.' Hij dwong zich te glimlachen. 'Zolang we elkaar kennen, heb ik je altijd beschermd, en dat zal ik vandaag ook doen.'

De Iraniër zei een tijdje niets. Toen schraapte hij zijn keel en schudde heftig zijn hoofd. 'In de acht jaar dat ik in Engeland ben geweest heb ik je inlichtingen verstrekt waartoe maar heel weinig huidige of vroegere medewerkers van het MIV toegang hebben. En ik weet dat jullie gebruik hebben gemaakt van veel van die inlichtingen. Dat betekent dat de Iraniërs weten dat ze een lek hebben. Op de veiligheidsafdeling van het MIV zat vast wel iemand die kon nagaan wie het lek was. En nu heeft het MIV laten weten dat ze een ontmoeting met me willen.' Hij keek Will scherp aan. 'Zelfs als je meent dat ze me vroeger niet doorhadden, moet je toegeven dat er nu een grote kans is dat ik in de val word gelokt.'

Will beantwoordde zijn blik niet. Hij was al tot de conclusie gekomen dat de twee Iraanse inlichtingenagenten die zijn spion die dag wilden ontmoeten waarschijnlijk snode plannen met hem hadden. Hij was ook tot de conclusie gekomen dat in dat geval de dekmantel van zijn spion niets meer waard was en Soroush dus toch geen nut meer voor hem zou hebben. Toch wilde Will voor alle zekerheid dat de ontmoeting doorging. Trouwens, zijn man zou bescherming krijgen.

'Waarom denk je dat ze New York hebben uitgekozen voor de ontmoeting?' Soroush sprak zacht en snel.

Will wierp een blik om zich heen en keek toen de spion weer aan. Het juiste antwoord op deze vraag, vermoedde hij, was dat de Iraniërs wisten dat Soroush als spion voor het Westen werkte en niet bereid zou zijn hen in een niet-westerse stad te ontmoeten. 'Je bent tegenwoordig een ondernemer die veel zaken doet in de Verenigde Staten. Ze willen het ongemak voor jou tot een minimum beperken.'

Soroush' gezicht verhardde. 'Dat weet ik nog zo net niet.'

Will keek op zijn horloge en glimlachte. 'Ben je bereid dit te doen of niet?'

Soroush keek hem een tijdje nietszeggend aan, maar haalde toen zijn schouders op. 'Daar ken je me te goed voor.'

'Ja.'

De twee mannen zwegen. De regen sloeg hun steeds harder in het gezicht.

Toen haalde Will diep adem en zei zachtjes: 'Als je op de Gapstow Bridge bent, aan het noordelijke eind van de vijver, kun je me niet zien, want dan heb ik me verdekt opgesteld. Maar als je recht naar het zuiden over de vijver kijkt, kijk je ongeveer in mijn richting. Ik ben dan honderdtachtig meter bij je vandaan en volg jou en je ontmoeting door mijn kijker.'

Soroush keek Will weer aan. Hij hield zijn hoofd schuin. 'En je vrienden?'

'Misschien zie je daar een paar van, maar dan lijken ze daar volkomen op hun plaats. En als er iets gebeurt, reageren ze snel, agressief en doeltreffend.'

'De Britse Special Forces?'

'Ja, maar deze mannen hebben van mijn dienst extra training voor clandestiene operaties gekregen.'

De spion knikte. 'En na de ontmoeting ga ik regelrecht terug naar je hotel?'

Will knikte ook. 'Precies zoals we dat hebben besproken. Ik ga daar ook naar toe voor je debriefing.'

Soroush keek peinzend. 'Maar als ze willen dat ik met ze meega?'

'Onder geen beding. Je hebt je ontmoeting en daarna ga je bij ze weg.' Het laatste wat Will wilde, was dat zijn man in de macht van de Iraniërs kwam. Soroush had veel te veel geheimen in zijn hoofd zitten, geheimen die absoluut niet aan het licht mochten komen, want dan zou het Westen zich veel minder goed tegen vijandige Iraanse acties kunnen verdedigen.

'Goed.' Soroush leek tevreden met Wills antwoord. Toen nam hij opeens een van Wills handen tussen zijn beide handen. 'We hebben samen al zo veel meegemaakt.'

Will keek verbaasd naar zijn hand. Hij voelde zich opeens heel onzeker, maar liet daar niets van blijken. In plaats daarvan zei hij: 'Ja, dat hebben we, mijn vriend.'

Soroush glimlachte, en even vreesde Will dat de man zijn gedachten kon lezen. Soroush pakte zijn hand steviger vast, ademde uit en liet hem los. Zijn glimlach verdween. 'Als er iets gebeurt, dan zul je toch wel voor mijn vrouw en kinderen zorgen, nietwaar?'

'Er gebeurt niets.' Will zuchtte. 'Maar áls het ooit nodig is, zal ik er natuurlijk voor zorgen dat je gezin ondersteuning krijgt.' Dat was tenminste waar.

Soroush glimlachte en knikte. Hij wees met zijn vinger naar Will en tikte zachtjes met de top daarvan op Wills borst. 'Ik weet nog dat ik je voor het eerst ontmoette. Toen dacht ik dat ik nooit meer iemand zou ontmoeten die zo angstaanjagend en meedogenloos was als jij. Maar in de loop van de jaren ben ik tot het besef gekomen dat jij nog een heel andere kant hebt, een kant die je vaak probeert te verbergen, een kant vol diepte en mededogen.' Een droevige blik verving de glimlach. 'Maar ik weet ook dat je een erg eenzame weg gaat.'

Will fronste zijn wenkbrauwen. 'Misschien ken *jij* *mij* te goed.'

Soroush schudde zijn hoofd. 'Ik zou heel oud moeten worden om jou volledig te kunnen begrijpen. En ik ben er niet zeker van dat ik ooit zo oud zal worden.' Soroush wuifde vaag, draaide zich toen abrupt om en liep in de richting van de Gapstow Bridge in Central Park.

Will volgde hem nog even met zijn ogen en dacht na over de woorden van de man. Toen zuchtte hij. Hij zette alle gedachten uit zijn hoofd en concentreerde zich helemaal op de ontmoeting. Hij stak zijn hand in de zak van zijn winterjas en haalde er een mobiele telefoon en een Bluetooth-dopje uit, dat hij in zijn oor stak. Hij drukte op een cijfer van de telefoon en zei: 'Soroush is onderweg. Hij moet over tien minuten op de locatie zijn.'

Toen zette hij het op een lopen. Hij rende een groepje bomen in en bleef abrupt staan, om zich vervolgens om te draaien en ineengedoken neer te hurken. Hij bracht zijn kijker naar zijn ogen en pakte zijn telefoon weer.

'Oké, ik ben er. Wat zien jullie?'

Er ging een seconde voorbij voordat drie stemmen in snelle opeenvolging reageerden.

'Alpha. Niets.'

'Bravo. Niets.'

'Charlie. Ik zie hem. Hij is er bijna.'

Will liet zich nog dichter naar de grond zakken en tuurde naar links en rechts van de brug. Hij zag Soroush over het East Drive-pad lopen, op korte afstand gevolgd door een jogger. Die jogger zou Charlie zijn. De spion liep de Gapstow Bridge op, maar de jogger volgde hem niet.

Will drukte op nummer 3 van zijn mobiele telefoon. 'Ik zie je.'

Er weerklonk meteen een stem: 'Weet ik. Ik loop driehonderd meter naar het noorden en neem dan mijn positie in. Bravo moet onze man nu kunnen zien.'

Will bracht zijn hand omhoog en drukte het Bluetooth-apparaat harder tegen zijn oor dan nodig was. Het leek langer te duren, maar na zeven seconden hoorde Will een andere stem.

'Bravo. Ja, ik zie hem. Hij loopt over de brug. Nee. Hij blijft nu in het midden staan. Hij heeft zijn positie bereikt en wacht af.'

Will bracht zijn kijker omhoog en tuurde in die richting. Bravo had gelijk. Wills spion stond op de Gapstow Bridge. Will wist dat de voetbrug ongeveer vijfentwintig meter lang was, en Soroush had zich aan zijn instructies gehouden door midden op de brug te blijven staan, met zijn gezicht naar de vijver in het zuiden.

'Waar ben je, Bravo?' Will bleef naar weerskanten van de brug kijken.

'Waar ik moet zijn. Honderd meter ten noordwesten van de brug. Hier blijf ik.'

'Alpha?'

'Zestig meter bij onze man vandaan, bij Wollman Rink.'

Will keek op zijn horloge en ademde uit. Alles was zoals het hoorde. Zijn team zag zijn spion nu van alle kanten. Ze stonden ten noorden, noordwesten en noordoosten van de Gapstow Bridge in Central Park. Vanaf zijn eigen positie bij de zuidelijke punt van de vijver keek hij naar Soroush. Hij kon het gezicht van de man gemakkelijk zien. Soroush maakte een kalme indruk.

Will richtte zich wat op en sprak tegelijk in de Bluetooth. 'Oké, nog één minuut.'

Will keek weer naar Soroush. De man had zijn handen op de brugleuning gelegd en deed blijkbaar alsof hij naar de regen op het water keek. Er lag een vaag glimlachje op zijn gezicht. Will keek weer op zijn horloge en sprak toen in zijn telefoon.

'Goed, mannen. Het kan nu elk moment gebeuren.'

Hij dwong zich gewoon adem te halen en zich niets aan te trekken van de pijn bij zijn ogen doordat hij de kijker er te hard tegenaan drukte. Hij tuurde nog steeds naar de brug en naar de omgeving ervan. 'Is er iets te zien?'

Na enkele seconden antwoordde elk lid van zijn team met hetzelfde woord: '*Niets.*'

Aan de rand van zijn gezichtsveld zag hij iets bewegen. Hij draaide zich een stukje opzij en zag een oude vrouw met een hond op een pad daar in de buurt lopen. Instinctief trok hij zich dieper in de struiken terug, al wist hij dat de vrouw hem niet kon zien. De vrouw met de hond liep voorbij, en Will bleef door zijn kijker turen. Soroush' handen rustten niet meer op de leuning en hij keek nu nonchalant in beide richtingen van de brug.

'Charlie. Ik ben op mijn positie driehonderd meter ten noordoosten van de brug. Ik geloof dat ik iets zie.'

Will richtte zijn kijker meteen op Charlies locatie. Hij zette grote ogen op en concentreerde zich op het Bluetooth-oordopje.

Charlie sprak opnieuw. Zijn woorden waren snel maar beheerst. '*Ja. Twee mannen.*'

Will wachtte. Hij durfde niet te spreken. Plotseling stoven er krijsende vogels op van het water tegenover hem, en hij vloekte in stilte om de verstoring van zijn concentratie. Hij keek vlug naar Soroush, maar de man stond nog in zijn eentje op de brug. Will draaide zich om en keek in Charlies richting.

'Ze blijven staan.' Charlies stem klonk nu trager. 'Vijftig meter ten noorden van mij, dus driehonderdvijftig meter bij de brug vandaan.'

Will zei meteen: 'Je beoordeling?'

'Ze zijn het.' Charlie zweeg even. 'Ik weet zeker dat ze het zijn. Maar ze wachten, en dat is niet goed.'

Will liet zijn kijker zakken. Hij voelde dat zijn hart sneller ging slaan doordat er adrenaline vrijkwam in zijn lichaam, maar hij negeerde dat. Hij zette de kijker weer aan zijn ogen en keek nu naar het noordwesten. 'Alpha? Bravo?'

Alpha antwoordde als eerste. 'Vier vijanden bewegen zich door mijn gezichtsveld.'

Toen meldde Bravo zich. Zijn stem klonk gedempt. '*Vijf anderen komen recht op me af.*'

'Verdomme.' Will dacht snel na. Als ze met zo'n groot aantal waren, vormden ze bijna zeker een ontvoeringsteam, en dat betekende dat er hoogstwaarschijnlijk ergens in de buurt een auto met chauffeur stond te wachten.

Alpha zei: 'Die van mij zijn blijven staan.'

'*Die van mij ook*,' voegde Bravo daaraan toe.

Will fronste zijn wenkbrauwen. 'Kunnen ze een van jullie al zien?'

'Ik denk het niet.'

'*Nee.*'

Will wilde iets zeggen, maar Bravo was hem voor. 'Twee van die van mij lopen bij de anderen vandaan naar het zuidwesten. De drie overigen staan daar nog.'

Will vloekte weer. 'Ze hebben vast een auto klaarstaan bij Central Park South of Fifth Avenue. De twee mannen die om de vijver heen naar het zuidwesten lopen, nemen posities in om het team en de plaats van de ontvoering te dekken.' Hij stopte zijn kijker in een jaszak en ademde diep in. 'Dit zijn mijn instructies. Alpha en Bravo: los waarschuwingsschoten op jullie vijanden en ga dan terug naar het westelijke eind van de brug. Jullie mogen ze onder geen beding op de brug laten komen. Charlie: elimineer je twee mannen en loop dan recht naar Soroush toe. Haal hem van de brug en ga met hem in oostelijke richting het park uit. Ik zorg voor de twee vijanden die mijn kant op komen.' Hij keek op zijn horloge. 'En, heren, we hebben maximaal twee minuten om dit alles te regelen, want daarna krioelt het hier van de politie. De tijd gaat nu in.'

Will keek in de richting van de twee mannen die op hem af kwamen. Hij zou onder dekking van bomen kunnen blijven als hij op hen af ging, en hij schatte dat ze nu bijna driehonderd meter bij hem vandaan waren. Uit de rechterzak van zijn jas pakte hij een Heckler & Koch Mark 23-pistool. Hij liep vlug door, keek goed naar elke opening tussen de bomen en was tegelijk gespitst op alles wat hij via het oordopje van zijn mobiele telefoon te horen zou krijgen. Na honderdveertig meter kwam hij bij de westelijkste punt van de vijver en keek toen naar het noorden. De vijanden moesten nu erg dichtbij zijn.

Will hoorde vier of vijf snel opeenvolgende knallen aan de andere kant van de vijver, en toen een stem in zijn oor. '*Charlie. Klaar. Ik ben over zestig seconden op de brug.*' Charlie had de twee Iraanse inlichtingenagenten uitgeschakeld.

Nog meer schoten, nu uit het noorden. Alpha en Bravo waren ook aan hun beheerste terugtrekking naar de brug begonnen. Will boog wat door de knieën en liep met zijn pistool in beide handen naar voren. Hij zag hen. Er renden daar twee vijanden; blijkbaar beseften ze niet dat ze recht op het gevaar af renden. Toen een van hen Will eindelijk zag, bleef hij staan en gaf een schreeuw. Will schoot hem in zijn hoofd, richtte meteen opnieuw en schoot twee keer in het bovenlijf van de andere man. Hij sprintte naar de op de grond gevallen lichamen en schoot opnieuw in de schedel van iedere man.

'Ben op de brug en wacht op Bravo.' Dat was Alpha.

Will zei met luide stem: 'Bravo, ga die brug op.' Hij kreeg geen antwoord. 'Bravo?' Hij rende door en hoorde recht voor hem een bijna ononderbroken serie schoten.

'Charlie. Ik ben ook op de brug en ga nu...' Een seconde was het stil. Toen kwam Charlie weer in de lucht. Hij schreeuwde. '*Alpha is neergeschoten. Veel vijanden voor me! Moet vuurgevecht aangaan!*'

'Shit, nee! Haal Soroush daar weg!' riep Will, die nu hard op het gevecht af rende. De schoten gingen door, werden luider, en binnen enkele seconden zag Will de brug. En toen zag hij Charlie in elkaar zakken. Vier Iraniërs stonden op het punt de brug op te gaan zonder dat iemand hen tegenhield.

Will kon Soroush nu goed zien. En Soroush kon hem goed zien. Het leek wel of de man minutenlang naar hem keek, maar waarschijnlijk duurde het niet langer dan een seconde. Hij schudde vaag zijn hoofd.

Red jezelf. Ik kan nu niet bij je komen.

Will schoot op de vijanden. Een van hen viel op de grond, en de anderen draaiden zich meteen naar Will om en beantwoordden het vuur. Hij rende naar voren zonder zich iets aan te trekken van de kogels die aan weerskanten van hem in de grond sloegen, en intussen bleef hij schieten. Er vielen nog twee mannen. Hij kwam bij de brug en zag dat de enige overgebleven Iraniër zich vlug van hem afwendde. Er galmde een schot, en toen draaide de man zich weer naar hem om. De man glimlachte. Will schoot hem in het hoofd.

Soroush lag op de grond. Hij drukte zijn handen tegen zijn borst en haalde moeizaam adem. Will rende naar hem toe, hurkte neer en wiegde het hoofd van de man.

Soroush keek op en glimlachte met zijn tanden op elkaar. 'Aan alle goede dingen komt een eind.'

Will keek naar Soroush' borst. 'Nog niet. Je leeft nog.'

Soroush schudde zijn hoofd. 'Je moet me hier achterlaten. Ze zijn allemaal dood, maar jij bent te belangrijk om hierin verwikkeld te raken.'

'Nooit.' Zodra Will dat woord had uitgesproken, voelde hij een harde klap tegen zijn rug, gevolgd door felle pijn in zijn buik. Hij viel voorover op Soroush en dwong zich op te kijken om te zien waar de pijn vandaan kwam. Er zat een grote uitgangswond in zijn buik. Hij keek op en zag nieuwe Iraanse mannen naar de brug lopen. Toen hij over zijn schouder keek, zag hij nog eens vier mannen de andere kant van de brug naderen. Hij keek weer naar voren en werd door nog twee kogels in zijn buik getroffen. Hij klapte voorover van de pijn en legde zijn hand op zijn wonden. De mannen waren ongeveer zestig meter bij Will en Soroush vandaan. Will keek naar zijn pistool en schudde zijn hoofd. Hij wist dat er nog maar vijf kogels in het Mark 23-pistool zaten. En hij wist dat hij niet de tijd had om zich naar een van de op de grond gevallen Iraanse wapens toe te slepen. Hij vloekte in stilte en keek naar Soroush. De man keek hem aan en schudde zijn hoofd terwijl hij Wills arm vastpakte. Will haalde diep adem en verzamelde alle kracht die hij nog over had, al zijn concentratievermogen. Hij vuurde vier van zijn kogels op de mannen voor hem af en zag alle vier dood neervallen. Daarna negeerde hij al het andere en richtte hij al zijn aandacht op zijn spion.

Soroush glimlachte weer en zei zachtjes: 'Ze mogen me niet levend te pakken krijgen. Dat weten we allebei. Je weet wat je moet doen.'

Will wist dat hij het bewustzijn aan het verliezen was, en hij knipperde met zijn ogen om zich nog enigszins te kunnen concentreren. Hij hoorde politiesirenes, maar die waren te ver weg. Hij schudde zijn hoofd. 'Ik kan je nog redden.'

Soroush bleef glimlachen. 'Deze keer niet, kameraad.'

Will ademde diep uit en schoof dichter naar Soroush toe. De pijn maakte snel plaats voor verdoving, en hij wist dat het nog maar een paar seconden zou duren voor hij bewusteloos was. Hij sleepte zijn lichaam naar Soroush toe tot hij achter hem lag en trok de man dicht tegen zich aan, zodat ze allebei zaten. De Iraanse mannen waren nu nog maar twintig meter bij hen vandaan.

Will bracht zijn pistool omhoog en drukte de loop tegen Soroush' slaap. Hij sloot zijn ogen en fluisterde: 'Vaarwel, oude vriend.'

Hij haalde de trekker over en schoot Soroush dood.

2

Zijn ogen waren opengegaan, maar om hem heen was het pikdonker en stil. Hij tastte om zich heen en besefte dat hij op zijn rug op een dunne matras lag. Hij liet zijn linkerhand langs de zijkant van het bed omlaagvallen en voelde een kale vloer. Zijn rechterhand raakte een koude muur aan. Hij hoestte en probeerde na te gaan welk effect dat geluid had. Blijkbaar was hij in een heel kleine kamer. Of een cel.

Will Cochrane ging rechtop zitten, en er ging meteen een golf van misselijkheid, duizeligheid en hevige pijn door hem heen. Hij legde zijn hand op zijn buik en betastte zijn bovenlijf. Verband. Hij haalde langzaam adem om de misselijkheid te bedwingen en helder te kunnen denken. Hij sloot zijn ogen en opende ze weer, maar kon nog steeds niets zien.

Hij wreef met zijn vingertoppen over zijn slapen en besloot te gaan staan. Hij telde tot vijf en zwaaide toen zijn benen uit het bed. Die beweging joeg een schroeiende pijn naar zijn buik en het onderste deel van zijn rug. Hij kreeg bijna geen lucht meer en greep de zijkant van het bed vast om niet te vallen. Hij bewoog zijn blote tenen en kuitspieren. Zijn benen voelden sterk en niet gewond aan. Hij telde opnieuw en duwde zich met zijn armen omhoog, maar de inspanning was te veel voor hem en zodra hij stond, viel hij naar voren. Iets brak zijn val – een andere muur. Die was dus dichtbij en dat wees erop dat hij zich in een heel kleine ruimte bevond. Hij concentreerde zich en bewoog zich langzaam achteruit tot hij weer stond. Hij probeerde zijn geest helder te krijgen en zich te concentreren op het rechtop staan. Hij wist niet hoe lang hij zo stond, maar op een gegeven moment kwam hij tot de conclusie dat hij niet opnieuw zou vallen. Hij draaide zich negentig graden om en nam een stap naar voren, en toen nog een. Binnen twee stappen voelde hij iets wat een deur moest zijn, maar hij voelde geen knop of zoiets. Hij deed twee stappen terug en bewoog zijn handen weer over zijn lichaam. Hij had het niet koud en niet warm, en afgezien van het verband om zijn buik was hij naakt.

Will schraapte zijn keel een paar keer en merkte tot zijn verbazing dat zijn mond niet droog aanvoelde. Iemand moest hem water hebben gegeven. Hij liet zijn armen langs zijn zijden hangen en ging weer na of hij overeind kon blijven. Hij haalde diep adem en sprak toen.

'Ik ben wakker.'

Zijn stem klonk normaal. Dat betekende hopelijk dat hij geen hersenletsel had opgelopen. Hij ademde door zijn neus in en sprak opnieuw.

'Ik ben wakker.'

Will luisterde of hij andere geluiden hoorde. Eerst waren die er niet, maar toen meende hij een heel zacht geluid te horen, misschien het schuifelen van schoenen over een vloer. Toen was er een duidelijker geluid te horen, een elektrisch gezoem. Zodra hij besefte wat het geluid zou kunnen zijn – het zoemende geluid dat sommige lampen maken vlak voordat ze aangaan – kneep hij zijn ogen stijf dicht. Van achter zijn oogleden nam hij wit licht waar. Hij legde zijn hand op zijn gezicht om zijn ogen nog beter af te dekken en opende ze toen voorzichtig. Hoe goed hij zijn ogen ook afschermde, het licht was intens, en hij moest zijn ogen een paar keer open- en dichtdoen om aan de overgang te wennen. Hij liet zijn hand zakken en keek om zich heen. De kamer was amper twee meter breed en drie meter lang. Het bed was het enige meubel dat er stond. Will draaide zich weer om naar de deur en wachtte.

Er was weer een schuifelend geluid te horen, nu niet meer zo zacht. Er kletterde metaal. De deur ging open. Will spande zijn armspieren, al joeg dat nieuwe pijnscheuten door zijn rug. Hij deed een stap naar voren.

In de deuropening verscheen een kleine man met een bril. Hij droeg een witte jas en zag eruit als een arts. Hij glimlachte naar Will.

Will glimlachte niet terug. 'Waar ben ik, en wie bent u? Wilt u me in die volgorde antwoord geven?'

De man keek op naar Wills naakte lichaam. 'Opmerkelijk. Het had nog minstens een week moeten duren voor u kon staan.'

Hij klonk Amerikaans.

'Denkt u dat u zich kunt aankleden en kunt lopen?' De man bleef glimlachen. Will was minstens dertig centimeter langer dan hij, en twee keer zo breed. Maar de kleine man was blijkbaar absoluut niet geïntimideerd.

'Als ik dat wil.'

'Gelooft u me: u wilt het.' De man deed een stap naar achteren, de kamer uit, en stak zijn hand uit naar iets op de gang. Hij haalde een vierkant, gevouwen wit pakje tevoorschijn, dat hij naast Will op het bed gooide. 'Uw kleding.'

Will keek naar het pakje en bukte zich om het op te rapen. Toen hij die beweging maakte, dacht hij dat hij moest overgeven, maar hij slaagde erin daar niets van te laten blijken. Het pakje viel meteen uit elkaar in zijn hand, en hij besefte dat het een papieren gevangenisoverall was, een wegwerpoverall. Vaag glimlachend stapte hij in het pak, waarna hij zich weer tot de kleine man wendde. 'Mijn vragen?'

De man fronste zijn wenkbrauwen. 'U voelt zich goed?'

'Ik voel me kerngezond. Mijn vragen?'

De man trok zijn wenkbrauwen op. 'Nou, hoe zie ik eruit?'

'Als een medicus. Of zoiets.'

De man knikte. 'Ja, of zoiets.' Hij keek naar Wills buik. 'Misschien ben ik een betere medicus dan ik zelf dacht. En wat uw andere vraag betreft: zou u mijn antwoord geloven?'

'Waarschijnlijk niet.'

De medicus glimlachte weer. 'Waarom vraagt u het dan? U weet dat u deze kamer moet verlaten. En u weet dat een klein mannetje als ik hier niet zou staan als hij geen grotere mensen binnen handbereik had. Dus laten we die eerste stappen zetten.'

Will streek met zijn hand over zijn hoofd. Zijn haar voelde schoon aan; blijkbaar was het gewassen. Hij keek de man aan en voelde zich erg kalm. 'Goed. Laten we dat doen.'

Will stapte de gang op. Daar stonden drie andere mannen, alle drie groot en met een gummiknuppel. Ze zeiden niets toen de kleine man Will dertig meter mee leidde en bleef staan.

De man wees naar een deur aan de rechterkant van de gang. 'U moet daar naar binnen. Mijn werk zit erop.' Hij schudde zijn hoofd. 'Drie kogels,' zei hij zachtjes. 'U had in bed moeten blijven.'

Will glimlachte en sprak ook zachtjes. 'Ik ben dankbaar voor alles wat u hebt gedaan om me te laten herstellen. Als het hier slecht met jullie afloopt, zal ik dat onthouden.'

De man fronste zijn wenkbrauwen weer. Will draaide zich om en opende de deur.

3

De kamer voor hem was groot en helemaal leeg. Er waren geen ramen. Aan de andere kant leunde een man tegen de muur. Hij droeg de broek van een pak, een wit overhemd en geen das. Hij was lang en slank en had zilvergrijs haar. Zo te zien was hij in de vijftig.

Will kwam naar voren. 'Hallo.'

'Ook hallo.' Deze man had ook een Amerikaans accent. Hij maakte een gebaar. 'Maakt u het zich gemakkelijk.'

Will keek naar de kamer. Hij liep naar de muur tegenover de man en liet zich zakken om op de vloer te gaan zitten. Hij strekte zijn benen enigszins voor zich uit en vouwde zijn handen op zijn schoot. 'Hebt u thee?'

'Wat?'

'Een kop thee. Dat zou lekker zijn.'

'Ongetwijfeld.' De man kwam niet in beweging. 'Waarom zit u?'

'Ik kan ook staan, als u dat liever wilt.'

'Nee, nee. Blijft u maar zitten.' De man grinnikte wat. 'De meeste mensen die in uw situatie verkeren, staan liever, en meestal midden in een kamer.'

'Omdat ze kracht willen uitstralen. Ze willen hun angst verbergen en niet onderdanig lijken.'

'U bedoelt dat u het tegenovergestelde doet?'

'Misschien ben ik gewoon moe van de wandeling hiernaartoe.' Will klopte op zijn been. 'Ik heb het gevoel dat ik een paar dagen geen beweging heb gehad.'

De man veranderde zijn houding enigszins, maar bleef tegen de muur geleund staan. Hij stak zijn handen in zijn broekzakken. Blijkbaar sloeg hij Will heel aandachtig gade. 'Nee. U weet precies wat u doet.'

Will haalde zijn schouders op.

'Wie bent u?' vroeg de man.

Will glimlachte. 'Niemand van belang. Een toerist die op het verkeerde moment op de verkeerde plaats was.'

De man veranderde weer van houding. 'Toen we u vonden, had u geen enkel identiteitsbewijs bij zich. Dat gold ook voor uw drie dode collega's.'

Will knikte langzaam en sperde toen zijn ogen open. 'Dat is geweldig. Het betekent dat ik kan zijn wie ik maar wil zijn.'

'Als u dat wilt. Wie zou u op dit moment willen zijn?'

Will dacht over de vraag na en glimlachte weer. 'Wat zou u zeggen van een particuliere militaire expert? Misschien een Zuid-Afrikaan, maar van Engelse afkomst. Iemand die is ingehuurd door een rijke zakenman uit het Midden-Oosten om hem te beschermen bij een enigszins louche transactie. Zou dat kunnen?'

De man dacht blijkbaar over het idee na. 'Ja, dat zou kunnen. Ik neem aan dat de man wiens hoofd bijna van zijn romp is geschoten met een pistoolkogel de zakenman uit het Midden-Oosten zou zijn en dat de andere dode Iraniërs die her en der in het park lagen de schurken waren die door zijn zakelijke vijand waren gestuurd. Dat zou kunnen, maar u zou veel papieren moeten hebben om uw identiteit te kunnen bewijzen.'

Will schudde zijn hoofd. 'Dat hoeft niet. Mijn werk ligt gevoelig. Degenen die me betalen, zijn gevaarlijke mensen die zich niet graag laten dwarszitten. Ik zou absoluut niet met u samenwerken.'

De man haalde zijn handen uit zijn zakken en keek naar de handpalmen. 'Dan zouden we u gewoon martelen om u te laten vertellen wat we willen weten.'

Will bracht ook zijn handpalmen omhoog. 'Dat kunt u doen, maar ik heb zo veel onzin in mijn hoofd zitten dat uw verwarring alleen maar groter zou worden.' Hij streek met zijn hand door zijn schone haar. 'Hoe dan ook, u gaat me niet martelen. Er is hier iemand die veel om mijn welzijn geeft. Die zal dat niet toestaan.'

'Dan wordt het een gevangenisstraf van dertig jaar.'

Will trok zijn armen terug om zijn rugspieren te kunnen strekken. De pijn was folterend, maar hij was blij dat hij zijn rug kon voelen. 'Geweldig. Ik heb er altijd al eens helemaal uit willen zijn.'

De man glimlachte en liet zich tot Wills verbazing zelf ook op de vloer zakken. De ogen van de twee mannen waren nu op gelijke hoogte, aan weerskanten van de grote kamer. 'Waar denkt u dat u bent?'

'Ik heb geen flauw idee.'

'Nou, u moet aannemen dat u nog in New York bent.'

'Ik zou net zo gemakkelijk in Beijing kunnen zijn.'

De man zuchtte. 'Dat weet ik, maar dat bent u niet. U bent zelfs maar een paar straten verwijderd van de plaats waar u bent neergeschoten.'

'Bewijst u dat eens.'

De man trok zijn knieën onder zijn kin en liet zijn ellebogen erop rusten. 'Als het moet, zal ik het bewijzen.' Hij fronste zijn wenkbrauwen en wendde zijn blik even van Will af. 'De artsen hebben drie 9mm-kogels uit uw buik gehaald.'

'U hebt me hier geopereerd?'

De man schudde zijn hoofd. 'Nee, wij hebben ons over u ontfermd nadat u in een ziekenhuis was geopereerd.'

'En het is een wonder dat ik nog leef.' Will zei dat spottend.

De man keek hem weer aan. 'U hebt oudere wonden. Van kogels, messen en granaatscherven.'

'Ik ben altijd wat onhandig geweest.'

'Of roekeloos.'

Will knikte vaag. 'Krijg ik die kop thee nog?'

De man blies zijn adem weer uit. Hij legde zijn handen op zijn knieën. 'De politie van New York moest acht Iraniërs doodschieten voordat ze bij uw lijk konden komen. Ze namen u mee en brachten u naar een ziekenhuis. Maar omdat ze denken dat de dingen die u in Central Park hebt gedaan met terrorisme te maken hebben, is het nu een incident van nationaal belang. Daarom ben ik erbij gehaald. Ik ben een agent van de FBI.'

'Nee, dat bent u niet.'

De man kneep zijn ogen halfdicht. 'Moet ik u een insigne laten zien?'

'Nee, dank u.'

De man sprak met trage ergernis. 'Waarom ben ik geen FBI-agent?'

Will haalde zijn schouders op. 'U doet iets anders. U bent hier niet om een misdrijf op te lossen en een zaak af te sluiten.' Hij schudde zijn hoofd. 'Nee, u kijkt op een andere manier tegen me aan.'

'De FBI doet niet alleen politiewerk.'

'Dat weet ik, maar u bent er gewoon niet het type voor. Dat merk ik aan de manier waarop u denkt.'

De man grinnikte. 'U kunt zien hoe ik denk?'

'Ik kan zien dat u op verschillende niveaus denkt, en niet alleen over mij.'

'En wat ben ik volgens u dan?'

Will liet zijn hand naar zijn schoot zakken. 'Het zou onder andere betekenen dat u overbelast bent.' Hij glimlachte. 'U bent heel duidelijk een overbelaste inlichtingenman.'

'Hoe kent u dat type?'

Will haalde zijn schouders weer op. 'Zoals ik al zei, ik ben een particuliere militaire expert. Iemand als ik leeft natuurlijk in een troebele wereld. Soms moet je wat vuile klusjes opknappen voor inlichtingendiensten, soms word je door ze opgejaagd.' Hij deed alsof hij zijn wenkbrauwen fronste en wendde toen zijn blik af. 'Misschien toch geen Zuid-Afrikaan. Misschien een blanke expat die is opgegroeid in Tanzania.' Hij keek de man weer aan. 'Dat klinkt minder als een cliché.'

De man trommelde weer met zijn vingers. 'Dus u denkt dat ik van de CIA ben?'

Will legde zijn ene voet over de andere. 'Dat heb ik niet gezegd. U zou ook een agent van de Israëlische Mossad kunnen zijn. Of van de Russische SVR. Of van allerlei andere diensten. Maar...' Hij keek in de lege kamer om zich heen en richtte zijn blik toen weer op de man. 'Op grond van de gevaarlijke veronderstelling dat u Amerikaan bent, zou ik tot de conclusie kunnen komen dat u een CIA-agent bent.'

'Nu boekt u enige vooruitgang.'

'Uw vooruitgang. Niet de mijne.'

De man knikte en sprak toen zacht en snel. 'Als u wilt, zal ik u een veel betere identiteit geven.'

'Gaat uw gang.'

De man boog zich naar voren. 'U bent vijfendertig jaar. Vrijgezel. Geen kinderen. U hebt erg weinig verplichtingen buiten uw solitaire leven.'

'Zo houd je alles eenvoudig.'

'Jazeker.' De man leunde een beetje achterover. 'U bent Engels – dat kunnen we echt niet verhullen – maar laten we u ook eens half Amerikaans maken.'

Will bleef onbewogen zitten. Hij voelde een steek van pijn in zijn buik.

'Nou... eens kijken.' De man tikte een paar keer met zijn vinger op zijn been. 'Ja, ik heb het. Uw Amerikaanse vader is gestorven toen u nog heel jong was, waarna u en uw zus door uw Engelse moeder in Amerika zijn opgevoed. Uw moeder deed haar best om u beiden in haar eentje groot te brengen, maar helaas werd ze later vermoord.' De man fronste zijn wenkbrauwen. 'U was zeventien toen dat gebeurde, en u en uw zus bleven alleen achter met helemaal niets – geen andere familie, geen vrienden, geen geld, geen huis.' Hij knikte. 'Niets. Maar uw zus was vier jaar ouder dan u, en ze stond op het punt haar rechtenstudie te voltooien en stage te gaan lopen bij een advocatenkantoor in Londen.

Ze had goede vooruitzichten. U daarentegen deed iets impulsiefs. U vertrok naar Frankrijk en zat vijf jaar in het vreemdelingenlegioen. Misschien zegt u daar zelf over dat het...' Hij zweeg even. '... dat uw onderbewustzijn behoefte had aan een nieuwe familie.'

'Of misschien dat ik alleen maar dingen wilde doodmaken?' Will bemerkte de spanning en agressie in zijn stem.

De man knikte. 'Ja. Het is het een of het ander.' Hij glimlachte. 'Oké, laten we daar eens mee verdergaan.' Hij krabde over de zijkant van zijn hoofd. 'Mijn militaire kennis is niet groot, maar ik weet dat het vreemdelingenlegioen een eliteregiment van parachutisten kent. En ik ben er vrij zeker van dat ze binnen dat regiment een kleine, uiterst goed getrainde Special Forces commando-eenheid hebben.' Hij wees met zijn vinger naar Will. 'Maar dan zou u de naam moeten weten.'

'Misschien is mijn militaire kennis beter dan de uwe.' Will slikte, en dat voelde niet prettig aan. 'Die eenheid heet de Groupement des Commandos Parachutistes.'

De man klapte langzaam in zijn handen. 'Uitstekend. Dat zouden dus de eerste vijf jaar van uw volwassen leven zijn. Wat daarna?' Hij hield zijn hoofd schuin en glimlachte. 'Ik heb het. U hebt er genoeg van om met wapens rond te lopen en u gaat naar Engeland. En nu probeert u uw hersenen te gebruiken. U wilt gaan studeren – daar bent u dan meteen drie of vier jaar van uw leven mee zoet – maar welk vak?'

'Niets wat te veel in de gaten loopt.' Wills borstspieren hadden zich samengetrokken.

De man schudde zijn hoofd. 'Nee, helaas waren uw cijfers gewoon te goed. Het moet Cambridge of Oxford worden, vrees ik.'

'Zeg maar Cambridge,' zei Will wat gespannen.

'Cambridge.' De man sloeg zijn armen over elkaar. 'Ik denk dat u politicologie, filosofie en economie hebt gestudeerd en dat u uitstekende resultaten hebt behaald.'

'Zoals u wilt.'

'Ja, zoals ik wil.' De man keek ernstig. 'En nu kunnen we uw profiel een beetje interessanter maken. Laten we vergeten dat u huurling of militair expert of zoiets bent. Laten we zeggen dat u gerekruteerd bent door de Britse geheime inlichtingendienst – MI6, zoals we soms zeggen – en dat u daar altijd voor bent blijven werken.'

Will zei niets. Zijn woede werd hem bijna te veel. Hij tilde zijn hoofd op en keek de man aan. Hij voelde zijn hartslag in zijn slapen. 'U moet me nog steeds een naam geven.'

De man maakte een laatdunkend gebaar. 'O, dat is gemakkelijk, want hoeveel valse namen u uzelf ook geeft, er is maar één ware naam die altijd van u en van u alleen is.' Hij knikte langzaam en dempte zijn stem. 'U bent de ultieme moordenaar van moordenaars, de man die zijn vijanden en bondgenoten de grootste angst aanjaagt, de man die oorlogen kan beginnen en beëindigen, de man die het dodelijkste en geheimste wapen van het Westen is.' Hij bracht zijn hand omhoog en wees. 'U bent de grote Will Cochrane. U bent Spartan.'

Will keek de man aan. Hij deed zijn best om niet te laten blijken dat dit een grote schok voor hem was.

De Amerikaan kwam overeind en liep naar Will toe. Hij hurkte recht voor Will neer en keek hem aan. Zijn ogen waren net zo zilvergrijs als zijn haar. 'Hoe zou ik ooit kunnen weten dat u van MI6 bent, laat staan dat u de man bent die de befaamdste en dodelijkste codenaam heeft gekregen?'

Will balde zijn hand tot een vuist.

'Per slot van rekening bent u mijn land binnengekomen met een ander paspoort en zonder iets wat op uw ware identiteit en beroep wees.'

Will kneep zijn ogen halfdicht en ademde langzaam uit. Hij dacht aan de man tegenover hem, stelde zich de arts met de bril voor, en de drie grote mannen die op de gang stonden te wachten, en ging intussen na wat hij kon doen.

'Hoe zou ik iets van u kunnen weten, terwijl uw bestaan zelfs voor het grootste deel van MI6 geheim wordt gehouden, om van andere diensten nog maar te zwijgen?'

Will glimlachte en wendde zijn blik even af. Toen hij niet meer glimlachte, richtte hij zijn blik weer op de man tegenover hem. Hij geloofde dat hij ondanks zijn verwondingen deze man en iedereen buiten deze kamer binnen dertig seconden zou kunnen doden.

De man fronste zijn wenkbrauwen. Hij keek vlug naar Wills handen en toen weer naar zijn gezicht. Hij schudde vlug en nadrukkelijk zijn hoofd. 'Dat niet. Dat hoeft niet,' zei hij zacht.

Will keek hem een tijdje aan.

De man schudde weer zijn hoofd. 'Dat hoeft niet.' Zijn ogen waren groter geworden.

Will glimlachte weer, maar hield zijn vuist gebald. 'Onze spelletjes zijn voorbij. Ik stel voor dat u snel en eerlijk zegt waar het op staat.'

De man keek weer naar Wills grote vuist en keek toen omhoog. 'Ik weet van u, omdat ik gebeld ben door een vriend die me vroeg u op te pakken. Die vriend zei dat u anders alles zou doen wat in uw macht lag om degenen die u gevangen zouden willen nemen te vernietigen.'

Will fronste zijn wenkbrauwen. 'U bent gebeld?' Zijn frons verdween langzaam. 'Door iemand van mijn organisatie?'

De man leek even te aarzelen en sprak toen met nadruk. 'Niet zomaar iemand. Iemand die mij heel goed kent. Iemand die toevallig ook uw supervisor is.'

'Alistair?'

Hij knikte.

'Waarom heeft Alistair u verteld dat ik voor de Britse inlichtingendienst werk? En waarom hebt u besloten me te helpen?'

De man ademde hoorbaar uit. 'Het antwoord op beide vragen luidt hetzelfde, maar het is niet aan mij om u dat antwoord te geven. Dat kan alleen Alistair doen.'

Will balde zijn vuist nog meer. 'Hoe weet u dat ik Spartan ben?'

Ditmaal toonde de man geen angst en sprak hij met staal in zijn stem. 'Omdat uw premier Alistair heeft gemachtigd me dat te vertellen. Ik weet alles van het keiharde Spartan-programma van MI6. Ik weet dat maar één man dat programma tot het eind mag volgen en dat hij, als hij dan nog niet dood is, de titel "Spartan" mag dragen. Zolang de huidige Spartan leeft, mag niemand anders het programma volgen. Die Spartan bent u.'

Wills hart klopte sneller. Alistair was een van de hoogste operationele leden van MI6. Als Alistair in verbinding stond met de man tegenover hem, kon dat alleen maar betekenen dat deze CIA-man een ongeveer even hoge functie in zijn eigen organisatie bekleedde. En het feit dat de Britse premier er toestemming voor had gegeven dat Wills codenaam aan de Amerikaan werd doorgegeven, kon alleen maar betekenen dat de CIA-man buitengewoon machtig was en heel veel vertrouwen genoot. 'Wat is uw naam?'

De CIA-man keek hem weer aan. Zijn ogen waren vernauwd tot spleetjes en intussen erg koud geworden. 'U mag me Patrick noemen.'

Will schudde licht zijn hoofd. 'Ik heb er nog steeds recht op te weten waarom u me helpt.'

Patrick trok zijn wenkbrauwen op. 'U verdient iets dergelijks helemaal niet, maar Alistair en ik zijn allebei iemand anders dankbaarheid verschuldigd. Daarom ben ik nu hier in deze kamer.'

'U mag blij zijn dat u Alistairs naam hebt genoemd.' Will keek naar de deur en dempte zijn stem. 'Wat gebeurt er nu?'

Patrick keek ook naar de deur. 'U bent bij lange na niet fit genoeg om hier weg te gaan, maar u kunt hier ook niet langer blijven. En ik kan u ook niet meer medische hulp bieden.' Hij keek Will weer aan en fronste zijn wenkbrauwen. 'Ik vind het jammer dat iemand van uw kaliber hiernaartoe gebracht moest worden. Ik kon u niet naar een gebouw van de CIA brengen. En de mannen hier waren de besten die ik op zo'n korte termijn bij elkaar kon krijgen. Maar u moet nu gaan, al stel ik voor dat u nog een week uitrust in een hotel voordat u naar Londen terug probeert te vliegen. Een van mijn mannen zal u kleren brengen en u verder alles geven wat u nodig hebt. En ik neem aan dat u uw paspoort en creditcards ergens in de stad hebt verborgen?'

'Ja.'

Patrick legde zijn hand onder Wills elleboog en leidde hem naar de uitgang. Maar voordat hij de deur openmaakte, keek hij Will recht in de ogen. Hij sprak zacht en snel: 'Neemt u een boodschap mee voor Alistair. Alleen voor Alistair. Zegt u het volgende tegen hem.' Hij knikte een keer. 'Het wordt een grootscheepse aanval op ons. De grote of de kleine zal het slachtoffer zijn.'

4

Will keek naar de kaart op zijn scherm en zag dat hij bijna halverwege de Atlantische Oceaan was. Hij zat in een nachtvlucht van British Airways naar Heathrow bij Londen en had een plaats in de first class genomen om ruimte en privacy te hebben. Hier en daar brandde een leeslampje, maar verder was het donker om hem heen. De meeste andere passagiers sliepen.

Will had zich niet aan Patricks advies gehouden om een paar dagen in New York uit te rusten. In plaats daarvan had hij de eerste beschikbare vlucht naar Londen terug genomen. Hij vroeg zich nu af of dat wel verstandig van hem was geweest. Hoewel hij een cocktail van medicamenten had genomen voordat hij op JFK bij New York in het vliegtuig stapte, had hij nu pijn en voelde hij zich koortsig. Hij trok een dunne deken over zich heen en probeerde weer te slapen. Maar dezelfde herinnering kwam steeds weer bij hem op.

Soroush, ik ben niet die je denkt dat ik ben.
Dat vermoedde ik al.
Goed. Dus je weet voor wie ik echt werk?
Ja.
Dan moet je ook weten wat ik nu van je ga vragen.
Natuurlijk. Je wilt dat ik mijn land verraad.

Het zweet brak Will weer uit en hij trok de deken van zich af. Hij opende zijn ogen, pakte een glas ijswater en dronk met tegenzin de helft op. Toen hij het glas op het tafeltje naast hem terugzette, beefde zijn hand. Hij had het opeens weer vreselijk koud, en terwijl hij de deken toch dan maar om zich heen trok, vervloekte hij de koorts. Hij keek nog eens op de elektronische kaart. Het leek wel of het vliegtuig nauwelijks bewoog.

Will schudde zijn hoofd en zei hardop: 'Waarom ben je niet van die brug af gegaan toen je nog de kans had, mijn vriend?'

Er kwam een stewardess naast hem staan. 'Is alles in orde?'

Hij keek naar haar op en probeerde te glimlachen. Hij loog: 'Die verrekte jetlag. Echt waardeloos. Ik weet niet meer of ik kom of ga.'

De vrouw knikte met een meevoelend glimlachje. 'Als u iets nodig hebt, laat u het me maar weten. U bent bijna thuis.'

Will sloot zijn ogen weer en zag ditmaal Soroush tegenover hem zitten. Soroush zat te ontbijten op de dag van zijn dood. Hij zag er moe uit. Bedachtzaam en verdrietig. Hij sprak terwijl hij zijn hoofd schudde.

Hoe kan het eervol zijn wat ik doe? Hoe is te rechtvaardigen dat ik de geheimen van anderen steel? Hoe kan ik verwachten dat ik dat kan blijven doen zonder dat er een dag komt waarop ik word gestraft? Misschien is vandaag die dag. En misschien is dat goed.

5

Will zag de zes mannen zodra hij de paspoortcontrole op Heathrow was gepasseerd. Hij wist dat ze wapens onder hun jasjes droegen. Ze keken naar hem en hij keek naar hen.

Een van de mannen liep naar hem toe. De man had de houding en manier van lopen van een Special Forces-man, en dat gold ook voor de mannen achter hem. Hij knikte naar Will en zei: 'We hopen dat er geen moeilijkheden komen, meneer.'

Will keek om zich heen. Links en rechts van de Special Forces-mannen stonden mensen van de luchthavenpolitie. Ze hadden Heckler & Koch-machinepistolen en keken ook naar Will. Hij keek de man tegenover hem weer aan en glimlachte. 'Als je probeert me handboeien om te doen, krijg je een heleboel moeilijkheden.'

De man zei niets, knikte en wees naar Wills arm. Will schudde vaag zijn hoofd, en de man trok zijn hand vlug terug alvorens in de richting van zijn mannen te wijzen.

Will bleef even staan. Toen kwam hij naar voren.

De zwarte auto reed de ondergrondse parkeergarage van het MI6-hoofdkwartier in Vauxhall Cross in Londen binnen. Even later stopte hij en stapten er vlug vier mannen uit. Een van hen keek achterom in de auto en zei tegen Will: 'Komt u maar, meneer. We gaan.'

Will werd naar een lift geleid, afgeschermd door de mannen. Een van zijn chaperons haalde een primitieve jutezak tevoorschijn en zei: 'We hebben opdracht uw gezicht voor anderen in dit gebouw verborgen te houden.' Hij gaf Will de kap. 'Sorry.'

Will ademde langzaam uit en keek de mannen aan. 'Een kap maakt geen verschil voor mij als jullie proberen me iets te flikken.'

'Dat weten we.'

Will zette de zware kap op en zag meteen helemaal niets meer. Hij voelde dat de lift in beweging kwam en toen stopte. Deuren gingen sissend open. Handen pakten voorzichtig zijn armen vast, en hij stond dat toe. Hij werd naar voren geleid. Overal om hem heen was het stil. Hij wist dat hij door een speciale vleugel van het hoofdkwartier werd geleid, een deel van het gebouw waar de meeste inlichtingenagenten niet mochten komen. Ze bleven staan, en Will hoorde dat er een sleutel in een slot werd gestoken. Hij haalde diep adem. Het had hem veel pijn gedaan om te lopen.

Hij werd weer naar voren geleid en in een stoel geduwd. Mannen spraken, en om hem heen was beweging te horen. Hij hoorde een deur een paar keer open- en dichtgaan, en toen was het stil.

'Zet je kap af.' De stem kwam van recht voor hem.

Will deed wat hem gezegd werd. Hij keek om zich heen en zag dat hij in een raamloze kamer was met geen ander meubilair dan een vergadertafel met stoelen eromheen. Er bevond zich één man in de kamer, en die zat tegenover Will aan de tafel. Will wist dat de man zevenenvijftig jaar oud was, maar hij leek tien jaar ouder. Zijn blonde haar werd met pommade in model gehouden. Hij droeg een donkerblauw pak, een wit overhemd met dubbele manchetten en een marineblauwe das.

De man keek Will met glinsterende ogen aan. 'Jij bent soms een lastig stuk vreten.'

Will glimlachte. 'Hallo, Alistair.'

Alistair glimlachte niet. In plaats daarvan wees Wills MI6-supervisor met zijn vinger naar hem en vroeg: 'Besef je wel wat je hebt gedaan?'

'Ik zou zelf ook meteen hierheen gekomen zijn. Je hoefde me niet van het vliegveld te laten halen.'

'Besef je wel wat je hebt gedaan?' herhaalde Alistair.

Will knikte en zette zijn vingertoppen tegen elkaar. 'Dat is duidelijk. Ik heb iemand gedood.'

Alistair fronste zijn wenkbrauwen, keek even naar hem, ademde toen langzaam uit en schudde zijn hoofd. 'Je hebt veel meer gedaan. Je hebt de best gepositioneerde Iraanse agent van MI6 gedood, een man die ons toegang gaf tot het hart van de besluitvorming van Iran en de bedoelingen van dat land ten opzichte van het Westen. Uitgerekend jij,' vervolgde Alistair met stemverheffing, 'weet heel goed dat Soroush' inlichtingen ons uiterst waardevolle kennis van het Iraanse nucleaire programma opleverden, kennis van de export van Iran, de steun die het land aan terroristische activiteiten geeft, de conventionele strategie van Iran in het Midden-Oosten, de machtsstrijd binnen het politieke apparaat van dat land. En je weet ook dat de inlichtingen die je van je spion kreeg ons meer dan eens in staat hebben gesteld om op tijd een preventieve actie te ondernemen. Die acties hebben bijna zeker voorkomen dat Iran in een oorlog met zijn buren verzeild raakte.' De man sperde zijn ogen open. 'Je hebt niet alleen een man gedood. Je hebt een belangrijke component van onze gezamenlijke verdediging tegen een vijandig en onvoorspelbaar regime gedood.'

Will zei kalm: 'Je hebt gelijk als je zegt dat Soroush over unieke toegang tot Iraanse geheimen beschikte. Daarentegen ben je vergeten dat hij al jaren voor de Britse inlichtingenwereld werkte en daardoor heel veel over ons wist – informatie die niet in handen van de Iraniërs mocht vallen.' Will wees naar Alistair. 'Ik kon niets anders doen dan Soroush doden. Als we hadden toegestaan dat hij door de Iraniërs werd ontvoerd, zouden ze hem hebben gemarteld en alles uit hem hebben gehaald voordat ze hem hadden vermoord. Ik heb Soroush gedood om de integriteit te beschermen van wat we doen en om hem voor onvoorstelbare martelingen te behoeden.'

Alistair schudde zijn hoofd. 'Jij houdt je niet aan de regels, en ik heb dat altijd getolereerd omdat je veel gedaan krijgt. Maar zelfs voor jouw doen was het de roekeloosheid ten top om midden in New York een vuurgevecht te beginnen.'

Will greep in zijn zak en haalde er drie doordrukstrips met medicatie uit. Hij drukte er pillen uit, gooide ze in zijn mond en vroeg zich af hoe lang het zou duren voordat de pijnstillers en koortswerende middelen werkten. Het zweet brak hem weer uit. 'Ik geef geen moer om regels. Ik wil alleen dat het werk wordt gedaan.'

'Het enige waar jij om geeft, is dat schurken worden vervolgd en gestraft. Gelukkig zijn die schurken toevallig ook vijanden van het Westen.' Alistair bleef Will recht aankijken. 'Ik weet waarom jij een absoluut gevoel voor goed en kwaad hebt. Ik weet waar dat nooit haperende morele besef van jou vandaan komt. Maar je moet begrijpen dat ik je baas ben en dat je je aan regels moet houden.'

'Jouw regels, niet de mijne.' Will wendde zijn blik even af. 'Het was een goede beslissing van mij om Soroush te doden.'

'Het scheelde maar heel weinig of je beslissing bracht je rol in gevaar,' snauwde Alistair. 'Je had Soroush aan zijn lot moeten overlaten. Je weet hoe hard ik eraan werk om je identiteit en je MI6-missies verborgen te houden. Je bent onze meest clandestiene agent, en alleen de directeur van MI6 en ik weten van je bestaan.'

'Nu niet meer. Blijkbaar heb je een CIA-agent, een zekere Patrick, verteld wie ik ben.'

Alistair tikte met zijn vinger op de tafel. 'Wat heeft Patrick tegen je gezegd?'

Will slikte even om een pil weg te krijgen die in zijn keel was blijven steken. 'Hij zei dat het een grootscheepse aanval op ons wordt en dat de grote of de kleine het slachtoffer zal zijn.'

'Dus óf de grote óf de kleine?' vroeg Alistair op scherpe toon.

'Ja.' Will fronste zijn wenkbrauwen. 'Wat betekent dat?'

Zijn supervisor keek even weg. 'In de ogen van bepaalde opruiende Iraanse commentatoren is Amerika de grote satan en Groot-Brittannië de kleine satan. Blijkbaar is Iran van plan strijd te leveren tegen het kwaad.' Alistair glimlachte even en keek toen weer ernstig. 'De dood van Soroush komt op een wel heel ongelukkig moment.' Hij zei het zachtjes, niet noodzakelijkerwijs tegen Will. Toen zei hij minder zacht: 'Vertel me eens wat je weet over het IRGC, het Iraanse Revolutionaire Garde Korps, en met name de Qods-troepen die daar deel van uitmaken.'

Will grinnikte. 'Als hoofd van de afdeling Midden-Oosten en Afrika heb je vast wel hele teams van analisten die je rapporten over het IRGC kunnen geven.'

'Inderdaad.' Alistair keek Will weer aan. 'Maar omdat jij zo veel contact met Soroush hebt gehad, weet je er misschien ook wel iets van. En ik heb nu geen tijd om rapporten door te nemen.'

'Goed.' Will ging in de stoel verzitten en had meteen weer een brandende pijn in zijn buik. 'Het Islamitische Revolutionaire Gardekorps is het onderdeel van de Iraanse strijdkrachten dat wordt gebruikt om de principes van de Iraanse revolutie van 1979 af te dwingen en te beschermen. De exacte grootte is onbekend, maar volgens schattingen telt het IRGC honderdtwintigduizend man en heeft het zijn eigen landmacht, luchtmacht en marine. Het is bijna zeker net zo opgebouwd als de conventionele militaire strijdkrachten van Iran. De Qods-troepen, ook wel de Jeruzalemtroepen genaamd, vormen een kleine eenheid van het IRGC. Ze houden zich bezig met speciale operaties, waaronder moordaanslagen, inlichtingenwerk en export van terrorisme.'

'En waarom hebben we nooit iemand van Qods kunnen rekruteren?'

'Om drie redenen. Ten eerste is het al erg moeilijk om iemand als mogelijk doelwit te identificeren, want de Qods-mensen komen nooit in de openbaarheid. Ten tweede zijn de leden van de eenheid volkomen toegewijd en worden ze zorgvuldig geselecteerd op grond van hun trouw aan de revolutie. Het is hoogstonwaarschijnlijk dat een Qods-agent een zwakke plek heeft die MI6 kan gebruiken om hem te benaderen. Ten slotte...' Will haalde zijn schouders op. 'Ten slotte heb je nooit agenten als ik opdracht gegeven zo iemand te rekruteren. Tot nu toe was alles wat we tegen Iran ondernamen gericht op het ministerie van Inlichtingendiensten en Veiligheid en op hogere politici.'

Alistair knikte langzaam. 'Ik begrijp het. Nou, dat is nu dan veranderd.' Hij zweeg even en ging toen met nadruk verder. 'Het is nu van het grootste belang dat we een hoge Qods-agent vinden en gevangennemen. Sterker nog, ik wil een heel specifieke agent vinden: het hoofd van het directoraat Westen van Qods. De man die verantwoordelijk is voor alle clandestiene Iraanse of door Iran gesteunde terroristische aanslagen op de Verenigde Staten, Groot-Brittannië en Europa.'

Will keek hem onbewogen aan. 'We weten niet of zo'n man bestaat. En zelfs als hij bestaat, zou het zoeken naar hem zoiets zijn als het spreekwoordelijke zoeken naar een speld in een hooiberg. Waarschijnlijk zit hij diep weggedoken in Iran, ontoegankelijk voor mensen als wij.'

Alistair schudde zijn hoofd. 'Patrick denkt daar anders over. Hij heeft rapporten van de National Security Agency gezien die erop wijzen dat het directoraat Westen van Qods wordt geleid vanuit Midden- of Oost-Europa.' Hij glimlachte. 'En zo kom ik weer bij jou. De chef van onze post Sarajevo is benaderd door een ex-informant met de codenaam Lace die denkt dat hij ons misschien bij een hoge Iraanse militair kan krijgen. De Iraniërs zijn tijdens en na de oorlogen in het vroegere Joegoslavië erg actief geweest in Bosnië. Ik wil dat je die Lace ontmoet en uitzoekt wat hij te zeggen heeft.'

Will keek Alistair zwijgend aan. 'Voor zoiets heb je gewone inlichtingenagenten,' zei hij ten slotte. 'Wil je me straffen? In dat geval weet je dat het niet zal lukken.'

Alistair zuchtte en keek naar zijn manchetknopen. 'Ik ben niet kwaad op je omdat je Soroush hebt gedood. Ik ken je goed genoeg om te weten dat het een vreselijke beslissing voor je moet zijn geweest en dat je het ongetwijfeld met Soroush' eigen instemming hebt gedaan. Maar hoe belangrijk hij ook voor ons was, je had hem aan zijn lot moeten overlaten in plaats van te proberen hem te beschermen toen alles al verloren was. Soroush wás van het grootste belang.' Hij keek weer op. 'Maar jij bent Spartan en daardoor van onschatbare waarde. Daarom ben ik kwaad.'

'Ik laat nooit iemand aan zijn lot over.' Will sprak woedend, en toen zuchtte hij ook. Hij keek even naar niets in het bijzonder en richtte zijn blik toen weer op Alistair. 'Zorgt onze dienst voor Soroush' gezin? Zijn vrouw en kinderen waren volledig afhankelijk van zijn inkomen en krijgen het zonder financiële ondersteuning heel moeilijk.'

Alistair keek hem niet aan. 'Ik heb met onze afdeling Uitkeringen gesproken. Ze houden vol dat ze Soroush' gezin niet kunnen helpen omdat Soroush in hun ogen niet is gedood door onze vijanden. Hij is door jou gedood.'

Will sloeg met zijn vuist op tafel. 'De idioten.'

'Ze houden zich aan de regels. Dat doe jij niet.' Alistairs stem klonk alsof hij van staal was. 'Je had Soroush aan zijn lot moeten overlaten. Je had dat park uit moeten gaan. Je had moeten beseffen hoe waardevol je bent voor MI6.'

'Als ik zo waardevol ben, waarom laat je me dan een gewone inlichtingenmissie doen?'

Alistair schudde zijn hoofd. 'Er is niets gewoons aan deze missie.' Hij tikte met zijn vingers op de tafel. 'Maar om te beginnen wil ik dat je je voordoet als een gewone inlichtingenagent. Onze MI6-chef in Sarajevo weet niets van je af. Daarom geef ik je een nieuwe identiteit voor je ontmoeting met hem. Je gaat met hem praten, en met zijn agent Lace, en je kijkt of dat spoor van hen je naar de Qods-commandant kan leiden. Als dat kan, geef ik je het volledige gezag om de man met je... eigen methoden op te sporen.'

Alistair zweeg even voordat hij weer sprak. 'Het is van het grootste belang dat we die hoge Qods-man identificeren en rekruteren, en ik wil dat je volledig fit bent als je aan die taak begint.' Hij keek op zijn horloge. 'Patricks mannen hebben hun best voor je gedaan, maar onder normale omstandigheden zou je nog in het ziekenhuis moeten liggen. Het is een wonder dat je nog bij bewustzijn bent. Als we hier klaar zijn, word je naar de beste Londense specialist op het gebied van schotwonden gebracht die ik kon vinden. Ik heb tegen haar gezegd dat ze de behandeling moet afmaken. En ik heb ook tegen haar gezegd dat ze hard aan het werk moet, want ik wil je morgenmiddag op een vliegtuig naar Sarajevo hebben.'

Will fronste zijn wenkbrauwen. 'Heeft je opdracht die Qods-commandant gevangen te nemen iets te maken met Patricks boodschap?'

'Ja, er is vrijwel zeker een verband, William.' Hij wees naar Will. 'Ik wil dat je de man identificeert en opspoort. Ik wil dat je hem ondervraagt en erachter komt wat hij tegen ons wil ondernemen. Ik wil dat je datgene doet wat je het beste doet en waartoe niemand anders in staat is.' Alistair keek somber. 'Dit wordt je moeilijkste en belangrijkste missie. Je moet slagen, hoe groot de problemen ook zijn.' Alistair knikte. 'Doe wat je moet doen. Maar je móét slagen. Je moet hem tegenhouden.'

'Wat moet ik tegenhouden?'

Alistair knikte langzaam. 'Het hoofd Directoraat Westen van Qods is van plan ons te treffen met een bloedbad zoals de wereld nooit eerder heeft meegemaakt. Je moet hem ervan weerhouden genocide te plegen.'

6

Will opende de deur, stopte de sleutels weer in zijn zak en keek naar de stapel brieven op de vloer. Hij stapte eroverheen en liet de deur achter zich dichtvallen.

Hij was in meer dan twee jaar niet in zijn appartement geweest, en hoewel het schoon en netjes was, hing er een muffe lucht. Hij liep door de gang en kwam in een klein eet-, zit- en keukengedeelte. De ramen keken uit op de Theems en het licht viel op zwevende stofdeeltjes. Will zette een van de ramen open om frisse lucht binnen te laten. Hij keek naar Londen. Vanuit zijn appartement op de bovenste verdieping van het gebouw kon hij een groot deel van de wereldstad zien. Voor hem waren er veel herinneringen aan de stad verbonden. Hij draaide zich om, liep naar de keuken en zette een zak met boodschappen op het aanrecht.

Will haalde een tijdje diep adem en vroeg zich af waarom hij hiernaartoe was gekomen. Hij vroeg zich af waarom hij dit appartement zo weinig gebruikte en waarom hij zich er nooit echt thuis had gevoeld. Hij schudde zijn hoofd, fronste zijn wenkbrauwen, keek even in de keuken om zich heen en maakte toen een kast open. Hij pakte er een kleine steelpan en een porseleinen theepot uit, spoelde beide af in de gootsteen en zette de pan op het gas. Uit de boodschappenzak haalde hij een fles Gleneagles Natural Spring Water, schroefde de dop los en goot de halve inhoud in de pan. Toen zette hij het gas aan, liep naar zijn badkamer en trok zijn kleren uit. De spiegel liet hem zijn gespierde maar gehavende lichaam zien, en ook het dikke verband dat de Londense arts deskundig over zijn nieuwste verwondingen had aangebracht. Hij bleef een tijdje staan en vroeg zich af hoeveel zijn lichaam nog kon verdragen na al het geweld dat het in de loop van de jaren was aangedaan. Nog veel meer, dacht hij, en hij kleedde zich aan. Toen hoorde hij dat het water kookte.

Hij ging weer naar de keuken, pakte de steelpan op en goot een beetje van het water in en over de theepot. Uit de boodschappenzak haalde hij een pakje losse Schotse ontbijtthee. Hij maakte het pakje voorzichtig open en glimlachte toen hij het bij zijn neus hield. De geur deed hem meteen denken aan de goede oude tijd, aan vroeger tijden, aan tijden die hij zich vaak niet tot in de bijzonderheden kon herinneren. Hij strooide iets van de thee in de pot, schudde een beetje met de pot om de thee gelijkmatig over de bodem te verdelen en goot er kokend water overheen. Uit een la haalde hij een lange lepel en een theemuts. Hij roerde de thee drie keer en zette de muts over de pot.

Hij liep naar zijn Garrard 501-draaitafel en hurkte erbij neer om naar zijn platencollectie te kijken. Hij wist waarnaar hij wilde luisteren, en toen hij de plaat had gevonden, haalde hij hem voorzichtig uit de hoes en legde hem op de draaitafel. Hij zette het apparaat aan en zag hoe de naald zich over het vinyl bewoog alvorens omlaag te zakken. De luidsprekers naast de Garrard sisten en knetterden en produceerden toen de klanken van de Spaanse klassieke gitarist Andrés Segovia die *Sevilla* van Isaac Albéniz speelde. Will sloot zijn ogen even en dacht terug aan de tijd waarin hij als tiener van Amerika naar Londen was gereisd en aanwezig was geweest bij wat later het laatste Britse concert van de oude maestro bleek te zijn. Hij herinnerde zich Segovia's laatste woorden toen Will en anderen in het publiek herhaaldelijk om meer toegiften riepen.

De oude man is nu moe en moet gaan.

Hij herinnerde zich kort daarna te hebben gehoord dat de oude man was overleden.

Will opende zijn ogen en liep de keuken weer in. Hij zocht in kasten, vond een porseleinen kop en schotel en bekeek beide zorgvuldig om te zien of ze schoon waren. Hij schonk voorzichtig thee in het kopje, liep naar het zitgedeelte terug, ging aan zijn lege eettafel zitten en keek om zich heen. Aan een van de muren zag hij een ingelijste foto van een jongere Will met drie andere mannen die op een startbaan in de bergen stonden. Ze droegen parachutes van het vreemdelingenlegioen en geweren. Onder op de foto stonden de woorden: 'We veegden de vloer met ze aan.' Hij glimlachte om het machismo van die gevoelens, en zijn glimlach verflauwde toen hij zich de dood van twee van de mannen op de foto herinnerde. Naast de foto hing een familieportret met een nog veel jongere Will, zijn zus en hun moeder en vader. Hij wist dat hij niet meer dan vier of vijf jaar oud kon zijn geweest toen het schilderij werd gemaakt. Hij wist dat zijn vader kort daarna van hem weggenomen zou worden.

Will vervloekte zijn herinneringen aan dood en verlies en nam een slokje van de ontbijtthee. De warmte van de drank en de geluiden van Segovia kalmeerden hem en lieten voor korte tijd rust over zijn geest neerdalen. Hij genoot even van het moment, maar toen drong de realiteit weer tot hem door: een pijnscheut in een van de kogelwonden in zijn buik.

Hij stond op en liep naar de slaapkamer van het appartement. Het bed, dat meestal met schone, witte, geurige lakens was opgemaakt, was nu leeg. Hij herinnerde zich vaag de vele vrouwen die in deze kamer waren geweest. Ze leken hem nu anoniem. Of misschien was hijzelf het die anoniem leek. Hij liep de slaapkamer uit en keek nog één keer om zich heen. Hij wist nu dat hij een grote hekel aan dit appartement had. Het was te koud en te leeg. Hij wist dat het anders had kunnen zijn als hij een geliefde had gehad met wie hij het kon delen.

Hij pakte zijn telefoon en belde zijn bank. Hij gaf instructies aan de man aan de andere kant van de lijn en luisterde naar de bankier, die bezwaar maakte en tegen Will zei dat hij wel gek zou zijn als hij deed wat hij voorstelde. Will zei tegen de man dat hij zijn mond moest houden en gewoon moest doen wat hem gezegd werd. Hij keek op zijn horloge. Over zeven uur moest hij in een vliegtuig naar Bosnië zitten. Het regende hard in de stad. Hij had genoeg tijd om naar twee andere plaatsen in Londen te gaan. Hij liep liever in de regen dan dat hij in dat appartement was.

Will liep eerst vlug, de kraag van zijn jas opgestoken, zijn hoofd omlaag om zich tegen de regen te beschermen. Toen hij zich ervan had vergewist dat er geen andere mensen in de buurt waren, ging hij langzamer lopen en keek om zich heen. Hij was op de begraafplaats Highgate, de prestigieuze en lugubere oude dodenakker in Noord-Londen, en eerst wist hij niet goed waar hij naartoe moest gaan. Hij keek naar grafstenen, naar beelden van engelen, naar gotische architectuur met veel mos en klimop, naar donkere en verwarde bomen en smalle bochtige voetpaden. Het leek wel of de natuur en de sluimerende bewoners van deze plaats alles in het werk hadden gesteld om het terrein geheim te houden voor buitenstaanders. Hij wreef zijn handen over elkaar en liep nog wat door tot hij een pad vond dat hem bekend voorkwam. De regen sloeg nog harder tegen zijn gezicht, en hij voerde het tempo op. Hij liep om sporadische stenen en blootgelegde boomwortels heen en liep over zijpaden, door korte tunnels en soms ook over open terrein. Hij kwam langs grafmonumenten en wist algauw dat hij in de juiste richting liep.

Hij keek naar de bos bloemen in zijn hand, en hoewel de papieren verpakking doorweekt was en uit elkaar viel, zag de mengeling van goudgele chrysanten en ivoorwitte papavers er nog fris en mooi uit. Hij liep door twee bochten in het pad.

Toen bleef hij verrast staan.

Zijn bestemming lag recht voor hem, ongeveer dertig meter bij hem vandaan. Maar er stonden een man en een vrouw op de plaats waar hij wilde zijn. Hun hoofden waren afgeschermd door paraplu's, en ze stonden arm in arm. Ze stonden daar zwijgend en roerloos met hun rug naar hem toe omlaag te kijken. Ze waren goed gekleed en zagen eruit als managers. Will wreef over zijn gezicht om water weg te vegen, deed twee stappen naar voren en bleef toen weer staan. Hij wist niet wat hij moest doen. Hij wist dat het willekeurige toeristen konden zijn, want de begraafplaats lag vol met dode beroemdheden, geleerden, politici en schrijvers en oefende dus een lugubere aantrekkingskracht uit. Toch vroeg hij zich af wat voor toeristen op een dag als deze naar een begraafplaats gingen, vooral naar een deel waar geen beroemde of belangwekkende doden lagen.

Langzaam en geruisloos liep hij naar hen toe. Ze bewogen niet, en Will was er zeker van dat ze zijn aanwezigheid niet hadden opgemerkt. Hij bleef weer staan, haalde diep adem en zuchtte. Hij wist nu precies wie het waren.

Hij keek naar links en rechts en dacht erover zich om te draaien en zich stilletjes uit de voeten te maken. Bijna deed hij dat. Toen vloekte hij in stilte en keek hij weer naar het tweetal. Zijn maag trok zich samen en zijn wonden deden pijn. Er ging meteen een golf van misselijkheid door hem heen. Hij haalde weer diep adem om zichzelf te kalmeren, terwijl de regen tegen zijn onbeschermde gezicht sloeg. Hij schudde zijn hoofd, nam een besluit en sprak zo luid dat hij verstaanbaar was voor de mensen die voor hem stonden.

'Sarah. Sarah. Ik ben het. Will.'

Hij zag dat de twee mensen zich vlug naar hem omdraaiden. Ze staken hun paraplu's omhoog om hun gezicht te laten zien en goed naar hem te kunnen kijken. De uitdrukking op het gezicht van de man ging over van verbazing in woede, en de mond van de vrouw viel even open. De man ging een stap bij Will vandaan, struikelde en probeerde toen de vrouw achter zich aan te trekken. De vrouw bleef staan. Blijkbaar bood ze weerstand aan de pogingen van de man om haar in beweging te krijgen.

Will hield zijn bloemen en zijn geopende hand omhoog. 'Ik wist niet dat jullie hier zouden zijn. Hoe kon ik dat weten?'

De man wees naar Will en schreeuwde: 'Ga weg! Je zou hier niet moeten zijn.' Hij keek de vrouw vlug aan en zei zachter: 'Kom, Sarah, we gaan.'

Will bleef staan. De vrouw ook.

Ze keek naar de man, zei iets onverstaanbaars tegen hem en maakte zich los uit zijn greep. De man zei iets terug en liep weg. Buiten gehoorsafstand van de vrouw, maar niet uit het zicht, bleef hij staan.

De vrouw keek naar de grond, zodat haar lange blonde haar recht omlaag viel en haar gezicht even verborgen hield. Ze glimlachte, maar hield daar vlug mee op. Ze keek op naar iets en keek Will toen recht aan. Haar gezicht had een scherpe uitdrukking, maar was erg mooi.

Ze wenkte naar Will en zei: 'Kom dichterbij, dan kan ik je goed zien.'

Will aarzelde even. Hij keek naar de man en zag dat die naar hen beiden keek, dat hij nu nog woedender was en misschien ook bang. Will keek Sarah weer aan. Hij had haar in acht jaar niet gezien. Ze was zijn zus.

'Kom dichterbij.' Sarahs stem was tegelijk zacht en krachtig.

Will keek weer naar de man en knikte hem toe, al wist hij dat de man zich daar niet door zou laten vermurwen. Will pakte de bloemen stevig vast en liep naar Sarah toe. Toen hij tegenover haar stond, vroeg hij zich af of hij moest proberen haar op de wang te kussen. Maar hij bleef gewoon staan en liet de regen over zijn gezicht en hals stromen.

Sarah leek nauwelijks ouder dan de vorige keer dat hij haar had gezien. Ze was lang voor een vrouw, bijna even groot als Will, en ze was slank en mooi. Maar haar kleren zagen er heel anders uit dan wat Will haar de vorige keer had zien dragen. Toen had ze een spijkerbroek en een T-shirt gedragen; nu droeg ze een duur pakje onder een open regenjas. Hij vroeg zich even af of de man – Will wist dat hij James heette, met haar getrouwd was en senior partner was bij een van de meest prestigieuze Londense advocatenkantoren – die kleren voor haar had gekocht. Aan de andere kant wist hij dat Sarah nooit zou toestaan dat iemand geld aan haar uitgaf. Ze was altijd heel onafhankelijk geweest. Ze had altijd gevonden dat ze in het leven moest slagen zonder iets van anderen te vragen.

Will probeerde te glimlachen, maar voelde zich nerveus en ongemakkelijk, hoewel het hem goed deed bij zijn zus te zijn. Hij kuchte en herhaalde: 'Ik wist niet dat jullie hier zouden zijn.'

Sarah stak haar paraplu nog verder omhoog. Haar ogen flikkerden even. 'Zoals je zelf al zei: hoe zou je dat kunnen weten? Ik ben hier een tijdje niet geweest, en als ik kom, besluit ik pas op het laatste moment te gaan.'

Will knikte langzaam en vroeg: 'Hoe gaat het met je?'

Ze glimlachte vaag. 'Wil je me dat echt vragen?'

Will haalde zijn schouders op. 'Het is een normale vraag.'

Sarah schudde vlug haar hoofd. 'Je zou moeten weten dat ik veel te veel tijd nodig zou hebben om die vraag te beantwoorden. Daarom is het dom of onnadenkend van je om dat te vragen, of misschien vraag je het alleen omdat je niet weet wat je anders moet zeggen.'

Will zei niets. De regen sloeg nog harder tegen hem aan. Sarahs paraplu bewoog niet.

Ze keek hem onderzoekend aan en kneep haar ogen halfdicht voordat ze vroeg: 'Waarom ben je hier?'

Will sloeg zijn ogen even neer en keek toen op. 'Je weet waarom.'

'Wat ik weet, broer, is dat dit misschien wel de allereerste keer is dat je hier komt.' Sarahs woorden klonken hard, maar haar ogen glinsterden en zagen er niet zo koud uit als haar stem klonk. 'In elk geval voor het eerst sinds het is gebeurd.'

Will knikte en keek om zich heen. De bomen hadden geen bladeren of jonge scheuten, de grafstenen en monumenten waren pokdalig van ouderdom, en overal hingen de geuren van de winter. Ondanks het doel waartoe dit alles diende, leek het hem bijzonder levendig, alsof het van alle kanten op hem af kwam. Hij keek Sarah weer aan. 'Ik ben weg geweest. Nu ben ik terug, en over een paar uur ben ik weer weg. Ik ben hier omdat ik hier moest komen.'

Sarah keek beledigd. 'Dat is net iets voor jou.'

Will fronste zijn wenkbrauwen.

Zij keek ook om zich heen en keek toen Will weer aan. 'Het is net iets voor jou om je tijd niet met de levenden in Londen door te brengen maar bij de doden.'

Will voelde de woede door hem heen golven. 'Sarah, dat is onredelijk...'

'Maar niet onjuist.'

Hij haalde langzaam adem en probeerde zijn woede te bedwingen, terwijl hij zich tegelijk afvroeg waarom hij kwaad was. Hij wist dat hij nooit echt kwaad op Sarah kon zijn. Hij glimlachte vriendelijk en knikte. 'Ik wil echt niet opnieuw dom overkomen, maar mag ik vragen of het goed met je gaat?'

Toen hij Sarahs ogen weer zag flikkeren, vermoedde hij dat ze met haar scherpe verstand in de verleiding kwam hem vinnig van repliek te dienen, maar in plaats daarvan zei ze zacht: 'Ik doe het heel goed op mijn werk en word volgend jaar partner bij het advocatenkantoor. Ik verdien goed, heb een mooi huis, krijg binnenkort misschien kinderen en ben getrouwd met een man...' Ze keek even naar James. '... die aardig, stuntelig, grappig, vergeetachtig, saai en trouw is.' Ze keek Will weer aan. 'Ik ben tevreden met mijn leven, tevreden met alles, blij dat ik het ergste heb overleefd en de kracht heb gevonden om normale dingen te doen met normale mensen.' Haar ogen verzachtten en keken recht in die van Will. 'Uitgerekend jij moet dat inzien. Je moet begrijpen wat ik zojuist heb gezegd.'

'Ja.' Will begreep precies wat ze had gezegd, plus de verborgen betekenis achter haar woorden. 'Ik weet ook dat je geluk hebt gehad met al die dingen.'

Sarah schudde haar hoofd. 'Nee. Ik heb ze verkregen door ijver en toewijding, niet doordat ik geluk had.'

Will glimlachte. 'Bega niet de fout te denken dat jij gelukkig bent en ik niet.'

'Hoe zou ik die fout kunnen maken? Ik ken je niet meer.' Sarah fronste haar wenkbrauwen en deed een stap naar hem toe. Ze dempte haar stem. 'Maar ik weet nog steeds hoe je denkt.'

'Jij bent altijd de pienterste van ons tweeën geweest.'

'Maar ik ben niet zo gevaarlijk pienter als jij.'

Will keek haar strak aan, al wist hij dat Sarah haar ogen niet zou afwenden. Hij wist dat ze veel te sterk was om zich door hem geïntimideerd te voelen. Dat had hij altijd in haar gewaardeerd.

Sarah hield haar paraplu nu zo dat ze er allebei door werden beschermd. Tot Wills verbazing legde ze haar hand op zijn wang en streek ze zacht met haar vingers over zijn gezicht. 'Je denkt dat je een eenling bent, Will. Misschien ben je dat ook. Misschien wil je dat zijn. Misschien...' Ze zweeg even. 'Misschien moet je dat zijn.'

Will grinnikte. 'Ik kan zijn wat ik wil zijn.'

'Dat kan niet, als je jouw werk doet.'

Hij hield op met grinniken. 'Je weet niet wat voor werk ik doe.'

Sarah streek met haar vingers over Wills gezicht en liet haar hand toen op zijn arm rusten. 'Niet precies, nee. Maar ik kan genoeg zien om te weten dat je ongewone dingen doet, harde dingen. En vergeet niet: ik was erbij toen het voor jou allemaal begon. Toen je die vreselijke beslissing moest nemen om een eind aan je jongensjaren te maken en je niet alleen een man werd maar ook nog een man met het bloed van de doden aan zijn handen.'

'Sarah, je weet waarom...'

Ze bracht haar vinger naar Wills lippen en sprak bijna fluisterend. 'Natuurlijk weet ik waarom. Ik zou nu niet in leven zijn als jij die beslissing niet had genomen... als je me niet van hen had gered.'

Ze zwegen enkele ogenblikken, en ditmaal keken ze elkaar niet meer aan.

Will keek naar de grond. 'In elk geval is er een reden dat we hier allebei vandaag zijn. Ik kon dat niet voorkomen. We zijn hier omdat ik destijds heb gefaald.'

Sarah hield haar vingers zacht onder Wills kin en bracht zijn hoofd omhoog, zodat hij haar aankeek. 'Ik kijk je nu aan en weet dat wat je ook met je leven doet, je in elk geval niet zou toestaan dat er opnieuw zoiets gebeurde. Ik zie kracht in jou, doelgerichtheid, vastbeslotenheid. En ik zie ook nog steeds de dingen die ik in je zag toen je nog een jongen was. Ik zie nog steeds je grote hart, je medegevoel, je liefde, je verdriet, je humor en je begrip. Tegelijk zie ik een man die niet alleen een eenling is maar ook heel eenzaam is geworden.'

Will glimlachte en raakte de vingers van zijn zus even aan. De regen sloeg tegen hun paraplu, maar hij negeerde dat geluid en concentreerde zich op het moment. Het was een moment dat hij voor altijd wilde vasthouden. Het was een moment waarvan hij bang was dat het hem ontstolen zou worden, net als de weinige andere goede herinneringen. Hij pakte haar hand steviger vast. Zijn stem klonk gesmoord toen hij zei: 'Je redt je toch wel, Sarah?'

Sarah knikte en beantwoordde zijn greep. Er liep een traan over haar wang. 'Natuurlijk red ik me wel. Ik ben uiteindelijk tot de overtuiging gekomen dat er meer goede mensen op deze wereld zijn dan slechte. Ik geloof niet meer dat ik bescherming nodig heb tegen denkbeeldige ziekten. Hoewel...' Ze fronste haar wenkbrauwen. 'Hoewel ik me soms afvraag of ik dat terecht niet meer geloof.' Ze keek even naar James en zei zachtjes: 'Ik heb hem alles verteld wat er is gebeurd. Hij is bang voor jou, maar hij is niet kwaad op je. Hij is kwaad op zichzelf.' Ze keek Will weer aan, en haar stem klonk krachtiger. 'Hij weet dat hij nooit zou kunnen doen wat jij hebt gedaan. Hij weet dat hij ineen zou krimpen als hij geconfronteerd werd met zo'n verschrikkelijk gevaar als jij al die jaren geleden onder ogen hebt gezien en hebt verslagen. Hij zou liever mij zien sterven dan dat hij zijn leven op het spel zou zetten om mij te redden.' Ze glimlachte. 'En hoe vreemd het je ook in de oren mag klinken, daarom houd ik van hem, want het betekent dat hij normaal is. Dat normaal-zijn scheidt jou en mij nu van elkaar.'

Ze boog zich naar voren, kuste hem op zijn wang, hield hem nog even vast, draaide zich toen om en liep naar haar man toe. Will zag hen door de wildernis van de begraafplaats bij hem vandaan lopen. Hij keek zijn zus na tot ze uit het zicht was verdwenen en bleef ook toen nog kijken, voor het geval ze terug zou komen. Hij wilde heel graag dat ze dat zou doen. Hij wist dat ze het niet zou doen.

Toen keek hij naar het graf naast zijn voeten. Hij knielde neer, legde de bloemen op het graf, boog zich naar voren en kuste de steen. Hij bleef een tijdje stil zitten en sprak zachte woorden van liefde en eerbied. Toen hij opstond, keek hij nog eens naar het graf van zijn moeder en wist hij dat het de laatste keer was.

Ondanks al haar inzicht in Will had Sarah zich in één opzicht vergist. Toen hij het huis in de Londense wijk Paddington naderde, wist hij dat zijn laatste ontmoeting in deze stad vandaag met de levenden zou zijn. Al ging het over de doden.

Hij klopte op de deur. Toen die openging, stond er een meisje tegenover hem. Will wist dat ze tien jaar oud was. Will keek over haar schouder en keek toen het meisje weer aan. 'Is je moeder thuis?'

Het meisje staarde hem enkele ogenblikken aan. Haar zwarte haar hing in twee staarten waarin zwarte linten waren gevlochten. Ze droeg een zwarte blouse en een zwarte rok. Ze had wallen onder haar ogen en Will wist dat die van het huilen kwamen.

Het meisje knikte en verdween in het huis. Will bleef staan en liet de regen op zijn blote hoofd vallen.

De moeder liep naar hem toe en bleef in de deuropening staan. Net als haar dochter was ze helemaal in het zwart. Net als haar dochter had ze een afgetobd gezicht, ontdaan van alle emotie. Ze keek Will met gefronste wenkbrauwen aan.

'Mevrouw Abtahi, ik vertegenwoordig de Britse overheid. Ik heb Soroush gekend. Hij was mijn vriend.'

Hij zag dat Soroush' vrouw haar ogen opensperde. Hij zag tranen op haar wangen glanzen. Hij voelde zich beroerd, duizelig van emotie.

Hij schraapte zijn keel, keek op naar het bord met TE KOOP op het huis en keek toen de vrouw weer aan. 'Ik kom u vertellen dat uw man ons met bepaalde aangelegenheden heeft geholpen en dat wij hem veel verschuldigd zijn. Ik kom u vertellen dat niets wat wij kunnen doen uw verlies ook maar in enig opzicht zou kunnen goedmaken. Maar ik vertel u ook dat we zo vrij zijn geweest regelingen te treffen om u met uw toekomst te helpen.' Hij voelde hoe de misselijkheid in golven bij hem opkwam en haalde diep adem om zijn stem onder controle te houden. 'U hoeft uw huis niet te verkopen. We hebben contact opgenomen met uw bank en uw hypotheek volledig afbetaald. We weten dat we daarmee uw verdriet niet kunnen verlichten, maar ik hoop dat het u van eventuele financiële zorgen zal verlossen.'

Will sloeg zijn ogen neer. De regen zwiepte nog harder tegen hem aan. Hij vroeg zich af of hij iets meer moest zeggen, maar toen draaide hij zich om en liep weg.

Hij liep door tot hij uit het zicht van het huis was. Zijn benen werden zwak en hij bleef staan en leunde tegen een muur. Hij had het gevoel dat hij moest overgeven. Hij slikte hevig.

Hij wist dat hij correct had gehandeld toen hij al zijn spaargeld naar de bank van mevrouw Abtahi had overgemaakt, spaargeld dat hij zorgvuldig in meer dan zeventien jaar had vergaard en dat meer dan honderdduizend pond bedroeg. Hij wist dat hij het niet had gedaan om zijn geweten te ontlasten. Hij wenste dat hij meer geld had om aan Soroush' gezin te geven.

Hij liep bij de muur weg en vloekte bij de gedachte aan wat er in New York was gebeurd. Hij vervloekte de dingen die hij in zijn werk moest doen. Maar hij vervloekte vooral zichzelf.

7

'Het verbaast me dat onze wegen elkaar nooit eerder hebben gekruist.' De chef van de MI6-post Sarajevo stak een sigaret op en keek Will aandachtig aan. 'Voor welk Controllate werk je?'

De twee mannen zaten aan een hoektafel in restaurant Inat Kuća aan Veliki Alifakovac in Sarajevo. Het was vroeg in de avond en er zaten maar een paar andere gasten.

'Voorlopig het Controllate Midden-Oosten en Afrika.' Will keek in het menu. 'Maar dat is tijdelijk. Ze laten me tegenwoordig heen en weer stuiteren tussen verschillende afdelingen. Ik geloof dat ik binnenkort ergens in het buitenland word gestationeerd. In afwachting daarvan doe ik alles wat ze me vragen.' Hij zuchtte en keek op.

De chef bleef Will onderzoekend aankijken. De man was achter in de veertig en straalde een zeker leiderschap uit, al zag hij er ook naar uit dat de jaren hem moe hadden gemaakt.

Will legde zijn menu neer. 'En jij, Ewan?'

De man inhaleerde rook van zijn sigaret. 'Ik zit maar drie rangen onder de grote baas, maar verder dan dit zal ik niet komen. Ik ben op het niveau gekomen waarop politiek en protectie zwaarder wegen dan ervaring en inzicht.' Hij nam een slokje bier. 'In mijn loopbaan heb ik op drie Controllates gewerkt, in zeven operationele teams en op vier buitenlandse posten. Ik ben ook gedetacheerd geweest bij MI5, GCHQ en het bureau van de minister-president. Je zou denken dat ik door dat alles in aanmerking kwam voor een plaatsje in de leiding van onze dienst, maar...' Hij grinnikte zacht. 'Maar onze dienst herinnert zich meestal alleen het laatste wat je hebt gedaan, en in mijn geval was dat het riskante voorstel dat we meer aandacht aan de problemen in Bosnië en Herzegovina zouden besteden. Dat was niet mijn verstandigste zet, gezien het feit dat we na een reorganisatie van de top van MI6 nu een pro-Servisch Europees Controllate hebben.' Ewan haalde zijn schouders op. 'Het betekent dat hier nu alleen nog oorlog wordt gevoerd tussen mij, de chef van de post Belgrado en de chef van de post Zagreb. Ik ga dat verliezen. Mijn collega in Belgrado wordt binnenkort supervisor Europa, mijn collega in Zagreb wordt teamhoofd Midden-Europa, en ik word met pensioen gestuurd.'

Will ging verzitten op zijn stoel. 'Vertel me eens over die informant van jullie.'

Ewan knikte langzaam. 'Hij is in alle opzichten een mengvorm. Zijn etniciteit is moeilijk aan te geven, al weten we dat hij deels Albanees en deels Noor is. Hij is opgeleid aan Winchester College en spreekt dan ook onberispelijk Engels.' Ewan keek ernstig. 'We hebben hem in het begin van de jaren negentig gerekruteerd, in de tijd van de oorlogen en het beleg hier. We gaven hem de codenaam Lace en een andere identiteit. In die tijd werkte hij als "fixer", zoals ze dat hier noemen. Hij leverde vooral wapens aan de paramilitaire eenheden van de Bosnische moslims, maar uiteindelijk deed hij zaken met iedereen die hem het meest betaalde.'

'Hoe is hij ooit door ons gerekruteerd? Hoe is hij door de selectie gekomen?'

Ewan sprak langzaam. 'Je moet niet vergeten dat in die tijd overal om ons heen een chaotisch conflict aan de gang was. We wisten dat Lace eigenlijk nergens bij hoorde en dus ook geen ideologisch motief had om onze dienst te helpen, maar hij bezat wel twee eigenschappen die interessant voor ons waren. Ten eerste was geld weliswaar zijn enige drijfveer, maar hij nam toch grote risico's om toegang te krijgen tot delen van het land en groepen mensen. Daardoor verkreeg hij uitstekende inlichtingen die anders buiten ons bereik zouden zijn gebleven. Bovendien was hij ijdel; dat is hij trouwens nog steeds. We dachten dat alleen al zijn ijdelheid hem zou motiveren om voor onze dienst te komen werken. In vredestijd zouden die twee factoren niet genoeg zijn om hem te rekruteren, maar wel in die wanhopige tijden.'

'Dus hij heeft geproduceerd?'

'Ja, hij heeft heel goede inlichtingen voor ons geproduceerd.' Ewan doofde zijn sigaret en boog zich wat naar voren. 'Zo goed dat onze dienst heeft voorkomen dat hij op verdenking van oorlogsmisdaden voor het hof in Den Haag moest verschijnen.' De man glimlachte. 'In februari 1994 brachten hij en dertig soldaten vijf trucks met wapens en munitie naar een dorp van Bosnische Serviërs. Hij zou bij aflevering betaald krijgen door het dorpshoofd, een man die ook leider van een Servische paramilitaire eenheid was, maar om de een of andere reden kregen ze ruzie over de kosten en weigerde de Serviër zijn kant van de overeenkomst na te komen. Het leidde tot een patstelling tussen de soldaten van Lace en de mannen van de Serviër. Lace wist dat hij zijn geld niet zou krijgen, en hij wist ook dat de situatie elk moment uit de hand kon lopen, en dus beval hij zijn mannen hem te dekken terwijl hij daar wegging. Hij zei tegen hen dat ze zich zorgvuldig uit het dorp moesten terugtrekken zodra hij veilig was weggekomen. Tegen de Serviër zei hij dat zakendoen belangrijker was dan bloedvergieten en dat hij hem over een dag of twee zou bellen om na te gaan of de zaak toch nog op een vreedzame manier te regelen was.' Ewan zuchtte. 'Jammer genoeg namen de mannen van Lace de zaak in eigen hand toen hij veilig het dorp uit was. Ze schoten de mannen van de Serviër dood, lieten hun leider in leven opdat hij anderen kon vertellen wat er gebeurd was, haalden zes vrouwen en zes kinderen uit hun huizen en lieten ze op hun knieën zitten. Toen sneden ze hen met lange messen het hoofd af.' Ewan draaide zijn handpalmen naar boven om te laten zien hoe doelloos het allemaal was. 'Toen Lace hoorde wat er was gebeurd, was hij geschokt. Maar Lace is allereerst een zakenman, en hij besefte algauw dat hij die wreedheid in zijn voordeel kon gebruiken. Hij liet het gerucht verspreiden dat hij opdracht tot het bloedbad had gegeven. Op die manier wilde hij dat mensen bang voor hem werden en respect voor hem kregen.'

Will schudde langzaam zijn hoofd. 'En als gevolg daarvan werd hij daarna altijd prompt en zonder tegenspraak betaald voor al zijn wapenleveranties.'

'Precies. Alleen hoorden de VN er ook van. Onze dienst moest die hele affaire in dat dorp onder het tapijt vegen en zeggen dat hij op dat moment ergens anders was. Voor alle zekerheid veranderden we zijn identiteit opnieuw. Voortaan noemden we hem Harry Solberg. Zo noemen we hem nog steeds, al vermoed ik dat hij andere identiteiten heeft waar wij niets van weten.' Ewan leunde achterover en wreef over zijn nek. 'Het waren andere tijden. Let wel: sinds de aanslag van Al Qaida op de Verenigde Staten zijn we opnieuw geneigd een oogje toe te knijpen als onze informanten foute dingen doen.' Hij zuchtte opnieuw. 'Maar ik ken Lace goed genoeg om te weten dat hij zich weliswaar voordoet als een charmante maar soms ook meedogenloze zakenman, maar dat hij zichzelf nog steeds ten onrechte kwalijk neemt wat er in dat dorp is gebeurd. Het laat hem niet los.'

'Waarom heeft hij jullie na al die jaren opnieuw benaderd?'

Ewan wendde zijn blik af en keek toen Will weer aan. 'Hij wordt oud en daardoor des te ijdeler. Dat overkomt velen van ons. We willen minstens één laatste kans om anderen te bewijzen wat we kunnen. Lace denkt dat hem nog een zwanenzang wacht.'

Will wilde iets zeggen, maar voordat hij dat kon doen, keek Ewan over zijn schouder.

'En daar heb je hem.'

Lace was klein, vermoedelijk begin zestig, en hij droeg een roomwitte broek en een blauw colbertje. Zijn haar was weerbarstig maar zat in de lak. Hij zag eruit als een rijke man die werk maakte van zijn uiterlijk. Ewan stelde Will als Charles Reed aan Lace voor, en Lace als Harry aan Will. Er kwam een ober naar hun tafel.

'Ik wil een Red Label,' zei Harry terwijl hij Wills hand schudde. Om zich bij hem aan te passen bestelden Ewan en Will hetzelfde drankje. Ze gingen zitten. 'Dus je bent hiernaartoe gekomen om mij te ontmoeten, Charles. Ben je ooit eerder in Bosnië geweest?' Harry keek hem met een stralende witte glimlach aan en streek iets weg van een van zijn schoenen.

'Dit is de eerste keer voor Charles.' Ewan stak een sigaret op, inhaleerde en gaf hem aan zijn medewerker. Toen haalde hij een notitieboekje en potlood tevoorschijn.

Harry maakte een eind aan zijn glimlach en keek Will enkele ogenblikken aan. Toen ontblootte hij zijn tanden weer. 'Laten we vis eten en nog drie van deze bestellen.' Hij tikte tegen zijn whiskyglas.

'Woon je permanent in de stad?' vroeg Will, en hij nam een slokje van zijn Red Label. Hij vroeg zich af of de drank een slechte uitwerking op zijn lichaam zou hebben, met al die medicijnen die hij slikte.

Harry keek Ewan aan, die hem toeknikte en hun ober een teken gaf. Hij keek Will weer aan. 'Ik heb een huis aan de rand van de stad, maar ik reis veel. Vanwege mijn zakelijke belangen verblijf ik vaker in hotels dan thuis.'

Ewan lachte. 'Ik denk dat we allemaal weten hoe dat is.'

Will lachte niet mee. 'Bevalt het je hier?'

Harry blies rook over de tafel en leek over de vraag na te denken. 'Deze stad is een goede uitvalsbasis. En ik vind het ook prettig dat het hier tegenwoordig rustig is.'

Will kneep zijn ogen wat samen. 'Niet te rustig, hoop ik. Want dan ben ik voor niets gekomen.'

Ewan keek vlug van de ene man naar de ander. 'Nee, zeker niet voor niets, hè, Harry?' Hij legde zijn beide handen plat op de tafel. 'We denken dat er in deze stad dingen zijn die je erg zullen interesseren.'

Ze zwegen alle drie. Toen liet Harry zijn witte tanden weer zien. 'Jij houdt niet van smalltalk, hè, Charles?'

Will wees naar de chef Sarajevo terwijl hij Lace aankeek. 'Hij is je begeleider. Dat betekent dat hij wat met je moet babbelen. Hij moet vragen of het wel goed met je gaat, en om je grappen lachen, en weet ik niet wat.' Vanuit zijn ooghoek zag hij Ewan enigszins fronsen. 'Ik daarentegen ben hier alleen om te onderzoeken of je iets voor me hebt wat de moeite waard is, iets wat ik naar Londen kan meenemen.'

Harry's glimlach werd breder. 'Dus je bent een boodschappenjongen?' Hij keek Ewan aan. 'Ik zou hebben gedacht dat jullie hoofdkwartier me iets beters zou sturen.'

Ewan stak zijn hand op. 'Het maakt niet uit wie ze sturen, Harry. Je werkt voor mij en mij alleen. Wat er ook uit deze bijeenkomst voortkomt, wat jou en mij betreft gaat alles zoals het altijd gaat. Niemand spreekt met jou zonder mijn toestemming en zonder dat ik erbij ben. Zo werkt het.'

Will leunde in zijn stoel achterover en keek Harry aandachtig aan. 'Ik begrijp dat je ons misschien kunt helpen een hoge agent van de Iraanse inlichtingendienst te identificeren en rekruteren. Maar is je ook verteld dat we op zoek zijn naar een bepaalde persoon?'

Harry hield zijn gezicht schuin naar Ewan. 'Ja, ik heb gehoord wat voor iemand jullie zoeken.' Toen keek hij weer op. 'En het is een complexe zaak om zo iemand te bereiken.'

Will zuchtte hoorbaar. 'Ken je hem?'

Harry schudde zijn hoofd. 'Zoals ik al zei: een complexe zaak. Ik ken hem niet, maar ik kan jullie helpen met mijn kennis en met mijn connecties in deze regio.' Hij keek naar een van zijn gemanicuurde nagels. 'Die kennis en connecties kunnen jullie veel dichter bij die man brengen.'

Will trommelde met zijn vingers op de tafel tussen hen in. 'Ik luister naar je, maar het zou voor ons alle drie goed zijn als je het kort houdt en ter zake bent.'

Een ogenblik verflauwde Harry's glimlach. Toen herstelde hij zich. 'De Iraniërs zijn overal in deze stad. Dat begon in de oorlog, en daarna zijn ze hier in allerlei vermommingen gebleven: Iraanse liefdadigheidsinstellingen, ondernemingen, militaire adviseurs, religieuze instellingen, om maar een paar zaken te noemen. Een groot deel van hun aanwezigheid hier wordt georganiseerd door de Iraanse organisaties IRGC en MOIS.'

'Ik interesseer me niet voor MOIS, alleen voor het IRGC.'

'Dat weet ik, dat weet ik.' Harry liet het restje whisky door zijn glas walsen. 'Maar je moet goed begrijpen dat het ingewikkeld is. Mensen van het IRGC zijn niet om te kopen. En de man op wie je jaagt, zal het moeilijkst omkoopbaar zijn van allemaal.'

'Dus...' Will zuchtte weer. 'Hoe kun jij me met je kennis en contacten helpen?'

Harry liet weer een stralende glimlach zien. 'Je moet het subtiel maar toch met grote precisie aanpakken. Het identificeren van je prooi is je grootste probleem, maar ik denk dat ik daar wel een oplossing voor heb.'

'Ga verder.'

Harry zweeg even en keek Ewan aan. 'Moet alles via jou lopen?'

De chef van de post Sarajevo legde zijn hand op de onderarm van zijn informant. 'Wees gerust, Harry. Alles gaat via mij.'

Will zag Harry kijken en vroeg zich af of Ewans woorden wel zo geruststellend overkwamen als de bedoeling was.

Harry dronk het laatste restje van zijn whisky op. 'Ik zie dat je niet wilt eten, Charles. Dat is jammer, want de forel is hier uitstekend.' Hij zette zijn glas weer op de tafel. 'Er is een Arabische vrouw die jaren geleden, in de tijd van de oorlog, vanuit Sarajevo werkte. Ze was toen een erg jonge journaliste, maar door mijn zakelijke belangen kreeg ik met haar te maken, want ze werkte ook voor de Iraniërs. Ze gebruikten haar om op een discrete manier geld uit Teheran aan paramilitaire eenheden van Bosnische moslims in het hele land toe te spelen, geld dat vaak werd gebruikt om mijn goederen te kopen,' voegde Harry er met een glimlach aan toe. 'Ik hoorde dat ze haar opdrachten kreeg van een man die ten tijde van de Balkanoorlogen de leiding had van alle Iraanse activiteit in Bosnië. Ik heb ook gehoord dat de man een Qods-agent van het IRGC was.'

'Dat was heel lang geleden, en we kunnen niet weten of die man op dit moment nog voor ons van belang is.'

Harry stak zijn handen in de lucht. 'Dat weet ik, maar het zou een goed uitgangspunt kunnen zijn.'

Will herinnerde zich wat Alistair de vorige dag tegen hem had gezegd.

Om te beginnen wil ik dat je je voordoet als een gewone inlichtingenagent.

Hij bemerkte dat de woede in hem kwam opzetten, en hij haalde langzaam adem om die emotie te bedwingen. 'Dit is alles wat je hebt?' Hij stelde de vraag aan Harry en keek toen Ewan aan, die op zijn beurt zijn blik neersloeg.

Harry was niet uit het veld geslagen. 'Je zult zien dat het een heel goed uitgangspunt is.'

'Goed, Harry. We zullen zien. Wie is die vrouw, en waar is ze?'

Harry wreef zijn handen over elkaar. 'Ik wist wel dat je geïnteresseerd zou zijn. Ze heet Lana Beseisu, en ze werkt al jaren als freelancejournaliste in Parijs. Ik heb artikelen van haar gezien in de Franse en Britse pers en in gespecialiseerde tijdschriften. Ze moet gemakkelijk op te sporen zijn.' Harry's handen kwamen tot bedaren, en hij vouwde ze nu samen alsof hij zat te bidden. 'Nog één ding. Lana werkte in de tijd van de oorlogen hier niet alleen voor die Qods-agent, maar er ging ook het sterke gerucht dat ze zijn minnares was.'

'Wat denk je?' Ewan stampte een beetje met zijn voeten op de grond. Will en hij waren nu buiten; tien minuten eerder hadden ze Harry zien vertrekken. Het was bijna elf uur 's avonds, en hoewel ze in een van de belangrijke toeristische straten van de stad stonden, waren de mannen alleen. Het sneeuwde.

Will keek naar de sneeuw onder zijn voeten en keek toen Ewan weer aan. 'Je weet wat ik denk.'

Ewan zuchtte en knikte. 'Ik weet dat Harry's idee nogal vergezocht is. Heeft het hoofdkantoor geen andere sporen?'

'Niet dat ik weet.'

'Dan hangt er veel af van die vrouw, die Lana.' Ewan ademde uit en keek Will recht aan. Hij fronste zijn wenkbrauwen. 'Gezien mijn hoge rang en mijn vele dienstjaren binnen MI6 is het echt ongelooflijk dat we elkaar nooit eerder zijn tegengekomen.'

Will haalde zijn schouders op.

Ewan keek hem scherp aan. 'Misschien kan de dienst ervoor zorgen dat ik nooit meer promotie maak, maar één ding kunnen ze me na mijn drieëntwintig jaar bij MI6 niet afnemen: ik heb heel goed geleerd mensen te doorgronden.'

'Dat hoort bij het vak.'

'Jazeker.' Ewan bleef heel stil staan en hield zijn blik strak op Will gericht. 'Jij lijkt me geen boodschappenjongen, en in het algemeen niet iemand die doet wat anderen zeggen.'

'Schijn bedriegt.' Will glimlachte. 'Misschien zie je die dingen niet goed meer.'

'Misschien.' Ewan keek hem nog even aan en wendde toen zijn blik af. De sneeuw viel snel op zijn gezicht. 'Twee jaar geleden hoorde ik binnen MI6 een gerucht over iets wat in Algerije was gebeurd. Een MI6-agente en haar dochter waren ontvoerd door Al Qaida, en die maakte duidelijk dat ze hen gingen executeren, louter om de publiciteit. MI6 kwam er algauw achter waar de ontvoerders zich waarschijnlijk met hun slachtoffers schuilhielden en stelde de SAS in Hereford in kennis. Er werd een SAS-team van acht man samengesteld om de agente en haar dochter te redden, maar toen ze in het vliegtuig naar Afrika zaten, hoorden ze dat de ontvoerders het tijdstip van de executie naar voren hadden gehaald. Het SAS-team zou niet meer op tijd zijn om te voorkomen dat moeder en dochter werden onthoofd.'

Will gaapte om een vermoeide, verveelde indruk te maken. Het ging nog harder sneeuwen.

'Maar – en nu worden de geruchten interessant – een MI6-agent was dichter bij de schuilplaats van Al Qaida. Iemand die niet vanuit een MI6-post, een ambassade of een andere officiële instelling werkte. Iemand wiens bestaan zo zorgvuldig verborgen werd gehouden dat zelfs Britse premiers moesten zweren dat ze hun hele leven over hem zouden blijven zwijgen. Een dodelijke eenling.'

Will probeerde te glimlachen. 'Geruchten.'

'Maar dit is een goed gefundeerd gerucht.' Ewan glimlachte niet. 'Afijn, hoewel die mysterieuze MI6-man niet gemachtigd was om iets te doen, ging hij op eigen houtje naar het Al Qaida-huis. Hij doodde alle dertien terroristen, bevrijdde de vrouw en haar dochter en bracht hen naar de Marokkaanse grens, waar hij hen overdroeg aan het inmiddels gearriveerde SAS-team. Toen hij klaar was met zijn klus, verdween hij.'

Will keek op zijn horloge en rekte zich uit.

Ewan keek hem weer een tijdje zwijgend aan. Toen zei hij: 'Ik vraag me vaak af of die man echt bestaat. Het zou geweldig zijn om te weten dat hij ergens rondloopt.'

Will probeerde geen verveelde indruk meer te maken en keek Ewan recht aan. 'Als hij bestond en je hem zou tegenkomen, wat zou je dan tegen hem zeggen?'

Ewan knikte langzaam en glimlachte vaag. 'Ik zou tegen hem zeggen dat ik hem niet benijd. Er moet een ontzaglijke verantwoordelijkheid op zijn schouders drukken, en hij leidt vast ook een heel geïsoleerd leven.'

Meteen nadat hij dat had gezegd, draaide Ewan zich snel om en zakte in elkaar. Het was zo'n snelle beweging dat hij het niet zelf kon hebben bewerkstelligd. Will deed meteen twee stappen achteruit en keek door de straat en naar ramen en daken. De straatlantaarns om hem heen verspreidden niet meer dan een zwak schijnsel. Dat betekende in combinatie met de sneeuwval dat hij amper dertig meter kon kijken. Hij bleef even staan en hurkte toen naast Ewans lichaam neer. Hij nam Ewans neus tussen duim en wijsvinger en trok zijn hoofd opzij. De man was door zijn hersenen geschoten met een wapen dat van een geluiddemper was voorzien. Will ging na of de man ademhaalde. Ewan was dood.

Hij klopte op Ewans benen en buik, stak zijn hand in een van de zakken van de dode en haalde diens mobiele telefoon tevoorschijn. Hij stopte hem in zijn eigen jasje en stond toen op om zijn omgeving te observeren en aandachtig te luisteren. Hij zag of hoorde niets wat wees op een aanvaller die dichtbij was. Trouwens, zelfs wanneer de moordenaar nog dichtbij was, zou Will al dood zijn als de man het ook op hem had voorzien. Will stak zijn handen in zijn jaszakken en liep vlug bij Ewans lijk vandaan naar de zijstraatjes en steegjes van de stad.

8

Will keek uit het raam en zag de eerste tekenen van de dageraad. Hij zat in een Air France-toestel en het eerste ochtendlicht viel op de besneeuwde Zwitserse Alpen beneden hem. Hij nam een slokje thee en wreef over zijn slapen. Hij schudde zijn hoofd en zag weer voor zich hoe Ewan zich omdraaide en dood neerviel. Met een zucht herinnerde hij zich de woorden van de man.

Ik vraag me vaak af of die man echt bestaat.

Hij wendde zich van de Alpen af en sloot zijn ogen. Meestal dacht hij niet aan missies terug die voorbij waren, maar Ewans woorden riepen flarden van wat er in Algerije was gebeurd bij hem op.

Hij herinnerde zich Alistairs boodschap.

Het team kan daar niet op tijd zijn. De vrouw en haar kind worden afgeslacht.

Hij herinnerde zich zijn eigen reactie.

Ik ga dat voorkomen.

En hij herinnerde zich Alistairs bevel.

Nee, dat doe je niet. Het is te gevaarlijk.

Hij herinnerde zich dat hij naar het huis keek. Hij zag mannen komen, zag lichten aan- en uitgaan in kamers, keek op zijn horloge, zag de schemering overgaan in duisternis, nam zijn pistool en mes, haalde zorgvuldig adem, concentreerde zich op de gewapende schildwacht bij de voordeur, rende op hem af en stak zijn mes in de buik van de man. Hij herinnerde zich dat hij het huis in was gerend en schietend door gangen en kamers had gelopen en mannen had zien vallen doordat zijn kogels hen in het hoofd troffen. Hij herinnerde zich dat hij een trap af was gerend naar een grote kelder. Hij herinnerde zich dat zijn hart sneller sloeg toen hij de camera en andere apparatuur zag. De kamer had eruitgezien als een filmstudio. Hij herinnerde zich dat twee mannen met hun wapens in de aanslag op hem af renden. Hij had een van hen weggeschopt terwijl hij de ander neerschoot, en had toen op de man geschoten die op de vloer lag. Hij herinnerde zich dat hij zijn pistool op de vier mannen richtte die achter de knielende moeder en haar zevenjarige dochter stonden. Hij herinnerde zich dat de mannen glimlachten en hun zwaard tegen de keel van hun gevangenen hielden. Hij had heel even geaarzeld en een inschatting gemaakt van de afstand tussen de mannen. Hij herinnerde zich dat hij binnen een seconde vier kogels had afgevuurd. Alle vier waren ze neergevallen, iedere man met een kogel in zijn hersenen.

Hij kon de gevangenen nu weer voor zich zien. Hij zag zichzelf hun touwen doorsnijden. Hij zag de moeder beven van angst en schrik. Hij zag dat het meisje naar hem keek, hem met beide handen vastgreep en naar zich toe trok. Hij zag dat hij haar zachtjes vasthield en tegen haar zei dat ze nu veilig was. Op dat moment had hij gedacht dat niets anders nog voor hem telde dan het redden van die twee onschuldige levens. Hij zag dat hij het meisje optilde. En hij herinnerde zich haar woorden.

Heeft God je gestuurd?

9

Will was in Parijs aangekomen.

Het was de ochtend na de moord op Ewan, en de stad was bedekt met rijp in plaats van sneeuw. Will haalde een boekje tevoorschijn en keek weer naar zijn met de hand geschreven notities. Door de telefoon had Alistair hem een adres en beknopte biografie gegeven van degene die hij wilde spreken. Will sloot het boekje en stopte het in zijn jaszak terug. Hij verliet de terminal van vliegveld Charles de Gaulle en nam een taxi.

Binnen vijfendertig minuten was hij in de wijk Marais. Hij betaalde de taxichauffeur en liep in noordwestelijke richting door de rue Sainte-Croix-de-la-Bretonnerie alvorens een smalle zijstraat te nemen. Even later stond hij voor het kleine huis. Will keek op zijn horloge. Het was bijna acht uur 's morgens, en hij hoopte dat de bewoonster nog niet naar haar werk of een andere bestemming was vertrokken. Hij klopte aan.

De vrouw die opendeed, was lang en had zijdezacht teakbruin haar dat ze had samengebonden en over een schouder en borst liet hangen. Ze was mooi, en Will zag dat ze onder haar lange trui en spijkerbroek een uitstekend figuur had. Toch was het vooral haar gezicht dat hem interesseerde. Ze was erg mooi, maar ze zag er ook opgejaagd uit, alsof haar zenuwen het al jarenlang zwaar te verduren hadden.

'Lana Beseisu?' Will glimlachte zo onschuldig mogelijk.

'Ja.' De vrouw fronste haar wenkbrauwen en keek behoedzaam.

'U hoeft zich geen zorgen te maken. Ik ben Nicholas Cree en ik werk op de Britse ambassade hier in Parijs. Ik moet onze gegevens over uw verblijf in dit land bijwerken. Mag ik binnenkomen?'

De vrouw bleef fronsend kijken. 'Een paar maanden geleden heb ik nog nieuwe formulieren ingevuld. U hebt vast wel alles wat u nodig hebt.'

Will wreef zijn handen over elkaar om de indruk te wekken dat hij het koud had. 'Ja, maar jammer genoeg is onze database gecrasht, en nu zijn onze gegevens een puinhoop. We kunnen die chaos alleen oplossen als we onze gegevens handmatig bijwerken. Als we het niet voor elkaar krijgen, krijgen Britse ingezetenen die hier in Frankrijk wonen met allerlei bureaucratische problemen te maken.' Will sloeg zijn armen over elkaar en drukte ze stevig tegen zijn borst. 'Ik kan later terugkomen, maar het zou mooi zijn als we het nu konden doen. Ik moet vandaag nog bij elf mensen langs die in precies dezelfde positie verkeren als u.'

Lana bleef even staan en knikte toen. 'Mijn moeder ligt in het ziekenhuis. Ik moet er zijn als ze terugkomt. Daarom komt het me beter uit als we het nu afhandelen.' Ze keek vlug door de straat en keek toen Will weer aan. 'Goed, komt u binnen.'

Will volgde haar door een gangetje naar een rommelige huiskamer. Overal lagen boeken en kranten. Lana pakte een armvol tijdschriften en kranten van een stoel en dumpte ze naast een geopende laptop op een klein tafeltje. 'Gaat u zitten.'

Will trok zijn jas uit, waaronder hij een pak droeg, en ging zitten. Hij nam zijn pen en notitieboekje, en Lana trok een eetkamerstoel bij.

Lana glimlachte. 'Ik wist niet dat er op de Britse ambassade zulke knappe mannen werkten. Wat wilt u weten?'

Will zuchtte. 'Ik moet me allereerst verontschuldigen. Het is bij ons zo'n warboel dat ik u ook naar heel elementaire zaken moet vragen.' Hij keek in zijn notitieboekje en sprak snel. 'Half Jordaans, half Saoedisch, maar u hebt al bijna twintig jaar een Brits paspoort.'

'Dat klopt.' Lana stak een sigaret op. 'Mijn moeder heeft me daaraan geholpen toen ze in Londen woonde.' Ze keek zorgelijk. 'We zijn nog maar een paar jaar geleden naar Frankrijk verhuisd vanwege haar gezondheid. Hier is ze dicht bij een bepaalde specialist. Ze heeft chronische anemie, en ze moeten steeds weer tests doen. We zijn van plan naar Engeland terug te gaan zodra ze beter is.'

Will stak zijn hand op. 'Ik kan u verzekeren dat we er geen enkel probleem mee hebben dat uw moeder en u een Brits paspoort hebben. De ambassade heeft alleen een probleem met haar databasesysteem. Het is de bedoeling dat we het door dat systeem gemakkelijker krijgen, maar in plaats daarvan maakt het ons leven tot een hel.' Hij keek weer in zijn zogenaamde notities. 'Nou, hier staat dat uw vader is overleden, en uw moeder woont blijkbaar bij u. U bent ongehuwd. Uw beroep is journaliste.'

Lana trok een grimas. 'Als ik werk kan krijgen.'

Will probeerde meelevend te kijken en schreef intussen niets in het bijzonder in zijn boekje. 'En naast uw moeder hebt u geen naasten in Frankrijk?'

'Nee.'

Will knikte en bewoog de punt van zijn pen over zijn notities. 'Ik zie dat u regelmatig contact hebt opgenomen met onze ambassade. Dat is goed, want onder normále omstandigheden maakt dat ons leven veel gemakkelijker.'

Lana tikte as van haar sigaret. 'Verder nog iets?'

'Het is maar een formaliteit, maar mag ik uw paspoort zien?' Hij keek op zijn horloge alsof hij haast had, en glimlachte toen. 'Ik moet altijd de identiteit bevestigen van de mensen die ik ondervraag.'

'Goed.' Lana stond op en keek met gefronste wenkbrauwen naar de rommelige kamer. Ze liep naar een boordevolle boekenkast tegen de muur tegenover haar, zocht tussen losse papieren en kwam met het paspoort terug. Ze gaf het aan Will en ging zitten.

Hij keek vlug naar de laatste bladzijden van het paspoort. Toen knikte hij. Hij gaf het aan Lana terug en maakte een kleine notitie. Hij had nu geconstateerd dat de vrouw tegenover hem inderdaad Lana Beseisu was, dus geen huisgenote of vriendin die haar in bescherming nam. Hij besloot de reden van zijn komst ter sprake te brengen.

'Even kijken of er nog iets anders is.' Will keek weer enkele ogenblikken in zijn notitieboekje. Toen sperde hij zijn ogen open en probeerde te kijken alsof hij onder de indruk was. 'U was in Bosnië ten tijde van de oorlogen in het begin van de jaren negentig?'

Lana lachte. 'Dat was een mensenleven geleden. Ik was amper afgestudeerd.'

Hij las door, al had hij de notities uit zijn hoofd geleerd voordat hij bij haar langsging. 'U werkte eerst voor een Duits persbureau in Sarajevo, maar ze sloten hun kantoor daar en toen werd u gevraagd om voor een krant te werken van een Iraanse uitgeverij met een kantoor in Sarajevo.' Will knikte. 'Dat moeten angstaanjagende tijden zijn geweest, daar in het oorlogsgebied.'

Lana haalde haar schouders op. 'Ik was toen jong. Ik had geen oog voor het gevaar.'

Will sloot langzaam zijn notitieboekje en stopte het weg. 'De naïviteit van de jeugd.' Hij keek haar aan met een glimlach die snel verscheen en net zo snel verdween. 'Toch zult u vast wel hebben geweten dat de krant waarvoor u werkte in werkelijkheid een dekmantel van de Iraanse militaire inlichtingendienst was.'

'Wat?' Lana keek geschokt.

'Misschien hebben ze u langzaam en subtiel aan de haak geslagen, maar u moet er vrij snel achter zijn gekomen voor wie u werkte en wat u voor hen deed. Per slot van rekening maken journalisten er geen gewoonte van om in het geheim Iraans geld naar Bosnische paramilitaire eenheden in het hele land te brengen. Dat is het werk van een spion.'

Lana's schrik sloeg om in woede. Ze kneep haar ogen halfdicht en zei langzaam: 'Wie bent u?'

'Nu ja...' Will negeerde haar vraag en grijnsde. 'Het zou een logistieke nachtmerrie zijn geweest als u in uw eentje in een belegerde stad moest werken, zonder begeleiding en instructies die op actuele feiten waren gebaseerd. Dat kan alleen maar betekenen dat u in Sarajevo iemand bij u had. Misschien zelfs een Iraanse inlichtingenagent.' Hij fronste zijn wenkbrauwen. 'Om precies te zijn een agent van de Qods-eenheid van het IRGC.' Hij glimlachte weer. 'Maar u zult ook eenzaam zijn geweest. Waarschijnlijk heeft uw Qods-man u niet alleen opdrachten gegeven maar ook intimiteit verschaft.'

'Wie u ook bent, ga mijn huis uit!' Lana stond op.

Will verroerde zich niet. Hij sprak op scherpe toon. 'Wie ik ook ben of niet ben, ik ben in elk geval iemand die u het leven zuur kan maken. Daarom stel ik voor dat u weer gaat zitten.'

Lana leek te aarzelen. Toen ging ze weer zitten en pakte ze met bevende hand haar sigaret op. 'Wat wilt u?'

Will boog zich dichter naar haar toe. 'Ik moet weten of u nog in contact staat met de Iraniërs, en met de Qods-man in het bijzonder.'

Lana drukte haar sigaret uit en er rolde een traan over haar wang. 'Wie bent u?' herhaalde ze.

Will boog zich nog verder naar voren. 'Ik werk voor MI6. En ik verlaat dit huis niet voordat u me vertelt wat ik moet weten.'

Lana schudde haar hoofd, en de tranen stroomden nu vrijelijk uit beide ogen. 'Doe dit niet, alstublieft.'

Will sprak met strenge stem: 'Lana, kijk me aan.'

Ze veegde met de rug van haar hand over haar gezicht.

'Ik werk voor een Britse inlichtingendienst. Ik wil je geen kwaad doen en ik wil je niet in moeilijkheden brengen. Daarvoor ben ik hier niet. Maar je moet wel begrijpen dat het gevolgen heeft als je een Iraanse spionne bent, of bent geweest, en tegelijk een Brits paspoort hebt. We noemen zulke mensen verraders, dus als je me niet helpt, is het alternatief de gevangenis. En de Franse autoriteiten zullen ons daarbij niet in de weg staan.' Will sprak nu met luide stem. 'Sta je nog in contact met de Qods-man of vrienden van hem?'

Lana schudde heftig haar hoofd. 'Nee. Nee.'

'Iemand uit Iran?'

'Niemand.' Ze snikte nu.

'We kunnen het nagaan. We kunnen de Franse veiligheidsdiensten vragen je telefoongesprekken van het afgelopen jaar te bekijken, en als ze dan ook maar één nummer in Iran vinden, is het met je gedaan. Dat begrijp je toch wel?'

'Ga het dan na!' Lana spuwde de woorden bijna uit.

'Ik wil je niet naar de gevangenis sturen – daar schiet ik in geen enkel opzicht iets mee op. Er is nog een andere reden dat ik moet weten of je in contact staat met de Qods-man.' Will boog zich nu nog dichter naar haar toe. 'Ik zal er niet omheen draaien. Als je nog in contact staat met de man of zijn collega's, kan ik je buiten de gevangenis houden. Zo niet, dan heb ik niets aan je en lever ik je uit aan het Britse rechtsstelsel.'

'Ik heb niets verkeerds gedaan. Ik heb Groot-Brittannië nooit bespioneerd. Ik heb alleen helpen voorkomen dat een stel Bosnisch-Servische fanaten carte blanche kregen om genocide te plegen.'

'Heel ontroerend. Maar dat neemt niet weg dat je clandestien voor een vijand van het Westen hebt gewerkt. En wie weet wat er nog meer uit een proces naar voren kan komen? Wat heeft je Qods-man gedaan op grond van de geheimen die je hem hebt toegespeeld? Misschien heb je geholpen genocide te voorkomen, maar heb je ook, of je dat nu wist of niet, geholpen genocide aan te wakkeren. Op een Brits proces zal bewijsmateriaal worden ingediend door de Verenigde Naties. Of het nu terecht is of niet, ze zijn ongetwijfeld in staat je voor allerlei wreedheden veroordeeld te krijgen.'

Lana liet haar hoofd in haar handen zakken en plukte aan haar haar. 'Ik begrijp het. Ik begrijp het, maar ik heb geen contact meer met hem gehad sinds 1995. En ik heb nooit contact gehad met zijn collega's of met iemand anders uit Iran.'

'Bewijs me dat maar eens.'

'O, kom nou!' Lana klonk kwaad. 'Hoe?'

Will leunde in zijn stoel achterover en dacht na. Hij vond dat hij haar voorlopig hard genoeg had aangepakt. Op milde toon zei hij: 'Vertel me eens wat meer over je tijd in Bosnië.'

Lana keek hem een tijdje aan, nam toen weer een sigaret en stak hem langzaam en weloverwogen aan. 'Toen ik was afgestudeerd, ging ik als freelancejournaliste voor dat persbureau uit Düsseldorf werken waar je het over had. In 1991 stuurden ze me naar Sarajevo om het ophanden zijnde referendum in Bosnië en Herzegovina over onafhankelijkheid van Joegoslavië te verslaan. Kort na mijn aankomst barstte de hel los op de Balkan en kwam een van mijn collega's in Sarajevo om het leven. Düsseldorf durfde niet meer en besloot het conflict vanuit Duitsland te verslaan.' Lana haalde zijn schouders op. 'En dus zat ik zonder werk.'

'En ben je toen benaderd?'

'Niet meteen.' Ze nam weer een trek van haar sigaret. 'Dat gebeurde pas na twee maanden. Toen ik mijn baan had verloren, deed ik van alles om te helpen: ik bracht voedselpakketten van het vliegveld naar de stad, werkte in opvanghuizen, verleende eerste hulp – noem maar op. Het waren vreselijke tijden. En toen...' Ze keek naar de gloeiende punt van haar sigaret en richtte haar blik toen weer op Will. 'Toen stelde hij zich aan me voor.'

'Zijn naam?'

Lana schudde langzaam haar hoofd. 'Ik ben zijn naam nooit te weten gekomen.'

'Zijn leeftijd?'

'Hij was toen achter in de twintig.'

'Waarom was je bereid om voor hem te werken?'

Lana's glimlach verflauwde, en ze sloeg haar ogen neer. 'De eerste keer dat ik hem ontmoette werkte ik in een geïmproviseerd ziekenhuis, waar ik probeerde slachtoffers van bommen en kogels van sluipschutters te verzorgen. Hij kwam naar me toe en zei dat hij voor een speciale eenheid in het Iraanse leger werkte. Hij zei dat in het hele land en daarbuiten Bosnische moslims werden afgeslacht, dat hij naar Bosnië was gestuurd om te proberen dat te voorkomen, en dat hij mijn hulp nodig had.'

'Waarom jij?'

Lana richtte haar blik langzaam weer op Will. 'Misschien omdat ik moslim ben. Misschien omdat ik er jong uitzag, iemand die gemakkelijk over te halen was. Misschien omdat hij weinig andere mogelijkheden had.'

'Of misschien omdat je nog een perskaart had, die je in theorie een beetje bescherming bood als je op reis was?'

Lana zei niets.

'Wat heb je voor hem gedaan?'

Ze kuchte even. 'In het begin maakte ik kaarten. Ik zocht naar geheime routes om de stad in en uit te komen, mogelijkheden om het beleg te doorbreken. Na een paar maanden, toen de kaarten klaar waren, liet hij me geld naar paramilitaire moslimgroepen buiten Sarajevo brengen. Met dat geld konden ze wapens, eten, kleding en medicijnen kopen. Ik maakte de reizen, kwam terug en meldde alles wat hij moest weten, en daarna liet hij me nieuwe reizen maken. Ik heb dat bijna vier jaar gedaan.'

Will zweeg een ogenblik en zei toen zachtjes: 'Dat was heel gevaarlijk werk. Als je onderweg was betrapt, had je verkracht, gemarteld en geëxecuteerd kunnen worden.'

'Dat weet ik.' Lana's gezicht had inmiddels een stoïcijnse uitdrukking. Er kwamen geen nieuwe tranen meer.

Will trommelde met zijn vingers op zijn knie en hield daar toen mee op. 'Vertel me over die man.'

Lana drukte haar sigaret uit en stak meteen een nieuwe op. 'Ik besefte kort geleden dat ik hem in die vier jaar veertien keer heb gezien, en dan steeds maar een paar uur of korter. Alleen tijdens de laatste drie ontmoetingen...' Ze verschoof een beetje op haar stoel. '... leerden we elkaar beter kennen.'

'Dat zijn nog altijd veertien ontmoetingen. Wat kun je me daarover vertellen?'

Lana fronste haar wenkbrauwen. 'In het begin maakte hij een onervaren, eigenzinnige indruk, al was hij wel erg intelligent. Maar tegen het eind van de oorlog had hij zijn werk blijkbaar helemaal in de vingers. In sommige opzichten was hij ook koud en uiterst berekenend geworden. En het werd me duidelijk dat die eenheid waarvoor hij werkte, Qods, hem op de een of andere manier op de proef stelde. Ze moedigden hem aan zich te bewijzen.'

Will kneep zijn ogen halfdicht. 'Wat bedoel je?'

'Hij zei een keer tegen me dat hij de enige Qods-agent met een officiersrang op de Balkan was. Er waren daar wel anderen van zijn eenheid, maar dat waren eenvoudige soldaten voor wie Bosnië alleen maar een buitenlandse opleiding was. Hij zei dat hij in het voormalige Joegoslavië moest laten zien dat hij echt veelbelovend was. Zijn bazen hadden grote plannen met hem voor na de oorlog.'

'Welke plannen?'

Lana bracht haar handpalmen omhoog. 'Dat zal ik nooit weten, want in 1995 mengde de NAVO zich in de oorlog en kwam er bijna meteen

een eind aan de gevechten. Hij verdween, en ik heb daarna nooit meer iets van hem gehoord of gezien.'

Will blies zijn adem uit. Hij keek naar de andere kant van de kamer en trommelde weer met zijn vingers. Hij keek Lana weer aan. 'Het zou me goed uitkomen je te geloven.'

Lana slaakte een zucht van verlichting. 'Daar ben ik blij om. Ik heb je de waarheid verteld.'

Will stak zijn hand op. 'Ik zei dat het me goed zou uitkomen je te geloven, niet dat ik je gelóóf – of in elk geval niet dat ik geloof dat je me de hele waarheid hebt verteld.' Will klopte op de borstzak met zijn notitieboekje. 'Bijvoorbeeld: waarom vloog je toen de oorlog was afgelopen naar Rome en ging je daar naar de Britse ambassade? Waarom zei je tegen hen dat je informatie had over plannen van de Iraniërs om de ervaring die ze in de oorlogen in Joegoslavië hadden opgedaan te gebruiken voor aanslagen op westerse doelen en doelen in de Perzische Golf? Waarom zou een nobele heldin, die ten tijde van de oorlog alleen maar moslimlevens wilde redden, de ambassade vragen haar te betalen in ruil voor informatie die ze beweerde te hebben, informatie die inconsistent en verzonnen was?'

Lana zuchtte. 'Ik was wanhopig.'

'Dat is heel goed mogelijk. Er zijn ook andere mogelijkheden. Bijvoorbeeld dat je je afgewezen voelde door je vroegere opdrachtgever, de Qods-agent die ook je minnaar was. Je wilde wraak op hem nemen en verzon daarom een onzinverhaal over Iraanse terroristische plannen. Dat deed je uit pure rancune.'

'Ik was wanhopig en alleen, verdomme.' Lana stond plotseling op. Haar stoel viel achterover. 'Hoewel hij zich nooit heeft verwaardigd me zijn naam te noemen, deelde ik toch het bed met die man. En op een dag was hij weg en had ik geen cent. Ja, ik vroeg jullie ambassade om geld, en toen ze me spottend afwezen, gaf ik het niet op.' Lana sprak nu hard en gejaagd. 'Ik stapte in het eerste het beste vliegtuig naar Abu Dhabi. Ik vertelde ze daar ongeveer hetzelfde verhaal. Weet je wat ze deden?'

Will zei niets. Terwijl hij luisterde naar wat ze zei, probeerde hij na te gaan wat de implicaties van die informatie waren. Zo langzamerhand geloofde hij dat Harry toch niet zo'n slecht spoor was geweest.

'Ze zetten me veertig dagen in een gevangenis in hun woestijn en sloegen me, want zij zeiden ook dat ik loog.' Lana schopte de omgevallen stoel weg en deed een stap in Wills richting. 'Ik zal het je laten zien, Nicholas Cree.'

Ze zwaaide haar armen omhoog om haar trui uit te trekken. Ze droeg er niets onder. Op haar bovenlichaam waren veel oude littekens te zien, elk minstens vijftien centimeter lang. Ze draaide zich om en hij zag op haar rug nog meer van hetzelfde.

Will sprong overeind, pakte haar trui en hield hem haar voor. Zachtjes zei hij: 'Hier, trek aan. Je hoeft me je wonden niet te laten zien.'

Lana keek hem fronsend aan, en er verschenen weer tranen. Met bevende handen trok ze haar trui aan, en toen zei ze: 'Bamboestokken. En ze deden nog ergere dingen. Mijn kiezen en teennagels werden uitgetrokken met tangen. Ik werd minstens vijf keer verdronken en weer tot leven gewekt.'

Heel even wilde Will haar vasthouden, haar troosten en tegen haar zeggen dat ze nooit meer zoiets hoefde te doorstaan. Maar hij wist dat hij een dreigende indruk moest blijven maken. Het was het deel van zijn werk waar hij een hekel aan had. Hij knikte en leunde weer achterover. 'En ik durf te wedden dat je in die gruwelijke veertig dagen steeds woedender op je ex-minnaar werd.'

Lana ging zitten en stak weer een sigaret op. Ze leek te kalmeren. 'Ik hield mezelf voor dat mijn woede geen zin had, dat hij gedood moest zijn door de Serviërs, of misschien gevangengenomen door de Verenigde Naties of de NAVO.'

'Dat zou allebei heel goed kunnen.'

Ze schudde haar hoofd en glimlachte. 'Ik hield mezelf alleen maar voor de gek. Hij had die kaarten van me gekregen. Hij is levend het land uitgekomen. Daar ben ik van overtuigd.'

Will bleef even zitten. Toen zei hij: 'Hoe denk je nu over die man?'

Lana maakte een afwijzend gebaar. 'Ik was toen een jong meisje. Ik liep over van energie en wist wat ik wilde. Maar na het einde van de oorlog en mijn ervaring in Abu Dhabi heb ik me de rest van mijn leven leeg en angstig gevoeld. Ik ben nu bijna van middelbare leeftijd, en het enige waarop ik kan terugkijken zijn vier jaar waarin ik goede dingen heb gedaan in Sarajevo. Maar zelfs dat...' Ze stak haar vinger op naar Will. 'Zelfs dat werd door hem genegeerd. Hij gebruikte me voor wat hij nodig had, zette me toen aan de kant en bezoedelde de enige goede herinnering die ik heb.' Ze keek om zich heen en keek Will toen recht aan. 'Hoe ik over hem denk? Ik denk dat hij me mijn leven heeft ontstolen.'

Will knikte langzaam. Hij bleef Lana strak aankijken. Toen hij weer sprak, deed hij dat met een krachtige, nadrukkelijke stem. 'Ik kan je je leven teruggeven.'

Ze fronste haar wenkbrauwen. 'Hoe?'

Hij stond op, pakte zijn jas, draaide zich om en keek Lana aan. 'Ik ga proberen hem het open veld in te lokken. En als hij daar is, kun je zien hoe ik hém zijn leven ontsteel.'

10

Een uur later was Will in een taxi op de terugweg naar vliegveld Charles de Gaulle. Hij haalde zijn medicijnen tevoorschijn en stopte pillen in zijn mond. Op dat moment besefte hij dat dit de eerste dag was waarop hij geen pijn had; zijn lichaam voelde weer sterk en vertrouwd aan. Hij stak zijn hand in een andere zak en haalde er Ewans mobiele telefoon uit. Hij wist dat het Europese Controllate van MI6 alle gegevens in het telefoontje zou analyseren, maar op dat moment had hij maar één nummer nodig. Hij vond het en belde het.

Toen het toestel aan de andere kant vier keer was overgegaan, nam er een man op. 'Ewan, ik dacht net aan je. We moeten elkaar gauw ontmoeten, maar dan niet voor serieuze dingen. Gewoon een paar glazen met elkaar drinken.'

De stem van de man was van Harry en klonk schertsend.

'Harry, met Charles Reed. Ik ben nu bij Ewan, en hij heeft me even zijn telefoon geleend.'

'Ach, Charles. De boodschappenjongen die niet van smalltalk houdt. Wat kan ik voor je doen?'

Will glimlachte vaag. 'Ewan vond dat we gisteravond een goed gesprek hadden. Dat vond ik ook. Zeg, er hebben zich na onze ontmoeting enige positieve ontwikkelingen voorgedaan, en ik vroeg me af of we nog eens bij elkaar konden komen. Dan kan ik je wat ideeën voorleggen.'

Het was even stil en toen zei Harry: 'Goed. Komt Ewan ook mee?'

'Normaal gesproken zou hij meekomen, maar deze keer zul je het met mij alleen moeten doen.'

'Oké.' Harry liet zich niet uit het veld slaan. 'Er is wel één ding. Na onze ontmoeting moest ik meteen het vliegtuig naar München nemen. Ik had zaken te regelen in Duitsland. Ik dacht dat ik vanavond in Bosnië terug zou zijn, maar het ziet ernaar uit dat ik hier nog een paar dagen moet blijven. Kan onze ontmoeting even wachten?'

Will dacht snel na en zei toen: 'Waarschijnlijk is het beter als we elkaar gauw ontmoeten. Ik kan in het begin van de avond bij je zijn.'

'Geweldig.' Harry klonk erg opgewekt. 'Dat betekent dat deze oude man vanavond gezelschap heeft. Laten we afspreken in mijn hotelkamer in het Königshof, dat is een beetje meer privé. Zullen we zeggen, om zeven uur vanavond?'

'Akkoord.' Will sloot zijn mobiele telefoon en keek uit het raam van de taxi. Die stopte bij het vliegveld. Hij keek op zijn horloge. Hij had net genoeg tijd om zijn bagage op te halen en een Lufthansa-ticket, businessclass, te kopen voor de vlucht aan het begin van de middag.

Will liep door de imposante hal van het beste vijfsterrenhotel van München en sprak de conciërge aan. Hij gaf de naam Charles Reed op en zei dat hij werd verwacht door Harry Solberg, een gast van het hotel. De conciërge keek op een computerscherm, knikte, gaf Will het nummer van een kamer en vertelde hem hoe hij daar kon komen.

Binnen twee minuten stond Will voor Harry's kamer. Hij nam het voorwerp in zijn hand dat hij in een winkeltje aan de Rosenheimer Strasse had gekocht toen hij onderweg was van het Münchense vliegveld naar dit hotel. Hij hield het in zijn linkerhand, zodat het tegen zijn onderarm lag, uit het zicht. Hij drukte op de zoemer van de deur.

'Charles, wat goed je te zien.' Harry droeg een roomwitte broek en een lichtroze overhemd. Hij maakte een energieke indruk en stak zijn hand uit. Will schudde hem. Harry grijnsde zijn witte tanden bloot. 'Kom eens naar mijn kamer kijken. Die is ongelooflijk.'

Will volgde Harry de kamer in, een van de meest luxueuze van het hotel. Het was duidelijk dat Harry een vermogend man was die van luxe hield. De kamer had de oppervlakte van een redelijk groot appartement.

'Wat vind je ervan?' Harry stond met zijn rug naar Will toe, zijn armen uitgestrekt.

Will kwam vlug naar voren. Hij stootte zijn knie tegen de onderkant van Harry's rug en sloeg zijn been om de enkels van de man, terwijl hij zijn rechterarm om zijn keel legde. Harry viel op zijn knieën. Will bracht zijn linkerhand voor Harry's gezicht. Hij hield de punt van het Duitse jachtmes voor Harry's rechteroog. Hij zei niets, hield de man alleen vast in een ijzeren greep.

Harry verroerde geen vin. 'Wat ben je in godsnaam aan het doen?'

Will gaf geen antwoord.

'Wat heb ik verkeerd gedaan?' Harry piepte de woorden uit.

Will gaf geen antwoord.

'Wat heb ik verkeerd gedaan?' herhaalde Harry.

Will bracht zijn mond dicht bij Harry's oor. 'Wie wisten er nog meer van onze ontmoeting van gisteravond?'

'Als je bedoelt of ik iemand heb verteld dat ik met Ewan en jou ging praten, is het antwoord nee. Dat heb ik niet gedaan.'

'Een vriendin? Een zakenrelatie? Iemand anders?'

'Niemand.'

'Iemand wist het.' Will verstrakte zijn greep. 'Want toen jij weg was, heeft een professional mijn collega doodgeschoten.'

'Is Ewan dood?'

'Ja.'

Harry piepte weer. 'Charles, ik heb mijn hele leven mensen gewantrouwd, ook mensen die denken dat ze vrienden of collega's van me zijn. Ik zou nooit aan iemand hebben verteld dat ik naar het Inat Kuća-restaurant ging, laat staan dat ik daar met mensen van de Britse inlichtingendienst ging praten. Ik heb te veel te verliezen om slordig te zijn.'

'Misschien heeft iemand je gevolgd.'

'Ja, dat zou kunnen, maar waarom? Trouwens, iemand had Ewan ook kunnen volgen. Of jou.'

'Wij zijn erop getraind achtervolgers op te merken. Jij niet.'

'Zei je niet dat Ewan door een professional is gedood?'

Will haalde zijn mond bij Harry's oor vandaan. Hij dacht even na en boog zich weer naar hem toe. 'Je bent meer dan vijftien jaar geleden officieel opgehouden voor MI6 te werken. Waarom heb je ons na al die tijd weer benaderd?'

Harry zei niets, en Will hoorde dat hij zijn adem inhield.

'Het is geen moeilijke vraag.' Will verlegde zijn greep op het jachtmes enigszins, al hield hij de punt precies voor Harry's oog.

Harry ademde uit. 'Dat weet ik. Maar nu je die vraag hebt gesteld, besef ik dat mijn antwoord dom zal overkomen.'

'Gezien de omstandigheden zou ik me daar maar niet druk om maken.'

Harry kreunde even voor hij sprak. 'Vriendinnen? Vrienden? Die heb ik niet. Tegenover elke miljoen dollar die ik heb verdiend staan honderd vijanden. En dat kwam me goed uit. Maar vijanden zullen je niet bewieroken.'

'En je dacht dat MI6 dat wel zou doen,' fluisterde Will in Harry's oor. 'Omdat wij tijd aan onze informanten besteden, naar hen luisteren, tegen hen zeggen hoe belangrijk hun werk is, hun het gevoel geven dat ze bijzonder zijn.'

Harry leek beledigd. 'Dat heeft Ewan inderdaad voor me gedaan. Jij bent blijkbaar anders.'

'Bewieroken?'

'Ik zei al dat het dom zou overkomen.'

Will bracht het mes naar Harry's andere oog. 'Nou, hier ben ik dan. Ik besteed een kwaliteitsuurtje aan je en hang aan je lippen.'

Hij voelde dat het bloed sneller door Harry's halsslagader werd gepompt.

Harry zuchtte. 'Charles, je moet het begrijpen. Ik heb hier behoefte aan. Ik heb Ewan niet in gevaar gebracht. Ik zou nooit iets doen waardoor mijn werk voor jullie in gevaar zou komen.'

'En wat is dat werk precies?'

'Ik heb je een naam genoemd. Die vrouw die Lana heet. Je kunt haar gebruiken om je doelwit te vinden.'

'Dat betekent dat jij nu overbodig bent.'

'Alleen als je niet beseft wat ik te bieden heb. Je kunt me op andere manieren gebruiken: mijn kennis, mijn contacten – god, je kunt zelfs gebruikmaken van mijn geld, als het moet.'

Will verstrakte zijn hand om het heft van het mes. Hij wist dat hij de punt maar een paar millimeter hoefde te bewegen om Harry blind te maken. Hij kreeg een idee. 'Ik heb je geld niet nodig, maar ik ben bereid jou en je contactpersonen op de proef te stellen.' Hij glimlachte. 'Ik wil dat je uitzoekt of er andere IRGC-agenten in Midden-Europa werken. Ik hoef maar één naam te hebben. En het is van cruciaal belang dat die persoon een officiële functie heeft en niet clandestien opereert, bijvoorbeeld iemand die aan een Iraanse ambassade is verbonden of als militair waarnemer werkt. Kun je dat voor me doen?'

'Er werken geen andere Qods-agenten in Europa. Het spoor dat ik je heb gegeven, is nog steeds het beste.'

'Ik vraag je niet een andere Qods-agent voor me te vinden. Alleen iemand van het IRGC. Kun je dat voor elkaar krijgen?'

'Als MI6 het wil, dan kan ik het.'

'Vergeet MI6 maar. Je werkt nu alleen voor mij.' Wills lippen raakten Harry's oor aan. 'Alleen voor mij.'

'Ja, ja!' zei Harry gespannen.

'Goed. Ik denk dat jij en ik elkaar nu veel beter begrijpen. Ben je het daarmee eens?'

'Natuurlijk. Waarom zou ik onder deze omstandigheden iets anders zeggen?'

Will glimlachte. 'Heel goed, Harry. Heel goed. Maar ik heb nog iets anders van je nodig.'

'Zeg het maar.' Het zweet liep nu van Harry's voorhoofd over zijn gezicht.

'De Qods-commandant. Je moet weten wie hij is.'

'Nee! Dat wist niemand!' Harry schreeuwde het uit.

Will haalde het jachtmes langzaam bij Harry's oog vandaan en zette het tegen zijn keel.

'Alsjeblieft, nee!' zuchtte Harry. 'Alsjeblieft, nee!'

Wills woorden waren nauwelijks te verstaan. 'In tegenstelling tot jou heb ik geen behoefte aan gezelschap, acceptatie, bewieroking. Ik wil alleen een naam. En ik ben er volkomen van overtuigd dat een man als jij, een man die zelf heeft toegegeven dat hij over heel goede connecties op de Balkan beschikt, niet al die dingen in de oorlog heeft gedaan zonder de naam van die Iraniër te weten.'

Will bewoog de rand van het mes op en neer over Harry's huid.

'We gaven hem namen.' Harry rilde. 'Maar dat waren namen die we zelf hadden bedacht, niet zijn eigen naam.'

'Je bent zakenman. Je doet aan uitwisseling.' Will hield het mes stijl. 'De uitwisseling die ik je nu aanbied, is volkomen duidelijk.'

Harry's benen trilden. 'Het is een gerucht! Alleen maar een gerucht!'

Will zuchtte en haalde het mes een haarbreedte bij Harry's keel vandaan. 'Een gerucht?'

'Dat is alles, Charles. Dat is alles. Dat is alles.'

Will bracht het mes weer naar Harry's ogen. 'Wat denk je dat ik ben?'

'God mag het weten.'

'Misschien weet ik het ook. Of misschien niet.' Hij zag Harry's ogen weerspiegeld op het lemmet, en ze waren wijd open van angst. Hij vroeg zich af of hij te ver ging. Hij dacht van niet, want hij wist dat iemand als Harry getemd moest worden voordat hij de waarheid sprak. 'Maar voorlopig wil ik wel de aardige inlichtingenagent spelen en naar je gissingen en geruchten luisteren. Hoe noemde hij zich?'

Het zweet brak Harry weer uit over zijn hele gezicht. Hij produceerde een geluid dat als kreunen klonk. Zijn linkerarm maakte krampachtige bewegingen, en toen gingen de krampen door zijn hele lichaam. Hij haalde een paar keer diep adem en zei toen: 'Megiddo. We dachten dat hij zich Megiddo noemde.'

11

'Het is nog maar tweeënzeventig uur geleden dat ik je mijn instructie heb gegeven.' Alistair nam een slokje van zijn Château Margaux. 'En in die korte tijd ben je in drie landen geweest, heb je twee mensen zo doodsbang gemaakt dat ze voor ons gaan werken en was je getuige van de moord op een hoge MI6-agent.'

'Ik heb je aangeraden een gewone inlichtingenagent te sturen.' Will glimlachte en schoof zijn eigen wijn opzij.

'En misschien was dat een goede raad.'

Will kneep zijn ogen halfdicht. 'Maar die agent zou Lace hebben ontmoet, notities hebben gemaakt en daarna naar Londen zijn teruggekeerd om je een goed geschreven maar uiteindelijk nutteloos rapport te overhandigen. Ik daarentegen heb je ons doelwit gegeven.'

De twee mannen zaten in een eikenhouten nis van Simpson's aan de Strand in Londen. In het restaurant kwamen veel oudere mensen, vooral bureaucraten uit de ambtenarij en hogere managers. Het was ook een typische gelegenheid om vlees te eten, en naast veel andere dingen was Wills supervisor beslist een vleeseter.

Alistair keek hem aan. 'Vertrouw je Harry en Lana?'

Will schudde zijn hoofd. 'Nee. Harry denkt dat hij een staat van genade heeft bereikt waarin zijn zaken niet belangrijk meer voor hem zijn, maar hij zal altijd vijanden om zich heen zien. Als puntje bij paaltje komt, kiest hij alleen partij voor zichzelf. Lana is rancuneus omdat ze zich in de steek gelaten voelt, en ze wil inhoud aan haar leven geven, maar dat zijn gevaarlijke en labiele emoties. Vertrouwen zal ik nooit in hen hebben, maar ik denk wel dat ik hen zodanig kan sturen dat ze dingen doen die in mijn voordeel zijn.'

Alistair keek naar de rest van het restaurant en de mensen die daar zaten te lunchen. 'Wat ga je eten?'

'Niets.'

'Zoals je wilt.' Alistair nam weer een slokje uit zijn glas. 'Je moet oppassen met Lace.'

'Dat weet ik.' Will sprak de woorden langzaam uit. Hij dacht even na en zei toen: 'Ik geloof niet dat Harry iets slordigs heeft gedaan en zo een moordenaar naar Ewan toe heeft geleid. Toch wist iemand dat onze man in dat restaurant zou zijn. Heb jij ideeën over Ewans dood?'

Alistair schudde zijn hoofd. 'Ik vermoed dat Ewan vanuit zijn post in Sarajevo leidinggaf aan vijftig agenten en evenveel operaties. Er zijn nogal wat mensen met wie hij ruzie kan hebben gekregen.'

Will knikte. 'Harry heeft me de codenaam van de Iraniër gegeven,' zei hij zachtjes.

Alistair vloekte. 'Een codenaam? Dat zal ons nauwelijks helpen de man te identificeren.' Hij schudde zijn hoofd. 'Wat is die codenaam?'

'Megiddo.'

Alistair kneep meteen zijn ogen samen. 'Megiddo? Weet je dat zeker?'

Will fronste zijn wenkbrauwen. 'Natuurlijk.'

Alistair zei bijna een minuut niets en hield zijn blik strak op Will gericht. Toen knikte hij langzaam, en Will zag hem vaag glimlachen.

'Is die naam relevant?'

Alistair wendde zijn blik van Will af en keek alsof hij diep nadacht. Hij mompelde iets, maar dat was blijkbaar vooral voor hemzelf bestemd. 'Soms vraag ik me af of ik te veel waarde heb gehecht aan jouw angstaanjagende verlangen om de wereld al zijn slechtheid betaald te zetten.'

Will boog zich naar voren en zei nadrukkelijk: 'Vraag je geen dingen over mij af, Alistair. Ik neem mijn eigen beslissingen.'

Alistair keek hem aan en glimlachte, maar zijn gezicht bleef nors. 'Dat weet ik,' zei hij zachtjes. 'Dat doe je altijd. Toch vraag ik me soms af wat voor iemand je nu zou zijn geweest als die mannen je moeder niet hadden vermoord toen je nog bijna een jongen was.'

Will boog zich nog dichter naar hem toe. 'Dat is een zinloze gedachte. Toen ze stierf, stierf ook mijn kindertijd.'

'Herinneringen sterven niet, William.'

'Ik heb er te weinig om dat te kunnen bepalen.'

'Misschien kun je er nog meer ontdekken.'

'Wat bedoel je?'

Alistair keek omlaag en ging niet rechtstreeks op de vraag in. 'Ik zeg dit niet zomaar.' Toen hij weer opkeek, zei hij: 'Ik vraag me af hoe lang ik nog gebruik kan maken van je ongelooflijke mentale en fysieke kracht voordat ik tegen mezelf kan zeggen dat ik tekort ben geschoten. Ik vraag me af wat voor iemand ik jou laat zijn. Ik vraag me af of ik op het punt sta de dingen nog erger te maken voor jou.'

'Wat bedoel je?' herhaalde Will.

Alistair knikte. 'Die heel weinige herinneringen van jou aan je kindertijd hebben een man opgeleverd die nietsontziende maatregelen neemt om mensen te doden die dat in jouw ogen verdienen en mensen te redden die jij als hulpeloos beschouwt. Je hebt weinig of niets overgelaten voor jezelf. Maar...' Hij wees naar Will. 'Je hebt nog een kans om daar iets aan te doen.'

Will leunde in zijn stoel achterover en blies hoorbaar zijn adem uit. 'Ik doe mijn werk. Voor mij is dat het enige wat telt.'

'Dat geloof ik niet.' Alistair sprak scherp en snel. Hij keek het restaurant rond en keek toen Will weer aan. Toen zuchtte hij en dempte zijn stem. 'Je bent een goed mens, William. Ik weet dat beter dan wie ook. Maar ik weet ook dat je over uitzonderlijke vaardigheden beschikt, en daar heb ik schaamteloos gebruik van gemaakt voor ons werk. Dat doe ik; het is mijn werk. Maar...' Hij schudde zijn hoofd. 'Een deel van me hoopt dat je op een dag vrede en geluk zult vinden. En ik weet dat jij dat ook wilt.'

Will fronste zijn wenkbrauwen. Alistair keek hem zo strak aan dat het leek alsof hij in zijn geest en ziel groef. Heel even voelde Will zich absoluut niet op zijn gemak en moest hij zijn blik afwenden. Hij wilde dat Alistair iets zei, maar de man bleef zwijgen. Will wilde door iets afgeleid worden, zodat hij niet meer aan de woorden van zijn supervisor hoefde te denken. Maar er kwam een golf van gedachten bij hem op, culminerend in één onuitgesproken zin: *Je hebt gelijk, Alistair. Dus alsjeblieft, laat me van je los komen. Laat me proberen dat geluk en die vrede te vinden.*

De supervisor zat nog steeds zwijgend naar hem te kijken.

Will haalde diep adem. De woede steeg in hem op. Hij was woedend omdat Alistair misschien de enige man was die met niets dan woorden zijn pantser kon verwijderen en alles in hem kon blootleggen: zijn medegevoel, zijn hart, zijn fantasieën over een leven dat anders was dan het leven dat hij leidde. Hij vroeg zich ook af of Alistair alles wist. Hij vroeg zich af of de man wist dat Will doodsbang werd bij het idee dat hij die eerste paar stappen naar een ander leven zou moeten zetten. Hij kwam tot de conclusie dat Alistair inderdaad alles wist en hem op de proef stelde.

Will glimlachte. 'We hebben nu dringender zaken te bespreken.'

Alistair zweeg nog even, ademde uit en glimlachte. 'Jazeker.' Hij dempte zijn stem. 'Heb je ooit van operatie Zandloper gehoord?'

Will schudde zijn hoofd.

Alistair haalde diep adem. 'In 1979 waren er sterke aanwijzingen dat het corrupte regime van de sjah binnen korte tijd ten val zou komen en plaats zou maken voor een islamitische republiek. We moesten weten wat dat voor een herboren Iran zou betekenen. In het bijzonder moesten we weten welke beslissingen de revolutionairen zouden nemen over de toekomstige militaire kracht van Iran en over de bedoelingen van dat land ten opzichte van zijn Arabische en Israëlische buren. Maar we wisten dat onze bestaande Iraanse informanten en bondgenoten, onder wie nogal wat SAVAK-agenten die trouw waren aan de sjah, ontslagen of gedood zouden worden zodra het oude Iraanse regime ten val zou komen. Daarom vreesden we dat we met een grote witte vlek op onze inlichtingenkaart zouden komen te zitten.'

Alistair keek vlug het restaurant door en richtte zijn blik toen weer op hun eikenhouten nis. 'We spraken daarover met onze CIA-vrienden, en we besloten tot een gezamenlijke operatie met de codenaam Zandloper. We wilden proberen alle relevante informatie uit alle beschikbare Iraanse informanten van MI6 en de CIA te halen voordat we ze kwijtraakten aan de revolutie.'

Alistair legde zijn handen op de knoop van zijn das en schoof hem omhoog, al had Will niet gezien dat de knoop zelfs maar een millimeter was afgezakt. 'Het opzetten van Zandloper was een enorme logistieke operatie. Er waren ongeveer vierhonderd inlichtingenagenten en analisten in Langley en Londen bij betrokken, en we kregen ook ondersteuning van de National Security Agency en het Government Communications Headquarters. Maar het was nog erger: er werd geniepig politiek verzet uitgeoefend tegen bekendmaking van MI6-informanten aan de CIA en van CIA-informanten aan MI6. Uiteindelijk overwonnen we dat verzet, en zo ontstond er een gezamenlijke speciale eenheid. Hoogstwaarschijnlijk was er nog nooit op zo'n grote schaal samengewerkt.'

Hij ging rustig verder. 'Zodra het groene licht was gegeven, benaderde en ondervroeg Zandloper ongeveer tweeduizend informanten. Het was een enorme klus, en drie maanden lang hadden inlichtingenagenten van Zandloper nauwelijks de tijd om te slapen. De analisten hadden het nog veel moeilijker, want die moesten alle inlichtingen die op die manier waren verzameld beoordelen en naast elkaar leggen. Ze deden allemaal hun werk, maar...' Alistair glimlachte zuur. 'Het resultaat was een onhandelbare chaos.' Hij fronste zijn wenkbrauwen en sprak vlugger. 'De informanten kwamen met tegenstrijdige informatie, gissingen, geruchten en flagrante leugens om hun eigen hachje te redden. Het was een ramp.'

'Dat hadden we toch van tevoren kunnen weten? Als je informanten onder zo veel druk zet, vertellen ze vaak wat ze denken dat je wilt horen.'

Alistair schudde zijn hoofd. 'We hadden geen keus, want we hadden niet veel tijd.' Hij legde zijn handen plat op de tafel. 'De operatie was al bijna afgesloten toen Zandloper bij toeval een goudmijn aanboorde. Tenminste, dat dachten we.'

Heel even zag Will op het gezicht van zijn supervisor iets wat voor spijt zou kunnen doorgaan.

Alistair ademde uit en bracht zijn handen naar elkaar toe. 'Een jonge CIA-agent die met een andere, hogere CIA-agent op de Amerikaanse ambassade in Iran werkte, werd benaderd door een jonge Iraniër die zei dat hij een revolutionair was. De man zei dat hij gedwongen was zich bij de revolutionaire beweging aan te sluiten, dat hij veel informatie over het voorgenomen binnenlandse en buitenlandse beleid van het Iran van na de revolutie bezat, en dat hij ons die informatie zou geven als hij naar het Westen mocht overlopen. De CIA-agent ondervroeg de man en stelde vast dat hij, als hij de waarheid sprak, ons van bijzonder goede informatie kon voorzien. Maar,' voegde Alistair eraan toe, en hij wreef zijn handen over elkaar, 'we hadden een probleem.'

'De agent moest een manier zien te vinden om de overloper uit Iran weg te krijgen?'

'Precies.' Alistair fronste zijn wenkbrauwen. 'Er waren opstanden en vijandelijkheden in het hele land, en Iran was dan ook een heel gevaarlijke en onvoorspelbare omgeving geworden voor de weinige westerse inlichtingenagenten die daar nog waren. De CIA had plannen om mensen het land uit te krijgen, maar die waren nog niet goed uitgetest, en MI6 had een route waarvan ze dachten dat hij zou werken. En dus gaf Zandloper opdracht aan de CIA-agent en zijn hogere collega om met een MI6-agent in Teheran samen te werken. Met z'n drieën zouden ze proberen de revolutionair uit de Amerikaanse ambassade te krijgen en naar de Iraanse havenstad Bandar-e Abbas in het zuiden te brengen. De drie inlichtingenagenten legden de man in de kofferbak van een auto om dwars door het land naar hun bestemming te rijden.' Alistair wendde zijn blik weer af. 'Natuurlijk was dat een angstaanjagende reis. De mannen moeten hebben geweten dat ze zouden worden geëxecuteerd als ze gepakt werden.' Hij keek Will weer aan. 'Een paar jaar eerder hadden de Britten de Iraanse kapitein van een trawler gerekruteerd. Het was de bedoeling dat de drie agenten met de overloper naar dat schip zouden rijden en dan over de Perzische Golf naar de Verenigde Arabische Emiraten zouden varen.'

'Wat gebeurde er?'

Alistair zuchtte. 'Ze reden over een rechte landweg, ongeveer tien kilometer buiten Bandar-e Abbas, toen ze zagen dat de weg vierhonderd meter voor hen was afgezet door revolutionaire militieleden. Hoewel ze wisten dat de soldaten bij de wegversperring hen konden zien, stopten ze meteen en praatten met elkaar. Ze trokken een paar snelle conclusies over de situatie waarin ze verkeerden.' De supervisor knikte langzaam. 'Al die conclusies bleken juist te zijn. Ze concludeerden dat de wegafzetting ongewoon was. Ze concludeerden dat iemand van hen en van hun revolutionair op de hoogte was. Ze geloofden dat het lek niet in hun eigen diensten te vinden was. En ze kwamen tot de conclusie dat hun revolutionair beslist geen overloper was.'

'Waren ze in de val gelopen?'

'Ja, het was een val.' Alistair haalde zijn schouders op. 'We weten nog steeds niet wat er achter die val zat. Misschien wilden de revolutionairen weten hoe de vluchtroute in elkaar zat, of misschien wilden ze de drie westerse inlichtingenagenten op heterdaad betrappen. Maar wat er ook achter zat, de mannen beseften dat ze in groot gevaar verkeerden. Dertig seconden lang discussieerden ze over wat ze moesten doen. En toen nam de hoogste CIA-agent in zijn eentje een beslissing. Hij nam zijn pistool, stapte uit en liep naar de achterkant van de auto. De agenten wisten dat hij werd gadegeslagen door de militieleden bij de wegversperring, die nu hun wapens op hen richtten. Niettemin haalde de CIA-man de revolutionair uit de kofferbak en zette hij het pistool tegen zijn hoofd. De CIA-agent zei tegen zijn collega en de MI6-man dat ze moesten vluchten terwijl hij zijn gijzelaar vasthield.' Alistair ademde hoorbaar uit. 'De twee mannen wilden dat eerst niet, maar ze wisten ook dat dat hun enige optie was. Er stonden daar ongeveer vijftien soldaten, dus als ze een gevecht aangingen, zouden de drie inlichtingenagenten allen gevangen worden genomen of om het leven komen. Daarom lieten ze de CIA-man aan zijn lot over.'

'Zijn die twee mannen ontsnapt?'

'Ja. Ze kwamen in Bandar-e Abbas aan en lieten zich door de trawlerkapitein naar het emiraat Ras al Khaima brengen.'

'En de CIA-man lieten ze achter?'

Alistair boog zich naar voren. 'We hoorden later van sommigen van onze Iraanse informanten die de revolutie hadden overleefd dat de CIA-agent gevangen was genomen en vreselijk was gemarteld. We weten dat hij de Iraniërs niets heeft verteld. We weten ook dat hij uiteindelijk is geëxecuteerd en dat zijn lichaam ergens in de Perzische Golf is gedumpt.'

Will zweeg een ogenblik en vroeg toen: 'Wat wil je eigenlijk vertellen met dit verhaal?'

Alistair gaf niet meteen antwoord. In plaats daarvan keek hij Will strak aan alsof hij hem bestudeerde. Hij tikte met zijn vinger op de tafel. 'Het verhaal is nog een herinnering voor je. Maar ik vrees dat het je alleen maar nog meer motiveert. Ik vrees dat je daardoor helemaal niet meer in staat bent vrede met jezelf en met anderen om je heen te sluiten.'

'Zoals je al eerder zei: tot nu toe heb je daar veel voordeel van gehad.'

Alistair knikte. 'Ja, en dat is nog steeds zo. Per slot van rekening was ik het die je eruit pikte toen je bij MI6 kwam werken. Ik was het die je extreme en heel bijzondere mogelijkheden zag. Ik was het die je uit het normale MI6-traject haalde en in het uiterst geheime Spartan-programma liet opnemen. Niemand van jouw generatie heeft het programma van twaalf maanden ooit levend afgewerkt. Jij overleefde het niet alleen, maar blonk ook nog uit, en als gevolg daarvan werd je onze dodelijkste en bekwaamste agent. Er mag er nooit meer dan één van jouw soort zijn, dus zolang je leeft, ben je de enige met onze hoogste codenaam: Spartan.'

Er kwam een herinnering bij Will op. Het was de eerste dag van het Spartan-programma. Hij stond op blote voeten en in een blauwe overall in de Schotse Hooglanden. Het was winter, het sneeuwde hard en het was ver beneden het vriespunt. Een instructeur kwam naar hem toe, wees naar het noorden en gaf hem rustig zijn eerste opdracht.

> Je hebt twee dagen de tijd om honderdzestig kilometer te voet door de bergen af te leggen. Gewapende mannen met honden zullen proberen je te vinden. Als het ze lukt, heb je gefaald. Als je het doel niet binnen de toegewezen tijd bereikt, heb je gefaald. Als je probeert hulp te krijgen van iemand die je onderweg tegenkomt, heb je gefaald. En dan nog dit: als je slaagt, halen we je weg en zetten we je twee weken in een gevangeniscel. Daar maak je voor het eerst kennis met intense marteling en totale slaaponthouding. Je

zult wensen dat je dood was. Denk daaraan bij elke ijskoude stap die je in die bergen zet.

Will zette die herinnering uit zijn hoofd.

Alistair keek hem aandachtig aan. 'Als Spartan heb je uitzonderlijke resultaten behaald in het veld, maar op een dag moet ik in de spiegel kijken en mezelf een paar harde vragen stellen.'

'Op een dag... Maar nu nog niet?'

Alistair boog zich nog meer naar voren. Zijn woorden klonken zacht maar snel. 'Op dit moment is het Qods-hoofd van het directoraat Westen de gevaarlijkste tegenstander van het Westen. Hij is geen fanaat, ideoloog of martelaar. In plaats daarvan is hij, voor zover we iets over hem weten, een buitengewoon goede strateeg en een intellectueel die toevallig ook moordenaar is. Hij is van plan duizenden mensen te vermoorden in een van onze steden in Europa of de Verenigde Staten. En ik wil dat je hem tegenhoudt. Maar ik kan niet toestaan dat je wraak wilt nemen op al het kwaad in de wereld en dat je beoordelingsvermogen daardoor wordt vertroebeld.' Alistair stak zijn hand over de tafel uit en pakte Wills gespierde onderarm vast. Ondanks zijn leeftijd en magere gestalte was Alistairs greep verrassend sterk. 'Kun je me dat verzekeren – wat er ook gebeurt, wat je hierna ook te horen krijgt?'

Will keek naar Alistairs hand en keek hem toen aan. 'Mijn beoordelingsvermogen is nog nooit door iets vertroebeld.'

Alistair knikte, liet hem los en leunde achterover. Hij nam een slokje van zijn Margaux en zette het glas toen op de tafel terug. 'Morgen vlieg je naar het CIA-hoofdkwartier in Virginia. Daar ontmoet je Patrick, die je een briefing zal geven over onze Qods-commandant. Hij zal je ook bij de rest van de missie helpen.'

'Dus dit wordt een gezamenlijke operatie van CIA en MI6?'

Alistair keek hem met een scheve grijns aan. 'Formeel gezien wel, maar je kunt dit beter zien als een gezamenlijke operatie van Patrick en mij.'

'Ik begrijp het.'

'Nee, je begrijpt het nog niet, maar Patrick legt het je wel uit.'

Will dacht daarover na. Hij wendde zich af en dacht even na voordat hij Alistair weer aankeek. 'Ik neem aan dat jij de MI6-agent in die auto bij Bandar-e Abbas was. Heb ik het goed als ik denk dat de CIA-man die samen met jou ontsnapte Patrick was?'

'Dat heb je goed.' Alistair keek Will onbewogen aan.

Will fronste zijn wenkbrauwen. Hij herinnerde zich wat Patrick in die kamer in New York tegen hem had gezegd.

> Alistair en ik zijn allebei iemand anders dankbaarheid verschuldigd. Daarom ben ik nu hier in deze kamer.

De rimpels in Wills voorhoofd werden dieper. 'Wie was die andere CIA-agent?'

Alistair knikte langzaam. Zijn ogen glinsterden. 'Dat was een man die een teruggetrokken leven leidde en zijn werk volledig geheimhield. Zelfs zijn kleine gezin dacht dat hij een Amerikaanse diplomaat was en dat zijn dood een tragisch ongeluk was.' Alistair bewoog nu niet meer. 'Ik denk elke dag aan hem. Dan bedenk ik hoe kalm hij was toen hij het besluit nam Patrick en mij te redden. Ik zie weer voor me hoe uitdagend hij keek toen hij de revolutionair tegen zijn lichaam hield en de loop van zijn pistool tegen het hoofd van de man drukte. Ik weet nog hoe vastbesloten hij naar de soldaten keek die op hem af renden, terwijl wij ontsnapten.' Alistair legde zijn vingers weer op Wills onderarm, maar ditmaal voelde het aan als een gebaar van genegenheid. 'Elke dag... elke dag denk ik aan je vader.'

II

12

'Dus Alistair heeft me de grote jager gegeven.' Patrick stond naast een kleine tafel in de hoek van de kamer. Hij pakte een kan met heet water op en goot er iets uit in een porseleinen kopje. Hij roerde in het kopje en liep er toen mee naar de grote tafel in de kamer. Hij keek Will aan. 'Ik twijfel er geen moment aan dat jij de juiste man voor dit karwei bent, maar ik twijfel er ook niet aan dat je extreem gevaarlijk en onvoorspelbaar bent.' Hij wees naar Will. 'Hoe kan ik er zeker van zijn dat je doet wat je gezegd wordt?'

Will keek naar de kop en schotel. 'Hoe kan ik er zeker van zijn dat wat jij me opdraagt de juiste handelwijze is?' Hij glimlachte en veranderde van toon. 'Bedankt voor de thee. Die was het wachten waard.'

Patrick keek hem even aan en ging toen tegenover hem aan de tafel zitten. De twee mannen waren alleen in een anonieme kamer in het hoofdkwartier van de Central Intelligence Agency in Langley, Virginia.

Tussen hen in lagen losse papieren en mappen. Patrick streek over enkele papieren en pakte er een van op. Hij keek ernaar en gooide hem toen over de tafel naar Will. 'Hier is het allemaal mee begonnen.'

Will las het rapport dat voor hem lag. Het was twee weken geleden gedateerd en afkomstig van de NSA, de National Security Agency van de Verenigde Staten.

Overzicht

1. Iran is van plan een locatie binnen de Verenigde Staten of Groot-Brittannië aan te vallen.
2. De locatie en het tijdstip van deze aanslag zijn onbekend, maar er wordt aangenomen dat de aanslag binnenkort zal plaatsvinden.
3. De omvang van de aanslag is onbekend, maar er wordt aangenomen dat de aanslag veel slachtoffers zal maken.

Details

1. De Qods-eenheid van het Iraanse Revolutionaire Gardisten Korps (IRGC) is door het hoogste leiderschap van Iran gemachtigd een terroristische aanslag te plegen op een locatie in een van de grote steden van de Verenigde Staten van Amerika of het Verenigd Koninkrijk van Groot-Brittannië en Noord-Ierland. De reden voor de aanslag is onbekend.

2. Het hoofd van het directoraat Westen van Qods heeft de algehele verantwoordelijkheid voor de planning en uitvoering van deze aanslag. Hij heeft de planningfase van zijn operatie voltooid, en dus wordt aangenomen dat hij van plan is zijn aanslag binnen korte tijd uit te voeren.

3. Het hoofd van het directoraat Westen van Qods is gemachtigd om de locatie en slachtoffers van de aanslag zelf uit te kiezen. Hij heeft ervoor gezorgd dat er geen informatie over zijn plannen is verstrekt aan andere personen binnen het IRGC. Daarom wordt aangenomen dat het hoofd van het directoraat Westen van Qods over de bijzonderheden van de locatie en timing van de aanslag beschikt.

Commentaar

1. Het hoofd van het directoraat Westen van Qods is Irans hoogste actieve inlichtingenagent. Hij heeft de rang van generaal. Hoewel hij officieel ondergeschikt is aan het hoofd van Qods, is bekend dat het hoofd van het directoraat Westen in de praktijk zijn orders rechtstreeks van de opperste leider van Iran ontvangt.

2. Het hoofd van het directoraat Westen wordt geheimgehouden voor alle andere leden van Qods en het IRGC. Hoewel verschillende NSA-rapporten enige bijzonderheden verstrekken over de man, is zijn identiteit nog steeds onbekend (zie NSA/SIGINT/8861/09).

3. Aangezien het hoofd van het directoraat Westen met de leiding van deze operatie is belast, wordt aangenomen dat de voorgenomen aanslag grote strategische betekenis voor Iran heeft. Het wordt dan ook aangenomen dat het een aanslag op zeer grote schaal zal zijn.

Bron

1. De bron van dit rapport is HUBBLE. Dit rapport wordt dan ook als uiterst betrouwbaar gezien.
2. Eventuele verzoeken om informatie omtrent HUBBLE moeten worden gericht aan de afdeling die dit rapport verspreidt.

Will legde het rapport op de tafel. 'Ik neem aan dat Hubble een technische aanval op bepaalde Iraanse communicatiesystemen is?'

Patrick stak zijn hand op. 'Door je dit ongecensureerde rapport te laten zien heb ik duizend veiligheidsvoorschriften van de NSA overtreden. De NSA zou me daarvoor in de gevangenis kunnen zetten. God mag weten wat er zou gebeuren als ik je over Hubble zelf vertelde.'

Will tikte met zijn vinger op het papier. 'Dat begrijp ik, maar ik moet weten wat je van dit rapport vindt. Denk je dat rapportages van Hubble accuraat zijn?'

Patrick boog zich naar voren, nam het rapport uit Wills handen en legde het in een map. 'Rapportages van Hubble zijn zuiver goud. Het lijdt geen enkele twijfel dat dit rapport accuraat is.' Hij keek naar het papier en fronste zijn wenkbrauwen enigszins.

'Maar?'

Patrick pakte een ander papier op. 'We komen straks terug op dat "maar".' Hij zweeg even en las de inhoud van het nieuwe papier. 'We weten bijna niets over onze man. Het weinige dat we over hem weten, komt van allerlei Iraanse bronnen, al geven die informanten zelf toe dat ze het voor een groot deel van horen zeggen hebben. Het lijkt erop dat het hoofd van het directoraat Westen opzettelijk met mysterie is omgeven. Maar voor zover het iets waard is: de geruchten komen overeen wat het volgende betreft. Al sinds hij nog maar net volwassen was, is hij binnen het Iraanse regime voorbereid op grote dingen. Hij heeft een briljante geest en munt uit in inlichtingenwerk. Hij geniet groot aanzien, niet alleen bij het IRGC maar ook bij het ministerie van Inlichtingen en Veiligheid. En hij is een eenling zonder familie of vrienden.'

'Omdat hij ze niet nodig heeft. Het is zijn doel in het leven om zijn bazen tevreden te stellen.'

Patrick hield zijn hoofd een beetje schuin. 'Nou, dat is het vreemde. Volgens alle geruchten heeft de man geen religieuze overtuigingen, geen loyaliteit ten opzichte van het Iraanse regime, geen persoonlijke politieke doeleinden of standpunten.' Patrick legde het nieuwe papier op de tafel. 'Hij wordt door het Iraanse leiderschap getolereerd omdat hij zo goed is in wat hij doet. En hij tolereert hen omdat ze hem laten doen waar hij het beste in is. Maar hij volgt niemands bevelen op.'

Will knikte. 'Hij lijkt me net zo iemand als ik.'

Patrick keek streng. 'Hoe briljant hij ook is, hij is een moordenaar.' Hij knipte met zijn vinger tegen het rapport. 'We zien hem nooit bezig – daar is hij te handig voor – maar ik kan met vrij grote zekerheid zeggen dat hij betrokken was bij alle grote terroristische acties tegen het Westen in de afgelopen vijf jaar, en ook bij veel acties tegen Arabische en Zuid-Aziatische landen.'

'Onmogelijk.'

'Als ik in jouw positie verkeerde, zou ik waarschijnlijk tot dezelfde conclusie komen. Maar ik verkeer niet in jouw positie. Ik verkeer in mijn eigen positie. En ik weet dat er geen enkele grote terreuraanslag op westerse doelen of in landen van bondgenoten van het Westen kan plaatsvinden zonder zijn impliciete of expliciete toestemming. Zelfs groepen die de gezworen vijand van het Iraanse regime zijn, werken voor hem, meestal zonder het zelf te weten. We kunnen hem niet Volksvijand Nummer Eén noemen, want daarmee zouden we verraden wat we met hem van plan zijn. Onder elkaar zijn we het er overigens wel allemaal over eens dat er niemand op deze planeet is die we liever dood of achter de tralies zouden willen hebben.' Patrick knikte. 'Hij is het meesterbrein. Ik verkeer in de positie dat ik dat kan weten.'

Will keek Patrick een hele tijd aan en zei toen langzaam: 'Wat ís jouw positie binnen de CIA?'

Patrick keek over Wills hoofd. 'Ik heb geen rang, titel of functie. Ik werk niet voor een duidelijk omschreven bureau of afdeling. Ik heb geen specifiek mandaat of ambt.' Hij glimlachte vaag. 'Zelfs mijn budget is onduidelijk.' Hij keek Will weer aan. 'Heeft Alistair je over Bandar-e Abbas verteld?'

Will voelde zich meteen ongemakkelijk. Sinds hij de vorige dag uit restaurant Simpson's vertrokken was, had hij aan weinig anders gedacht. 'Ja.'

'Wat voor gevoel heb je daarbij?'

Will wreef over zijn gezicht en zei kalm: 'Ik heb maar heel weinig herinneringen aan mijn vader, want ik was nog een kleine jongen toen hij van me werd weggenomen. Maar ik herinner me veel van wat er daarna gebeurde.' Hij schudde langzaam zijn hoofd en sloeg zijn ogen neer. 'Mijn moeder die zich in haar eentje moest zien te redden met mijn zus en mij, die haar best deed en ons meer gaf dan ze had, totdat ze...' Hij keek op en sprak nu krachtig en nadrukkelijk. 'Na de dood van mijn vader veranderde alles. En de wetenschap dat zijn dood geen tragisch ongeluk was, maar iets wat opzettelijk en weloverwogen is gebeurd, maakt alles nog gruwelijker en zinlozer.'

Patrick zei op scherpe toon: 'Het was volslagen zinloos. Toen Alistair en ik waren ontsnapt en later hoorden dat je vader op beestachtige wijze was vermoord, voelden we ons enorm schuldig. We zeiden tegen elkaar dat je vader er goed aan had gedaan ons te laten vluchten. We zeiden tegen elkaar dat als wij ook gevangen waren genomen het toekomstige revolutionaire regime een misschien wel catastrofale overwinning op de westerse inlichtingendiensten in hun regio zou hebben behaald.' Hij fronste zijn wenkbrauwen. 'We zeiden een heleboel dingen tegen onszelf, maar geen van die dingen deed afbreuk aan het schuldgevoel waarmee we allebei door het leven gingen. Daarom besloten we, ieder vanuit onze eigen organisatie, al het mogelijke in het werk te stellen om degenen die betrokken waren bij dat incident op de weg naar Bandar-e Abbas op te sporen en hun levens te verwoesten.

Onze taak was een vendetta geworden, en meer dan zeven jaar lang misbruikten Alistair en ik onze posities binnen de CIA en MI6 om wraak te nemen. Het lukte. Aan het eind van onze vendetta hadden we bijna iedereen gestraft die betrokken was geweest bij de dood van je vader. Die bestraffingen waren uitgevoerd door Alistair en mij persoonlijk.'

'Bijna iedereen?'

Patrick kneep zijn ogen halfdicht. 'Degene die we het liefst wilden hebben, was de jongeman die blijkbaar alles had gepland, de man die ons op de ambassade had benaderd. We hebben hem nooit te pakken gekregen, maar zijn handlangers hebben we allemaal gevonden.

En hoewel we ons door wraakzucht lieten leiden, behaalden Alistair en ik behoorlijke resultaten, en die kwamen onder de aandacht van onze bazen in Langley en Londen.' Patrick knikte. 'We maakten snel promotie, zij het ieder op een iets andere manier. Alistair klom in korte tijd op naar de supervisorpositie die hij momenteel heeft, en je kunt erop rekenen dat hij binnenkort aan het hoofd van MI6 staat. Ik daarentegen werd gepromoveerd naar de positie die ik nu bekleed, een positie die zowel machtig als onzichtbaar is. Het eerste is gunstig. Het tweede betekent dat ik nooit hoofd van de CIA zal kunnen worden.'

Patrick haalde zijn schouders op. 'Wat mijn positie binnen de CIA is? Daar kan ik je geen duidelijk antwoord op geven. Maar ik kan je wel zeggen dat ik word ingezet voor extreme aangelegenheden.' Hij maakte een gebaar dat meer dan alleen de kamer leek te omvatten. 'En ik kan je ook zeggen dat ik aan niemand in dit gebouw verantwoording schuldig ben.'

Wills vingers trommelden weer op de tafel. 'Waar heb je mij dan voor nodig?' Hij hield op met trommelen. 'En alsjeblieft, zeg nu dat het niets te maken heeft met een of andere ereschuld aan mijn vader.'

'Ik zal zeggen dat het niets van dien aard is.' Patrick sprak snel, luid en grimmig. 'Ik zal zeggen dat de man die jij als Megiddo kent het hoofd van het directoraat Westen is, omdat ik weet dat het hoofd van dat directoraat zijn eerste grote buitenlandse opdracht kreeg ten tijde van de oorlogen in het voormalige Joegoslavië. Ik zal zeggen dat je dus iets op het spoor bent met die Harry en die Lana. Ik zal zeggen dat de man die jij in het vizier hebt de man is die ik zoek.'

Will fronste zijn wenkbrauwen. 'Waarom denk je dat hij zich Megiddo noemt?'

'Ik weet niet of hij die naam heeft uitgekozen of dat die naam door anderen voor hem is gekozen. Ik weet wel dat de naam verwijst naar een Palestijnse stad uit de oudheid, een stad waar verschrikkelijke veldslagen hebben plaatsgevonden die symbool kwamen te staan voor de oorlogen van Armageddon.' Patrick keek hem nog strakker aan. 'Hij wordt Megiddo genoemd omdat hij iemand is die naar ultieme veroordeling en vernietiging streeft.' Hij zweeg even. 'Net als jij.'

Will haalde diep adem. 'Wie hebben het Hubble-rapport nog meer gezien?'

'De NSA heeft het aan al degenen laten zien van wie werd vermoed dat ze zich voor de inhoud zouden interesseren.'

Will keek verrast. 'Iedereen?'

'Jazeker.' Patricks ogen flikkerden. 'Die zelfgenoegzame idioten hebben een gecensureerde versie van het rapport naar al onze Europese bondgenoten gestuurd.'

'Maar dat leidt tot paniek,' protesteerde Will. 'In het rapport worden alleen Groot-Brittannië en de Verenigde Staten genoemd, maar alle Europese landen zullen aannemen dat ze het doelwit van de aanslag kunnen zijn. Ze zullen allemaal hun inlichtingen- en veiligheidsdiensten inzetten om de aanslag te voorkomen.'

Patrick knikte. 'Dat hebben ze al gedaan.'

'In dat geval is er geen operatie tegen Megiddo mogelijk. Als je een precisiemissie tegen hem wilt opzetten terwijl je tegelijk moet opboksen tegen een heleboel andere diensten, levert dat alleen maar chaos op.'

Patrick schudde vlug zijn hoofd. 'De Verenigde Staten en hun bondgenoten hebben het volste recht om gebruik te maken van alle middelen die ze bezitten om die aanslag te voorkomen. En misschien zullen sommige van die andere operaties slagen. Maar niemand anders weet van Megiddo.'

'Hoe ter wereld is het je gelukt om dat...' Will zweeg even. '... om dat discreet te houden?'

'Discreet? Dat is een delicaat woord.' Patrick pakte de meeste mappen en papieren bij elkaar. Hij liet zijn handen rusten en keek Will recht aan. 'We hebben het Hubble-rapport, en jij hebt het Megiddo-spoor. Daarom moet dit een gezamenlijke operatie worden. Maar Alistair en ik hebben ervoor gezorgd dat niemand anders in de CIA of MI6 of enige andere organisatie roet in het eten kan gooien. En we hebben dat gedaan door heel discreet de imperatieve status voor deze operatie te verwerven.'

Will keek daarvan op. 'Dus alle normale hiërarchische niveaus,' zei hij langzaam, 'zijn buiten werking gesteld?'

Patrick knikte. 'Zodra de imperatieve status was toegekend, kreeg ik te horen dat maar één westerse inlichtingenagent ervaren en capabel genoeg was om een operatie met zo'n status uit te voeren.' Hij wees naar Will. 'Ik begrijp dat jij het laatste redmiddel bent bij extreme operaties als deze. En hoe ongemakkelijk ik me ook voel nu ik met jou in deze kamer zit, ik heb geaccepteerd dat er geen andere mogelijkheid is dan dat jij wordt ingezet.' Hij snoof. 'Ik kan het me niet veroorloven dat onze missie wordt verstoord of gedwarsboomd door anderen. Het moet een volstrekt autonome missie zijn. De imperatieve status houdt in dat momenteel niet meer dan vijf functionarissen op de hoogte zijn van jouw Megiddo-spoor: ikzelf, Alistair, jij, de premier van Groot-Brittannië en de president van de Verenigde Staten.'

Will vouwde zijn handen samen. 'We weten nog niet of we zelfs maar een beginpunt van deze missie hebben. Harry en Lana hebben iets over ons doelwit verteld, maar we kunnen nog steeds niet bij hem komen.'

'Je weet dat we dat wel kunnen.'

Will keek Patrick aan. 'Dat kan ik niet doen.'

'Je kunt het en je zult het doen.'

Will schudde woedend zijn hoofd. 'Op wiens bevel?'

Patrick boog zich dicht naar hem toe. 'Alistair en ik zijn het hier volkomen over eens, evenals onze regeringsleiders. Het is onze enige optie. Je moet Lana gebruiken om Megiddo naar buiten te lokken. Je moet haar als lokaas gebruiken.'

Will sloeg gefrustreerd met zijn vuist op tafel. 'Al mijn instincten zeggen me dat ze niet in het veld moet worden ingezet. Het is veel te gevaarlijk.'

Patrick glimlachte, maar zijn ogen bleven koud en doordringend. 'Je hebt vast wel vaker vrouwelijke agenten ingezet. Wat is er zo anders aan deze vrouw?'

Will wendde even zijn blik af. Hij dacht aan Lana's angstige, opgejaagde gezicht. Hij had de neiging weerstaan tegen haar te zeggen dat ze nooit meer zou lijden. Toen hij Patrick weer aankeek, deed hij geen enkele moeite zijn woede te verbergen. 'Natuurlijk heb ik vaker gebruikgemaakt van vrouwelijke agenten, en die handelden moedig in gevaarlijke situaties. Maar dit is een missie van een heel andere orde. Wanneer we een vrouw als Lana gebruiken om een meedogenloos meesterbrein als Megiddo te vangen, is dat een te groot risico. Er moet een andere manier zijn.'

'Als die er is, moet je het me vertellen.'

Will zweeg.

Patrick knikte. 'Er staat enorm veel op het spel. Geloof me: niemand van ons wil Lana in gevaar brengen. Het is...' Hij zweeg even. 'Het is niet het deel van ons werk waaraan Alistair en ik plezier beleven. Maar er staan duizenden levens op het spel, en het is allereerst zaak dat we de dood van al die mensen voorkomen.'

Will vloekte inwendig en schudde zijn hoofd. 'Ik kan haar niet vragen dit te doen.'

Patrick zweeg een tijdje en sprak toen met kalme stem. 'Jij bent een vat vol tegenstrijdigheden. Aan de ene kant zie ik dat je absoluut genadeloos bent en grote risico's met je eigen leven neemt, maar aan de andere kant zie ik tot mijn verbazing dat je niet bereid bent anderen op te offeren om een hoger doel te bereiken. Hoe komt dat?'

Will schudde zijn hoofd nog nadrukkelijker. 'Ik ben bereid alles te doen wat nodig is en samen te werken met mensen die de risico's kennen. Een man als Harry weet bijvoorbeeld precies wat hij doet en is vast ook wel in staat harde beslissingen te nemen. Maar Lana... Lana heeft al genoeg meegemaakt. Ze heeft alleen maar goede dingen gedaan in haar leven, en zelfs daarvoor is ze wreed gestraft. Ze is een onschuldige. Ik zet geen onschuldigen op het spel. Ik red ze.' Hij herhaalde: 'Ik kan dit niet van haar verlangen.'

Patrick keek hem een tijdje aan en knikte toen. 'Ik begrijp het. Maar jíj moet begrijpen dat ik elke kans moet aangrijpen om Megiddo tegen te houden.' Hij fronste zijn wenkbrauwen. 'Misschien onderschat je Lana.'

'Wat bedoel je?'

'Misschien wil ze dat risico wel nemen.'

Will schudde weer zijn hoofd. 'Ze wil wraak nemen op Megiddo, en die emotie maakt haar misschien blind voor de mogelijke gevaren. Maar ík ben niet blind voor die gevaren. Ik kan haar niet vragen iets te doen wat haar in gevaar brengt.'

'Misschien niet, maar je kunt haar vragen wat ze wil.'

Will fronste zijn wenkbrauwen.

'Waarom niet?' Patrick sperde zijn ogen open. 'Vertel haar eerlijk over de gevaren. Vraag haar dan of ze bereid is het risico te nemen of dat ze liever veilig maar verbitterd door het leven wil gaan.'

'Dat is gewoon manipulatie.'

'Nee, het is een eerlijke vraag. Een vrouw als Lana kan daar zelf over nadenken en er met overtuiging op antwoorden. Ze heeft het recht om haar eigen levensweg te kiezen. Dat is haar recht, niet het jouwe.'

Will zuchtte. 'Ze zou niet voor de keuze gesteld moeten worden.'

'Jij ook niet, maar omdat er onvoorstelbare gevaren dreigen, moeten we verschrikkelijke beslissingen nemen. En dus maak ik die keuze voor jou. Vraag haar wat ze wil. Ik geef je mijn woord dat als ze weigert te helpen ik die beslissing zal eerbiedigen. En ik geef je ook mijn woord dat als ze besluit mee te werken ik je alle middelen ter beschikking zal stellen om haar gedurende de hele missie te beschermen.'

Will stak zijn kin naar voren. 'Ik heb geen andere schutters nodig. Ik werk alleen. Ik bén de schutter.'

'Je had ook andere mannen bij je in Central Park.'

'Tegen mijn wil. Ze zijn omgekomen en hebben me teleurgesteld. Ik had daar alleen moeten zijn. Mijn spion zou nog in leven zijn als ik niet op anderen had vertrouwd.'

'En toch was jij het die een eind aan zijn leven maakte.'

Will zweeg.

Patrick haalde diep adem. 'Hoe je deze operatie ook wilt aanpakken, Alistair en ik zijn het er volkomen over eens dat je steun moet hebben. En je moet er allereerst naar streven Megiddo te pakken te krijgen, niet Lana te beschermen. In elk geval kun je niet beide tegelijk doen.'

'Ik kan dat proberen.'

'Je had het over risico's.' Patrick glimlachte, maar de blik in zijn ogen bleef koud. 'Wil je dat risico nemen?'

Will zei niets.

Patrick knikte. 'We hebben uitgerekend dat je minstens acht man nodig hebt voor surveillance, bescherming en aanval. Jammer genoeg kan ik je maar vier specialisten geven, en Alistair heeft me verteld dat hij geen schutters van MI6 ter beschikking kan stellen.'

'Ik dacht dat deze operatie op het hoogste niveau werd ondersteund. De regeringsleiders kunnen ons toch wel de middelen geven die we nodig hebben?'

Patrick keek naar een stapeltje losse papieren van een paar centimeter. 'Zo kom ik terug op dat "maar".' Hij legde zijn duim op de stapel en streek langs de rand van de papieren. 'Het Hubble-rapport dat ik je heb laten zien is ongetwijfeld correct, maar sinds het is opgesteld, is er iets anders gebeurd. Hubble is overstroomd met nieuwe berichten over andere voorgenomen aanvallen in Europa en de Verenigde Staten. Dat heeft op z'n zachtst gezegd voor de nodige consternatie gezorgd, en het legt beslag op al onze middelen. Ik mag blij zijn dat ik die vier paramilitaire CIA-agenten voor je los kon krijgen.'

Will fronste zijn wenkbrauwen. 'Hebben de acties die jullie op grond van die andere NSA-rapporten hebben genomen iets opgeleverd?'

Patrick schudde zijn hoofd en keek gefrustreerd. 'Dat is het nou juist. De rapporten zijn informatief genoeg om serieus genomen te worden, maar niet specifiek genoeg om resultaten te garanderen.'

'Wat zegt de NSA daarvan?'

Patrick stond uit zijn stoel op en liep naar een raam. Hij stak zijn handen in zijn zakken en keek naar buiten. 'Je moet begrijpen dat we in een wereld van bureaucratieën en tegenstrijdige belangen leven.' Hij draaide zich om naar Will. 'De NSA vindt haar dierbare Hubble-operatie zo belangrijk dat die niet in twijfel getrokken mag worden. Ik heb ze naar de nieuwe rapporten gevraagd, en ze zeiden dat ik me met mijn eigen zaken moest bemoeien. Ik kan de president niet eens zover krijgen dat hij ze beveelt met me samen te werken, want dat zou hem meteen op een heleboel lastige vragen van het Congres komen te staan.'

Will haalde zijn schouders op. 'Nou, als jij overtuigd bent van de juistheid van het eerste Hubble-rapport, hoeven we ons niet druk te maken om die andere rapporten. Afgezien van het feit dat ze volgens jou tot gevolg hebben dat ik niet genoeg middelen krijg voor mijn operatie.'

Patrick sloeg zijn armen over elkaar. 'Ik denk dat die andere operaties wel degelijk gevolgen kunnen hebben voor onze operatie.'

'Wat bedoel je?'

'Ik kan hier nog niets van bewijzen. Ik kan alleen zeggen dat die andere rapporten te veel op het oorspronkelijke Hubble-rapport van twee weken geleden lijken. Ik denk dat die latere rapporten op valse berichten zijn gebaseerd, in tegenstelling tot het oorspronkelijke rapport. Jammer genoeg zou alleen de NSA dat kunnen bevestigen.'

'Veel succes.'

Patrick glimlachte. 'Ik zou jóú veel succes moeten wensen.'

Hij draaide zich weer om en keek uit het raam. 'Ik heb je verteld dat ik aan extreme zaken werk. Ik heb je verteld dat ik je nodig had omdat je al een eind op weg was met de operatie tegen Megiddo. Ik heb je niet verteld dat er nog een andere reden is dat ik je goed kan gebruiken.' Patrick draaide zich weer om naar Will. 'Ik kan je gebruiken bij een precaire klus.'

'Wat ben je van plan?'

'Morgenvroeg om half acht vertrekken de kinderen en vrouw van het hoofd Contraterrorisme Midden-Oosten van de NSA naar school en werk. Om half negen gaat de NSA-man zelf naar zijn werk. Ik wil dat je morgen in Baltimore bent om een praatje met hem te maken voordat hij aan zijn werkdag begint.'

Will fronste zijn wenkbrauwen. 'Wil je dat ik een hoge NSA-functionaris ga ondervragen?'

'Heb je daar een probleem mee?'

Will dacht over de vraag na. 'Ik wil hem wel bang maken, hem misschien zelfs een paar klappen verkopen, maar ik ga niet iemand martelen die aan onze kant staat.'

Patrick stak zijn hand op. 'Ik moet echt moeilijke beslissingen nemen, maar gelukkig hoef ik op dit moment niet te besluiten een westerse inlichtingenanalist te martelen.' Patrick liep naar de tafel terug. Hij zei een tijdje niets, bleef Will alleen aankijken. Toen sprak hij zachtjes. 'Alistair heeft me gewaarschuwd dat je je werk ziet als een middel om wraak te nemen op de tragedies die je in het begin van je leven hebben getroffen.

Hij heeft me gewaarschuwd dat je nooit ophoudt, dat je enorme persoonlijke offers brengt, dat je niets om regels of protocollen geeft en dat tegenover je mededogen met zwakke en onschuldige mensen een onwrikbaar verlangen staat om het kwaad te doden.' Hij verhief zijn stem. 'Maar hij heeft me ook gewaarschuwd dat er aspecten van je persoonlijkheid zijn die hij niet helemaal begrijpt, en jijzelf ook niet.' Zijn stem werd harder. 'Om Megiddo gevangen te nemen moeten we de grootste risico's nemen. Om redenen die je straks duidelijk zullen worden moet ik weten dat je in de hand te houden bent.'

Will kneep zijn ogen samen. 'Ik houd mezelf in de hand.'

'Hoe? Hoe kun je dat?' vroeg Patrick op barse toon. 'Hoe kun je zonder professionele en persoonlijke begeleiding de dingen doen die je doet? Hoe kun je zonder dat alles leven?'

Will zweeg even en zei toen: 'Als er een eind aan mijn oorlog komt, moet ik die vragen misschien onder ogen zien. Maar dan doet het er niet meer toe, want dan ben ik waarschijnlijk dood.'

Patrick maakte een gefrustreerd gebaar. 'Je bent de zoon van je vader, maar door omstandigheden ben je ook een destillaat en een grove karikatuur van de man die ik voor het laatst in Bandar-e Abbas heb gezien.'

Will stond vlug op en schopte zijn stoel tegen de vloer. Hij deed twee stappen in Patricks richting en keek de man woedend aan.

Patrick zette een stap terug en stak zijn hand op. 'Alsjeblieft, ga zitten.'

Will kwam niet in beweging.

'Alsjeblieft, ga zitten.'

Will bleef Patrick aankijken. 'Wees heel voorzichtig met wat je zegt.' Hij ging zitten en zag dat Patrick hetzelfde deed.

Patrick beheerste zich. 'Er is nog een reden dat Alistair en ik weten dat je de beste man voor deze missie bent. En die reden zal alles voor je veranderen.' Hij knikte langzaam en dempte zijn stem. 'Alles.'

'Wat bedoel je?'

Patrick keek Will een hele tijd onderzoekend aan. 'Wat is je laatste herinnering aan je vader?'

Will kneep zijn ogen halfdicht. 'Ik was vijf. Ik herinner me dat ik hem naar een vliegtuig toe zag lopen. Ik zwaaide met mijn ene hand naar hem terwijl ik de hand van mijn moeder vasthield. Ik zag hem in het vliegtuig stappen. Daarna heb ik hem nooit meer gezien.' Wills woede nam af bij de herinnering. 'Later hoorde ik dat het vliegtuig naar Iran was gegaan.'

Patrick knikte. 'Dat zal zijn eerste en laatste trip naar Iran zijn geweest, drie weken voor zijn gevangenneming.' Hij verbrak het oogcontact even, en toen hij Will weer aankeek, lag er droefheid in zijn ogen. 'In het eerste jaar dat je vader gevangenzat, hoorden we van onze agenten dat hij door de revolutionairen steeds naar een andere plaats werd gebracht en in kelders en op andere geheime locaties werd vastgehouden. Maar na de revolutie van 1979 werden de revolutionairen de autoriteiten en kreeg de gevangenschap van je vader een formeel karakter. Hij werd overgebracht naar de Evin-gevangenis in Teheran en solitair opgesloten tussen de martelingen door die hij vaak moest ondergaan. In het zevende jaar van zijn gevangenschap werd je vader naar de kamer gebracht die meestal voor zijn martelingen werd gebruikt, maar in plaats van een van de vele gebruikelijke beulen zag hij daar de revolutionair die ons drieën in de val had laten lopen. De man was nu een belangrijke figuur. De cipiers deden een stapje achteruit en hij ging aan het werk.'

Patrick sloot zijn ogen en deed ze langzaam weer open. 'Ik heb later met een van die cipiers gesproken, voordat ik hem doodde, en toen kreeg ik precies te horen wat er in die kamer was gebeurd. Ik hoorde dat de revolutionair stukken van je vader af sneed. Ik hoorde dat de man je vader aan een infuus met een zoutoplossing legde, zodat hij langer in leven kon worden gehouden terwijl hij die gruweldaden onderging. Ik hoorde dat de revolutionair ten slotte zijn mes in het verminkte lichaam van je vader stak om hem te doden.

Sinds de moord op je vader en later je moeder ben je je hele volwassen leven bezig geweest onrecht te bestrijden dat anderen wordt aangedaan. Dit wordt voor jou een andere missie, maar Alistair en ik zijn bang voor wat er daardoor met je toch al genadeloze psyche zou kunnen gebeuren. Deze missie is anders, omdat de man die je vader aan stukken sneed hem zijn naam heeft genoemd voordat hij hem doodde.

Die naam was Megiddo.'

13

Will parkeerde de huurauto en keek op zijn horloge. Hij stapte uit en stond op Sycamore Road in de fraaie woonwijk Cedarcroft in Baltimore. Hij droeg een in Engeland gekocht Gieves & Hawkes-pak en een raglan overjas, en in zijn zak had hij een in Amerika geleend Beretta M9A1-pistool. Hij zette de kraag van zijn jas omhoog om zich tegen de ijskoude regen te beschermen en stak zijn handen in zijn zakken. Hij zag veertien grote huizen aan deze tweehonderd meter lange straat, en het huis waar hij moest zijn stond bijna aan het eind. Hij boog zijn hoofd en liep vlug naar voren. Binnen een minuut stond hij voor een huis in Dutch Colonial-stijl. Hij belde aan. Een man deed open, en Will schopte hem meteen in zijn buik om vervolgens over het trillende lichaam van de man heen te stappen. Hij deed de deur achter zich dicht en luisterde. Er kwamen geen andere geluiden uit het grote huis.

Will liep naar de man terug en hurkte bij hem neer. Hij legde zijn hand om de kin van de man en beval: 'Ademhalen.' Toen stond hij op zonder zich iets van het gekreun van de man aan te trekken en liep door de hal naar een grote keuken. Hij draaide zich om en liep naar de man terug. Hij legde voorzichtig zijn hand onder het hoofd van de man, trok hem mee naar de keuken en zette hem in zithouding op de vloer. De man haalde piepend adem en drukte zijn handen tegen zijn buik.

Will ging naast hem op de vloer zitten. Hij porde tegen het voorhoofd van de man en vroeg: 'Is er geknoeid met Hubble?'

De man haalde een paar keer diep adem en schudde toen zijn hoofd. 'Wie je ook bent, val dood.'

Will sloeg zijn benen over elkaar en vouwde zijn handen samen. 'Dat is een belachelijk antwoord.'

De man bracht zijn hand naar zijn mond alsof hij ging overgeven. Hij kneep zijn ogen stijf dicht en haalde langzamer adem. Toen haalde hij zijn hand weg en keek Will aan. 'Als ik niet op mijn werk verschijn, gaan er gewapende mannen naar me op zoek.'

'Omdat je een hoge NSA-functionaris bent?' Will glimlachte. 'Ik denk niet dat er iemand komt, maar als er iemand komt, dood ik hem direct nadat ik jou heb gedood.'

De NSA-man schudde weer zijn hoofd. 'Wie heeft je gestuurd?'

Will leunde tegen de ontbijttafel. 'Nou, je kunt vast wel aan mijn accent horen dat ik waarschijnlijk niet voor een van jullie diensten werk.'

'Hoe weet je dan van Hubble?' De ademhaling van de man leek te herstellen van de schop die Will hem had gegeven.

'Omdat jullie zo dom waren Hubble-rapporten naar iedereen te sturen die jullie als bondgenoot beschouwen.'

De man haalde zijn handen van zijn buik weg. 'Ik denk niet dat jij mijn bondgenoot bent.'

Will grijnsde. 'Misschien niet, maar ik vertegenwoordig belanghebbenden bij inlichtingen die aan de kant van Hubble staan. En we denken dat jullie een probleem hebben.'

De ogen van de NSA-man gingen halfdicht. 'Je moet wel gek zijn als je denkt dat ik je iets ga vertellen over de manier waarop we aan Hubbles inlichtingen komen.'

'Ik ben hier niet om iets te horen over Hubble zelf. Ik ben hier alleen om vast te stellen of je gelooft dat er in de afgelopen veertien dagen met Hubble is geknoeid.' Will keek naar de keuken en zag twee gebruikte papkommen voor volwassenen en twee voor kinderen op het aanrecht staan. Toen keek hij de man weer aan. Hij verfoeide het dat hij nu moest liegen, maar hij wist dat het van vitaal belang was. 'En ik ben bereid de hele dag hier bij je te blijven om antwoord te krijgen. Maar ik zweer je dat ik de eerste die ons babbeltje komt verstoren meteen overhoopschiet.'

De man zei niets.

Will knikte. 'Ik weet hoe belangrijk de Hubble-operatie voor jou persoonlijk is. Per slot van rekening was de inspiratie en technologie achter de technische aanval van Hubble afkomstig van jou. Het is dan ook terecht dat Hubble je veel lof en promotie binnen de NSA heeft opgeleverd. En dus...' Hij opende zijn handen en trommelde met zijn vingers op zijn been. 'En dus zul je niet zo gemakkelijk accepteren dat je grootste prestatie door vijanden is ontdekt en dat die er hun voordeel mee doen.'

De NSA-man bleef bijna een minuut zwijgend zitten. Toen keek ook hij naar het aanrecht, om vervolgens zijn blik weer op Will te richten. Hij kneep zijn ogen samen en wreef over zijn buik. Hij schudde zijn hoofd. 'Twee weken geleden kregen we een nieuwe stroom rapporten uit de Hubble-bron. Na een paar dagen besefte ik dat de stijl van deze nieuwe rapporten bijna hetzelfde was als die van het oude materiaal, maar dat de inhoud ons dwong om achter plannen voor bomaanslagen in het hele Westen aan te jagen zonder dat het enig resultaat opleverde. Ik kreeg het gevoel dat iemand Hubble had geïnfiltreerd en ons valse informatie toespeelde.'

'Hoe kon dat gebeuren?'

De man keek voor zich uit en herhaalde: 'Ik ga je niet vertellen hoe we aan Hubble-inlichtingen komen. Wat jij ook denkt dat je me kunt aandoen, mijn bazen kunnen me nog veel ergere dingen aandoen als ik Hubble verraad.'

'Dat begrijp ik, maar luister. Wat zou je ervan zeggen als ik je vertelde dat een onbekende persoon, of groep personen, had ontdekt dat Iraanse militaire communicatie- en andere datasystemen waren gekraakt, en dat die persoon ook besefte dat zijn operatie om het Westen een gigantische slag toe te brengen was ontdekt, dat de man toen besloot die inbreuk op het systeem te gebruiken om twijfel over zijn operatie te zaaien, dat de man vervolgens Hubble manipuleerde door bepaalde e-mails en sms'jes te versturen en bepaalde telefoongesprekken te voeren? Je hoeft me niet over Hubble te vertellen, maar wat zou je op mijn kleine hypothese te zeggen hebben?'

De man liet zijn hoofd zakken en zei niets.

Will glimlachte en zette zich af tegen de vloer. 'Meer hoef ik niet te weten.'

De NSA-man keek naar hem op. Zijn ogen waren gaan tranen. 'Je vergist je in één ding. Toen ik constateerde dat er zoiets gebeurde, bracht ik dat meteen onder de aandacht van mijn superieuren. En toen waren zij het, niet ik, die besloten zich er niets van aan te trekken.'

'Waarom besloten ze dat?'

De man zuchtte. 'Mijn Hubble-operatie is zo veelomvattend als het maar kan. De inbreuk erop beslaat nog niet één procent van wat we met Hubble doen. De rest blijft intact en onontdekt. De NSA dacht dat de hele operatie in gevaar zou komen als we iets aan de inbreuk deden. Daarom besloten ze die te negeren. Op die manier willen ze de operatie als geheel redden.'

'Maar waarom verspreidden jullie de rapporten die uit de inbreuk voortkwamen, als jullie wisten dat ze vals waren?'

De man haalde zijn schouders op. 'Onze afnemers geloven van ganser harte in het Hubble-project, omdat wij tegen hen zeggen dat het volkomen accuraat is. Als we rapporten achterhouden, gaan ze misschien twijfelen aan het hele project.' Hij glimlachte vaag, maar bleef verbitterd kijken. 'Hubble alleen al heeft dit jaar tweehonderd miljoen dollar extra financiering voor de NSA binnengehaald.'

Will knikte. 'Ik begrijp het.' Hij keek de man onderzoekend aan en ging verder: 'Je gaat nu naar je werk en zorgt ervoor dat er niets aan de inbreuk wordt gedaan. Je zorgt er ook voor dat de NSA nooit iets te weten komt over ons gesprek van vanochtend.' Hij wierp nog een laatste blik door de keuken en keek toen de NSA-man weer aan. Hij meende dat de man eerlijk en eerzaam was, een fatsoenlijke vader en echtgenoot die het niet verdiende dat hij bedreigd werd zoals Will had moeten doen. Hij had een hekel aan de dingen die hij soms moest doen en de leugens die hij soms moest vertellen. Hij wees naar de man. 'Als je dat doet, blijven jij en je dierbaren in leven. Als je het niet doet, gaat alles waar je van houdt dood.'

14

Will deed het leeslampje boven zijn stoel in de Delta Air Lines 777 uit en sloot zijn ogen. Hij wist dat hij niet zou kunnen slapen, maar hij hoopte vurig dat hij tijdens deze vlucht wat kon uitrusten. Hij probeerde te ontspannen, probeerde zich los te maken van de man die hij was, probeerde zich voor te stellen dat hij een van de normale mensen was die hij in de first class om zich heen had.

Maar de gedachten en herinneringen vlogen wild en intens door zijn hoofd, om zich uiteindelijk te concentreren op die ene herinnering die hij het allerliefst zou willen vergeten.

Hij zag de grote tienerjongen glimlachen en de voorjaarslucht opsnuiven toen hij 's middags naar het huis liep. Hij zag de jongen tegen losse steentjes schoppen om geen andere reden dan dat ze er waren. Hij zag de glimlach van de jongen breder worden toen hij een klopje op de schooltas met zijn rapport gaf. Hij zag de jongen het tempo opvoeren, zodat hij nu bijna rennend op weg was naar zijn huis.

De jongen bleef staan en fronste zijn wenkbrauwen, maar hij maakte zich geen zorgen. Het was ongewoon dat er zo veel auto's bij het huis stonden, want er kwamen nooit veel mensen op bezoek, zeker niet op een doordeweekse dag. Maar de jongen was eigenlijk nog een kind, en hij was blij dat hem iets anders, iets opwindends te wachten stond. Hij liep door en kamde met zijn vingers door zijn verwarde haren om er tenminste enigszins toonbaar uit te zien. Hij keek nog eens goed naar de auto's en prentte zich de modellen in om zijn vrienden er de volgende dag over te kunnen vertellen. Hij interesseerde zich niet voor auto's, maar sommigen van zijn vrienden interesseerden zich er wel voor.

De jongen wreef met zijn schoenen over de achterkant van zijn broek en liep toen naar de achterdeur van het huis. Die stond open, en dat vond hij normaal voor zo'n heldere lentedag. Hij liep het huis in, zette zijn boekentas neer en vroeg zich af of hij limonade kon krijgen.

Hij riep: 'Moeder.'

Hij liep de huiskamer in.

Zijn leven veranderde voorgoed.

15

De volgende morgen om half negen stond Will weer in de rue Sainte-Croix-de-la-Bretonnerie in Parijs. Hij had pijn in zijn rug en strekte zijn armen uit om de pijn te verlichten. Op de straat om hem heen waren veel voetgangers. Ze haastten zich door de dwarrelende sneeuw die van de ene op de andere dag over de stad was neergedaald, en Will nam iedereen aandachtig in zich op.

Hij zag Lana uit haar zijstraat komen en volgde haar. Ze droeg een dikke winterjas en laarzen, maar zag er toch elegant en sexy uit, zoals ze daar liep en nu de rue du Bourg-Tibourg in sloeg. Ze liep een café in en ging aan een tafel bij het raam zitten. Will bleef nog even in de straat staan en keek naar haar. Hij zag dat ze haar hoofddoek af deed en dat haar haar over haar rug viel. Hij zag haar iets bij de ober bestellen en een opgevouwen krant tevoorschijn halen. Hij liep het café in.

'Hallo, Lana.' Will ging tegenover de vrouw zitten en trok de krant bij haar gezicht vandaan, zodat ze hem kon zien.

Lana's ogen gingen wijd open. Ze keek vlug in het café om zich heen en keek toen Will weer aan. Dat deed ze met een vaag glimlachje. 'Hallo, Nicholas. Je bent teruggekomen.'

'Ik heb je gezegd dat ik dat zou doen.' De ober kwam meteen naar hun tafel toe en Will mompelde tegen de man: '*Un café allongé, s'il vous plaît.*' De man liet hen alleen en Will keek Lana weer aan. 'Ik hoop dat je hier niet met iemand hebt afgesproken.'

Lana legde haar krant neer en streek haar haar over haar schouder. 'Met niemand.'

Will knikte en keek naar haar gezicht. Dat zag er nog steeds tegelijk mooi en opgejaagd uit, maar ze straalde nu ook enige kracht uit, of hoop. 'Hoe voelde je je na ons gesprek?'

Lana fronste vaag en haalde haar schouders wat op. 'Ik verbaasde me er vooral over dat ik je mijn littekens heb laten zien.' Ze boog zich naar voren. 'Waarom heb ik dat toch gedaan bij iemand als jij?'

Will glimlachte. 'Iemand als ik? Wat voor iemand denk je dat ik ben?'

Ze wuifde even met haar hand. 'Je bent iemand die geheimen en zielen bemachtigt. Dat doe je, nietwaar?'

'Zo zou je het kunnen zeggen.'

Lana keek naar Wills ringloze vingers en toen weer in zijn ogen. 'Ben jij een goedaardige man, Nicholas?'

Hij fronste zijn wenkbrauwen en lachte. 'Dat is een vreemde vraag.'

'Eigenlijk niet.' Lana legde een van haar gemanicuurde handen plat op de tafel tussen hen in. 'Ik heb in mijn leven zo veel kwaadaardige mannen ontmoet. Het zou mooi zijn om te weten dat jij niet een van hen bent.'

'Ik kan kwaadaardig zijn als het moet.'

'Maar niet als het niet hoeft.' Ze glimlachte, en haar ogen twinkelden.

Will wilde daar net iets op zeggen toen de ober twee koppen koffie naar hun tafel bracht. Will bleef enkele ogenblikken zwijgend zitten en zag dat Lana haar vingers iets dichter naar de zijne toe bracht. Hij keek door het raam naar de verse sneeuw die op Parijs viel. Toen keek hij Lana weer aan. 'Hij heet Megiddo.'

Lana sloeg haar ogen neer en zei zachtjes: 'Dat weet ik. Dat is de enige naam die hij me ooit heeft gegeven.'

'Waarom heb je me de vorige keer dan niet verteld dat hij zo heette?' Will hoorde de woede in zijn eigen stem.

Lana schudde haar hoofd. 'Het is niet zijn eigen naam, dus het doet er niet toe.'

Hij pakte zijn koffiekopje zo stevig vast dat het een wonder was dat het niet aan scherven ging. 'Alleen ik kan beslissen wat ertoe doet en wat niet.'

'Waarom is hij zo belangrijk voor je?'

Will haalde diep adem en verslapte zijn greep op het kopje. Hij keek naar Lana's lippen, toen naar haar ogen, en knikte. 'Hij is belangrijk voor me omdat hij anderen wil doden. Het is mijn taak om mensen als hij tegen te houden.'

'Dat moet een eenzame, ondankbare taak zijn.'

Will dacht meteen weer aan zijn ontmoeting met zijn zus op de begraafplaats Highgate. Hij zette die herinnering van zich af en glimlachte. 'Waarom denken mensen als jij altijd dat mensen als ik eenzaam zijn?'

'Mensen?' Lana's stem werd harder. 'Je zei dat als ik was opgepakt toen ik mijn reizen door Bosnië maakte, ik verkracht, gemarteld en geexecuteerd had kunnen worden. Hoe weet je dat ik nooit ben opgepakt? Hoe weet je dat sommige van die dingen niet zijn gebeurd?' Ze stak haar hand uit naar haar koffie, maar pakte het kopje niet vast. 'Denk je dat ik zo ben als alle anderen? Dat ik een willekeurige persoon ben?'

'Nee, dat denk ik niet.' Will keek weer naar de vallende sneeuw en glimlachte bij een onverwachte herinnering. Er kwam een beeld bij hem op van de vijfjarige Will Cochrane die sneeuwballen gooide met zijn vader. Hij vroeg zich af waarom die herinnering op dat moment naar boven kwam en zuchtte toen hij begreep dat het allemaal om onschuld draaide – zijn onschuld, voordat de slechte dingen in zijn leven kwamen, net als Lana's onschuld en zuiverheid voordat de slechte mannen haar hadden geslagen en misschien nog ergere dingen hadden gedaan. Hij keek haar aan. 'Het spijt me. Ik wilde je niet kleineren.'

Lana fronste haar wenkbrauwen en glimlachte mild. 'Waarom ben je bij me teruggekomen?'

Will haalde diep adem en keek naar Lana. Hij keek naar haar mooie olijfbruine huid, haar teakbruine haar, haar grote bruine ogen en haar lippen. Hij zei een tijdje niets, keek alleen naar haar. Hij vroeg zich af hoe ze op zijn volgende vraag zou reageren en vermoedde dat hij het wist. Hij speelde met het idee het haar helemaal niet te vragen en een leugen te vertellen als hij verslag uitbracht aan Alistair en Patrick. Maar Alistair en Patrick waren mannen die leefden en gedijden in een wereld van leugens. Ze waren niet te misleiden, zelfs niet door hem.

Hij opende zijn mond en zei: 'Lana, ik...' Zijn keel voelde meteen droog aan. 'Lana, ik moet je iets vragen.'

'Ik denk dat ik wel weet wat het is.'

Will fronste zijn wenkbrauwen.

Ze wendde haar blik af en zei zachtjes, bijna in zichzelf: 'Het is in mijn leven vaak gebeurd dat ik roekeloos was, dat ik willens en wetens te grote risico's nam en misschien zelfs naïef was.' Toen ze Will weer aankeek, klonk haar stem krachtiger. 'Maar ik ben niet dom.' Ze knikte. 'Jij denkt dat je mij kunt gebruiken om Megiddo naar buiten te lokken. Je wilt weten of ik bereid ben je te helpen hem te pakken te krijgen.'

Will keek naar haar ogen, probeerde iets van haar emoties te bespeuren. Hij zocht naar tekenen van angst, aarzeling, onzekerheid, woede – wat dan ook. Maar hij zag niets waaruit hij kon afleiden wat ze dacht. Hij knikte langzaam. 'Dat is precies wat ik wil weten.'

Lana stak haar hand weer naar het koffiekopje uit, en ditmaal legde ze haar vingers om de onderkant. Ze tilde het kopje op, nam er een slokje uit en zette het zorgvuldig weer neer. 'Ik weet waarom ik mijn kleren uittrok om je mijn wonden te laten zien. Ik deed dat omdat je goed moest begrijpen wat ik had doorgemaakt en wat ik nog steeds doormaak. Ik wilde dat je naar me keek en tot de conclusie kwam dat ik iemand was van wie je gebruik kon maken, iemand die je kon helpen Megiddo te pakken te krijgen.' Ze fronste haar wenkbrauwen. 'Maar ik was verbaasd. Je kwam naar me toe en wilde niet dat ik halfnaakt voor je stond in zo'n kwetsbare situatie. Andere mannen zouden zich in die situatie anders hebben gedragen. Maar op dat moment zag ik een zachtmoedige man die niets anders wilde dan mij beschermen. Ik zag een man die verafschuwde wat hij zag.' Ze glimlachte. 'Ik denk dat ik op dat moment een heel goedaardige man zag.'

Will verkeerde in verwarring. Hij was ook kwaad op zichzelf, en voordat hij zich kon inhouden, gooide hij eruit: 'Zou een goedaardige, zachtmoedige man je vragen iets te doen wat allesbehalve goedaardig en zachtmoedig was?'

Lana fronste haar wenkbrauwen en schudde haar hoofd. 'Ik wilde dat je de waarheid over me wist. Ik wilde dat je begreep hoe erg ik de man haat die jij nu zoekt.' Ze boog zich naar voren. 'Ik wil nu dat je weet dat de man die jij zoekt de man is die ik ook zoek. Je moet begrijpen dat ik je op alle mogelijke manieren wil helpen. Alsjeblieft, dit is misschien mijn enige kans om mijn leven ten goede te veranderen.'

Will vroeg zich af wat hij moest zeggen. Toen wist hij het: 'Lana, je kunt alleen helpen door als lokaas voor Megiddo te fungeren. Ik zou je zo veel mogelijk beschermen, maar je zou toch in groot gevaar verkeren. Dat neemt niet weg dat ik geacht word je te vertellen dat je me terecht wilt helpen. Maar ik ga niet tegen je liegen. Ik wil dat je tegen me zegt dat je ons niet helpt Megiddo te pakken te krijgen.'

Lana begreep het niet. 'Je wilt hem toch te pakken krijgen?'

Will keek weer even een andere kant op. Hij dacht aan wat Alistair hem over zijn vader had verteld. Hij dacht aan wat Patrick hem over de kamer in de Evin-gevangenis had verteld. Hij dacht aan Megiddo.

Hij keek Lana weer aan en probeerde zijn woede te verbergen. 'Ik zou hem verschrikkelijk graag in handen willen krijgen.' Hij zuchtte. 'Maar er moet een andere manier zijn.'

Lana glimlachte en nam Wills grote handen in haar eigen handen. Het gebaar voelde teder aan. 'Dan weet ik wat je denkt. Nu weet ik dat ik de juiste indruk van je had. Nu weet ik dat je echt een zachtmoedige man bent.' Ze gaf een kneepje in zijn handen. 'Maar ik ga ook niet tegen jou liegen. Je zou hier niet zijn als jij of anderen in je organisatie andere middelen hadden om Megiddo naar buiten te lokken. En dus moet ik deze kans aangrijpen. Ik moet je helpen, en als dat betekent dat je mij gebruikt om hem uit zijn schuilplaats te laten komen, ben ik bereid daaraan mee te werken.' Ze trok haar handen terug en glimlachte.

Will zweeg enkele ogenblikken. Hij keek weer uit het raam, naar de tafel, naar de sporen van lipstick op haar koffiekopje. Naar alles behalve Lana. 'Het kan je je leven kosten.'

'Ik voel me toch al halfdood. Wat heb ik te verliezen?'

Hij zuchtte en keek haar eindelijk aan. Hij ontwaarde kracht in haar ogen; ze wilde de uitdaging aangaan. 'Ik vermoed dat je meer redenen om te leven hebt dan je denkt,' zei hij.

'Laat me dat dan ontdekken. Laat me dit doen en weer het gevoel hebben dat ik leef.'

Hij knikte. Hij wist dat hij haar niet van haar besluit zou kunnen afbrengen. Hij wist ook dat ze niet echt begreep in welk gevaar ze zichzelf zou brengen. Toen kreeg hij een idee.

Hij trommelde met zijn vingers op de tafel en zei zachtjes: 'Het zij zo.' Hij dacht nog even na en zei toen: 'Ik wil dat je hem een brief stuurt. Ik wil dat je hem om een audiëntie vraagt.'

Lana grinnikte. 'Heb jij een adres van hem? Want dat heb ik niet.'

Will schudde zijn hoofd. 'Nog niet, maar daar werk ik aan. Met die brief lokken we hem tevoorschijn. Je ontmoet hem en identificeert hem, en ik kan hem gevangennemen.'

'Waarom zou hij me willen ontmoeten?'

'Je kunt schrijven dat je van hem houdt.'

Lana's ogen flikkerden van woede. 'Je vraagt wel veel van me. En trouwens, hij wil me vast niet ontmoeten tenzij ik iets heb wat voor hem veel waardevoller is dan...' Ze fronste haar wenkbrauwen. '... dan liefde.'

'Dat denk ik ook.' Will nam weer een slokje koffie. Toen hij zijn kopje had neergezet, legde hij zijn hand over Lana's vingers. Hij hoopte daarmee iets van haar woede weg te nemen.

Lana glimlachte. 'Je zegt dat hij van plan is mensen te vermoorden. Dat moeten dan wel belangrijke mensen zijn, als hij erbij betrokken is en als jij opdracht hebt gekregen om hem tegen te houden. Hij zal zich niet gemakkelijk van zijn plannen laten afleiden.'

'Dan moeten we hem iets beters aanbieden dan liefde, zoals jij al zei.'

Een ogenblik kwam de woede op Lana's gezicht terug. Toen lachte ze zachtjes.

Will glimlachte en dronk de rest van zijn koffie op. Zijn gezicht was dicht bij het hare, en hij glimlachte nu niet meer. 'Je moet Megiddo iets geven wat hij niet kan weerstaan, en ik weet wat dat kan zijn.' Hij trok haar dichter naar zich toe. 'Ik kan je niet tegenhouden als je me wilt helpen, maar misschien kan ik voorkomen dat jijzelf het echte lokaas bent. We gaan het volgende doen. Ik wil dat je Megiddo schrijft dat je door westerse inlichtingendiensten bent benaderd. Je schrijft hem dat ze weten dat hij van plan is een gigantische aanslag in een van hun landen te plegen. Je schrijft hem dat een inlichtingenagent, een zekere Nicholas Cree, je vragen over Megiddo heeft gesteld. En dat ik hem gevangen wil nemen. En dat je hem dringend moet ontmoeten om hem te vertellen wat je weet. En dat je hem de inlichtingenagent in handen kunt spelen, dan kan hij Cree martelen om vast te stellen of zijn operatie werkelijk is uitgelekt.' Will glimlachte. 'Zeg tegen hem dat je dat alleen doet als je in ruil daarvoor weer bij hem kunt zijn.'

Lana had naar Wills lippen gekeken terwijl hij sprak. Toen ze opkeek, zag hij de tranen in haar ogen. Ze trok voorzichtig een van haar handen uit Wills hand terug en streek met haar vingers over de zijkant van zijn gezicht. Ze schudde licht het hoofd. 'Begrijp je wel welke risico's je met die man neemt? Je zegt tegen Megiddo dat hij je moet vermoorden.'

Will stelde zich de pijn voor die zijn vader in de martelkamer van de Evin-gevangenis moest hebben ondergaan. 'Ik wil dat Megiddo achter míj aan gaat. Ik wil dat hij míj als het lokaas ziet dat voor hem klaarligt. Ik wil dat hij te laat beseft dat híj de prooi is en ík het roofdier.

En dan scheur ik mijn prooi aan stukken, zoals roofdieren dat doen.'

16

'Ik vergeef het je dat je me het mes op de keel hebt gezet. Maar het zal wel even duren voordat ik je vergeef dat je dacht dat ik misschien iets slordigs had gedaan en een moordenaar naar je collega had geleid.' Harry nam een slok van zijn Red Label-whisky. Hij droeg een smetteloos vlot zakenpak en had zijn ene been losjes over het andere geslagen. Hij zette het whiskyglas naast zich op de tafel en bewoog zijn vinger voor Will heen en weer. 'Het is tot daaraan toe om iemand te wantrouwen, maar het is heel iets anders om te denken dat hij dom is.'

Het was avond, en Will was nu drie uur in Londen. Hij zat met Harry aan de bar van het Dorchester Hotel aan Park Lane.

'Hoe lang blijf je in Londen?' Will nam een klein slokje van zijn eigen whisky.

'Eén nacht en één dag. Niet langer.' Harry streek met zijn hand over zijn broek. 'Ik moet een transactie regelen voor een heel grote zending, en de papieren kunnen hier worden geregeld.' Hij grijnsde. 'Discréét geregeld.'

Will knikte. 'Is het misschien een zending wapens en is hun bestemming wat twijfelachtig?'

Harry wreef zich snel in de handen en glimlachte ondeugend. 'Je bent toch geen geheime politieman, Charles?'

'Nee. Ik denk dat ik geen goede politieman zou zijn, geheim of niet.'

Harry haalde zijn benen van elkaar af en boog zich dicht naar Will toe. Hij fluisterde bijna. 'Dat is waar. En ze zouden niet iemand als jij in hun gelederen willen hebben, hè? Niet iemand met jouw soort problemen.' Hij trok zich vlug terug terwijl hij grinnikte, en klapte toen in zijn handen. 'Nou, ik denk dat ik iets voor je heb,' bulderde hij.

'Zal ik onder de indruk zijn?'

Harry kneep zijn ogen samen. 'Ik hoop het. Je vroeg me iemand te vinden, en dat heb ik gedaan. De militaire attaché op de Iraanse ambassade in Zagreb. Dat is een IRGC-agent.'

Will knikte waarderend. 'Hoe lang is hij daar al gestationeerd?'

'Zestien maanden. Het is zijn eerste stationering in Europa.' Harry sperde zijn ogen open en keek Will afwachtend aan. 'Hij is maar een gewoon IRGC-lid, weet je – een majoor in hun leger, niets bijzonders. Wilde je die informatie?'

'Ja. Wat is zijn taak?'

Harry pakte zijn glas op. 'Hij doet wat een normale militaire attaché in zijn positie geacht wordt te doen: hij praat met de Kroatische militairen, probeert hen over te halen militair materieel aan de Iraniërs te verkopen of misschien van ze te kopen, en waarschijnlijk drinkt hij met ze tot in de kleine uurtjes.'

'Leeftijd?'

'Eenendertig.'

Will glimlachte bijna, maar hield zich in. Het profiel van de man was precies wat hij nodig had. Zijn leeftijd was een extra voordeel, want de man wilde misschien nog erg graag aan zijn superieuren in Teheran bewijzen wat hij waard was. 'Dat is heel goed, Harry. Heel goed.'

Harry grijnsde weer. 'Zie je wel? Ik kan voor jou van waarde zijn.' Hij wees met zijn vinger naar Will. 'Hé, die Lana... Heb je al met haar gesproken?'

Will hief zijn glas. 'Als ik haar gebruik, zal ze niet weten dat ze voor een Britse inlichtingendienst werkt.'

Harry knikte en grinnikte opnieuw. 'Jouw manier van werken bevalt me wel.' Hij dronk zijn whisky op en keek op zijn horloge. 'Nou, tenzij we nog iets anders te bespreken hebben, gaat deze oude man naar bed. Ik heb morgen een drukke dag.'

'Verder is er op het moment niets.' Will legde zijn hand op Harry's horloge. 'Maar je moet met me in contact blijven. Ik wil dat jij en je connecties bedacht zijn op elk teken van activiteit van Qods in Midden-Europa. Alles, al is het alleen maar een gerucht.'

'Natuurlijk.' Harry legde zijn hand op Wills vingers; de ondeugende blik in zijn ogen was terug. 'Natuurlijk.' Zijn grijns werd nog breder en hij lachte een beetje schel toen hij zich uit Wills greep losmaakte en opstond. 'Ik vergeef het je inderdaad dat je me het mes op de keel zette, maar je moet weten dat ik nooit iemand bedreig. Als ik ooit reden heb om jóú een mes op de keel te zetten, voel je meteen daarop een onvoorstelbare pijn, want dan snijdt mijn mes je levensader af.'

'Dat denk ik niet, Harry.' Hij glimlachte en keek Lace aan. Hij zag de humor van de man, en diens sluwheid, wijsheid en scherpe, zakelijke verstand. Hij zag ook hoop en verdriet in de ogen van de man. Hij zag een man die hij wel sympathiek moest vinden, of hij dat nu leuk vond of niet. Hij knikte. 'Ik bedreig ook nooit iemand, maar soms waarschuw ik mensen van wie ik denk dat ze hun leven kunnen beteren. Vergeet dat niet, Harry. Want ik heb jou zojuist gewaarschuwd.'

17

'We zijn allemaal gisteravond laat aangekomen.' Patrick schonk koffie in een mok.

Will wreef over zijn kin en voelde ochtendstoppels. Hij nam een slok van zijn koffie en keek door een raam naar de rivier de Limmat in Zürich. Ze waren in een huis van de CIA aan de Rössligasse bij de oude Zwitserse binnenstad. Hij draaide zich om, liep naar de eettafel en pakte een papier op. 'Dus dit zijn de anderen?'

'Ja.'

Will las het papier.

Roger Koenig. Achtendertig jaar. Gehuwd, drie kinderen. Zeven jaar Special Operations Group van de CIA. Twee jaar als teamleider. Ingezet in onder andere China, Noord-Korea, Borneo, Rusland en Oezbekistan. Vijf SOG-aanbevelingen op het niveau van 'uitmuntendheid'. Daarvoor acht jaar SEAL, waarvan vijf DEVGRU. Wereldwijd ingezet. Gespecialiseerd in zakelijke dekmantels, surveillance, alle wapens, sabotage, redding van gijzelaars, HAHO- en HALO-parachuteoperaties, transport (vooral maritiem). Spreekt vloeiend Chinees, Russisch en Duits.

Laith Dia. Vierendertig jaar. Gescheiden, twee kinderen. Vijf jaar SOG. Ingezet in onder andere Syrië, Zimbabwe, Afghanistan, Pakistan en Irak. Daarvoor vijf jaar Delta. Wereldwijd ingezet. Twee keer aanbevolen voor de Congressional Medal of Honor. Daarvoor onderofficier bij de Rangers. Gespecialiseerd in alle wapens, bescherming, redding van gijzelaars, alpinisme, surveillance, sabotage, communicatie. Gekwalificeerd sluipschutter. Spreekt vloeiend Arabisch en redelijk goed Farsi.

Ben Reed. Drieëndertig jaar. Ongehuwd. Vier jaar SOG. Ingezet in onder andere Colombia, Mexico, Afghanistan, India en Somalië. Daarvoor negen jaar bij de Groene Baretten. Wereldwijd ingezet. Gespecialiseerd in geneeskunde, explosieven, communicatie, HAHO- en HALO-operaties, redding van gijzelaars, bescherming,

surveillance, offensief en defensief rijden, alle wapens en ongewapende strijd. Spreekt redelijk goed Arabisch, Urdu, Pashto en Spaans.
Julian Garces. Eenendertig jaar. Ongehuwd. Drie jaar SOG. Ingezet in onder andere Sudan, Rusland, Noord-Korea, Pakistan, Iran en China. Daarvoor zeven jaar Air Force Combat Control Team. Wereldwijd ingezet. Gespecialiseerd in communicatie, HAHO en HALO, gevechtsacties onder water, explosieven, alle wapens en ongewapende strijd, offensief en defensief rijden. Spreekt vloeiend Spaans en redelijk goed Russisch en Farsi.

Will legde het papier op de tafel terug. 'Hun voorgeschiedenis ziet er goed uit. Ik neem aan dat Roger in dit geval als hun teamleider optreedt?'

Patrick schonk opnieuw koffie in zijn mok. 'Ja.'

'Ik wil het team ontmoeten.'

'Natuurlijk. Ik laat ze meteen komen.'

Will schudde zijn hoofd. 'Niet allemaal tegelijk. Laat eerst Laith, Ben en Julian komen. We praten later apart met hun teamleider.'

Will keek naar de drie mannen tegenover hem. Hij wist dat ze op de meeste mensen van op een afstand zouden overkomen als gewone mannen, en dat was ook de bedoeling, want deze mannen hielden zich het grootste deel van de tijd schuil tussen gewone mensen. Toch kon Will meteen zien dat de drie specialisten in het huis aan de Rössligasse allesbehalve gewone mannen waren. Ze waren uiterst professioneel. Het waren moordenaars.

Patrick leunde tegen een muur en keek ook naar de mannen. 'Stel jullie maar eens voor.'

'Laith Dia.' Dat was de man aan de linkerkant. Hij sprak met een diepe stem. De Amerikaan was lang en pezig en zag er heel sterk uit. Hij had opvallend sluik zwart haar en gitzwarte ogen. Zijn lichaamsbouw, trekken en naam wezen erop dat hij van zowel Moors-Afrikaanse als Levantijns-Arabische afkomst was.

'Waarom ben je bij de CIA gegaan, Laith?' Patrick sloeg zijn armen over elkaar.

Laith nam een sigaret en stak hem aan. 'Om hogere types als jij uit de stront te helpen.' Hij blies rook uit. 'En bij Delta gingen we vaak op reis, maar het was altijd een kwestie van snel binnenkomen en snel vertrekken.' Hij glimlachte. 'Bij de CIA krijg je meer gelegenheid om contact te leggen met de plaatselijke bevolking. Ik krijg ook de kans om de bezienswaardigheden te bekijken en cadeautjes te kopen voor mijn kinderen.'

Patrick knikte naar de man in het midden.

'Ben Reed.' De man was niet groot en zag er eerder uit als een advocaat of arts dan als een paramilitair die bij de Special Forces had gezeten en nu bij de CIA werkte. Hij had onberispelijk blond haar en een strakke grijns die zijn volmaakte gebit liet zien. 'En voordat je het vraagt...' Hij klonk ook alsof hij aan Harvard had gestudeerd. 'Ik ben bij de CIA gegaan om indruk op vrouwen te maken, maar niemand had me verteld dat ik mijn werk voor hen geheim moest houden.'

De drie mannen lachten, maar Patrick deed dat niet. Hij wees naar Ben. 'Dat wilde ik je niet vragen. Mijn vraag is: wat is het moeilijkste wat je ooit hebt moeten doen, bij de Special Forces of bij de SOG van de CIA?'

Ben dacht even over de vraag na. Zijn glimlach werd nog breder. 'Mijn laatste belastingformulier invullen.'

Patrick zweeg even en richtte zijn aandacht toen langzaam op de derde man. Hij knikte hem toe.

'Julian Garces, ex-special agent van de Amerikaanse luchtmacht. Momenteel werkzaam voor de CIA met een kerel die van winkelen houdt en een kerel die geen vrouwen kan versieren.'

De drie SOG-mannen lachten weer, en ditmaal zag Will een vage glimlach op Patricks gezicht verschijnen.

Julian was duidelijk een latino. Hij was even lang en pezig als Laith en had donker, kort krulhaar en een litteken over de gehele zijkant van zijn gezicht. Hij deed Will denken aan de oude, dodelijke Iberische krijgers die hij op schilderijen had gezien.

Julians lach verdween geleidelijk, tot zijn gezicht weer helemaal ernstig was. Hij keek Patrick recht aan. 'Ik heb zevenennegentig mannen gedood. Dat is maar drie minder dan Laith en zeven minder dan Ben. En als je al die cijfers bij elkaar optelt, krijg je het aantal mannen dat Roger heeft gedood.' Zijn ogen waren nu koud. 'Net als mijn vrienden heb ik meegedaan aan bijna alle openlijke en clandestiene Amerikaanse oorlogen die zijn gevoerd in de tijd dat ik volwassen was. En als je het mij wilt vragen: het moeilijkste wat ik ooit heb gedaan, is drie maanden in een dorp in het noorden van Afghanistan doorbrengen om daar vrouwen, kinderen en oude mensen geneeskunde en andere overlevingstechnieken bij te brengen. Ik moest ze dag en nacht beschermen, en toen mijn werk erop zat, moest ik uit dat dorp vandaan lopen, om een paar dagen later te zien hoe het door de taliban werd vernietigd.'

Ben knikte.

Laith ook.

De drie mannen keken Patrick en toen Will ijzig aan.

Will keek naar hen terug en wendde zich toen tot Patrick. 'Ze zijn goed genoeg.'

'Will is de inlichtingenman die de leiding van de operatie heeft.' Patrick zat aan de eettafel. Degene tegen wie hij sprak, zat op een stoel in het midden van de kamer. 'Begrijp je dat?'

'Dat is niet moeilijk te begrijpen,' antwoordde Roger.

'Goed.' Patrick knikte. 'Will is Brits. Zou dat een probleem voor je kunnen zijn?'

'Alleen als hij het een probleem vindt dat ik van Duitse afkomst ben.'

Will lachte.

'Dat vindt hij vast geen probleem.' Patrick sprak snel en serieus. 'Zijn Laith, Ben en Julian al vertrokken?'

'Waarom vind je het nodig me naar mijn mannen te vragen, Patrick?'

'Dat vind ik niet nodig. Ik wil alleen horen hoe je op mij reageert.'

'Dan zou je inmiddels moeten weten dat ik er ondanks je profiel niets voor voel om overdreven eerbiedig tegen je te zijn.'

'Dat zou dan weer betekenen dat je onafhankelijkheid en zelfstandigheid wilt uitstralen.' Patrick klapte in zijn handen. 'Daar heb ik behoefte aan.'

'Het wordt mensen als ik niet vaak verteld waar behoefte aan is.'

Will wendde zich af van het raam en keek Roger aan. Hij liep naar het midden van de kamer, pakte een eetkamerstoel, draaide hem om en ging tegenover Roger zitten. Hoewel de man zat, was duidelijk dat hij erg lang was, maar tot Wills tevredenheid was aan Roger helemaal niet te zien dat hij een Special Operations-man was. Roger was zichtbaar ouder dan zijn mannen, en hoewel hij er beslist goed uitzag, met kort, stroblond haar, was aan zijn gezicht te zien dat hij onder extreme omstandigheden had geleefd.

Will knikte. 'Ik kan je precies vertellen wat ik wil.'

Roger keek Will een tijdje aan en fronste toen zijn wenkbrauwen. 'Je hebt in het leger gezeten. Special Forces, zou ik zeggen.'

'Hoe weet je dat?'

Roger wuifde met zijn hand. 'Je hebt dode ogen.'

Will had van anderen gehoord dat zijn ogen al lang dood waren voordat hij in het leger kwam. 'Het Franse vreemdelingenlegioen. Ik was GCP-man.'

Roger zei: 'Toen ik in de DEVGRU zat, hebben we wel eens samen met jullie getraind. We leerden jullie onderwatertechnieken. Jullie leerden ons hoe je mensen moest doden als je bij een HALO-actie door de lucht dook.'

Will zuchtte. 'Is het echt van belang in welke eenheden we vroeger hebben gewerkt?'

Roger schudde zijn hoofd en glimlachte voordat hij weer ernstig werd. 'Ik kom uit een familie van vechters die verschillende organisaties en vlaggen hebben gediend. Ik heb de Verenigde Staten gediend als DEVGRU-SEAL en nu als teamleider in de CIA SOG. Mijn vader en mijn ooms dienden diep achter de vijandelijke linies in Vietnam. Dat deden ze met de Australische SAS en gedetacheerd bij de geheime MACV-SOG. En mijn opa diende als para in de eerste Duitse divisie Fallschirmjäger, een elite-eenheid. Hij vocht op de meeste plaatsen in Europa en Rusland die een hel waren geworden voor Wehrmachtsoldaten in de Tweede Wereldoorlog.' Hij glimlachte. 'Ze zijn nu allemaal dood, en ik heb van hen alleen nog een stel medailles, foto's en onderscheidingen.' Hij keek Will aan. 'Maar ik weet dat niemand van ons – mijn voorouders, hun broers en ik – voor onze organisatie of ons land heeft gevochten. We vochten allemaal voor de man naast ons.'

Will keek even naar Patrick en keek toen Roger weer aan. Zijn eerste indruk van Roger was erg positief. 'Ik ga je alle details van deze operatie geven, en ik heb een heel specifieke reden om dat te doen. Er is een grote kans dat ik word geëlimineerd door de man die we zoeken. Als dat gebeurt, moet de operatie doorgaan en heb jij de leiding in het veld.'

Roger haalde zijn schouders op. 'Mij best. Ik moet alleen mijn doelstellingen weten.'

Will glimlachte even zonder zijn blik van de paramilitair weg te nemen. 'Je hebt twee hoofddoelen: een vrouw volgen terwijl ze contact probeert te leggen met ons doelwit en me dan helpen het doelwit gevangen te nemen als hij tevoorschijn komt. Misschien krijg je nog meer doelen, maar die worden vastgesteld op grond van ontwikkelingen die zich ter plaatse voordoen.'

Roger knikte bijna onwaarneembaar.

Patrick zei: 'Tenzij er iets catastrofaals gebeurt, krijg je je orders van Will en niet van mij.'

Will knipte met zijn vingers. 'Vergeet dat.' Hij keek de man aan. 'Vergeet orders. Ik hoef maar één ding te weten: kunnen jij en ik samenwerken?'

Roger vouwde zijn handen samen en knikte. 'Ik wist al wat ik aan je had zodra je tegenover me ging zitten. Je ziet eruit alsof je weet wat je doet. Het enige wat me dwarszit, is dat je niet bang lijkt te zijn voor je eigen dood.' Hij sprak dat laatste langzaam uit.

18

De volgende morgen kwamen Will en Roger in Kroatië aan. Ze namen een taxi vanaf het grootste vliegveld van het land bij Zagreb, en binnen twintig minuten arriveerden ze in het Regent Explanade, een vijfsterrenhotel aan de Antuna Mihanovićeva. Roger stapte als eerste uit en liep vlug het imposante hotel in. Will bleef in de taxi zitten en deed alsof hij naar de juiste bankbiljetten moest zoeken om te betalen. Toen hij veronderstelde dat Roger zijn positie had ingenomen, gaf hij het geld aan de chauffeur, pakte een tas en liep het Regent in.

Will keek in de stijlvolle, ruime hal om zich heen en zag Lana op een bank in de hoek zitten. Hij liep nonchalant naar haar toe en kuste haar op beide wangen. Hij deed dat met een strakke glimlach en hoopte dat hij in de ogen van alle anderen in het hotel Lana's echtgenoot of minnaar was.

Toen ze zaten, zei Will zachtjes: 'Heb je je ingeschreven?'

'Ja.' Lana wees naar hun omgeving. 'Ik heb nog nooit in zo'n hotel gelogeerd. Mijn kamer is prachtig.'

'Wen er maar niet aan. Je blijft hier niet lang.'

Ze droeg een pakje met een kort, breed jasje, een smalle rok en leren pumps. Om haar keel had ze zorgvuldig een goudkleurige zijden sjaal geslagen. Haar haar was hoog opgestoken om haar beeldschone Arabische trekken tot hun recht te laten komen. Hij voelde zich meteen tot haar aangetrokken en vroeg zich even af hoe het zou zijn om haar minnaar te zijn. Dat zou goed voelen, besloot hij.

'Kan ik je goedkeuring wegdragen?' Lana trok haar wenkbrauwen op, sloeg haar benen over elkaar en legde haar handen op haar schoot.

'Je hoort hier helemaal thuis.' Hij liet zijn hand zakken, pakte zijn kleine tas op en zette hem bij Lana's voeten op de vloer. 'Ik heb een paar cadeautjes voor je gekocht.'

Lana keek naar de tas en glimlachte toen naar Will.

Hij bewoog zijn vinger heen en weer en glimlachte. 'Er zit niets in die tas om je over op te winden. Terwijl je hier bent, heb je geld en communicatieapparatuur nodig, en dus geef ik je een laptop, een mobiele telefoon, een creditcard op jouw naam en drieduizend dollar. Mijn contactgegevens zitten er ook in.' Zijn glimlach werd breder. 'Maar ik heb er ook een gouden halssnoer bij gedaan, alleen om ervoor te zorgen dat je wat beter over me gaat denken.'

'Beter over je denken?' Lana streek door haar haar en fronste haar wenkbrauwen. 'Waarom ben ik hier?'

Will keek op zijn horloge, al wist hij precies hoe laat het was. 'Het is bijna negen uur. Dat betekent dat het gebouw waar je naartoe gaat open is.' Hij haalde een opgevouwen papier uit zijn binnenzak, een envelop met een geprinte naam en adres, een vulpen, en nog een papier met de woorden die Lana moest overschrijven. Hij legde alles zorgvuldig op de salontafel tussen hen in.

Lana pakte het papier met de woorden op en las zwijgend de inhoud. Toen zuchtte ze en pakte ze de pen op. Haar hand beefde.

Ik zou graag willen dat deze brief werd overgebracht aan een goede oude vriend.
Mijn vriend is een Perzische man die me heeft gekend in de woelige tijden in Midden-Europa. Ik heb hem geholpen met zijn gevaarlijke taken, en op een dag was hij opeens verdwenen. Ik dacht dat hij moest zijn gedood, en jarenlang heb ik gerouwd om zijn verdwijning uit mijn leven.
Maar nu is er iets gebeurd waardoor ik hoop dat mijn vriend misschien toch niet dood is. Een Britse man die met geheimen werkt heeft me negen dagen geleden in mijn huis in Parijs opgezocht. De man vertelde me dat mijn vriend nog in leven is en momenteel een hoge, machtige positie bekleedt bij de Iraanse strijdkrachten. De man zei dat hij mijn vriend gevangen wilde nemen om te voorkomen dat de Verenigde Staten of Groot-Brittannië iets ergs overkomt. De man stelde me vragen over mijn vriend. De Britse man gaf me zijn eigen naam en contactgegevens en zei dat hij gauw zou terugkomen om opnieuw met me te praten.
Ik ben bang. Ik ben mijn huis in Parijs ontvlucht, al heb ik daarvoor mijn zieke moeder alleen moeten laten. Ik ben naar het oosten gegaan om afstand te scheppen tussen mij en die geheime Britse man, al kan hij me vast wel vinden als hij dat wil.
Ik hoop dat mijn oude vriend me eerst kan vinden. Ik hoop dat mijn naam nog in uw gegevens voorkomt en in verband kan worden gebracht met mijn oude vriend, zodat deze brief met

spoed aan hem kan worden doorgegeven. Ik hoop dat hij deze brief beantwoordt. Voorlopig ben ik te vinden in het Regent Esplanade Hotel in Zagreb.
Als mijn vriend in leven is, kan ik de gedachte niet verdragen dat hij misschien gevangen wordt gezet of vermoord. Ik ben bereid dat te helpen voorkomen. Ik ben bereid hem alles te vertellen wat ik van de Britse man heb gehoord. Ik ben bereid hem bijzonderheden over de Britse man te geven, zodat die gevangen kan worden genomen. Ik doe dat als mijn vriend in ruil daarvoor iets voor mij doet. Alstublieft, zegt u tegen mijn oude vriend dat ik weer bij hem wil zijn.

Met vriendelijke groeten,

Lana Beseisu

Will drukte zijn mobiele telefoon tegen zijn oor en luisterde naar wat Roger zei.

'Ik heb haar het gebouw zien binnengaan. Ze is nu in haar hotel terug.'

Will knikte. 'Goed. Wanneer komen je mannen bij je?'

'Ze zijn er over een uur.'

'Goed. Dan is jullie eerste taak begonnen. Je team moet dag en nacht bij haar in de buurt zijn zonder dat ze het merkt.'

Will sloot het mobieltje en tikte met zijn vingers tegen de binnenkant van het portier. Hij zat in een taxi en was op weg naar het vliegveld. Lana had de brief persoonlijk afgegeven op de Iraanse ambassade in Zagreb. Hij was gericht aan de militaire attaché van de ambassade, de IRGC-man die door Harry was geïdentificeerd. Will hoopte dat de man het belang van de brief zou inzien en de inhoud meteen aan het IRGC-hoofdkwartier in Iran zou doorgeven. Als hij dat deed, zou het IRGC niet meer dan een paar minuten nodig hebben om Lana Beseisu in verband te brengen met Megiddo. Hopelijk zou Megiddo zich gedwongen voelen op de brief te reageren en vast te stellen of zijn operatie tegen het Westen volledig was uitgelekt. Will hoopte dat Megiddo niet in het verre Iran was, maar dichtbij in Midden- of Oost-Europa. Toch wist Will dat hij alleen maar kon hopen. Hij haalde diep adem. Voor het eerst in dagen had hij het gevoel dat hij de zaak niet helemaal in de hand had.

Will zat in een huis van MI6 in Zürich. Hij maakte de laptop open en las Lana's e-mail.

Beste Nicholas,

Ik heb een antwoord gekregen. Wat moet ik doen?

Groeten, Lana

Patrick kwam met een mok koffie en een ernstig gezicht naar hem toe. 'De eerste vlucht naar Zagreb gaat pas over meer dan acht uur.'

Will keek op zijn horloge. 'Het is niet ideaal, maar zoek uit welk lid van Rogers team vrij is en laat hem de brief naar me toe brengen.'

Voordat Patrick kon antwoorden, typte hij op de laptop.

Beste Lana,

Ga om half acht vanmorgen naar de 1925 Lounge van je hotel. Er zal daar niemand zijn, maar kies een zitje met een tafel in een hoek. Leg de brief die je hebt ontvangen op de tafel en verlaat de bar niet later dan kwart voor acht.

Met vriendelijke groeten,

Nicholas

Will verstuurde de e-mail en nam twee grote slokken van zijn dampende koffie. Hij keek op naar Patrick. 'Het wordt krap, maar er is een Croatia Airlines-vlucht van twintig over negen uit Zagreb. Een van Rogers teamleden kan hier voor de middag zijn om me de brief te brengen.' Zijn laptop gaf een pieptoon en hij keek ernaar. Lana antwoordde dat ze zich aan de instructies zou houden.

Laith Dia trok zijn Helly Hansen-anorak uit en gooide hem over de rugleuning van een stoel. Hij maakte zijn sluike zwarte haar in de war en wreef met zijn grote hand over zijn hals. Toen haalde hij een envelop tevoorschijn, die hij aan Will gaf, waarna hij in een van de fauteuils ging zitten.

Will keek naar de envelop en woog hem in de palm van zijn hand.

'Als er springstof in zit, hadden ze dat moeten merken toen ik vanmorgen door de controles van de vliegvelden ging.' Laith stak een sigaret op en wees ermee naar de envelop. 'Al kan de inhoud bedekt zijn met een laagje gif.'

Will knikte langzaam en keek aandachtig naar de randen van de afsluiting. Toen maakte hij de envelop voorzichtig open. Er zat een enkel vel papier in, dat hij eruit haalde en bekeek. Hij zag dat het langs de bovenkant was afgeknipt, hield het tegen het licht dat door het raam naar binnen viel en legde het op zijn schoot. Hij bestudeerde de envelop en legde hem toen glimlachend weg. Hij pakte de brief weer op en sprak tegen niemand in het bijzonder.

'Deze brief is in haast geschreven. De afzender gebruikte het briefpapier dat hij toevallig bij de hand had, in dit geval papier van de Iraanse ambassade in Zagreb. De briefschrijver knipte de kop van het papier af om de herkomst verborgen te houden, en er zit geen watermerk in het papier. Maar hij vergat naar de binnenkant van de envelop te kijken. Als hij dat had gedaan, zou hij een heel klein opschrift onder een van de gelijmde vouwen hebben gezien.'

Will las de brief.

Beste mevrouw Beseisu,

Het was me een groot genoegen uw brief te ontvangen, en het lijkt me een mensenleven geleden dat we elkaar voor het laatst hebben gezien. Ik betreur het dat ik Sarajevo moest verlaten zonder afscheid te nemen. Ik zou u graag voor uw werk willen bedanken, maar helaas had men mij dringend nodig in mijn eigen land en moest ik dus sneller vertrekken dan ik had verwacht.
Het is een aantrekkelijke gedachte om de kennismaking met u te hernieuwen. Wel moet u weten dat ik, sinds wij elkaar kenden, een behoedzame, argwanende man ben geworden. De informatie die u zegt te bezitten is misschien van onschatbare waarde voor mij. Er kan ook een poging achter zitten om mij in de openbaarheid te krijgen en gevangen te nemen. Ik hoop werkelijk dat dat niet het geval is.
Ik wil u heel graag vertrouwen en denk dat ik weet hoe dat kan worden verwezenlijkt. Bel uw geheime Britse vriend en zeg tegen hem dat u hem ergens wilt ontmoeten. Dat mag niet in Kroatië zijn, want als u de waarheid spreekt, is het belangrijk dat u hem

niet dicht bij u laat komen. Als de afspraak is gemaakt, moet u me de naam van de man geven en me vertellen waar hij zal zijn. Dan zal ik in plaats van u naar die ontmoeting met de Britse man gaan. Voorlopig kunnen we met elkaar blijven communiceren via de ambassade in Zagreb.

Uw vriend

Will gaf de brief aan Patrick, die hem las en glimlachte.

Will liet zijn hoofd op zijn gevouwen handen rusten. 'Ik dacht dat hij recht op een ontmoeting met Lana af zou gaan.'

'Dan heb je onze prooi onderschat. Ik denk dat hij te voorzichtig is om meteen toe te happen.' Patrick sloeg zijn armen over elkaar. 'Maar er zitten zeven positieve kanten aan deze brief.'

Will stond uit zijn stoel op en liep naar een raam. Hij dacht een tijdje na, knikte toen en draaide zich om. 'Het is ons gelukt een communicatielijn met de man te openen; hij heeft gereageerd; die reactie is erg snel gekomen; de man schrijft alsof hij de man is die Lana in de oorlog in Bosnië heeft gekend; hij is in mij geïnteresseerd; hij heeft Lana een instructie gegeven; hij wil opnieuw van haar horen.'

'Precies.' Patrick gaf de brief aan Laith en zei zacht: 'Leer deze brief uit je hoofd en geef de inhoud aan Roger door.'

Will stak zijn handen in zijn zakken. 'We kunnen niet akkoord gaan met zijn condities – in elk geval nog niet.'

'Dat ben ik met je eens.' Patrick kwam dicht bij Will staan. 'Als Lana echt was, zou het niet logisch zijn dat ze zijn instructies opvolgde.'

'Dus Megiddo stelt haar op de proef?'

'Ik denk het wel.'

Laith zei: 'Hoe weten we dat de man die deze brief heeft geschreven Megiddo is? De brief kan ook geschreven zijn door iemand van Qods. Misschien is Megiddo al lang dood, een herinnering uit een ver verleden.'

Will en Patrick keken de paramilitaire CIA-man aan. Patrick richtte het woord tot hem.

'De brief is met de hand geschreven door de militair attaché van de Iraanse ambassade in Zagreb. De man is blijkbaar niet zo goed in het spionagevak, want hij is slordig met het briefpapier. Dat gebrek aan vakkundigheid betekent dat de man geen bijzondere kwalificaties heeft. Hij zal Lana's brief dus hebben doorgegeven aan degenen die zulke kwalificaties wel hebben. Iets anders zou hij niet durven doen. We kunnen ervan uitgaan dat de brief hem gedicteerd is door iemand anders, en die persoon vindt blijkbaar dat hij voorlopig met de militair attaché moet werken om het contact met Lana te onderhouden.'

'Maar je hebt gelijk, Laith.' Will knikte de ex-Delta-man toe. 'We weten niet of de brief door Megiddo is gedicteerd. We willen dat graag denken omdat het antwoord zo snel is gekomen, maar het kan ook een antwoord van anderen binnen het IRGC zijn.'

Er ging een mobieltje over, en Laith stak zijn hand in zijn zak om op te nemen. Hij luisterde, knikte en zei: 'Goed, ik neem het eerste beschikbare vliegtuig.' Hij beëindigde het gesprek en keek Patrick en Will aan. 'Ik had hier niet naartoe moeten komen. Een uur geleden maakte Lana een wandeling door de binnenstad van Zagreb. Zoals je mocht verwachten, volgden Roger en Ben haar. Zoals je misschien niet mocht verwachten, werd ze ook gevolgd door een Iraans surveillanceteam van zes man en een vrouw.'

Patrick schudde zijn hoofd en mompelde: 'Hij vertrouwt haar niet.'

'En waarom zou hij ook?' Will schreeuwde het bijna uit. 'Ik heb tegen Alistair en jou gezegd dat ze niet moet worden ingezet! Ik heb jullie gezegd dat het te gevaarlijk was!' Hij wees naar Patrick. 'Lana verkeert in groot gevaar.'

19

Om zeven uur die avond zat Will aan een tafel in de Piano Bar van het Sheraton Zagreb Hilton en zag hij dat Roger naar hem kwam lopen. Toen Roger tegenover Will ging zitten, liep er een ober naar hen toe, maar Roger stuurde hem weg.

'Waar is Lana?' Will schoof zijn kopje thee opzij.

'Die is in haar kamer terug. Dat betekent dat het Iraanse surveillanceteam niet meer zo massaal aanwezig is. Het betekent ook dat ik nu hier bij jou kan zijn.' Hij keek op zijn horloge. 'Tot nu toe heeft ze in haar hotel gedineerd, maar als ze besluit vanavond iets anders te gaan doen, moet ik er meteen op af.'

Will zuchtte. 'Is ze veilig?'

Roger glimlachte. 'Je geeft om haar, hè? Volgens mij komt het niet vaak voor dat inlichtingenagenten iets geven om de mensen die ze inzetten.'

Will knikte. 'Vertel me over het Iraanse team.'

Rogers glimlach werd breder. 'Ze zijn goed. Ze bewegen zich met geoefende technieken om haar heen, en blijkbaar hebben ze de stad grondig verkend, want ze kennen alle routes.'

'En kunnen ze jouw team hebben gezien?'

Alle sporen van een glimlach verdwenen. 'Onmogelijk. Maar het was heel goed van je om Lana niet over mij en mijn mannen te vertellen. Als ze wist dat wij er waren, zou haar lichaamstaal dat waarschijnlijk aan de Iraniërs verraden.'

'Wat zijn ze van plan?'

'Daar valt in dit stadium weinig over te zeggen, maar tot nu toe observeren ze haar alleen maar.'

Will haalde diep adem. 'Ik moet haar vanavond ontmoeten om haar te helpen weer een brief te schrijven. Hoe kan ik in haar kamer komen zonder dat de Iraniërs me zien?'

Roger zei eerst niets. Blijkbaar dacht hij diep na. Toen zei hij: 'Stuur haar een sms'je om te zeggen dat je in de stad bent en graag om half tien vanavond iets met haar wilt drinken in de Khala-bar aan Nova Ves.

Zeg tegen haar dat als je er om tien uur niet bent, ze absoluut meteen naar haar kamer terug moet gaan en daar de rest van de nacht moet blijven.'

Roger greep in een van zijn broekzakken. 'Dit is een extra sleutel van haar kamer. Je ontmoet haar natuurlijk niet in die bar, maar gaat naar haar kamer terwijl ze weg is.'

'Op die manier lokken we de Iraniërs bij haar hotel weg.' Will pakte de sleutel met gefronste wenkbrauwen aan. 'Nu al een extra sleutel. Dat is snel werk.'

Roger haalde zijn schouders op. 'Hoewel het erop lijkt dat ze haar alleen maar observeren, moet ik weten wat we gaan doen als Lana door het team wordt aangevallen.'

Will keek om zich heen en keek toen Roger weer aan. 'Als je Patrick die vraag stelt, zal hij terecht tegen je zeggen dat Megiddo de hoogste prioriteit heeft. Dat onze operatie is mislukt wanneer jullie ingrijpen om te voorkomen dat Lana wordt ontvoerd of vermoord. Dat jullie in zo'n situatie alleen maar kunnen toekijken om daarna het team te volgen in de hoop dat ze ons naar hun baas leiden.' Hij zweeg even en boog zich dicht naar Roger toe. 'Maar je werkt voor mij. En *wij* offeren geen onschuldige vrouwen op.'

Roger knikte. 'Je bent echt anders dan alle inlichtingenagenten voor wie ik ooit heb gewerkt.' Hij glimlachte. 'En daar ben ik blij om.'

Will tikte peinzend met zijn vinger op de tafel. Hij zei: 'Als ze om ongeveer tien uur in het hotel terugkomt, zijn de Iraniërs bij haar en zit ik dus gevangen in haar kamer. Hoe kom ik daar weg?'

Roger blies zijn adem uit. 'Dat kan pas als ze weggaat en de Iraniërs weer een heel eind bij het hotel vandaan lokt. Het zou verdacht overkomen als ze dat midden in de nacht deed. Bovendien wil je haar vast niet vertellen dat ze wordt geschaduwd door zeven Iraanse inlichtingenagenten. Je zult bij haar moeten blijven tot ze na het ontbijt uit het hotel vertrekt.'

Will schudde zijn hoofd. 'Ze zal mijn bedoelingen verkeerd uitleggen.'

'Je redt je vast wel.' Roger wees naar Will. 'Als je er maar voor zorgt dat ze morgenvroeg normale dingen doet.'

Will las het sms'je van Roger.

`Ze is op weg naar buiten, en haar vrienden zijn bij haar. Ga er nu maar naartoe. O ja, ze heeft een stralende glimlach.`

Toen Will in het Regent was aangekomen, liep hij zelfverzekerd door de hal van het grote hotel en ging naar kamer 85.

De kamer was luxueus, en er waren overal overal tekenen van Lana: kleren die op haar bed waren gegooid of over de rugleuningen van fauteuils hingen, vier paar schoenen lukraak op de vloer, handdoeken die op vreemde plaatsen hingen, haar geopende laptop die op een kussen stond, haardrogers, beautycases waar de inhoud half uit lag, tijdschriften en boeken, en een volle waszak die stond te wachten tot hij de volgende dag werd opgehaald. Drie kwartier lang doorzocht Will de kamer en alles wat zich daarin bevond, inclusief Lana's computer en e-mails. Tot zijn genoegen vond hij niets bijzonders. Hij nam een glas Prosecco en ging zitten wachten.

Hij kreeg weer een sms'je: Lana was in het hotel terug, maar zonder die stralende glimlach. De Iraniërs volgden haar.

Will hoorde dat het deurslot werd geopend en iemand het halletje van de kamer binnen liep. Even later liep Lana de kamer in en stond ze tegenover hem. Ze was duidelijk verbaasd hem te zien en keek achterom naar de gesloten deur alvorens hem weer aan te kijken. 'Nicholas.'

'Alles is in orde, Lana.' Will glimlachte en stond niet op. 'Ik dacht dat we hier wat meer privacy hadden.'

Ze reageerde nerveus en met een woedende ondertoon. 'Heb je een sleutel?' Ze zette haar handtas op het bed en deed haar sjaal af.

'Ja.'

'Dat had je me kunnen vertellen.' Ze haalde een sigaret tevoorschijn en stak hem aan. 'Dan had ik niet voor niets zitten wachten. Ik schaamde me dood.'

'Ik ben hier nu. En ik heb de moeite genomen je te komen opzoeken. Wil je iets drinken?'

Ze keek naar Wills glas mousserende wijn. 'Ja, net zo een.'

Hij knikte. 'Ga zitten en ontspan je, Lana. Het spijt me dat ik je aan het schrikken heb gemaakt. Er kwam iets tussen en ik dacht dat het gemakkelijker was als we elkaar hier zouden ontmoeten.' Hij stond op uit zijn fauteuil en pakte een flesje uit de minibar. Hij schonk de wijn voor haar in en gaf haar het glas voordat hij weer ging zitten.

Lana ging in een van de vele stoelen in de kamer zitten, maar niet te dicht bij Will. Ze droeg een korte, zwarte mouwloze jurk, schoenen met hoge hakken en een gouden ceintuur. Haar lange haar hing los; het was voor een deel gevlochten en vastgezet. Op de bovenkant van haar arm kon Will nog net iets zien van een van die oude bamboelittekens. 'Wanneer ben je hier aangekomen?'

'Kort voor jou.' Will keek de kamer rond. 'Er is niets aan de hand. Ik heb je spullen niet aangeraakt.'

Lana ging zitten en keek hem onbewogen aan. 'Het zou leuk zijn geweest om ergens buiten het hotel iets met je te drinken.' Ze dronk wat wijn en glimlachte vaag. 'Je bent een vreemd, nerveus type, Cree.'

'Waarschijnlijk wel.'

De vrouw wist blijkbaar niet goed wat ze nu moest zeggen. 'Heb je een gezin?'

'Ik heb alles wat ik nodig heb.'

'Ik bedoel een geliefde? Kinderen?'

'Ik wist wat je bedoelde.'

Lana streek met haar vinger en duim langs de halslijn van haar jurk. Ze kneep haar ogen halfdicht tegen de rook, nam weer een trek van haar sigaret en doofde hem toen in een asbak. 'Waarom ben je hier?'

'Je moet de brief beantwoorden.' Will nam nog een slokje wijn en wees toen naar de tafel tussen hen in. 'Daar staat alles wat je nodig hebt.'

Lana las Wills tekst en begon te schrijven. Toen ze klaar was, stak ze weer een sigaret op en zweeg ze een tijdje. Ze keek weer kwaad. Will pakte haar brief op.

Voor mijn dierbare oude vriend,

Ik ben heel blij van je te horen. Het is net of je teruggekeerd bent uit de dood en ik nu een kans krijg inhoud te geven aan een leven dat leeg is geweest sinds je was verdwenen.
Ik heb begrip voor je terughoudendheid. Waarom zou je blindelings vertrouwen op een stuk papier met woorden? Alleen als je in mijn ogen kijkt, zul je kunnen zien dat mijn emoties zuiver zijn en dat ik geen andere bedoelingen heb dan weer onder jouw vleugels te zijn. Maar ook ik ben terughoudend. Hoe kan ik doen wat je zegt zolang ik niet volledig onder jouw bescherming sta? Ik ben er zeker van dat de Britse man en zijn collega's me kunnen vinden als ze dat willen. Als de Britse man iets overkomt,

en ik nog hier ben, dan komen zijn vrienden achter me aan en
zullen ze me vast en zeker streng straffen. En de Britse man is alles
wat ik heb om weer dicht bij jou te komen. Als ik hem nu aan jou
geef, wat heb je daarna dan nog aan mij?
Alsjeblieft, kunnen we elkaar ontmoeten? Alsjeblieft, kunnen we in
elkaars ogen kijken, zodat we allebei weten dat onze gevoelens
voor elkaar eerzaam en betrouwbaar zijn?
Ik weet dat ik je in deze brief iets moet geven, en dus geef ik je de
naam van de Britse man. Hij heet Nicholas Cree.

Met vriendelijke groeten,

Lana Beseisu

Will knikte en zei: 'Goed. Je brengt deze brief morgenochtend meteen naar de ambassade.'

Lana wendde zich van hem af. Ze rookte verwoed. 'Het is heel moeilijk voor mij om Megiddo te schrijven alsof ik van hem houd.' Ze keek naar haar brief en keek toen Will weer aan. 'Je hebt gedaan wat je vanavond moest doen. Je kunt nu gaan, als je dat wilt.'

Will zuchtte weer en nam een slok van zijn wijn. Hij zette zijn glas op de tafel en zei zacht: 'Ik heb geen haast. Heb jij andere plannen?'

Lana fronste haar wenkbrauwen en streek met haar vinger over haar gezicht.

Will stond langzaam op en liep naar het raam, waarvan de zonwering gesloten was. Hij wist dat hij de zonwering niet open mocht maken omdat de Iraniërs hem dan misschien zouden zien, maar hij ging daar evengoed staan en sloot zijn ogen.

Hij rook Lana's parfum voordat hij voelde dat haar vingers zich verstrengelden met de zijne. Hij voelde dat ze haar lichaam tegen zijn rug drukte en dat haar lippen zachtjes zijn hals kusten. Haar lange haar streek over zijn gezicht. Hij gaf een kneepje in haar hand en draaide zich naar haar om. Ze was mooi, en toen hij haar trotse en complexe gezicht zag, vroeg hij zich af waarom ze er zo lang voor had gekozen om alleen te zijn. Misschien omdat ze Megiddo zozeer haatte dat ze zichzelf niet toestond van een ander te houden. Hij dacht dat de wens die ze in Parijs had uitgesproken misschien nu eindelijk uitkwam.

Laat me dit doen en weer het gevoel hebben dat ik leef.

Hij zei: 'Ik blijf vannacht bij je in je kamer, maar we kunnen niet op die manier bij elkaar zijn.' Hij zag de teleurstelling en verwarring op haar gezicht. Hij zag ook een traan uit een van haar ogen komen. Ze keek hem aan alsof ze wist dat hij een fout had gemaakt. Hij streek zachtjes met zijn vinger over haar tranen en fluisterde: 'Ik ben niet de man voor jou, Lana.'

Ze kwam dichter naar hem toe. 'Misschien ben ik de vrouw die dat kan veranderen.'

Will schudde zijn hoofd. 'Ik weet het niet.'

Lana legde haar hand op zijn wang. 'Ik weet dat je om me geeft. Ik weet dat je je zorgen maakt over mijn veiligheid. Maar...' Ze fronste haar wenkbrauwen. 'Ik moet weten... Ik moet weten of je je ooit hebt afgevraagd hoe het zou zijn als... we samen zouden zijn?'

Will legde zijn armen om haar middel. Hij vroeg zich af wat hij moest zeggen. Hij vertelde haar de waarheid: 'Ik heb me voorgesteld hoe dat zou zijn. Ik heb aan de toekomst gedacht – wanneer dit alles voorbij is.' Hij trok haar dichter tegen zich aan en drukte een kus op haar wang. 'Ik heb over ons nagedacht.' Hij glimlachte ondanks de verwarring waaraan hij ten prooi was. Hij wist dat hij jarenlang een barrière tegen liefde en normaal gedrag had opgebouwd en dat die barrière er was om hem te helpen de dingen te doen die hij moest doen. Hij wist dat die barrière nu werd geslecht en dat dat kwam door de vrouw die hij in zijn armen hield. Hij drukte weer een kus op haar wang en zei zacht: 'Als dit voorbij is, kun je misschien de vrouw worden die de dingen voor me verandert.' Hij schudde zijn hoofd en voelde zich leeg en verbitterd. 'Maar op dit moment moet er niets veranderen.'

Will keek naar Lana, die op haar bed lag te slapen terwijl hij in een fauteuil aan de andere kant van haar hotelkamer zat. Haar dekbed lag niet over haar hele lichaam heen; een bloot been was onbedekt gebleven. Will liep naar haar toe en drapeerde het dekbed voorzichtig zodanig dat het haar helemaal bedekte. Hij keek naar haar en vroeg zich af of ze droomde, en hoe het zou zijn geweest om het bed met haar te delen, haar naakte warmte tegen zich aan te voelen, haar haar en parfum te ruiken, haar in zijn armen te houden.

Hij glimlachte, keek van Lana naar de ramen en zag dat het vroege ochtendlicht net zichtbaar was geworden achter de gordijnen. Hij wist dat er buiten de kamer mannen waren die hem wilden ontvoeren en doden. En hij wist dat hij niet bang voor hen was. Hij keek weer naar

Lana en zijn glimlach verflauwde. Hij wist nu dat ze de vrouw kon zijn die alles voor hem veranderde. En die wetenschap maakte hem erg bang.

20

'De brief is afgeleverd. Ze is op de terugweg naar het hotel.'

Will beëindigde het gesprek met Roger en dronk zijn koffie op. Hij was in het Sheraton terug, alleen, omgeven door zakenmensen, toeristenechtparen en gezinnen. Normale mensen. Hij wreef over zijn gezicht, en terwijl hij dat deed, piepte zijn telefoon. Het was een bericht van Patrick.

Blijf waar je bent. Ik kom met iets dringends naar je toe.

Patrick keek vermoeid, maar hij bewoog zich met een kracht en doelbewustheid die je niet van iemand van zijn leeftijd zou verwachten. Hij liep door Wills hotelkamer heen en weer. 'Sinds jij gistermorgen bent weggegaan, ben ik heen en weer naar Langley geweest om het papier te halen dat jij nu in je handen hebt.'

Will las het document. Het was een telegram, afkomstig van de NSA, de Amerikaanse nationale veiligheidsdienst, en bestemd voor de Bundesnachrichtendienst, de buitenlandse inlichtingendienst van Duitsland, afgekort tot BND.

Onderwerp

Terroristencellen in Duitsland zijn van plan een aanslag op het gebouw van de Reichstag van de Duitse Bundestag te ondernemen als de minister van Buitenlandse Zaken van de Verenigde Staten daar het parlement toespreekt.

Overzicht

Er zijn gegevens verkregen over vijf actieve terroristen. Gegevens over hun locatie in Berlijn. Gegevens over hun plan het gebouw van de Reichstag te verwoesten terwijl het parlement daar zitting heeft en door de minister van Buitenlandse Zaken van de Verenigde Staten wordt toegesproken. Er zijn gegevens verzameld over hun intentie om die aanslag uit te voeren met bommen die zowel thermietstoffen als explosieven bevatten.

Hoofdtekst

1. Van de volgende vijf personen is bekend dat ze een terroristische achtergrond hebben:

a. Sonmaz Faturachi, man, zevenentwintig jaar, Azerbaidzjaan.
b. Raheem Abdul Abdullah, man, vierentwintig jaar, Canadees van Irakese afkomst.
c. Abel Zaidi, man, zesentwintig jaar, Jemeniet.
d. Imad Nabulsi, man, zevenentwintig jaar, Libanees.
e. Soraya Nashat, vrouw, tweeëntwintig jaar, Britse van Libanese afkomst.

2. Deze vijf personen bevinden zich op het adres Onlauerstrasse 7, Treptow, Berlijn. De vijf personen verblijven al negen dagen op dit adres.
3. Aangenomen wordt dat zich op het adres Onlauerstrasse 7, Treptow, Berlijn vijfentwintig draagbare vaten thermiet en explosieve materialen bevinden.
4. De personen zijn van plan de draagbare vaten te gebruiken voor een aanslag op het gebouw van de Reichstag van de Duitse Bundestag.

Commentaar

1. Afzonderlijke rapporten verstrekken veel bijzonderheden over de bovengenoemde vijf personen en hun lidmaatschap van sjiitische islamitische terroristenorganisaties. Het is bekend dat de vijf personen financiering en training van Iran hebben gekregen (NSA10/11832/L).

2. Het genoemde type vaten wijst op middelen die gebruikt worden om gebouwen en materialen te verwoesten met brandbommen (NSA09/19985/L)

Bron

1. De bron van dit rapport wordt als uiterst betrouwbaar gezien. Er zijn veel middelen beschikbaar om de nauwkeurigheid van de bron en het rapport te verifiëren.

Will keek op van het rapport. 'Ik neem aan dat die bron een Hubble-rapport is?'

Patrick knikte. 'Een goede vriend binnen de BND belde me om te zeggen dat ze het telegram van de NSA hadden ontvangen. Hij wilde weten wat ik ervan vond, en ik vroeg hem het na te gaan. Het komt van Hubble.'

Will legde het rapport op een bureau. 'De Amerikaanse minister van Buitenlandse Zaken en het hele Duitse parlement? Dat is een gigantisch doelwit.'

'Het zou de ergste aanslag op Duitse bodem zijn sinds de bombardementen door Britse en Amerikaanse vliegtuigen in de oorlog.'

'Denk je dat dit de aanslag is waar we naar zochten? Megiddo's operatie om het Westen te treffen?'

Patrick haalde zijn schouders op. 'Ik weet het niet.' Hij hield op met heen en weer lopen en wees naar het papier. 'We zitten met een puzzel. Dit is blijkbaar geen vervalst Hubble-rapport; daar is het veel te specifiek voor. Maar als het een echt Hubble-rapport is, waarom zou Megiddo dan zo slordig zijn om zijn operatie bloot te stellen aan de NSA wanneer hij weet dat ze al in zijn communicatiesysteem zijn binnengedrongen?'

'Misschien is Megiddo niet het meesterbrein achter die Duitse operatie. Misschien hebben de terroristen wel financiering van de Iraniërs gekregen, maar handelen ze niet in hun opdracht.'

Patrick schudde zijn hoofd. 'Zo'n grote aanslag zou nooit mogen worden gepleegd zonder toestemming van Megiddo.' Hij liep weer heen en weer. 'Zelfs als de planners ervan niet onder zijn supervisie stonden – en dat stonden ze vast wel – zou hij van de aanslag horen en er meteen een stokje voor steken omdat zijn andere plannen erdoor in gevaar kunnen komen.'

'Bedoel je dat dit een operatie van Megiddo moet zijn, maar dat je niet kunt geloven dat de NSA hem juist op dit moment in het vizier heeft gekregen?'

'Ik weet het niet.' Patrick bleef staan. 'De BND heeft het rapport ingediend bij de BfV, hun Bundesamt für Verfassungsschutz, die er op zijn beurt ongetwijfeld samen met Grenzschutzgruppe 9 aan werkt om de aanslag te voorkomen.'

'Dan zal de Duitse veiligheidsdienst zijn antiterreureenheid GSG 9 gebruiken om de terroristen op te pakken en uit te zoeken wat er achter de aanslag zit.'

Patrick ademde hoorbaar uit. 'Dat is het probleem. Als er zo'n grote aanslag op komst is, worden er extreme tegenmaatregelen genomen. Mijn vriend bij de BND heeft me verteld dat Duitsland niet kan toestaan dat de terroristen in leven blijven. We zullen dus nooit weten wie er achter het complot zitten. Mijn vriend heeft me ook verteld dat GSG 9 vannacht een inval in het huis doet.'

Will sloeg met zijn vuist op het bureau. 'Maar we moeten weten of dit een complot van Megiddo is. Als dit Megiddo's operatie is, wordt Lana's informatie irrelevant zodra de aanslag is verijdeld. Dan verdwijnt Megiddo voorgoed uit onze greep. Dat betekent dat we maar één kans hebben om hem te vinden en wraak te nemen, en dat is door middel van ondervraging van de terroristen.'

Patrick zuchtte. 'Ik heb je gewaarschuwd dat wij niet de enigen zijn die de aanslag proberen te voorkomen. Als andere westerse inlichtingendiensten hebben verhinderd dat Megiddo de aanslag pleegt, moeten we dat gewoon accepteren en ons afzijdig houden.'

'Zoals je je ook afzijdig hield van de moordenaar van mijn vader zodra je tot de conclusie was gekomen dat je geweten zuiver was?'

De woede stond meteen op Patricks gezicht te lezen. Hij liep naar Will toe en bleef heel dicht bij hem staan. 'Ik heb zeven jaar geprobeerd die man te pakken te krijgen, zonder me druk te maken om mijn eigen veiligheid of carrière. In die tijd heb ik persoonlijk twaalf mannen gedood en de levens van talloze anderen verwoest. Er is een doodvonnis over me uitgesproken door de Iraniërs, en ik heb twee huwelijken zien mislukken. Ik heb het niet opgegeven. Megiddo is gewoon verdwenen.'

Will keek in Patricks zilvergrijze ogen. Hij glimlachte. 'Ik begrijp het. En daarom zul jij begrijpen waarom we echt niet kunnen accepteren dat Megiddo opnieuw uit onze greep ontsnapt.' Wills glimlach verdween, en hij wendde zijn blik van Patrick af. 'We kunnen niet toestaan dat de Duitsers hun GSG 9-executieteam naar dat huis sturen. Als dat gebeurt, verdwijnt ons spoor naar Megiddo.'

Patrick bleef hem even aankijken en knikte toen langzaam. 'Dan is het maar goed dat ik je een stap voor ben.' Hij liep bij Will weg en keek op zijn horloge. 'Ik ben naar de CIA in Langley geweest om een exemplaar van het NSA-rapport op te halen, maar ik ben ook even in Washington geweest.' Patrick keek Will weer aan. 'Omdat de Amerikaanse minister van Buitenlandse Zaken een van de beoogde slachtoffers is, mogen de Verenigde Staten zich tot op zekere hoogte bemoeien met de acties om de aanslag te voorkomen. Ik heb een brief bij me die door mijn president is geschreven en waarin ik samen met eventuele collega's word gemachtigd om overleg te plegen met het BfV en relevante Duitse politiediensten. Jij en ik vertrekken vandaag met een Lufthansa-vlucht van tien voor drie naar Duitsland. Misschien kunnen we onze Duitse vrienden overhalen minstens een van de terroristen in leven te laten.'

De vrouw van het BfV keek eerst naar het papier en toen naar een man die in de hoek van de kamer stond. Ze waren in het hoofdkantoor van het Bundesamt für Verfassungsschutz. Toen keek ze Will en Patrick aan. 'We erkennen uw introductiebrief, maar beseft u wel dat u in deze zaak geen enkele bevoegdheid hebt?'

'Dat beseffen we.' Patrick vouwde zijn handen subtiel samen, alsof hij iets wilde afsmeken. 'We vragen alleen van u dat u luistert naar wat we te zeggen hebben.'

De BfV-vrouw glimlachte wat. 'We stellen het op prijs dat uw NSA ons voor de aanslag op ons parlement en uw minister van Buitenlandse Zaken heeft gewaarschuwd, maar de terreuraanslag zal niet plaatsvinden, en trouwens, uw geheime dienst heeft het bezoek van uw politicus afgezegd. Amerika heeft geen belang meer bij deze operatie.'

'Dat is zo, maar zelfs wanneer die terroristencel wordt vernietigd, heeft Duitsland nog steeds belang bij deze zaak.'

'Waarom?'

'We beschikken over nieuwe inlichtingen: deze cel is slechts een van de vele die aanslagen in uw land willen plegen.'

Will glimlachte bijna om Patricks leugen, maar hield zich in.

'Wat bedoelt u?' De BfV-vrouw wierp opnieuw een blik op de Duitse man en keek toen Patrick weer aan.

'Als u vannacht alle terroristen doodt, gaat uw kans verloren om via hen andere cellen in Duitsland op het spoor te komen. Ik raad u aan om het leven van minstens één terrorist te sparen. Dan kan hij of zij door u worden ondervraagd.'

'Onze federale wet verbiedt ons iemand op een zodanige manier te ondervragen. Als er een terrorist gespaard blijft, geniet die persoon meteen volledige juridische bescherming. Alleen al om die reden hebben we besloten dat alle terroristen vannacht gedood moeten worden.' De vrouw zuchtte, wendde haar blik af en wreef nerveus met haar vingers over haar handpalm. 'Als uw nieuwe inlichtingen juist zijn, zou ik heel graag een van die terroristen onder handen willen nemen om meer over die andere cellen te horen. Maar daar kan ik echt geen toestemming voor geven.'

'U kunt de ondervraging ook aan ons overlaten.' Patricks stem klonk gedempt.

De vrouw lachte even. 'Nee.'

Patrick zweeg, en Will wist dat hij net zo teleurgesteld was als Will. Hij vroeg zich af wat Patrick nu zou zeggen, maar op dat moment sprak de man in de hoek in snel Duits met de BfV-vrouw. Ze antwoordde met even snelle, maar scherper klinkende woorden. Het gesprek tussen de twee mensen duurde bijna twee minuten. Toen haalde de vrouw grinnikend haar schouders op.

Ze sprak Patrick aan. 'Mijn vriend hier is de GSG 9-officier die de leiding heeft van de inval in het huis aan de Onlauerstrasse vannacht. Hij heeft een idee dat hij aan u wil voorleggen. Ik heb hem toestemming gegeven vrijuit te spreken.'

De GSG 9-officier stond rechtop tegen de muur, met zijn armen over elkaar. Hij keek naar Patrick en Will. 'We doen de inval in het huis om twee uur vannacht; daar kunt u ons niet van weerhouden. Ik heb een team van acht man voor de inval. Nadat we onze instructies hadden gekregen, hebben we het huis gereconstrueerd en de inval veertien keer geoefend. Daarom kennen we elke vierkante centimeter van het huis aan de Onlauerstrasse. De terroristencel kan onze aanval niet afslaan.' De man keek even naar de BfV-vrouw en richtte zijn blik toen weer op Patrick en Will. Hij keek ernstig.

'Niettemin zet ik vannacht de levens op het spel van acht uiterst ervaren en bekwame agenten. Ik kan dat risico accepteren wanneer het waarschijnlijke resultaat een volledig succes is. Ik kan dat risico niet accepteren als de dood van deze terroristen hun vrienden alleen maar woedender maakt dan ze al zijn.' Hij knikte Patrick toe. 'Misschien zijn die vrienden van plan een aanslag in ons land te plegen.' Hij glimlachte even. 'Of misschien willen ze doelen treffen die meer in uw sfeer liggen. In beide gevallen wil ik dat mijn inval niet alleen een defensieve reactie is maar ook strategische waarde heeft.' Hij keek Will recht aan en bestudeerde hem grondig. 'Het invalsplan kan enigszins worden aangepast. We gaan het huis in en doden vier van de terroristen. Dan gaan we maximaal één minuut naar buiten. Als die tijd is verstreken, gaan we het huis opnieuw binnen en executeren de laatste terrorist als hij of zij nog in leven is. Na onze eerste aanval zal het huis er verschrikkelijk aan toe zijn. Er heerst dan brand van onze vuurwapens en granaten, en er hangt een dichte rook. Maar als een van u tweeën daartoe bereid is, geef ik u in die ene minuut de gelegenheid het huis binnen te gaan en de nog levende terrorist te ondervragen.'

21

Will trok een zwart, vlammenwerend eendelig Nomex-3-pak, Adidas-commandoschoenen en militaire handschoenen van Oakley aan. Hij legde zijn SF-10-beademingsapparaat naast een zaklamp op zijn schoot en controleerde zijn Glock 17-pistool een laatste keer. Toen keek hij naar de achterkant van de truck waarin hij zat. Er waren negen andere mannen bij hem, en acht van hen waren gekleed als Will, maar droegen ook knie- en elleboogbeschermers, een kogelvrij vest, een commando-vest met verdovingsgranaten en traangasbusjes, een tuig met radio en een gepantserde helm. Ze hadden allemaal een Glock op hun dij, maar hun andere wapens verschilden. Vijf van hen hadden Heckler & Koch MP5-machinepistolen voor hun borst hangen; een van hen had een G3-sluipschuttersgeweer met nachtvizier; de twee anderen hadden Remington-geweren, en Will wist dat ze geladen waren met Hatton-patronen om deurscharnieren weg te schieten. Die laatste twee mannen hadden EDX-explosieven aan hun commandovest hangen; op hun benen lag een hamer om deuren open te beuken. Will zag de acht mannen hun SF-10-beademingsapparaat voor hun gezicht doen en de sluitingen controleren om er zeker van te zijn dat de maskers goed vastzaten.

De truck minderde vaart en stopte. De man die geen commando-uitrusting droeg, maar een spijkerbroek, een jasje en bergschoenen, en die het dopje van een radio in zijn oor had, was de GSG 9-officier. Hij keek op zijn horloge en zei niets, maar na bijna dertig seconden knikte hij een keer en wees naar de man met het sluipschuttersgeweer. Die man maakte voorzichtig het achterportier van de truck open en verdween in de donkere nacht. Ze wachtten ongeveer twee minuten, en toen legde de officier zijn hand op zijn radiodopje en stak twee vingers op. Een van de mannen met een geweer en twee met een machinepistool stapten vlug en geluidloos uit de truck en verdwenen ook uit het zicht. Binnen nog eens tien seconden stak de officier drie vingers omhoog en stapten de overige teamleden uit om hun posities in te nemen. Alleen de officier en Will bleven in de truck achter.

De officier boog zich naar Will toe en zei met zijn hand op zijn oordopje: 'Het begint over twee minuten.' Hij richtte zich op en keek naar de geopende portieren van de truck.

Will keek op zijn horloge en zette zijn eigen ademhalingsapparaat op. Toen pakte hij zijn Glock-pistool en hield het stevig vast in zijn rechterhand. In zijn linkerhand had hij een zaklamp. Hij bleef roerloos zitten wachten.

Hij hoorde twee explosies bijna tegelijk, gevolgd door het doffe gedreun van geweren. Hij wist dat de voor- en achterdeur van het huis aan de Onlauerstrasse nu waren opengebroken en dat het commandoteam het huis binnen ging om vier leden van de terroristencel te doden. Er volgden nog meer explosies; blijkbaar had het team verdovingsgranaten gebruikt. Die geluiden werden gevolgd door snelle maar beheerste salvo's van machinepistolen, die ongeveer dertig seconden aanhielden. Toen stak de GSG 9-officier zijn hand op en knikte hij naar Will. 'Bovenverdieping. Tweede slaapkamer rechts. Nu.'

Will kwam vlug overeind, sprong uit de truck en rende weg. Het huis stond op een afstand van bijna tweehonderd meter, maar ondanks de afstand en de duisternis zag Will rook uit de kapotte ramen en voordeur kolken. Natuurlijk was de hele straat wakker geworden van het lawaai, en aan de randen van zijn gezichtsveld zag Will lichten in andere huizen aangaan. Hij concentreerde zich op de voordeur van het huis en negeerde de twee GSG 9-mannen die aan weerskanten van de deur stonden. Hij rende meteen het huis in. Het was overal donker, en Will deed zijn zaklamp aan en scheen ermee om zich heen. Er hing een dichte rook in het huis. Voor hem uit zag Will vlammen op de trap die hij moest beklimmen. Hij zag ook een man in een vreemde houding over de trap liggen. Het gezicht van de man was weggeschoten, en er strekte zich een rij ingangswonden uit over zijn borst. Dicht bij een van de handen van de dode lag een semiautomatisch geweer. Will haalde diep adem; het geluid werd versterkt door zijn ademhalingsapparaat. Hij bracht zijn pistool omhoog en liep vlug de trap op, zonder zich iets aan te trekken van het vuur om hem heen.

De rook in de gang op de bovenverdieping was minder dicht, maar hing evengoed in slierten om zijn benen. Hij bewoog zijn pistool naar links en rechts en zag dat de kamers aan weerskanten van hem in brand stonden. Het vuur wierp nu en dan een fel licht in de gang. Will deed een stap naar voren en stootte met zijn been tegen een groot levenloos voorwerp. Hij richtte zijn zaklamp omlaag en zag het lijk van nog een man. Hij liep door, dook ineen met zijn pistool recht naar voren, en stapte de laatste slaapkamer in. Hier hing een nog dichtere rook, en de gordijnen stonden in brand. Op de vloer in het midden van de kamer lag een lichaam op de zij. Het schommelde heen en weer, een hand tegen een been gedrukt. Will keek naar de directe omgeving van het lichaam, maar zag geen wapen. Hij kwam dichterbij, drukte de loop van zijn Glock tegen de hals van het lichaam en trok het toen langzaam op de rug. Een vrouw keek naar hem op. Will keek naar haar been en zag dat ze in haar dij was geschoten. Haar broek was gescheurd en bedekt met bloed. Het was duidelijk dat de kogel grote schade had aangericht.

Will boog zich naar het gezicht van de vrouw en zei hard: 'Wie heeft jullie gestuurd?'

De vrouw knipperde snel met haar ogen. Ze keek doodsbang. De tranen liepen over haar gezicht, tranen van pijn, angst, traangas of dat alles tegelijk. Ze zag er heel jong uit.

'Wie heeft jullie gestuurd?' vroeg hij opnieuw.

De vrouw hoestte, en aan het geluid hoorde Will meteen dat ze gas in haar keel en longen had. Hij wist dat hij haar niet zo mocht laten lijden. Hij trok zijn ademhalingsapparaat af en zette het vast op het hoofd van de vrouw. Hij zei tegen haar: 'Het komt goed. Ik haal je hier weg.'

Hij stak zijn armen onder haar lichaam en tilde haar op, met zijn pistool en zaklamp nog steeds in zijn handen. Hij draaide zich om naar de deur van de kamer en liep vlug met de vrouw door de gang en de trap af. Ze kreunde toen hij haar door vlammen en nog meer rook droeg. Will trok haar dichter tegen zich aan om haar tegen het vuur te beschermen. De hitte op zijn eigen onbeschermde gezicht was intens. Onder aan de trap draaide hij zich om en liep naar de achterdeur van het huis. Om daar te komen moest hij over nog twee doden en op de vloer liggende wapens stappen. Hij liep het huis uit en kwam in een tuintje met gras. Er stonden daar vier GSG 9-mannen te wachten, en toen ze Will zagen, richtten ze meteen hun wapens op hem en de vrouw en schreeuwden ze in het Duits. Will negeerde hen, legde de vrouw in het natte gras en haalde het beademingsapparaat van haar gezicht weg. Ze keek hem aan met ogen vol pijn en angst.

Will boog zich weer naar haar toe en sprak zacht en vriendelijk. 'Ik zal ervoor zorgen dat je medische hulp krijgt. Dit is niet jouw schuld. Niets van dit alles is jouw schuld. Maar ik moet weten wie jullie instructie heeft gegeven om een aanslag op de Reichstag te plegen.'

De vrouw klemde haar hand weer over haar beenwond, en Will zag dat er bloed onder vandaan gutste. Hij wist dat de kogel waarschijnlijk door een ader was gegaan en dat de vrouw straks in een hypovolemische shock zou raken.

'Wie heeft jullie gestuurd?' Wills stem klonk nog steeds zacht, maar nu nadrukkelijk.

De ogen van de vrouw werden groter. Ze zei iets onhoorbaars. Will boog zich dichter naar haar toe om zijn oor bij haar lippen te brengen. Hij hoorde haar weer kreunen, en toen hoorde hij haar woorden.

'De Iraniër.' De stem van de vrouw klonk schor en ze sprak met een accent. 'Hij stuurde ons om te sterven. Maar het was allemaal een spel.'

'Wat bedoel je?' Will bewoog niet.

De vrouw ademde hortend uit, en terwijl ze dat deed, zei ze acht woorden voordat ze Will wegduwde en naar haar borst greep. Will keek naar haar en wist dat de kogel niet alleen haar been had beschadigd maar ook een hartaanval had veroorzaakt.

Hij stond op. De GSG 9-mannen pakten haar dode lichaam op en droegen het naar het brandende huis terug. Hij trok een van zijn handschoenen uit, streek met zijn vingers door zijn haar en bleef een ogenblik diep ademhalend stilstaan. Toen vloekte hij en schudde zijn hoofd. Hij vroeg zich af wat voor leven de jonge vrouw zou hebben geleid als ze niet voor de weg had gekozen die haar naar dit huis had geleid. Hij fronste zijn wenkbrauwen terwijl de woorden van de vrouw weer door zijn hoofd gingen:

Het was een spel – om jou te misleiden.

22

'Een spel?' Patrick zat over een kop instantkoffie gebogen in zijn kamer in het Ritz-Carlton in Berlijn. Het was vier uur na de inval in het huis aan de Onlauerstrasse 7 in Treptow.

Will schudde zijn hoofd. 'De Duitse politie heeft de vijfentwintig vaten met springstof en de thermiet op de zolder van het huis gevonden. Ze hebben ook gedetailleerde plannen van de aanslag gevonden. De aanslag zou echt zijn doorgegaan.'

'Maar Megiddo vertelde ons er via Hubble alles over omdat hij ons wilde laten geloven dat het zijn grote aanslag was.'

Will wreef over zijn nek. 'We hebben geen rekening gehouden met de mogelijkheid dat het Berlijn-rapport van Hubble tegelijk echt en vervalst was. Het is ongelooflijk dat Megiddo zo'n grote operatie op touw heeft gezet en hem daarna zelf heeft verraden.'

Patrick legde zijn beide handen om zijn koffiemok. 'Het betekent dat hij iets verbergt wat veel erger is dan de verwoesting van het Duitse parlementsgebouw.'

Will keek Patrick even aan en fronste toen peinzend zijn wenkbrauwen. 'We moeten de zaak meer prioriteit geven.'

Patricks zilvergrijze ogen flikkerden. 'Dat ben ik met je eens. Maar ben jij er klaar voor?'

Lana keek niet verbaasd toen ze Will in haar hotelkamer in Zagreb zag zitten. Ze zette haar twee draagtassen op de vloer, liep naar hem toe en kuste hem op zijn wang. Toen trok ze haar jas uit, ging op het voeteneind van het bed zitten en nam een sigaret uit het pakje dat in haar handtas zat. Ze droeg een corduroybroek in rijbroekstijl en een dikke coltrui. Zoals altijd ging er een nonchalante élégance van haar uit.

'Je kijkt aarzelend, Nicholas.' Lana stak haar sigaret aan en glimlachte vaag. Haar wangen hadden kleur en ze maakte een zelfverzekerde, energieke indruk. 'Ben je nu op je hoede voor mijn bedoelingen met jou?'

Will dacht over haar vraag na en schudde zijn hoofd. 'Nee, want zoiets kan ik beheersen.'

Lana inhaleerde rook, plantte haar ellebogen op haar dijen en liet haar kin op haar handen rusten. Ze keek een tijdje naar hem en zei: 'Ongetwijfeld, maar er is iets waardoor je je niet op je gemak voelt.'

Will fronste zijn wenkbrauwen.

Lana bleef glimlachen. 'Misschien ben je op je hoede voor jezelf.'

'Je zou best eens gelijk kunnen hebben.' Will wíst dat ze gelijk had. Hij zou niets liever willen dan naast haar komen zitten en haar in zijn armen nemen.

Lana keek nog wat langer naar hem en stak haar hand toen in haar tasje. 'De conciërge heeft me net dit gegeven.' Ze haalde een envelop uit het tasje en hield hem voor zich uit.

Will kwam dichterbij, nam de envelop aan en maakte hem open om er een brief uit te halen. Hij draaide hem een paar keer om en constateerde dat het geen papier van de Iraanse ambassade was. De woorden waren in blauwe inkt met de hand geschreven.

Beste Lana,

Natuurlijk wil je de Britse man niet aan me uitleveren als je niet onder mijn bescherming staat. Ik vind het geruststellend dat je zo'n standpunt inneemt. Ik waardeer het ook dat je voldoende vertrouwen in mijn bedoelingen hebt om me de naam van de man te geven. Maar het is zinloos je nog langer voor hem te verbergen. Je moet hem dicht bij je laten komen, zodat ik snel plannen kan maken wanneer jij en ik onze kennismaking hebben hernieuwd. Neem contact met hem op en zeg tegen hem dat je bang bent. Zeg tegen hem dat je er spijt van hebt dat je uit Parijs bent weggegaan zonder tegen hem te zeggen dat je dat deed. Vertel hem waar je bent, voor het geval hij je nodig heeft.
Ik ben dichter bij je dan je misschien denkt. We zullen elkaar heel gauw ontmoeten.

Je goede vriend,

Megiddo

Will las de brief drie keer door voordat hij hem aan Lana teruggaf. Hij keek naar haar terwijl ze hem las en daarna opkeek. Haar gezicht was veranderd. Ze maakte nu een opgewonden indruk.

'Hij is het. Hij is het echt.' Lana drukte haar sigaret uit en stak er meteen weer een op.

'Weet je het zeker?'

Ze schommelde heen en weer. 'Ik weet het zeker.' Toen ze met haar hand over haar mond wreef, bleef er een veeg lipstick op haar kin achter. 'Wat gebeurt er nu?'

Will liep naar haar toe en nam de brief van haar over. 'We geven hem wat hij wil, en ook nog iets onverwachts.'

Hij gaf haar een nieuw vel briefpapier en dicteerde haar antwoord aan Megiddo. Toen ze de voltooide brief in de envelop had gedaan, wees Will met zijn vinger, zodat die de envelop aanraakte. 'Je moet hem nu meteen naar de Iraanse ambassade brengen.'

Lana knikte en legde haar hand over de zijne. Ze gaf er een kneepje in en zei: 'Het is gek. Ik heb Megiddo jarenlang gehaat en wraak op hem willen nemen. Dat nam me helemaal in beslag. Maar nu...' Haar glimlach verdween en ze keek Will weemoedig aan. 'Nu vraag ik me af of er niet nog iets anders meespeelt.'

Voor mijn dierbare Megiddo,

Ik heb gedaan wat je vroeg, maar toen ik hem sprak, klonk hij kwaad. Hij zei dat hij in Berlijn was en heeft voorkomen dat je daar iets afschuwelijks deed. Hij zei tegen me dat je spelletjes speelde en dat je zijn mensen probeerde te misleiden.
Hij wil me opnieuw zien, en hij komt over een of twee dagen naar Kroatië. Hij zei tegen me dat ik nu belangrijk voor hem was geworden. Hij zei dat hij moet weten hoe je eruitziet.

Alsjeblieft, vertel me wat ik moet doen. Alsjeblieft, schiet op en haal me hier weg.

Veel liefs,

Lana

'Oké, wat is dat idee van jou, Harry?' Will was naar het vliegveld van Oslo gereisd om enkele ogenblikken met Lace door te brengen in de transithal waar hij nu zat. Hij was daar meteen naartoe gegaan nadat hij een sms'je van Harry had gekregen toen hij Lana's hotel verliet. Harry vloog door naar Helsinki, en Will was van plan het eerste beschikbare vliegtuig naar Zürich te nemen.

Harry nam een grote slok van zijn gratis whisky. 'De Human Benevolence Foundation. Heb je daar ooit van gehoord?'

De naam kwam Will bekend voor. 'Een stichting, een ngo?'

'Ja. Een Iraanse instelling, nogal klein. Heel anders dan de andere Iraanse ngo's en veel minder op de voorgrond tredend dan de Rode Halve Maan, waarvan we allemaal weten dat het een dekmantel voor hun inlichtingendiensten is. De HBF zit nu ongeveer drie jaar in Bosnië en heeft daar vooral religieuze gebouwen neergezet en opgeknapt. Ze maken een heel legitieme indruk.' Harry hield zijn hoofd een beetje schuin.

'Je denkt dat Megiddo vanuit die organisatie opereert?'

'Ik denk dat hij daar misschíén vanuit opereert. Sterker zou ik het niet willen stellen.'

'Waarom denk je dat hij daar zou kunnen zijn?'

Harry glimlachte en liet ijsblokjes door zijn glas walsen. 'Een van mijn andere zakelijke belangen is een bouwbedrijf. We maken veel gebruik van onderaannemers, en er is een Bosniër die voor een van hen werkt en die ik al een hele tijd ken. We kenden elkaar voor, tijdens en na de oorlog. Zijn eigen bedrijf heeft kort geleden de opdracht gekregen om een moskee in Sarajevo te bouwen. Dat gebeurt met HBF-geld en volgens hun ontwerp.' Harry wuifde met een van zijn gemanicuurde handen. 'Die kennis van mij werkt dus met HBF-mensen samen. En er is daar een man. Hij is midden vijftig, kalm, en doet niets. Mijn kennis heeft hem herkend.'

'Qods?'

'Ja.' Harry zette zijn glas neer. 'Tenminste, dat was hij toen hij in de oorlog in Bosnië was.'

'Heb je een naam?'

'Nee. Mijn kennis heeft links en rechts geïnformeerd om meer te weten te komen.' Hij stak zijn vinger op. 'Heel voorzichtig natuurlijk. Hij deed het voorkomen alsof hij onderzoek naar HBF deed om er zeker van te zijn dat ze zouden betalen.' Harry doopte zijn pink in zijn whisky en zoog de drank eraf. 'Niemand weet iets over die Iraniër. Het schijnt dat hij zich altijd op de achtergrond houdt, wat nogal moeilijk is in een goudvissenkom als Sarajevo. En hij schijnt niet betrokken te zijn bij HBF-projecten en daar ook geen belangen in te hebben.'

Will dacht even na. 'Waarom zou je kennis dit doen? Waarom zou hij naar die man informeren?'

Harry haalde zijn schouders op. 'Omdat ik het hem vroeg.' Hij lachte. 'Maak je geen zorgen. Niemand van mijn mensen weet iets van onze regeling.'

'Vertrouw je hem?'

'Of ik hem vertrouw?' Harry grinnikte. 'Je weet hoe ik over dat woord denk. Maar ik kan je zeggen dat hij en ik al te veel samen hebben doorgemaakt om elkaar te wantrouwen.'

Will knikte goedkeurend. 'Dat is heel goed, Harry. Ik denk dat je vriend op de locatie van het directoraat Westen van Qods is gestuit. Misschien op Megiddo zelf.'

Harry dronk zijn glas leeg, en deze ene keer zag de man er moe uit. Hij keek op zijn horloge en zei: 'Mijn zaken roepen me. Ik moet mijn vliegtuig halen.' Hij glimlachte vermoeid. 'Er is net een transactie met de Russen afgeketst vanwege de prijs, maar ik hoop dezelfde deal te maken met de Finnen.'

'Wapens?'

'Oorlogsschepen.'

Will boog zich verder naar Harry toe. 'Ik heb een verzoek, maar gezien het niveau waarop je opereert vind je het misschien een beetje beneden je waardigheid.'

Harry wachtte.

'Als – en ik zeg alleen als – ik wapens nodig had voor een operatie in Bosnië,' zei Will, 'zou jij me daar dan aan kunnen helpen?'

'Hoeveel man?'

'Vijf mannen.'

'Materieel voor speciale operaties?'

'Ja.'

Harry glimlachte nu echt. 'Ik kan zoiets in een paar seconden regelen, maar een man met jouw positie heeft toch geen illegaal materieel nodig?'

Will haalde op dezelfde manier zijn schouders op als Harry. 'Wat jij en ik doen, moet helemaal buiten de radar blijven. Niets mag officieel zijn. Begrijp je dat?'

Harry liet zijn witte tanden zien. 'Absoluut.' Hij dwong zich rechtop te gaan zitten en pakte zijn leren tas. 'Als je het materieel nodig hebt, hoef je me maar te bellen, dan regel ik alles.'

Will stond op en schudde zijn informant de hand. Toen hij dat deed, trok Harry hem dichter naar zich toe. Alle sporen van zijn glimlach waren verdwenen.

'Mijn kennis heet Dzevat Kljujic.' Harry sprak zacht en afgemeten. 'Hij woont aan de Bulevar Branioca Dobrinje in het westen van Sarajevo.'

Will fronste zijn wenkbrauwen. 'Dat hoef je me niet te vertellen. Ik heb genoeg aan de informatie op zich.'

'Nee, want er is nog meer.' Harry pakte Wills hand steviger vast. 'Gisterochtend belde Kljujic me met nieuws. Hij zei dat hij nog steeds geen informatie over die Qods-man had kunnen krijgen. Maar hij zei ook dat het hem was gelukt discreet een foto van hem te maken.'

Will voelde hoe de adrenaline door hem heen stroomde. 'Wanneer kun je die foto in handen krijgen?'

Harry keek vlug om zich heen en keek toen Will weer aan. 'Dat is het probleem. Vanmorgen, voordat ik hiernaartoe ging, zou ik Kljujic ontmoeten, maar hij kwam niet opdagen en zijn mobiele telefoon was uitgezet. Hij is verdwenen.'

Het was vier uur 's nachts en erg koud en donker, toen Will door de verse Bosnische sneeuw naar het huis aan de Bulevar Branioca Dobrinje in de stad Sarajevo ploeterde. Toen hij het huis naderde, stelde hij zich verdekt op in een portiek aan de overkant. Hij stond onzichtbaar in de niet verlichte portiek en keek aandachtig naar zijn omgeving. Aan de ene kant van de straat stonden de straatlantaarns ver uit elkaar en wierpen ze zwakke gele lichtkringen. Er stonden auto's bij sommige huizen, en gezien het dikke pak sneeuw dat erop lag was er de afgelopen uren niet mee gereden. Will keek naar de sneeuw bij de voordeur van Kljujics huis, maar zag geen voetsporen of andere verstoringen van de sneeuw. Hij luisterde aandachtig, maar hoorde niets bijzonders. Hij keek naar Kljujics huis. Het stond in een rij en zag er aan de buitenkant heel bescheiden uit. Er zaten zes ramen in de voorgevel, en die waren allemaal donker, met houten luiken achter het glas. Will stak zijn handen in zijn overjas en wachtte een half uur terwijl hij naar alle huizen keek van waaruit het huis van Kljujic te zien was. Zo te zien was de hele straat in een diepe slaap verzonken.

Ten slotte stak hij vlug de straat over naar Kljujics voordeur. Hij drukte in totaal vijf keer op de zoemer en wachtte telkens vijftien seconden. Hij keek op om te zien of er lichten aangingen, maar dat was niet het geval. Hij herhaalde het ritueel, wachtte nog eens twintig seconden en liep door de straat, waarbij hij de huizen aan zijn linkerkant telde. Toen hij bij een steegje kwam, sloeg hij dat in, zodat hij bij de achtertuinen van de huizen aan de Bulevar Branioca Dobrinje kwam. Hij telde opnieuw toen hij achter de huizen langs liep, tot hij wist dat hij recht achter het huis van Kljujic stond.

De tuin had een houten schutting van ongeveer drie meter hoog. Will sprong omhoog, zwaaide zich over de schutting heen en kwam ineengedoken in de tuin neer. Hij had gehoopt daar minstens één voorwerp te vinden dat hem kon helpen bij wat hem te doen stond, maar de tuin was leeg. Hij keek naar de zes ramen aan de achterkant van het huis en zag dat die op de begane grond en eerste verdieping tralies aan de buitenkant hadden om inbrekers tegen te houden. De ramen op de bovenste verdieping daarentegen hadden niet zulke tralies, al waren de houten luiken achter het glas duidelijk dicht. Will maakte enkele snelle berekeningen, haalde diep adem en rende naar voren. Toen hij bij het huis was, sprong hij overeind om een voet op de vensterbank van het raam op de begane grond te krijgen. Hij reikte omhoog om een tralie van het raam op de eerste verdieping vast te grijpen en hees zich omhoog tot zijn andere voet op de vensterbank van dat raam stond. Toen hij zijn beide voeten op de vensterbank op de eerste verdieping had, liet hij de tralies los en hing hij een paar centimeter achterover alvorens zich met beide benen af te zetten en naar boven te springen om een metalen dakgoot boven het raam van de bovenste verdieping vast te grijpen. Die goot boog wat door, maar Will zette zijn voeten vlug op de vensterbank van de bovenste verdieping, zodat zijn gezicht daar nu op rustte. Enkele ogenblikken bleef hij zo staan luisteren. Hij hoorde niets en stompte vlug de ruit kapot. Het geluid van de klap weerklonk door de windstille straat, en Will luisterde opnieuw met ingehouden adem en keek naar links en rechts. Hij stak zijn hand waaraan hij een handschoen droeg in het gat en haalde systematisch en geluidloos stukjes glas weg. Binnen een minuut had hij al het glas uit de ruit verwijderd. Hij pakte de dakgoot weer met beide handen vast en schopte hard tegen het midden van de gesloten luiken. Na twee pogingen bezweken ze en zwaaiden naar binnen open. Hij stapte het huis in, waar volslagen duisternis heerste.

Will draaide zich om en duwde de gebroken luiken zo goed en zo kwaad als dat ging weer dicht. Toen haalde hij zijn zaklamp tevoorschijn, hield zijn hand over de bovenkant om het meeste licht tegen te houden en zette hem aan. Hij was in een slaapkamer, en die was een ravage. Lakens waren half van een leeg matras getrokken en een tafellamp lag kapot op de vloer. Van twee kasten waren alle laden uitgetrokken en kleren lagen overal verspreid. Will keek een minuut naar de kamer en liep toen naar de badkamer ernaast. Een spiegel zonder lijst was van de muur gerukt en scherven ervan waren in een wastafel en een toilet gevallen. Hij liep langzaam de gang weer op en ging voorzichtig de trap af naar de eerste verdieping. De kamer rechts van hem was blijkbaar een logeerkamer. Een matras was van het bed getild, op zijn kant gezet en helemaal opengesneden met een scherp voorwerp, zodat de vulling en springveren te zien waren. Will liep naar de volgende kamer. Dat was blijkbaar een soort werkkamer. Hij zag een bureau met stoel, metalen archiefkasten en kasten vol boeken en dossierdozen. Deze kamer was niet zo'n ravage, al bleken alle dossierdozen leeg te zijn en lagen er evenveel stapels losse papieren op de vloer. Will richtte zijn zaklamp op het bureau en zag alleen een kleine houder van het een of ander, met een kabel eraan vast. Hij pakte het voorwerp op en zag dat het een acculader voor een digitale camera was. Vervolgens richtte hij zijn lamp op de boeken. Het waren voor het merendeel boeken over bouw en architectuur, en toen Will ze opensloeg, zag hij dat ze beduimeld waren. Onder de boekenkasten gleed zijn licht over een tafel met een rij ingelijste foto's die blijkbaar ooit rechtop hadden gestaan maar nu verspreid lagen; de achterkanten van de lijsten waren weggetrokken. Will keek naar de foto's. Ze leken vooral met zaken te maken te hebben, en het was duidelijk dat Dzevat Kljujic geen familie had – of als hij die had, hechtte hij blijkbaar niet genoeg waarde aan hun foto's om ze ingelijst in zijn werkkamer te zetten. Will scheen met zijn zaklamp op een foto die er ouder uitzag dan de andere. Daarop waren twee jonge mannen in spijkerbroek en quasimilitaire jasjes te zien. Ze stonden glimlachend in een bebost heuvellandschap. Will pakte de foto op en hield hem voor zijn ogen. Hij herkende de man links niet, maar de man rechts was ongetwijfeld de Harry die hij kende, al was hij op de foto twintig jaar jonger dan hij nu was. Will haalde de foto uit zijn lijst en stopte hem in een van zijn zakken. Vervolgens ging hij aan het werk. De volgende tien minuten nam hij vlug de stapels papier door om alles wat betrekking had op zijn informant Lace daaruit te verwijderen.

Toen hij die papieren bij zich had gestoken en zijn taak erop zat, ging Will naar beneden. Daar hing een geur van zure melk. Die geur hing overal. Will liep het vertrek links van hem in en zag dat het een keuken was. Kasten waren opengetrokken en serviesgoed lag in scherven op werkbladen en op de stenen vloer. Een koelkastdeur hing op een kier, en het licht uit de koelkast viel op een eettafel en een halfvolle fles wodka. Will verliet de keuken om in de laatste kamer van het huis te kijken.

Het was de huiskamer, en toen Will met de zaklamp om zich heen scheen, maakte hij als het ware foto's in zijn hoofd. Hij zag drie eetkamerstoelen die naar het midden van de kamer toe stonden, een brede tafel met drie borden waarop resten brood en vleeswaar lagen, drie glazen, foto's die van de muren waren gerukt en nu kapot op de vloer lagen, een kleine televisie die eruitzag alsof iemand tegen de achterkant had geschopt, en een man die midden in de kamer aan het plafond hing.

De lucht van zure melk werd sterker toen Will dichter bij het opgehangen lichaam kwam. Hij negeerde de geur van dood vlees en keek naar het touw om de keel van de man. Het was professioneel geknoopt en door een metalen ring in het plafond geleid die niet in deze kamer thuishoorde, naast een lamp; de ring was blijkbaar in een van de balken van de kamer geschroefd. Het touw was vervolgens schuin omlaag geleid naar een hoek van de kamer, waar net zo'n metalen ring op de plint was gezet. Will keek langs de drie stoelen en zag er sigaretten- en sigarenpeuken op de vloer liggen, en ook as. Hij pakte een van de glazen van de tafel en bracht de rand naar zijn neus. Hij liep naar het lijk terug en keek naar het gezicht. Aan de uitdrukking erop te zien was de man op een zodanige manier opgehangen dat zijn nek niet brak maar zijn lichaam geleidelijk van lucht werd beroofd, terwijl zijn drie beulen in de stoelen hadden gezeten en vlees aten, wodka dronken, rookten en hem langzaam zagen doodgaan.

Will zocht in de zakken van de man, maar die bleken leeg te zijn. Uit zijn eigen zak haalde hij de foto van Harry en de andere man. Hij scheen met zijn zaklamp heen en weer tussen de foto van de onbekende man en het gezicht van de dode. Ondanks het leeftijdsverschil en het verwrongen gezicht van de opgehangen man was duidelijk dat het dezelfde man was. Het moest Dzevat Kljujic zijn.

Will vond dat het tijd werd om weg te gaan. Hij scheen nog een laatste keer met de zaklamp over het hele lichaam. Toen hij dat deed, zag hij een donkere streep op een van de broekspijpen van de man. Hij volgde de streep naar boven en deed een stapje naar voren. De streep ging het overhemd van de man in, en Will raakte het kledingstuk aan en voelde dat het koud en nat was. Hij wist nu dat het overhemd niet donker van kleur was, zoals hij eerder had gedacht, maar doorweekt met bloed. Hij stak het achtereind van de zaklamp in zijn mond en scheurde het overhemd open.

In de borst van de dode man was met grote letters een woord gekerfd. Het was een woord in het Farsi, maar Will wist wat het betekende.

Het woord betekende 'spion'.

23

Beste Lana,

Blijf waar je bent en ontmoet de Britse man als hij aankomt. Geef hem een vals signalement van mij, maar geef geen vage bijzonderheden, want dan denkt hij dat je niet meewerkt. Vraag hem naar Berlijn. Vraag hem welke erge daad van mij hij daar heeft voorkomen. Als hij bereid is je details te geven – en ik denk dat hij dat is om je volledige medewerking te krijgen – doe dan alsof je schrikt van zijn reactie. Zeg tegen hem dat je hem op alle mogelijke manieren wilt helpen.

Hartelijke groeten,

Megiddo

Will stopte de brief in zijn jasje en keek Roger aan. De CIA-man had de brief uit Lana's kamer gehaald nadat Will haar opdracht had gegeven die kamer uit te gaan en een wandeling door Zagreb te maken.

De twee mannen zwegen een ogenblik, en Will wist dat Roger net als hijzelf over logistieke problemen nadacht.

Will sprak als eerste: 'Kljujic is blijkbaar gezien toen hij die foto maakte van de Iraniër die vanuit het gebouw van de Human Benevolence Foundation werkte. Kljujics huis werd overhoopgehaald, en toen hebben de Iraniërs zijn camera en de foto ontdekt. Ik heb alle sporen van Harry uit het huis verwijderd om zijn naam voor de politie verborgen te houden, maar ik weet niet of Kljujics moordenaars hem niet al met Harry in verband hebben gebracht. Misschien weten ze dat Harry hem heeft gevraagd die foto te maken.'

'Maar als ze Harry te pakken krijgen, martelen ze hem. Dan vertelt hij alles over Lana, en dan is het afgelopen met de operatie. Harry's veiligheid is nu even belangrijk voor ons als de operatie met Lana.' Roger liet zijn kin op zijn vingertoppen rusten en keek peinzend voor zich uit.

'Harry is het soort man dat lijfwachten om zich heen heeft. Dat moet wel, met het werk dat hij doet. Omdat hij toch van de moord op Kljujic zal horen, stel ik voor dat hij het van jou hoort. Je kunt hem aanraden een team van mannen om zich heen te verzamelen als hij morgenvroeg in Bosnië terug is.'

Will belde Patrick. 'Ik doe het vandaag.'

Patrick zweeg even en zei toen: 'Ben je er nog steeds zeker van dat dit gebeuren moet?'

'Ja. We moeten ervoor zorgen dat hij gefrustreerd raakt en roekeloos wordt. Als ik op het laatste moment aan een poging tot ontvoering ontsnap, neemt Lana's waarde voor hem toe. Als hij me vandaag niet te pakken kan krijgen, krijgt hij misschien het gevoel dat hij mij alleen via Lana in de val kan laten lopen. En hij weet dat ze alleen meewerkt als ze hem heeft ontmoet.'

'Maar misschien proberen ze je vandaag niet te pakken te krijgen.'

'Dat doen ze wel. Als ze mij bij Lana zien, kan onze man het niet laten zijn team in te zetten om mij gevangen te nemen. Hij neemt niet het risico mij uit zijn greep te zien verdwijnen, want hij weet niet zeker of ik nog een keer opduik.'

Will hoorde Patrick diep ademhalen. 'Goed,' zei de andere man ten slotte, 'maar wat ze ook proberen, ga geen gevecht met ze aan. Maak dat je daar weg komt en laat ze aan hun baas rapporteren dat hun poging is mislukt.'

Toen Will met Lana in de Diana Bar van het Westin Zagreb Hotel zat, wist hij dat ze niet besefte wat er werkelijk gebeurde. Ze wist niet dat Megiddo's mannen haar al dagen observeerden; ze wist niet dat Wills uiterst gespecialiseerde team al wat langer bij haar in de buurt was; en ze wist al helemaal niet dat ze de Iraniërs recht naar hun prooi leidde door deze openlijke ontmoeting met Nicholas Cree.

Will glimlachte naar haar. Hij schoof haar glas Graševina-wijn over hun tafeltje naar haar toe. Hij nam een slokje van zijn eigen mineraalwater en keek intussen aandachtig naar de vrouw. Voor deze gelegenheid, deze openlijke ontmoeting met Will, had Lana een mouwloze saffierblauwe avondjapon aangetrokken. Haar lange haar hing over een schouder en borst, en haar toch al opvallende gelaatstrekken werden geaccentueerd door make-up in Egyptische stijl. Ze zag er adembenemend mooi uit. Will daarentegen had voor de meest alledaagse kleding gekozen waarvan hij meende dat hij zich er nog net in een vijfsterrenhotel mee kon vertonen.

'Je ziet er moe uit, Nicholas.' Lana sprak zacht en bezorgd.

Will negeerde die opmerking en keek terloops om zich heen. De bar was tamelijk vol, en op dit late middaguur zaten er allerlei gasten. Hij keek vlug weer naar de mooie vrouw die tegenover hem zat.

'Hoe gaat het met je moeder?' Will vroeg zich meteen af waarom hij die vraag had gesteld.

Lana fronste licht haar wenkbrauwen en stak toen haar hand uit om haar vingers over Wills hand te leggen. 'Bedankt voor het vragen. Ze wordt nog onderzocht in de Parijse kliniek.'

Will knikte peinzend. 'Dat moet duur voor jullie beiden zijn.'

Lana zuchtte. 'Ja, maar ik heb liever dat ik spaarzaam moet leven en dat zij geneest dan al het andere wat ik kan bedenken.'

Met een nauwelijks hoorbare stem zei Will: 'Ik kan tijdelijk over geld beschikken. Ik kan je helpen met je woongelegenheid en met de medische kosten van je moeder.'

Lana ademde diep in.

Will stak zijn hand op. 'Begrijp me niet verkeerd. Ik zou je alleen maar helpen om je te belonen voor wat je voor me doet. En die hulp krijg je pas wanneer dit allemaal achter de rug is.'

Lana schudde verbaasd haar hoofd. 'Ik doe dit niet voor een beloning.' Haar stem beefde enigszins. 'Maar ik zou zo'n geschenk graag aannemen.'

Will keek omlaag en voelde zich enkele ogenblikken niet op zijn gemak. Hij vroeg zich af of die emotie zichtbaar was voor de Iraanse agent die in de verste hoek van de bar een menu zat te lezen, of voor Laith Dia, die midden in de bar over een groot glas bier gebogen zat waaruit hij niets had gedronken. Will haalde diep adem en keek op naar Lana. De vrouw keek naar hem.

'Het spijt me.'

Will fronste zijn wenkbrauwen. 'Wat spijt je?'

Lana zuchtte. 'Het spijt me van die avond laatst... toen ik je dwong me te vertellen hoe je over me dacht.' Ze draaide aan de steel van haar wijnglas en keek nerveus. 'Ik weet dat je een professional bent, en ik had moeten weten dat je geen misbruik van de gelegenheid zou maken. Ik weet ook dat de last die op je schouders drukt al zwaar genoeg is zonder dat je je ook nog zorgen maakt over mij. Dat zou het allemaal alleen maar verwarrender maken, en die last nog zwaarder.'

Will glimlachte en schudde zijn hoofd. In tegenstelling tot daarstraks voelde hij zich nu volledig op zijn gemak, en dat kwam, wist hij absoluut zeker, doordat hij bij Lana was. Hij stond versteld van dat gevoel. 'Er drukken heel wat lasten op mijn schouders, maar jij bent daar niet een van.'

Lana keek verrast en glimlachte toen. Ze nam een slokje van haar wijn, en toen ze dat deed vervaagde haar glimlach. 'Wat doe je met Megiddo als je hem gevangen hebt genomen?'

'Ik dwing hem me over zijn plannen te vertellen. Ik doe alles met de man wat nodig is.'

Ze knikte. 'Ik hoop het.' Ze wendde haar blik af en keek heel even verdrietig. 'Een tijdlang heb ik van Megiddo gehouden, waarschijnlijk evenveel als ik hem daarna haatte.' Ze keek Will aan. 'Toen ik hem kende in de belegerde stad Sarajevo, zaten we op een van de verschrikkelijkste, meest chaotische plaatsen op aarde. We hadden nauwelijks eten, water en sanitaire voorzieningen. De stad werd voortdurend gebombardeerd door de artillerie in de heuvels. Servische sluipschutters schoten elke dag op mannen, vrouwen en kinderen, en we wisten maar heel weinig van wat er buiten onze stad gebeurde. Het was een hel. De overwegend islamitische bevolking van Sarajevo was dapper en onverzettelijk, ondanks alles wat er gebeurde, maar zelfs de dappersten onder hen waren niet bestand tegen de onzekerheid, de chaos zelf. Megiddo was anders. Ik heb gezien dat hij heel rustig bleef staan als naast hem gebouwen door granaten werden verwoest en kogels over hem heen vlogen. Ik heb gezien dat hij naar de heuvels keek waar die dolle honden zaten, en dat hij glimlachte. Ik heb gezien dat hij geen angst kende, want voor hem bestond er geen chaos. Hij begreep precies wat er gebeurde en wat hij deed.' Lana keek in haar wijn en schudde licht haar hoofd. 'Toch zag ik een heel enkele keer verwondering en verwarring bij hem.' Ze keek Will weer aan. 'Voordat ik ooit het bed met Megiddo had gedeeld, werd ik een keer door hem naar het noorden gestuurd om daar geld te brengen naar een paramilitaire eenheid van Bosnische moslims. Die eenheid had net een gewaagde en succesvolle aanval op de Serviërs bij Mount Vlašić ondernomen, maar als gevolg daarvan hadden ze bijna geen voorraden meer. En dus gebruikte ik op instructie van Megiddo een van mijn kaarten om uit Sarajevo weg te komen en een route van honderd kilometer naar de berg te volgen. Het was de moeilijkste missie die ik in de oorlog heb ondernomen. Onderweg kwam ik langs mijnenvelden, verborg ik me voor Serviërs en andere troepen en leed ik aan lichte onderkoeling. Ik deed er tien dagen over om bij de berg te komen, maar ik vond de eenheid en gaf hun het geld om meer wapens, medicamenten en voedsel te kopen. Daarna volgde ik een andere route om in Sarajevo terug te keren.' Lana's stem klonk hard. 'Ik maakte die terugreis bijna zonder dat iemand me lastigviel, maar vijftien kilometer buiten de stad werd ik door mannen gevangengenomen toen ik in het bos lag te slapen. Het was een groepje van vijf Bosnische Serviërs. Ze behoorden tot een beruchte paramilitaire eenheid, de Panters. Gelukkig dachten ze dat ik een ontheemde boerin was, maar ze wisten dat ik moslim was en verkrachtten me om beurten.' Ze keek naar haar handen en Will wist dat ze haar best deed om haar emoties te bedwingen. 'Ik weet nog dat ik op de grond lag te kronkelen. Ik herinner me dat het bitter koud was, en dat ik me afschuwelijk voelde en hen naar me zag staan lachen. Ik weet nog dat ik naar een van de mannen keek, de man die als hun leider optrad en labels op zijn jasje had waaraan je kon zien dat hij hun kapitein was, en ik herinner me dat hij met een blik vol haat en walging naar me keek. Ik herinner me dat een van de andere mannen hem vroeg: "Kapitein Princip, kunnen we haar nu doodmaken?" Ik weet nog dat de man die ze Princip noemden glimlachte, een sigaret aanstak en zei: "We geven haar de ergste dood. We nemen haar jas mee en laten haar achter. Dan vriest ze dood.'

Will probeerde zich de jonge, gekwelde Lana onder zulke omstandigheden voor te stellen en haar op de een of andere manier in verband te brengen met de elegante vrouw die nu tegenover hem zat. Het lukte hem niet. Haar relaas vervulde hem met weerzin. Meer dan wat ook wenste hij dat hij naast haar kon gaan zitten om haar in zijn armen te nemen.

'Maar ik weigerde dood te gaan. Ik weigerde slachtoffer te zijn. En dus wachtte ik een eeuwigheid, tot ik er zeker van was dat de mannen ver weg waren. Ik krabbelde overeind en begon te lopen.' Lana streek met haar vingers door haar zijdezachte haar. 'Ik kan me niets van die tocht herinneren – ik was er geestelijk en lichamelijk heel slecht aan toe en verkeerde in een staat van verdoving. Maar ik kwam in de stad terug en zakte daar op straat in elkaar. Mensen vonden me en brachten me naar Megiddo. Hij stuurde die mensen weg en droeg me naar zijn onderkomen. Ik was half bewusteloos, maar ik herinner me dat hij een houtvuur maakte om een emmer water te verwarmen. Ik herinner me dat hij mijn kleren uittrok en me naakt voor dat vuur liet staan terwijl hij me waste. En dat hij me het enige extra stel kleren gaf dat hij had, terwijl hij het badwater gebruikte om mijn vuile kleren met de hand te wassen. En dat hij me met een mengeling van kracht en verwarring aankeek.' Ze sprak nu heel zacht. 'Op dat moment hield ik van hem. Ik hield van hem omdat ik dacht dat hij mijn redder was.' Ze schudde haar hoofd. 'Daarom was ik zo ontredderd toen hij me later in de steek liet. Het was alsof er iets in me was gestorven. Het was alsof ik alleen nog haat over had, haat jegens de man van wie ik had gedacht dat hij beter was dan alle anderen die ik had gekend.' Ze keek Will weer aan. 'En daarna heb ik altijd het gevoel gehad dat het veiliger was om iemand te haten dan om te proberen van een andere man te houden en die liefde weer te verliezen.' Ze glimlachte en keek wat gegeneerd. 'Misschien is dat niet meer waar. Misschien is het nooit waar geweest.'

Will schudde zijn hoofd. Hij vond het volkomen logisch, want hij wist alles van de angst voor het verliezen van liefde. Hij wist hoe je je achter andere emoties verschool en barrières oprichtte om de liefde tegen te houden. Hij hield zijn hoofd stil en vroeg zich af of dat ook nog voor hem gold, net als voor Lana.

Will stond bij de ingang van het Westin Hotel en haalde diep adem. Het was nog licht, al wist hij dat het over een uur donker zou zijn. En als hij de kleur van de wolken in aanmerking nam, zou er waarschijnlijk gauw nieuwe sneeuw vallen, boven op de dikke laag die daar al in Zagreb lag. Hij liep naar een hotelbediende en gaf de man zijn parkeerbon. Binnen twee minuten werd hem zijn auto gebracht. De Audi A8 was de krachtigste personenauto die het verhuurbedrijf waar hij eerder die dag was geweest beschikbaar had. Will gaf de man van het hotel een fooi en vroeg hem even bij de auto te blijven. Hij liep het hotel weer in en sprak met de conciërge. Hij zei tegen de vrouw dat hij had gehoord dat de zonsondergang in de stad schitterend was als je er vanaf de berg Medvednica naar keek. Was de weg daarheen die dag begaanbaar? De vrouw zei dat de afgelegen weg naar de bergtop sneeuwvrij was maar dat er veel ijzel lag. Hij deed er beter aan een paar dagen te wachten tot de omstandigheden beter waren. Will bedankte haar en legde uit dat hij in elk geval zou proberen er nu naartoe te rijden, want de volgende ochtend zou hij Kroatië verlaten. Hij liep het hotel weer uit en stapte in zijn auto. Hij hoopte dat hij met dit alles de leden van het Iraanse volgteam genoeg tijd had gegeven een auto te halen om hem te volgen. Als ze slim genoeg waren om zijn gesprek met de conciërge af te luisteren of na afloop de informatie uit haar los te krijgen, had hij hun ook zijn bestemming gegeven, en de reden dat hij daarnaartoe ging. Zijn mobiele telefoon piepte, en hij zag dat er een sms'je van Roger was.

> Vier mannen in twee auto's achter je aan. De rest blijft bij onze dame. Veel succes.

Will sloot zijn mobieltje en reed weg.

Vijftien kilometer lang reed hij in westelijke richting door de drukke stad. Hij hield zich aan de maximumsnelheid en wierp van tijd tot tijd een blik in zijn spiegeltje om te kijken of er iets bijzonders te zien was. Hij maakte zich nog geen zorgen over de Iraanse auto's, die toch al moeilijk te zien zouden zijn in het drukke verkeer om hem heen. Pas toen hij in noordoostelijke richting over de heuvelachtige Route 2220 reed, was er minder verkeer en bleven er twee stellen koplampen op vrij grote afstand achter hem.

Het schemerde nu, en de sneeuw sloeg tegen de voorruit van de Audi. Will reed gestaag over de weg door de heuvels omhoog. Hij nam de bochten in de weg langzaam om zich te gedragen als een voorzichtige automobilist die op zijn hoede was voor ijzel. Veertien kilometer lang stonden er huizen aan de stijgende weg. Toen verdwenen de huizen en kon Will de twee auto's die in de verte achter hem reden beter in de gaten houden. Om hem heen waren er geen lichten van huizen en straatlantaarns meer; er was alleen bos. Terwijl het harder begon te sneeuwen, maakte de weg een bocht naar het oosten. Will tuurde in de sneeuwstorm die nu tegen zijn auto sloeg. Toen hij in zijn spiegeltje keek en een van de stellen koplampen groter zag worden, moest hij zich bedwingen om niet harder te gaan rijden. In plaats daarvan keek hij voor en achter zich.

Het eerste stel koplampen kwam snel naar Wills auto toe, tot het recht achter hem was. Will zette zich schrap voor een botsing, maar tot zijn verbazing haalde de auto hem snel in om voor hem uit de helling op te rijden. Will knipperde met zijn lichten om te doen alsof hij zich ergerde aan de onvoorzichtige manoeuvre van de automobilist, keek toen in zijn spiegeltje en zag dat de andere auto wat dichter bij hem was gekomen. Toen hij weer naar voren keek, verdween de eerste auto in de dichte witte sneeuwjacht.

Will reed drie kilometer door, en al die tijd bleef de auto op een afstand van zo'n tweehonderd meter achter hem. Hij wist dat hij binnen tien minuten op het uitzichtpunt zou komen waarnaar hij zogenaamd op weg was. Hij wist ook dat de Iraniërs het afgelegen stuk weg waar hij nu reed net zo goed voor een aanval konden gebruiken als de top van de berg.

Het bos aan weerskanten van de weg was dicht geworden, en de bomen fungeerden als barrières die voorkwamen dat er auto's van de weg af raakten. In een warmere tijd van het jaar, bedacht Will, konden wandelaars idyllische wandelingen op die helling maken, maar op dat moment zag alles er duister, eenzaam en vijandig uit.

Hij reed weer een bocht om en zag dat er een recht stuk van enkele honderden meters voor hem lag. Op dat moment kwam een stel koplampen met groot licht en met hoge snelheid op hem af. Hij keek in zijn spiegel en zag dat de achterste auto hem nu ook naderde, zij het minder hard. Hij wist dat de auto's van plan waren hem klem te rijden. Hij beperkte de snelheid van de Audi tot vijftig kilometer per uur, schakelde terug en legde zijn linkerhand op de rechterkant van het stuur. Hij stuurde de auto naar het midden van de weg, hield zijn rechterhand boven de handrem en liet het gas los terwijl hij de koppeling helemaal indrukte, waarna hij het stuur met een ruk naar links trok. Een fractie van een seconde later trok hij de handrem aan en hij voelde dat de auto rondtolde. Op dat moment trok hij het stuur de andere kant op. Hij keek nu heuvelafwaarts en stond stil. Maar de auto die zich voor hem bevond had zijn snelheid opgevoerd. Will wist dat hij niet meer dan drie seconden de tijd had om uit de Audi te komen voordat hij werd verpletterd.

Hij opende het portier en dook de auto uit. Op datzelfde moment hoorde hij een klap achter zich. Hij keek niet om. In plaats daarvan rende hij het bos in. Hij sprintte tussen de bomen door totdat hij tot tien had geteld, maakte toen een hoek van negentig graden en rende door tot hij weer bij tien was. Toen draaide hij zich om en hurkte neer. Snel maar geluidloos ademhalend nam hij de omgeving in zich op. Het bos was wild, met natuurlijk groeiende bomen – ze stonden op onregelmatige afstand van elkaar, en sommige delen van het bos waren dicht, terwijl andere meer open waren. Alles was bedekt met een laagje sneeuw dat tot zijn enkels reikte, al wist Will dat de combinatie van de sneeuwstorm en het halfduister het moeilijk zou maken zijn sporen te volgen. Maar er zaten vier mannen achter hem aan, en hij wist dat ze hem te pakken zouden krijgen als hij te lang stil bleef zitten.

Will zag zaklantaarns. Ze waren van twee van de Iraniërs, die ongeveer zeven meter bij hem vandaan waren. De mannen bleven even staan en gingen toen ieder een kant uit. Een van hen liep in Wills richting; de ander ging verderop opzij. Will schuifelde heel langzaam achteruit de struiken in en liet zich zakken tot hij op de grond lag. Will hoorde de knerpende voetstappen van de man in de sneeuw en zag de lichtbundel van de zaklantaarn de grond aftasten tot vlak naast de plaats waar hij lag. De Iraniër liep hem vlug voorbij naar een strook open terrein. Op hett moment dat Will de man wilde aanvallen, zag hij de andere man aan de andere kant van de strook met zijn zaklantaarn tevoorschijn komen. De mannen gebruikten blijkbaar een speciale techniek om het terrein te doorzoeken: ze gingen uit elkaar en kwamen weer bij elkaar voordat ze te ver van elkaar verwijderd raakten. Will vloekte binnensmonds. Die mannen wisten wat ze deden.

Hij zag dat ze enkele seconden bij elkaar bleven en toen weer uit elkaar gingen. De ene man ging naar rechts en de andere man liep rechtdoor. Er was niet veel licht meer, en Will was blij met die extra dekking. Hij hees zich overeind om de man te volgen die rechtdoor was gelopen. Will liep met grote, snelle maar voorzichtige passen en diep voorovergebogen het bos in. Hij ging weer op de besneeuwde grond liggen en keek toe. Zoals hij had verwacht, bleef de man weer staan en kreeg hij gezelschap van zijn collega, die van rechts op hem toe liep. Will was ditmaal veel dichter bij de twee mannen, en hij zag dat ze niet alleen zaklantaarns maar ook wapenstokken hadden. Hij nam aan dat ze ook pistolen bij zich droegen, maar die wapenstokken wezen er duidelijk op dat ze Will buiten gevecht wilden stellen en gevangen wilden nemen, en hem dus niet wilden doden. De twee mannen fluisterden, wezen in verschillende richtingen en gingen weer uit elkaar.

Will berekende dat hij hooguit dertig seconden de tijd had om het te doen. Hij kwam overeind en liep geruisloos naar de man die het dichtst bij hem was. Hij verwachtte dat hij de laatste paar meter zou moeten sprinten, maar het was nog harder gaan sneeuwen en zijn stappen waren niet te horen. Hij kwam recht achter de man en legde zijn rechterhand op diens kin terwijl hij hard met zijn linkerhand tegen de achterkant van zijn schedel sloeg. Hij draaide het hoofd van de man opzij en liet zich tegelijk met hem achterovervallen. De armen en benen van de man maaiden wild in het rond, maar Will hield hem stevig vast, terwijl hij het hoofd van de man omdraaide tot hij zeker wist dat de nek gebroken was. Hij duwde het dode lichaam van zich af en sleepte het vlug bij het pad vandaan. Een ogenblik keek Will naar het lichaam. Het postuur en de lichtgekleurde kleren kwamen overeen met zijn eigen bouw en kleding. Hij kreeg een idee en pakte de zaklantaarn en wapenstok van de man. Hij vervolgde de weg die de man had genomen en scheen met de zaklantaarn voor zich uit. Toen hij zo'n vijftig meter had afgelegd, bleef hij staan en keek om zich heen. Hij zag de andere man van links op hem af komen. Will richtte zijn zaklantaarn op de grond en bleef staan. Hij vroeg zich af hoe dichtbij hij de man kon laten komen voordat de man besefte dat hij niet zijn collega was.

Toen de man hem tot op een paar meter was genaderd, scheen Will met de zaklantaarn in zijn gezicht om hem te verblinden. De man liet een vloek of iets dergelijks horen in het Farsi en hield de hand met de wapenstok bij zijn gezicht om het af te schermen tegen het licht. Will rende voorovergebogen op hem af en sloeg met zijn wapenstok tegen een van de schenen van de man. De man viel op zijn knieën naar voren, en Will maakte daarvan gebruik om het uiteinde van zijn wapen tegen de keel van de man te stoten. Toen sloeg hij tegen de zijkant van zijn hoofd en zag hem op de grond zakken. Will keek naar de man, aarzelde en wenste dat hij een beter wapen had. Toen sloeg hij vier keer op het hoofd van de Iraniër tot hij er zeker van was dat hij dood was.

Will voelde in de zakken en langs de riem van het lijk. Toen hij vond wat hij zocht, liet hij de wapenstok en de zaklantaarn vallen en liep hij door met het CZ 75-pistool. Het was nu bijna helemaal donker, en Will moest langzaam lopen om niet tegen de bomen op te botsen. Hij liep naar het gebied links van de plaats waar hij het bos in was gegaan, want dat leek hem de logische plaats waar de twee andere teamleden zouden zoeken. Hij liep enkele passen, bleef staan, hurkte neer, luisterde en liep weer een paar passen. Dat herhaalde hij tot hij bijna driehonderd meter had afgelegd. Hij had niet een vooropgezet plan, afgezien van het voornemen een van de mannen in leven te laten, zodat die aan Megiddo kon doorgeven dat ze hadden gefaald.

Will deed weer een stap naar voren, toen een kogel hem in zijn schouder trof. Een schroeiende pijn schoot door zijn arm omlaag en verspreidde zich door zijn borst. Hij zakte meteen op zijn knieën. Links van hem zag hij een zaklantaarn flikkeren, en hij hees zich moeizaam overeind om zijn pistool op het licht te richten. Op dat moment ging het licht uit en stond Will weer in het donker. Hij vloekte en ging een paar stappen bij de plaats vandaan waar hij door de kogel was geraakt. Toen hij iets hoorde bewegen, probeerde hij de herkomst van het geluid te bepalen door zich driehonderdzestig graden om te draaien. Zijn linkerarm hing slap langs zijn zij. Hij pakte met zijn rechterhand zijn pols vast en duwde hij de nutteloze linkerhand in een broekzak. Hij wist dat er maar één reden was dat hij niet in zijn hoofd was geschoten: de man die op hem schoot, wilde hem in leven houden. Maar hij wist ook dat de man geen risico's zou nemen: als hij weer op Will moest schieten, zou het een dodelijk schot zijn.

Will dacht snel na. Het verrassingselement was nu weg, en de schotwond maakte het hem veel moeilijker om op zijn belagers te jagen. Hij moest het hebben van het feit dat de mannen hem in handen wilden krijgen. Hij rende in een willekeurige richting het bos in.

Voor hem uit helde de grond af naar een klein dal, en Will rende daarheen terwijl hij zijn pistool achter zijn riem stak. Aan de andere kant van het dal ging de grond steil omhoog, en met zijn enige bruikbare hand pakte hij alles vast wat hem kon helpen de helling op te komen en naar voren te rennen. Hij struikelde een paar keer doordat zijn voeten achter boomwortels en varens onder de sneeuw bleven haken, maar het lukte hem overeind te blijven, al kostte het hem door zijn gewonde arm veel moeite om in evenwicht te blijven. Nu en dan flitste er licht over de grond voor hem, en Will wist dat dat afkomstig was van de mannen achter hem. Hij wist dat hij de afstand tot die lichten moest vergroten en dat hij bovendien open ruimte nodig had voor wat hij van plan was.

Hij kwam op vlak terrein en rende nog harder, al riskeerde hij daardoor dat hij bijna blindelings tegen bomen op vloog. Hij zwenkte naar links en rechts om een grillige, onvoorspelbare route te volgen en liep toen snel door in de vurige hoop dat hij op open terrein zou komen waar hij wat meer zicht had. Hij rende misschien wel dertig minuten door terwijl hij de pijn van zijn wond probeerde te negeren en pijn in zijn longen had vanwege de ijskoude lucht. Hij rende zelfs door toen hij het licht van de zaklantaarns niet meer zag flikkeren, en zelfs toen hij eindelijk het bos achter zich liet en op een met bomen omzoomd sneeuwveld kwam. Hij stak het veld over naar de bomen aan de andere kant en bleef toen pas staan. Hij draaide zich om in de richting vanwaar hij was gekomen. Toen haalde hij zijn pistool tevoorschijn, zoog de lucht diep in zijn longen en probeerde zijn pijnlijke en naar zuurstof snakkende lichaam tot rust te brengen. Bijna meteen renden de twee mannen het veld op en keken om zich heen. Ze hadden hun wapenstokken weggedaan en hielden nu een pistool in hun hand.

Het beetje licht dat uit de nachtelijke hemel kwam, wierp een blauwig schijnsel over het deel van het veld voor Will. Hij wachtte tot de twee mannen bijna halverwege het veld waren en stapte toen tussen de bomen vandaan, zodat hij goed zichtbaar was. De mannen bleven staan zodra ze hem zagen. Ze waren ongeveer honderdvijfentwintig meter bij hem vandaan, en toen Will zijn pistool omhoogbracht, meende hij dat ze weinig van zijn pistool te vrezen hadden. In zijn conditie zou hij niet goed kunnen richten, om nog maar te zwijgen van de afstand tussen hen. Het was een bijna onmogelijk schot, maar toch haalde hij drie keer diep adem en ademde toen half uit om de rest van de lucht binnen te houden. Hij concentreerde zich en haalde de trekker over. Een van de mannen klapte achterover en tuimelde in de sneeuw: Wills kogel had hem in het hoofd getroffen.

De andere Iraanse agent schoot drie keer terug, maar de kogels gingen ver naast. Will rende naar hem toe en zag dat de man zich omdraaide en vlug over het sneeuwveld terugrende in de richting van de bomen. Met alle energie die hem restte rende Will achter hem aan. Het lukte hem de afstand tussen hem en zijn prooi te verkleinen en te voorkomen dat de man in de duisternis van het bos verdween.

De Iraniër was erg snel, maar toch lukte het Will om hem tot op veertig meter te naderen. Toen schoot hij twee keer dicht bij de voeten van de man en riep: 'Stop of ik schiet je dood!'

De Iraniër vertraagde en bleef staan. Will ging ook langzamer lopen, tot het nauwelijks nog rennen was. Hij richtte zijn pistool op het hoofd van de man. De Iraniër stak zijn armen naar buiten en liet zijn wapen vallen. Will kwam voorzichtig achter hem staan, schopte het pistool met zijn voet weg en drukte met de hak van zijn laars tegen de onderkant van zijn rug. De Iraniër viel meteen opzij, en toen op zijn rug. Will liep om de man heen en hield de loop van zijn pistool op het hoofd van de man gericht. Hij keek de man aan en zag een uitdrukkingsloos gezicht waarin de ogen snel knipperden. De man zag eruit als een professional.

Will trapte in de buik van de man en liet zijn knie toen op dezelfde plaats zakken, waarna hij er met zijn volle gewicht op rustte. Hij zei: 'Ik zal je niet doden, tenzij het moet. Maar ik moet weten waarom jullie me aanvielen.'

De man kreunde zacht, en Will wist dat hij waarschijnlijk zijn pijn overdreef om niet te hoeven praten.

Will drukte nog harder met zijn knie. 'Waarom?'

De man schudde zijn hoofd en sprak met een zwaar accent: 'Ik weet het niet.'

Will glimlachte om die leugen. 'Je weet het niet?' Hij sprak langzaam en nadrukkelijk. Toen stak hij de loop van zijn pistool in de mond van de man en boog zich dichter naar hem toe. De man kronkelde van pijn, en Will wist dat hij niet meer overdreef. 'Ik wil dat je in leven blijft en dat je een boodschap overbrengt aan de man die het hoogstwaarschijnlijk wél weet. Zeg tegen hem dat hij me heeft onderschat en dat hij iets beters moet verzinnen als hij me levend of dood in handen wil krijgen.' De tanden van de man waren gebroken en het bloed sijpelde op Wills pistool. 'Op een dag sta ik op mijn eigen voorwaarden tegenover hem.' Will boog zich dichter naar hem toe. 'En dan zal ik hem doden en iedereen die bij hem is.'

24

'Dat was verdomd roekeloos van je!' schreeuwde Patrick. 'Ik heb je gezegd dat je geen gevecht met ze moet aangaan!'

'En ik heb je de tweede keer gezegd dat je er soms naast zult zitten met je instructies.' Will keek naar het verband dat vakkundig op zijn blote schouder was aangebracht. Patrick zat aan de andere kant van Wills hotelkamer in het Sheraton, en de man het dichtst bij hem was Ben Reed. Roger had de ex-Groene Baret, gespecialiseerd in geneeskunde, naar het hotel laten komen zodra hij had gehoord dat Will gewond was geraakt en weer op zijn kamer was. Will keek op naar Ben. 'Prognose?'

Ben stond op en pakte zijn medische spullen bij elkaar. De blonde, studentikoze paramilitaire man glimlachte, zodat zijn volmaakte gebit zichtbaar was. 'Je hebt geluk gehad. De kogel is langs de bovenkant van je opperarmbeen geschampt en heeft je lichaam door vlees verlaten. Er is geen spier geraakt, en het bot is slechts een klein beetje aangetast. Je krijgt er een litteken bij, maar ik zie aan de rest van je bovenlijf dat je je niet druk meer maakt om littekens. Maar het was wel een 9mm-kogel, en het moet verdomd veel pijn hebben gedaan.'

Will trok glimlachend zijn T-shirt aan. 'Wat is het laatste nieuws?'

Ben haalde zijn schouders op. 'Het is drie uur 's nachts. Lana is in haar kamer en zal wel slapen. In elk geval zou ik ook moeten slapen. En Roger, Laith en Julian hebben dienst bij Lana's hotel.'

'De Iraniërs?'

'Een man en een vrouw houden de wacht in het Regent. Die andere is er niet. Misschien slaapt hij, maar het is waarschijnlijker dat hij probeert na te gaan wat er zes uur geleden in godsnaam met zijn collega's is gebeurd.'

Will knikte. 'Dank je, Ben. Ga nog maar even slapen voordat je weer wacht hebt.'

Ben vertrok, met zijn eeuwige glimlach nog op zijn gezicht. Will wist dat Patrick een tirade wilde afsteken en besloot hem voor te zijn. 'Ik heb je gezegd dat we ervoor moeten zorgen dat Megiddo wanhopig en gefrustreerd is. Ik heb er alle vertrouwen in dat ik dat heb bereikt. En nu ik drie van zijn mannen heb gedood en de vierde met een provocerende boodschap naar hem terug heb gestuurd, ben ik er vrij zeker van dat ik hem kwaad heb gemaakt.'

Patrick liep door de kamer en wees met zijn vinger naar Will. 'Nou, je kunt er in ieder geval zeker van zijn dat je míj kwaad hebt gemaakt.'

Will kneep zijn ogen samen. 'Je weet dat ik goed heb gehandeld. Je weet dat we Megiddo uit zijn evenwicht moeten brengen. En je weet dat ik enorme risico's moet nemen om dat voor elkaar te krijgen.'

'Jij neemt altijd enorme risico's. Alistair en ik wisten dat al toen je nog maar een kind was.' Hij maakte een gefrustreerd geluid. 'Zelfs het vreemdelingenlegioen was niet gevaarlijk genoeg voor jou, en dus bood je je aan voor hun speciale eenheid, want dan kon je aan nog gevaarlijker missies meedoen. Als Alistair en ik niet op het juiste moment hadden ingegrepen, zou je vast al lang dood zijn geweest.' Patrick trok een grimas bij die laatste zin.

'Wat bedoel je met: als Alistair en jij niet hadden ingegrepen?' Will sprak de woorden nadrukkelijk uit.

Patricks gezicht drukte een en al spijt uit.

'Wat bedoel je?'

De CIA-man wreef over zijn kin en haalde diep adem. Toen keek hij Will recht aan met een blik die weer staalhard was. 'Wat gebeurde er toen je klaar was met je vijf jaar bij het legioen?'

Will keek de man even aan en zei: 'Ik werd benaderd door een vrouw van MI6. Ze zei dat ik moest gaan studeren om mijn hersenen te trainen. Ze zei dat ik na mijn studie bij MI6 terecht zou kunnen.'

'Wat voor gevoel had je daarbij?'

'Ik ergerde me, want die vrouw was het beste wat ik in lange tijd had gezien. Ik wilde seks met haar hebben.'

'Maar zodra ze je beleefd had verteld dat je daar niet op hoefde te rekenen, ging je akkoord met wat ze aanbood.' Patrick schudde zijn hoofd. 'Heb je je niet afgevraagd waar het geld vandaan kwam om je in Cambridge te laten studeren?'

Will fronste zijn wenkbrauwen. 'Ja, maar ik dacht dat het van MI6 kwam.' Hij sprak zachter. 'Soms heb ik me ook afgevraagd of het misschien uit een fonds kwam dat mijn vader me had nagelaten.'

Patrick kwam vlug naar voren. 'Weet je, dit is iets waarover Alistair en ik het niet eens zijn.' Hij bracht zijn gezicht dicht bij dat van Will. 'We voelen ons allebei even schuldig om de dood van je vader, maar in tegenstelling tot Alistair heb ik niet alleen dat schuldgevoel maar ben ik ook kwaad.'

'Waarom kwaad?'

'Omdat zijn dood tot gevolg had dat zijn vrouw voor zichzelf moest zorgen en stierf, en dat zijn zoon uitgroeide tot iemand die nog bekwamer was dan zijn vader – maar ook veel meedogenlozer.'

Will hield zijn ogen een hele tijd gesloten. Toen hij ze opende, keek hij Patrick aan. 'Waarom zou jij je daar druk om maken?'

'Je snapt het niet, hè?' Patrick schudde zijn hoofd. 'Alistair en ik hebben in het geheim je studie uit onze eigen zak betaald. We hebben je discreet bij MI6 geïntroduceerd omdat we het sterke gevoel hadden dat je anders met je talenten de misdaad in zou gaan. Dat deden we omdat we ons verantwoordelijk voelden voor de zoon van je vader, of we dat nu leuk vonden of niet. Ik voel me sterk bij je betrokken, en dat gaat veel verder dan wat je als inlichtingenagent doet. Als jij doodgaat, is het Alistair en mij niet gelukt nog meer sterfgevallen in je familie te voorkomen, zoals we ons dat heilig hadden voorgenomen. Deze operatie is van jou omdat we weten dat je gedijt op alles wat eruit kan voortkomen. Maar we weten ook dat de dingen waarop je gedijt je niet alleen in leven houden maar ook dichter bij je dood brengen. En dat is een van de vele redenen dat ik hier ben: ervoor zorgen dat het een niet het ander wordt.'

Will deed een stap achteruit en wees naar Patrick. 'Jij bent niet verantwoordelijk voor mij. Je bent hier omdat je weet dat ik weliswaar de enige ben die voor niets terugdeinst om Megiddo te pakken te krijgen, maar dat ik ook de enige ben die voor niets terugdeinst om hem te doden. En dat mag je niet laten gebeuren, want je wilt hem levend in handen krijgen om te weten te komen wat zijn complot precies inhoudt. Je bent hier om te voorkomen dat ik wraak neem.' Hij voelde een hevige woede in zich opkomen. 'Dat zal je niet lukken, en het zal mij wel lukken. Als het zover is, doe ik met hem wat hij met mijn vader heeft gedaan. Ik zal Megiddo laten smeken hem te doden. Ik zal ervoor zorgen dat er niets overblijft van de man die mijn vader heeft vermoord en mijn familie uit elkaar heeft gerukt.'

25

'Kljujic is geëxecuteerd door drie mannen. Die dachten dat hij niet in zijn eentje opereerde; dat blijkt uit de manier waarop ze hem hebben gedood. Ze lieten een boodschap achter om Kljujics handlanger af te schrikken of om hem te vertellen dat ze hem ook te pakken zouden krijgen. In beide gevallen moet je maatregelen nemen om jezelf te beschermen.' Will keek Harry aan om te zien welke uitwerking zijn woorden hadden.

'Kan jouw organisatie me niet beschermen?' vroeg de informant.

Will schudde het hoofd. 'Ik heb mensen die dat kunnen doen, maar ze zijn onzichtbaar.' Hij keek om zich heen in Kibe, een toeristisch restaurant in de heuvels. Het bood een mooi uitzicht op de stad Sarajevo, al had Will ervoor gekozen Harry hier te ontmoeten omdat je op de weg ernaartoe eventuele achtervolgers goed kon afschudden. 'Ik wil dat je zichtbare bescherming om je heen hebt.'

'Als afschrikwekkend middel?'

'Precies.'

Harry knikte langzaam, maar zijn goedlachse, joviale houding was helemaal verdwenen. 'Dat kan ik regelen, maar ik vind het wel lastig. Ik moet veel reizen voor mijn zaken.'

'Blijf dan reizen. Zorg er alleen voor dat je je mannen altijd bij je hebt.'

'Goed. Dat doe ik. Maar voor hoe lang?'

'Totdat ik weet dat je geen gevaar meer loopt.'

Harry blies zijn adem uit. 'Uit de dood van mijn kennis is af te leiden dat de man in het HBF-gebouw belangrijk is. Waarom doen jullie niet gewoon een inval in dat gebouw? Dan is dit alles afgelopen.'

'Dat doen we niet omdat we in het duister zouden tasten. Als we de foto hadden die Kljujic heeft gemaakt, zou het misschien anders liggen, maar zelfs dan zouden we niet zeker weten dat de man die Kljujic heeft gezien inderdaad Megiddo is.'

De informant wreef met beide handen over zijn gezicht. Hij zag er heel moe uit.

'Is er nog iets anders wat je dwarszit, Harry?'

'Het is in Finland niet gegaan zoals ik zou willen.'

'Een man als jij herstelt zich altijd.'

Harry keek hem met een zwak glimlachje aan. 'Hé, staat er een prijs op het hoofd van Megiddo?'

Will moest lachen. 'Als dat zo is, krijg ík daar nooit iets van te zien.' Hij keek weer om zich heen in het restaurant. Er kwamen steeds meer mensen binnen om te ontbijten.

'Ja, ik heb gehoord dat jullie onderbetaald worden en altijd in geldnood zitten.'

Will haalde zijn schouders op en greep in zijn zak. 'Ik ben naar Kljujics huis geweest om een pasfoto of zo te zoeken. Die was er niet, maar ik heb wel heel iets anders gevonden. Dit is nu van jou.' Hij gaf Harry de foto van hem en Kljujic.

Harry keek naar de foto en stopte hem vlug in een van zijn zakken. 'Ik stel het op prijs dat je hem voor me hebt meegenomen, maar als ik thuis ben, verbrand ik hem.'

Hij ademde hoorbaar uit. 'Kljujic heeft in de oorlog met me samengewerkt. Hij was mijn rechterhand, en hij en zijn mensen deden het meeste van het... het vuile werk waarvan ik wilde dat het werd gedaan.'

Will wachtte af.

'De foto moet worden verbrand omdat hij is gemaakt voordat we naar dat dorp gingen. Hij is gemaakt voordat Kljujic mijn bevel negeerde om zijn mannen daar weg te halen en hij in plaats daarvan iets onvoorstelbaars deed... Tot mijn schande ben ik daarna altijd met hem in contact gebleven.' Hij haalde zijn schouders op. 'Mannen als hij zijn altijd nuttig voor mannen als ik.'

Will hield zijn blik strak op zijn informant gericht. 'Harry, jij hebt die vrouwen en kinderen niet vermoord.'

Harry keek hem scherp aan. 'Nee, maar ik heb er wel van geprofiteerd dat mensen dachten dat ik het had gedaan.'

De twee mannen zwegen een hele tijd.

'Alleen jij weet hoe lang je weg naar verlossing is, Harry, maar ik heb iets wat je kunt doen om die weg korter te maken.'

Harry fronste zijn wenkbrauwen.

Will boog zich dicht naar hem toe. 'Tijdens de oorlogen in Bosnië is vijftien kilometer buiten Sarajevo een vrouw verkracht door vijf Bosnische Serviërs. Ik wil dat je uitzoekt wie die mannen waren.'

Harry keek hem ongelovig aan. 'Je vraagt het onmogelijke. Verkrachting was toen aan de orde van de dag. Hoe kun je van mij verwachten dat ik één specifiek geval achterhaal?'

'Het gebeurde een paar dagen nadat een islamitische Bosnische eenheid versterkingen van de Serviërs bij Mount Vlašić veroverde. Als je uitzoekt wanneer dat is gebeurd, weet je ongeveer op welke dag de verkrachting heeft plaatsgevonden. De vijf mannen die de vrouw hebben verkracht, maakten deel uit van een terreureenheid die de Panters werd genoemd. De leider van de vijf mannen heette kapitein Princip. Denk je dat je die naam kunt achterhalen, en ook de mannen die bij hem waren?'

Harry knikte. 'Zonder de naam zou het onmogelijk zijn geweest. Zoals je weet, heb ik connecties, ook met...' Hij zuchtte. 'Ook met voormalige leden van eenheden als de Panters. Na de oorlog hebben veel leden van zulke eenheden hun naam veranderd om niet voor oorlogsmisdaden te worden gestraft. Maar dat doet er niet toe, want sommigen van mijn andere contacten...' Hij glimlachte nu. '... waren juist de mensen die zulke mensen aan een nieuwe identiteit hielpen.' Hij haalde zijn schouders op. 'Maar de kans is groot dat sommigen van die vijf mannen, of alle vijf, in de oorlog zijn omgekomen.'

'Dat weet ik. Maar kun je het tenminste voor me uitzoeken?'

Harry knikte weer. 'Laat dat maar aan mij over. Als er nog maar één in leven is, vind ik hem.'

'Discreet, Harry. Alleen een naam en een locatie. Verder moet je niets doen.'

'Natuurlijk. Wie was het meisje?'

Will stak zijn hand op. 'We weten al genoeg geheimen van elkaar. Spoor die mannen nu maar voor me op. Als je daarin slaagt, kun je misschien eindelijk een keer goed slapen.'

Tegen lunchtijd was Will in Zagreb terug. Hij keek Roger aan en fronste zijn wenkbrauwen. 'Dertien mannen?'

Roger knikte. 'Ze zijn vanmorgen in de stad aangekomen. Drie van hen gingen meteen in het Iraanse surveillanceteam werken als vervangers van de mannen die door jou zijn gedood. Maar de tien anderen zijn hier blijkbaar niet om Lana te volgen.'

'Nee. Ze zijn hier om mij gevangen te nemen, te ondervragen en te doden.' Will vloekte zacht en keek op zijn horloge. 'Ik ga straks naar Lana toe. Ze gaat een brief versturen waarvan we hopen dat hij haar waardevoller maakt voor Megiddo. We hopen ook dat hij dan niet meer probeert mij te pakken te krijgen zonder gebruik te maken van Lana. Maar die brief komt misschien pas morgen bij Megiddo aan. Waar logeren die mannen?'

'Ze hebben een huis gehuurd aan de rand van de stad.'

Will dacht diep na.

'Ik heb de komende veertien uur geen surveillancedienst,' zei Roger. 'Als je mijn hulp nodig hebt, kunnen we dit probleem misschien het best vanavond oplossen.'

Will ging tegenover Lana zitten en las haar woorden nog eens door.

Beste Megiddo,

Ik heb hem gisteren ontmoet en hij heeft me over Berlijn verteld. Ik deed wat je vroeg en zei dat ik al het mogelijke zou doen om hem te helpen jou te pakken te krijgen. Hij zei dat hij nieuwe informatie over je plannen had.
Maar wat heb je gedaan? Een paar uur geleden kwam hij weer naar me toe en heeft hij me geslagen. Hij zei dat ik hem in de val had gelokt en dat hij door Iraanse mannen was aangevallen. Ik was erg bang, maar ik vertelde hem de waarheid, namelijk dat ik niet zoiets had gedaan. Na een tijdje leek hij me wel te geloven, maar toen zei hij dat ik gevolgd moest zijn naar mijn ontmoeting met hem. Hij vroeg me of ik iets had gedaan waardoor de Iraniërs belangstelling voor me hadden gekregen. Ik zei tegen hem dat ik niets had gedaan.
Ik vertrouwde erop dat je Nicholas Cree met rust zou laten tot ik onder je bescherming stond. Ik kan niet toestaan dat je me nog een keer op die manier gebruikt. Ik ben in de war en voel me bedrogen.

Lana

'Uitstekend.' Will gaf de brief aan Lana terug. 'Je moet deze brief meteen naar de ambassade brengen.'

'Ben je echt aangevallen?'

Hij glimlachte. 'Min of meer.' Hij stond op en knikte naar de deur. 'Ik ga eerst. Jij vertrekt over een kwartier.'

'Zijn mensen houden me in de gaten, nietwaar?'

'Voor zover ik weet niet, nee.'

'Denk niet dat ik achterlijk ben.' De woorden klonken krachtig, maar de woede was niet op haar gezicht te zien. Ze liep naar Will toe en raakte zijn arm aan. Hij huiverde meteen van pijn. Ze sprak gedempt maar nadrukkelijk: 'Nicholas, je bent gewond.'

'Dat is een oude wond die de laatste tijd weer opspeelt. Ik mankeer niets.'

Ze schudde haar hoofd en kuste hem toen zachtjes. 'Waarom blijf je niet hier op me wachten? Dan kan ik je wond verzorgen als ik terug ben van de ambassade.'

Will zuchtte. 'Lana, je weet dat ik dat niet kan doen.'

Lana liep naar de deur en draaide zich toen naar hem om. 'Op een dag zul je er voor me zijn. Dat weet ik.'

Toen Will uit Lana's hotel vertrok, ging zijn mobiele telefoon. Hij luisterde naar Rogers stem.

'Het surveillanceteam is meteen van formatie veranderd. Ze hebben je vast en zeker gezien. Een van hen heeft getelefoneerd. Ze moeten het aanvalsteam op je hebben gezet.'

Will knikte. 'Laten we hopen dat ze hun paspoorten meebrengen. Ik wacht hier een uur om er zeker van te zijn dat het aanvalsteam me in het vizier heeft. Dan kom ik in beweging en zie ik je daar.'

'Begrepen. Wacht even.' Roger zweeg bijna een halve minuut en zei toen: 'Ik heb net nieuws van Laith. Die heeft het huis van het aanvalsteam in de gaten gehouden. Zes van hen zijn net vertrokken, maar de andere vier zitten nog in het huis.'

'Verdomme. Ik had gehoopt dat ze het hele team op me af zouden sturen.'

'Het ziet ernaar uit dat ze te professioneel zijn om zo'n risico te nemen. Ze hebben een paar mannen achter de hand gehouden voor het geval het misgaat.'

Will dacht even na. 'Kan iemand van je team me aan een wapen helpen voor als ik in Zagreb terug ben? Het liefst iets beters dan een pistool.'

'Ik zal zien wat ik kan doen.'

Will sloot zijn telefoon en zuchtte. Wat er ook gebeurde, er zouden die avond veel doden vallen.

26

Het was avond en Will zat in zijn eentje te eten in een hoek van het prestigieuze Steirereck-restaurant in Wenen. Hij had zich voor de gelegenheid gekleed en droeg een Manning & Manning-pak, een Dunhill French-overhemd en een zijden das waarin hij een windsorknoop had gelegd. Hij at gerookte meerval op warme artisjokkensalade, rundergoulash met paprika op geroosterd brood met prei en pompoen, en een warm pruimentaartje. Hij dronk er een glas Grüner Veltliner bij en bestelde na afloop een glas Hine-cognac.

Toen hem zijn digestief werd gebracht, kwamen er nieuwe gasten aan de lege tafel naast hem zitten. Naar hun kleding te oordelen kwamen ze net uit de opera. Het waren een echtpaar van middelbare leeftijd en een jongen, waarschijnlijk hun zoon, van twaalf of dertien. De jongen maakte een verveelde, vermoeide indruk. Will vroeg de ober om de rekening en keek naar het drietal. De moeder vertelde iets op een levendige manier, en hoewel Wills kennis van het Duits beperkt was, kon hij vaststellen dat ze het verhaal van de opera aan haar zoon uitlegde. Ze lachte en zwaaide met haar armen terwijl ze de dramatische climax naspeelde. De vader zat er kalm bij en glimlachte naar hen. Will zag dat de man over de tafel reikte en een kneepje in de schouder van de jongen gaf. De jongen keek naar de hand van zijn vader en grijnsde. Het leek wel of hij opeens nieuwe moed had en blij was.

Will nam een slokje van de cognac en ademde langzaam uit. Hij vroeg zich af wat de toekomst in petto had voor de Oostenrijkse jongen aan de andere tafel. Hij hoopte dat het een goede toekomst was en dat de jongen nooit routinematig afscheid van zijn vader hoefde te nemen om dagen later te horen dat hij door een ongeluk om het leven was gekomen. Hij hoopte dat de jongen zich er nooit voor hoefde te schamen dat hij te jong was geweest om voor zijn moeder te zorgen, en dat hij nooit een man zou worden die dingen deed die Will die avond moest doen.

Wills voeten knerpten over de sneeuw toen hij door het Stadtpark liep en op de Gartenbaupromenade uitkwam. Hij liep vlug in noordwestelijke richting door het centrum van de stad. Hoewel het bijna middernacht was, waren er te veel voetgangers op straat, en Will wist dat hij een plek moest zien te vinden waar hij alleen was en niemand hem zag. Toch moest het ook een openbare plaats zijn, want anders zou hij verdenking wekken. Hij liep langs hotels, winkels, restaurants en cafés, en toen het er eindelijk op leek dat het ijskoude weer de mensen van de straten naar huis joeg, zag hij een kleine cafetaria. Hij ging naar binnen en bestelde een espresso, die hij opdronk nadat hij op een kruk met uitzicht op het raam was gaan zitten. Hij deed een kwartier over de koffie en liep toen de straat weer op. Overal om hem heen was het nu bijna stil, en hij vervolgde zijn weg in noordwestelijke richting om ten slotte uit te komen op de plaats waar hij hoopte dat er dingen zouden gebeuren.

Voordat hij naar Oostenrijk was gegaan, had Will zorgvuldig de route bestudeerd die hij zojuist was gevolgd, en ook de omgeving van het gebouw dat zich nu voor hem bevond. De kerk heette de Votivkirche en was in 1879 op verzoek van aartshertog Ferdinand Maximiliaan Jozef gebouwd, nadat zijn broer, keizer Frans-Jozef, op die plaats in zijn keel was gestoken door een Hongaarse nationalist. De Votivkirche was groot en bezat twee verlichte torens, maar de onderkant en het stukje besneeuwd bos dat ervoor lag, waren donker. Will zag niemand om hem heen.

Hij stond tegenover de kerk en luisterde, maar afgezien van nu en dan wat verkeersgeluiden in de verte was er niets te horen. Zijn benen deden pijn van de kou en het stilstaan, maar hij trok zich niets van dat ongemak aan en probeerde zo weinig mogelijk te bewegen. Hij telde seconden en minuten in zijn hoofd af, en gaf het ten slotte op toen hij besefte dat hij daar al bijna een half uur stond.

Er kwam grote twijfel bij hem op. Hij vroeg zich af of hij het Iraanse team had overschat; misschien was het hem helemaal niet naar Wenen gevolgd. Hij vroeg zich af of hij langer in Lana's hotel in Zagreb had moeten wachten om hun de kans te geven zijn spoor op te pikken. In beide gevallen was zijn reis naar Oostenrijk misschien vergeefs geweest. Hij wachtte nog ongeveer tien minuten, nog steeds luisterend. Hij haalde zijn koude handen uit zijn zak en knipte zijn aansteker aan om op zijn horloge te kunnen kijken. Het was tegen enen. Met een zucht stak hij beide handen weer in zijn zakken. Op dat moment werd hij met een enorme kracht van achteren aangevallen.

Een fractie van een seconde was Will zich alleen bewust van het geluid van snel ademhalen, het gewicht dat op hem drukte en het gevoel van sneeuw tegen de zijkant van zijn gezicht. Hij probeerde zijn armen en benen te bewegen, maar dat was onmogelijk, en de pijn van de dreun schoot door zijn rug omhoog. Hij schudde zijn hoofd en deed verwoede pogingen om na te denken. Nog meer geluiden. Het klonk als snelle voetstappen, en toen hoorde hij twee knallen in de verte, gevolgd door twee luidere ploffen. Hij verzamelde al zijn kracht en concentreerde zich. Hij slaagde erin zich enigszins opzij te draaien en zag de man die hem met een greep als een bankschroef tegen de grond drukte. Het gezicht van een tweede man dook vaag op. Blijkbaar zei die man iets, en daarna verdween hij. De man die hem vasthield, veranderde enigszins van houding, stootte met zijn elleboog tegen Wills keel en drukte hem omlaag. Will wist dat zijn belager hoopte dat hij het bewustzijn zou verliezen.

De man verhief zich wat om meer kracht te kunnen zetten, maar die beweging en de toegenomen afstand tussen de twee mannen gaven Will de kans die hij nodig had. Hij trok een van zijn armen los en stootte herhaaldelijk razendsnel met de palm van zijn hand tegen de neus van de man. Na zeven van die stoten viel zijn belager slap over hem heen. Will duwde de dode man opzij, rolde zich meteen om en sprong overeind. Een andere man stond op twintig meter afstand met zijn rug naar Will toe. Twee mannen lagen dood op de grond naast hem, en Will wist dat ze door Roger waren neergeschoten. Hij wist ook dat de man die bij hen stond beslist niet Roger was en waarschijnlijk om zich heen tuurde om de moordenaar van zijn collega's te vinden. En omdat Will nu vier van de zes Iraniërs had gelokaliseerd, waren de twee anderen naar alle waarschijnlijkheid in gevecht met Roger, die ergens uit het zicht positie had gekozen bij de kerk.

Will rende op de man tegenover hem af, maar voordat hij bij hem was aangekomen, draaide de man zich naar hem toe. Toen Will tegen hem aan dreunde, draaide de man zich in de andere richting weg en greep hij een van Wills armen vast. Door die manoeuvre werd Will tegen de grond gegooid, waar hij meteen door een harde schoen in zijn maag werd getrapt. Zijn longen hadden het zwaar te verduren. De man greep Wills hand vast en wrong zijn arm opzij. Tegelijk haalde hij uit met zijn been om Will opnieuw te schoppen. Will wist dat hij een volgende schop niet zou overleven. Hoewel de beweging een bijna ondraaglijke pijn door zijn arm joeg, schopte hij keihard tegen de voet van de man die op de grond rustte. De man verloor zijn evenwicht en dreunde tegen de grond. Will sprong overeind en vloog op zijn belager af, maar toen hij dichterbij kwam, trapte de man met zijn hak tegen Wills scheen om hem tegen te houden. De man sprong overeind en greep in zijn jasje. Hij haalde een mes tevoorschijn en bleef Will een ogenblik roerloos staan aankijken.

Beide mannen haalden diep adem; hun adem vormde wolkjes in de ijskoude lucht. Will keek naar het mes, toen naar de man, toen weer naar het mes. Hij wist dat hij op de aanval moest wachten, zodat hij het mes kon ontwijken en zelf in de aanval kon gaan. Hij wist ook dat hij maar één kans zou krijgen om zo'n aanval af te slaan.

De man hield het mes heel stil, maar in plaats van op Will af te gaan, trok hij zich langzaam terug. Will keek van het mes naar het gezicht van de man. De man glimlachte. Toen draaide hij zich om en rende bij Will en de kerk vandaan.

Will keek naar de Votivkirche en vroeg zich heel even af of hij de man moest achtervolgen of Roger moest gaan helpen. Maar hij wist dat hij niet mocht toestaan dat ook maar één teamlid levend het land uitkwam, vooral niet nu ze wisten dat ze in de val waren gelokt. De dood van dit team van zes man kon hem de paar uur opleveren die hij nodig had, maar een ontsnapt teamlid dat een boodschap aan zijn teamleden in Zagreb doorgaf, zou Wills plannen met die mannen in de war sturen. Hij wendde zich van de kerk af en besloot dat Roger zijn tegenstanders zelf moest uitschakelen.

Will zette het op een lopen. Zijn prooi had het terrein van de kerk verlaten en rende over de Rooseveltplatz om vervolgens in oostelijke richting door de Türkenstrasse in de richting van de Donau te rennen. Hij lag nu minstens dertig meter op Will voor en maakte de indruk dat hij het tempo nog heel lang kon volhouden. De man rende de straat over en verdween even later in een zijstraat. Will rende achter hem aan en zag de man weer recht voor zich. Hij wist dat die straat uitkwam op de drukkere Maria Theresien Strasse. Hij wilde proberen de man uit te schakelen voordat hij die straat bereikte. Onder het rennen trok Will zijn zware winterjas uit en liet hem op de grond vallen. Hij merkte meteen dat hij nu harder kon rennen, en binnen enkele ogenblikken had hij de afstand tussen hemzelf en zijn prooi tot slechts tien meter beperkt, al was het kruispunt nu erg dichtbij. Maar de man die hij achtervolgde, rende niet door. Hij ging langzamer lopen, bleef staan, draaide zich om en liep recht op Will af. Net als Will was hij blijkbaar tot de conclusie gekomen dat ze hun zaken in deze donkere, lege straat onderling moesten regelen.

Will dwong zich te stoppen en zag dat de man zijn mes weer had getrokken en het nu laag in zijn rechterhand hield. De man liep snel en deze keer lag er zelfs geen zweem van een glimlach op zijn gezicht. Hij liep tot hij nog maar een meter bij Will vandaan was en stak het mes toen omhoog naar Wills buik. Will draaide zich opzij en legde zijn rechterhand over de pols van de man. Tegelijk kwam hij dichterbij en stootte met zijn linkerelleboog tegen de keel van de man, die daardoor tegen de grond sloeg. Met zijn rechterhand verdraaide hij de arm met het mes en boog hij de pols van de man naar achteren, zodat het mes uit zijn hand viel. Will schopte het mes weg en oefende nog grotere druk op de pols van zijn belager uit. De man kronkelde van pijn en kreunde luid. Will hield hem nog even in een ijzeren greep, gaf toen een nog hardere ruk aan de pols en liet zich met zijn hele lichaamsgewicht op de rug van de man vallen. Hij sloeg zijn vrije linkerarm om de hals van de man en kneep zijn keel dicht.

'Ik vind het echt heel jammer dat dit moet gebeuren,' zei hij.

Binnen twee minuten hielden de benen van de man op met hun krampachtige bewegingen. Hij was dood.

27

Will was terug in Zagreb. Het was nu vier uur 's nachts en het was erg donker. Het was nog maar vier uur geleden dat Roger en hij zes leden van het Iraanse team in Oostenrijk hadden gedood. Hij was van plan de overige leden van dat team in Kroatië te doden.

Vanaf zijn positie onder de straatlantaarn zag Will de zwarte BMW bij hem stoppen.

Laith stapte uit en liep naar hem toe. 'Roger is nog niet in het land terug. Ik moet nu Lana gaan volgen. Je zult dit in je eentje moeten doen.' Hij gaf Will de autosleutels, stak zijn handen in zijn jaszakken en liep weg.

Will stapte in de auto en keek op de kaart die naast hem op de passagiersstoel lag. Hij was in de Vlahe Bukovca in de wijk Zaprešić in het noordwesten van Zagreb, en hij wist dat hij maar een paar honderd meter hoefde te rijden om zijn doelwit in de Pavia Lončara te zien. Hij haalde diep adem en keek om naar de achterbank van de auto. Op de bank lag een Diemaco C8 Special Forces Weapon met twee extra magazijnen van tweeëndertig patronen. Hij pakte het geweer op en controleerde vlug het mechaniek voordat hij het wapen tussen de passagiersstoel en de handrem zette. Hij stopte de extra magazijnen in zijn jaszakken, deed de binnenverlichting uit, startte de motor en zette de koplampen aan. Hij reed rustig de straat op.

Binnen enkele minuten stopte Will. Hij was op de Pavia Lončara, en ongeveer honderd meter voor hem kon hij nog net het huis met het Iraanse team zien. Hij deed zijn lichten uit en wachtte af, trommelend op het stuur. De straat om hem heen was donker, stil en er bewoog niets. De motor van de BMW maakte ook geen geluid.

Hij bleef dertig minuten naar het huis zitten kijken. Toen legde hij zijn hand op het geweer en vond hij dat het tijd was om het huis binnen te gaan en degenen te doden die zich daarin bevonden. Hij wilde net het portier openen toen hij verstijfde.

In het huis gingen twee bovenlichten bijna tegelijk aan. Will fronste zijn wenkbrauwen. Hij legde zijn hand op de pook van de automaat en wachtte af. Binnen twintig seconden ging de voordeur open en rende een man naar een auto die recht voor het huis stond. De man opende het portier aan de bestuurderskant en daarna alle andere portieren. Will wist dat de motor van hun auto nu zou draaien. Iets moest hen op dit vroege uur hebben gealarmeerd. Hij concludeerde dat het team reserveplannen had voor het geval het niets van de zes mannen hoorde die hem naar Oostenrijk waren gevolgd. Hij dacht dat de mannen die het huis verlieten uiterst professioneel en uiterst gevaarlijk waren.

Na vijf seconden rende er weer een man naar buiten. Hij koos positie bij de passagiersstoel aan de voorkant en keek de straat door, zijn hand dicht bij zijn lichaam. Toen knikte hij naar de deur van het huis, waarop twee andere mannen naar buiten kwamen. Een van hen liep om de achterkant van de auto heen naar het andere portier aan de passagierskant. Zodra de man was ingestapt, zette de auto zich snel in beweging.

Will zette de automaat op DRIVE en volgde hen zonder het licht aan te doen en op een constante afstand van honderdvijftig meter. Toen hun auto rechtsaf de Maršala Tita in sloeg en uit het zicht verdween, deed Will zijn lampen aan. Hij stopte even op het kruispunt met Maršala Tita om een andere auto voor te laten gaan, reed toen de straat in en volgde zijn doelwit van achter de tweede auto. Binnen enkele ogenblikken sloeg die tweede auto links af, de Pere Devčića in, en verdween naar waar het ook maar was dat hij naartoe ging. Will keek fronsend naar voren. De achterlichten van zijn doelwit bewogen zich snel bij hem vandaan. De auto reed met grote snelheid naar de rivier de Sava en de weg die daar evenwijdig mee liep, de Aleja Bologne.

'Verdomme.' Will drukte hard op het gas. Hij wist dat zijn doelwit had gemerkt dat er iets mis was. Misschien hadden ze hem gezien, maar dat leek Will onwaarschijnlijk, want het was in Zagreb niets bijzonders als er een auto achter je reed. Het was waarschijnlijker dat de inzittenden van de auto tot de conclusie waren gekomen dat alles om hen heen een bedreiging kon vormen. Will reed met hoge snelheid de Aleja Bologne in en wist dat hij nu een zichtbare bedreiging vormde voor het team in de auto. Hij vloekte opnieuw.

Zijn prooi reed met grote snelheid over de Aleja Bologne naar het middelpunt van Kroatië en een van de zwaarst bewapende politiedistricten in Midden-Europa. Zijn doelwit voerde hem naar een plaats waar een aanval geen zin zou hebben. Will wist dat hij nog acht kilometer van die plaats vandaan was en dus nog tijd had om een beslissing te nemen: hij kon zijn operatie staken of hij kon doorgaan en het doelwit aanvallen voordat het te laat was. Hij nam zijn besluit.

Afgaand op zijn eigen snelheidsmeter schatte Will dat zijn doelwit nu bijna honderdnegentig kilometer per uur reed. Hij hoopte vurig dat de auto waarin hij reed sneller was dan de auto voor hem. Hij drukte het gaspedaal van de BMW helemaal in en zag de lichten van de straatlantaarns als een wazige streep licht langs flitsen. Hij wisselde van rijbaan en reed nu op de linkerkant van de weg. Hij reed in volle vaart naar zijn doelwit en gaf een ruk aan het stuur om zijn auto tegen die van de Iraniërs te laten botsen. Beide auto's vlogen meteen naar de zijkant van de weg, in de richting van de huizen die daar stonden. Will trok zijn stuur naar links en accelereerde weer alvorens hard op de rem te trappen. Hij keek in zijn spiegeltje en zag dat zijn doelwit blijkbaar de handrem gebruikte om de auto slippend te laten keren. Will vloekte. Wie die mannen ook waren, ze waren duidelijk goed getraind en behoorden waarschijnlijk tot Qods.

Hij stopte, pakte zijn geweer en stapte uit. Met gierende banden vloog de auto van de Iraniërs weg. Will bracht de C8 omhoog en schoot twee keer op beide achterwielen. De auto helde over en slingerde naar links en rechts alvorens te stoppen. Hij was ongeveer honderd meter bij Will vandaan. Will richtte het vizier van zijn karabijn op de achterruit van de auto. Er vloog meteen een portier open en een van de mannen schoot zes keer in zijn richting. Will trok zich niets van de kogels aan en kwam naar voren om drie keer snel achtereen op de man te schieten. De kogels troffen de man in zijn borst en gezicht en hij viel op de grond. De andere mannen sprongen uit de auto en zochten erachter dekking. Will vuurde beheerste salvo's op hen af. Hij hoorde hen roepen, maar op een afgemeten, gedisciplineerde manier. Toen waren ze stil. Will bleef op de weg staan en bewoog zijn vizier naar links en rechts van de auto die voor hem stond. Een andere auto reed op de stilstaande auto van de Iraniërs af en minderde abrupt vaart. Het was duidelijk geen vijandige auto, maar Will kon het zich niet veroorloven dat de Iraniërs nog meer schilden als dekking gebruikten terwijl ze op hem schoten. Hij joeg een salvo kogels in het motorblok van de tweede auto, die meteen op ruime afstand van Wills tegenstanders tot stilstand kwam. De mannen zaten nog steeds achter hun auto.

Will deed weer een stap naar voren en vuurde opnieuw naar links en rechts van de auto, waarna hij vlug het magazijn van het geweer verving. Blijkbaar hadden zijn tegenstanders verwacht of gehoord dat hij dat zou doen, want een van hen kwam heel even tevoorschijn, net op het moment dat Will zijn nieuwe magazijn in het geweer schoof. Will schoot meteen op de man, die bij de auto vandaan viel. De man was niet dood, en hij richtte zijn pistool op Will. Will aarzelde een fractie van een seconde en schoot hem toen in het hoofd.

Een van de overgebleven twee mannen richtte zijn pistool min of meer op Will zonder zijn dekking te verlaten. Hij schoot één keer. De kogel ging ver naast, maar Will schoot terug. Achter hem remden auto's, en hij hoopte dat het geen gewapende politieagenten maar onschuldige voorbijgangers waren. Hij waagde het niet te kijken, want de mannen tegenover hem zouden aan een fractie van een seconde genoeg hebben om hem te doden. Hij meende dat hij hooguit een minuut had om de patstelling te doorbreken. Toen hij sirenes in de verte hoorde, vanuit verschillende richtingen, wist hij dat het nog maar een kwestie van seconden was.

Hij nam enkele afgemeten passen naar links, terwijl hij de achterkant van de auto in het vizier hield. Door die nieuwe invalshoek kon hij een van de mannen onder schot nemen. De man keek recht naar Will; zijn pistool was ook recht op Will gericht. Op het moment dat Will en de man tegelijk op elkaar schoten, ging Will enigszins opzij. Will voelde dat er een kogel langs zijn schouder schampte en zag de man die hem had afgevuurd dood neervallen. Will rende naar voren en bereikte de auto van de Iraniërs op het moment dat de laatste man voor hem over de weg rolde om hem onder schot te nemen. Dat was bijzonder moedig van die man, want hij moest weten dat hij zich daarmee blootstelde aan een kogelregen van automatisch geweervuur. Maar Will schoot niet. Hij was nu vlak bij de man en sloeg hem met de kolf van zijn geweer in het gezicht. Meteen daarop stootte hij met de loop van het geweer tegen de ribben van de man. De man was buiten gevecht gesteld, maar bij bewustzijn. Will keek hem aan en bracht zijn geweer omhoog. Heel even wilde hij de dappere man in leven laten en gewoon weglopen. Maar hij wist dat de man niet in leven mocht blijven.

Hij schoot hem dood.

28

Will stond op de helling en keek uit over Zagreb. Het was bijna twaalf uur 's middags, en de hemel boven de besneeuwde stad was lichtblauw.

Roger liep naar hem toe en kwam naast hem staan. 'Ik ben vanmorgen aangekomen.'

Will knikte, maar keek hem niet aan. 'Heb je een update van Laith gekregen?'

'Ja. Hij heeft me verteld wat je met de overgebleven leden van het Iraanse team hebt gedaan.'

Will wreef over zijn stoppels. 'Heeft Laith de auto en het wapen gedumpt?'

'Maak je daar maar geen zorgen over. Niemand van ons is in verband te brengen met wat er gebeurd is. Maar we moeten wel voorzichtig zijn. De Kroatische politie let nu heel goed op, en het zit er dik in dat ze de gebeurtenissen hier heel gauw in verband brengen met wat er in Oostenrijk is gebeurd.'

Will blies langzaam zijn adem uit. 'Megiddo zal Lana's brief nu hebben. Die zal hem een nieuwe kijk op haar geven. Ik denk dat hij geen extreme aanslagen meer op mij zal plegen.' Hij keek Roger aan. De man zag er doodmoe uit. 'Maar dat betekent niet dat we het kalm aan kunnen doen. Ik wil dat een van je mannen naar Sarajevo gaat en het gebouw van de Human Benevolence Foundation in de gaten houdt om te zien wat de gebruikers ervan doen.'

'Goed. Ik stuur Julian Garces. Die kan zich zo verdekt opstellen dat hij onzichtbaar is.'

'Oké. Julian krijgt vierentwintig uur de tijd om inzicht te krijgen in alles wat er aan de buitenkant van het HBF-gebouw gebeurt, want morgenavond moet hij me dekken als ik er ga inbreken.'

Om één uur 's nachts was Will in de rue Sainte-Croix-de-la-Bretonnerie in Parijs. Hij sloeg de zijstraat met Lana's huis in en haalde een envelop tevoorschijn toen hij bij haar deur stond. Hij wist dat hij de envelop over de post of met een koerier had kunnen versturen, maar hij wilde hem persoonlijk afgeven. Hij nam een pen en adresseerde de envelop aan Lana's moeder, waarna hij het pakje met dertigduizend CIA-dollars en niets anders door de brievenbus duwde.

Hij deed een stap achteruit en keek naar de huisdeur. Om hem heen heerste diepe stilte.

Hij dacht aan Lana's moeder. Hij vroeg zich af of ze sliep. Misschien lag ze wakker, hopend op de terugkomst van haar dochter.

Hij sloot zijn ogen en liet zijn allerergste herinnering naar boven komen.

De tiener Will Cochrane gooide zijn schooltas op de keukentafel, glimlachte nerveus en riep naar zijn moeder. Geen antwoord. Hij hoorde niets.

Hij liep door en vroeg zich af of zijn moeder hem zou omhelzen als ze zijn rapport zag en als ze besefte dat hij met die cijfers aan de universiteit van Cambridge in Engeland zou kunnen studeren. Hij vroeg zich af of ze zijn favoriete maaltijd, geroosterde kip, voor hem zou klaarmaken, en of hij zelfs een klein glaasje wijn mocht drinken, zoals ze de laatste tijd soms toestond.

Hij liep de huiskamer in.

De vier mannen keken Will aan en kwamen niet in beweging toen ze hem zagen. Ze bleven staan en keken naar zijn moeder, die vastgebonden op een stoel zat, en keken toen weer naar hem. Een van hen glimlachte en sprak.

'Waar is het geld?'

Will voelde zich misselijk, duizelig, en begreep er helemaal niets van. Hij keek naar zijn moeder. Er was tape om haar hoofd en lichaam gewonden. Ze zat op die stoel en haar ogen rolden in hun kassen. Hij had nog nooit iemand gezien die zo ziek en zo vreemd leek.

'Waar is het geld, jongen?'

Hij keek naar zijn zus. Die lag snikkend en ineengedoken op de vloer. Een van de mannen hield zijn zware schoen op haar hoofd.

Will keek naar de man die had gesproken en antwoordde met een stem die hemzelf vreemd in de oren klonk.

'Welk geld?'

De mannen lachten hard en zwegen. Hun woordvoerder wees naar Will.

'In zulke grote huizen is veel geld.'

Will schudde zijn hoofd en had het gevoel dat hij iets verkeerds had gedaan. Hij probeerde zelfverzekerd te spreken, maar in plaats daarvan gooide hij de waarheid er gewoon uit.

'We hebben geen geld. Dit huis is van de staat. Mijn vader werkte daarvoor totdat hij doodging. Alle rijke mensen hier in de buurt weten dat we niets hebben.'

Twee van de mannen lachten weer, maar de twee anderen niet. De woordvoerder was een van de twee die onbewogen bleven. Hij zag er plotseling heel angstaanjagend uit. Hij deed een stap in Wills richting.

'Je moet geld voor ons vinden, anders vermoorden we je moeder en je zus.'

Will keek naar zijn moeder. Haar ogen waren nu gesloten en ze had het hoofd laten zakken. Hij riep naar haar.

'Moeder?'

De ogen van de angstaanjagende man werden groter.

'Ze krijgt geen lucht meer. De klok tikt, jongen.'

Will had een brandend gevoel in zijn hoofd en ogen en wist dat hij straks zou gaan huilen. Hij keek naar de vier mannen. Hoewel Will minstens zo lang was als zij, leken ze groot en sterk, heel anders dan alles wat hij ooit had gezien.

Hij ging langzamer ademhalen. Hij zag dat zijn moeder begon te stuiptrekken. Hij wilde naar haar toe rennen. Er kwamen woorden over zijn lippen zonder dat hij er goed bij nadacht.

'Ik heb u de waarheid verteld. Maar we hebben wat geld in een la. Als ik het voor u haal, wilt u mijn moeder dan helpen?'

De mannen keken elkaar aan. Drie van hen haalden hun schouders op en knikten naar hun woordvoerder. Die man kwam vlak bij Will staan. Zijn adem stonk.

'Ga het halen. Maar als je vlucht, vermoorden we haar, en daarna doen we nog ergere dingen met je zus.'

Wills moeder stuiptrekte niet meer; ze bewoog helemaal niet meer. Will hield zichzelf voor dat ze deed alsof ze sliep, maar hij wist dat dat niet zo was. Hij draaide zich om en liep de huiskamer uit. Hij liep de keuken in en keek om. Hij ging naar een la, maakte hem open en dacht meteen aan limonade, want dit was de la met de flesopener die je nodig had voor het merk limonade dat zijn moeder voor hem kocht. Hij streek met zijn vingers over de flesopener en klemde ze toen om het vleesmes dat zijn moeder gebruikte als ze zijn favoriete geroosterde kip in stukken sneed.

Hij was altijd bang voor dat mes geweest, maar nu hij het voor het eerst in zijn hand had, voelde het licht en onschuldig aan. Hij wist dat het niet angstaanjagend genoeg zou zijn voor de grote mannen in de kamer. Hij wist dat het niet het mes was dat telde, maar de hand die het vasthield.

Hij liep de kamer weer in. Hij voelde een nieuwe energie en hij had ook het gevoel dat hij een ander was geworden dan zichzelf. Het was of alles om hem heen in brand stond en alleen hijzelf geen hitte of pijn kon voelen. Er daalde een diepe duisternis over hem neer.

Hij keek naar de mannen en glimlachte.

En toen maakte hij ze af.

Will keek op naar de sterrenhemel en blies zijn adem uit. Hij schudde zijn hoofd en sloot zijn ogen. Hij balde zijn vuist en voelde het bonken van zijn hart. Toen ademde hij snel in; hij hield de lucht binnen en ademde weer uit. Zijn hartslag vertraagde. Zijn lichaam en geest werden kalm. Hij opende zijn ogen, keek weer naar de sterren en naar de deur van Lana's moeder. Hij knikte ernaar en fluisterde: 'Ik breng uw dochter gauw thuis. Dat zweer ik.'

Hij draaide zich om naar Midden-Europa en de gevaren die daar dreigden.

29

Eenentwintig uur later gaf Julian Garces een rugzak aan Will en zei: 'Hier zit alles in wat je nodig hebt.'

Will pakte hem aan en knikte naar de vroegere Special Operationsman van de luchtmacht. 'Weet je zeker dat je een goede plattegrond van het huis hebt?'

De grote latino bevestigde dat door zijn hoofd schuin te houden. 'Ja. En ik weet ook dat dit moeilijk wordt.'

De man draaide zich om en rende de duisternis in. Will deed een radiodopje in zijn oor, en binnen enkele minuten hoorde hij Julians kalme stem. '*Een man verlaat het gebouw. Hij komt op parkeerterrein. Hij blijft bij auto staan. Hij stapt in auto. Hij rijdt.*' Julian zweeg enkele ogenblikken en ging toen verder met zijn commentaar. '*Auto rijdt naar Nedima Filipovića. Hij rijdt door. Hij is nu uit mijn zicht verdwenen. Dat moet de laatste van hen zijn, maar blijf op je positie.*'

Will keek om zich heen naar de besneeuwde zakenwijk in het westen van Sarajevo. Er stonden drie rechthoekige kantoorgebouwen die twee parkeerterreinen met elkaar deelden. Op grond van Julians verkenningen wist Will dat de Human Benevolence Foundation vijf kamers in het middelste van de drie gebouwen huurde. Hij wist ook dat er tweeëntwintig andere bedrijven in hetzelfde gebouw zaten, maar op dat moment was het overal stil. De parkeerterreinen waren leeg, en nu het laatste personeel was vertrokken, waren de gebouwen in duisternis gehuld, afgezien van het licht van de paar veiligheidslampen aan de buitenkant. Toch bleef Will in de schaduw staan, in afwachting van Julians instructie om verder te gaan.

'Oké. Ik heb de hele omtrek van het gebouw verkend. Nu.'

Will pakte de kleine rugzak op en liep vlug langs het terrein van de drie gebouwen. Toen hij op het westelijkste punt kwam, ging hij langzamer lopen en concentreerde zich op zijn oordopje. Even later hoorde hij waar hij op wachtte.

'Stop. Je bent in de blinde vlek van de camera.'

Will draaide zich om en keek naar het dichtstbijzijnde gebouw. Julian had hem verteld dat hij heel zorgvuldig in een bepaalde lijn moest blijven als hij de vijftig meter overstak tussen de plaats waar hij nu stond en het eerste gebouw. Hij richtte zijn blik op een bepaald deel van het gebouw en liep naar voren.

'Je dwaalt af. Ga één stap naar links en loop dan door.'

Will deed wat hem gezegd werd en liep door. Binnen dertig seconden stond hij tegen de muur van het gebouw. Hij bleef bijna een volle minuut staan, en toen sprak Julian weer.

'Ja. Nu komt het lastige deel. Doe precies wat ik zeg.'

Will wist dat hij Julians instructies met uiterste precisie moest opvolgen, anders zou de bewaker hem opmerken.

'Loop naar de zuidwestelijke hoek over drie, twee, een, nu.'

Will sprintte twintig meter langs de muur en bleef toen staan.

'*Ho. Ho.*' Julians stem was kalm. Na twaalf seconden zei hij: '*Lopen.*'

Toen Will bij de volgende hoek was aangekomen, zag hij dat het middelste gebouw ongeveer zeventig meter bij hem vandaan was. Hij trok de riempjes van zijn rugzak aan en wachtte af.

'Oké. Draai je om naar de noordwestelijke hoek van het doelgebouw. Neem dertig van jouw passen. Drie, twee, een, nu.'

Will nam zijn positie op het parkeerterrein in. Hij voelde zich kwetsbaar op het open terrein, al wist hij dat Julians instructies hem tegen de camera's zouden beschermen.

'Ga met je gezicht naar het midden van het gebouw staan.'

Will volgde de aanwijzing op.

'Goed. Het volgende moet erg snel gebeuren. Negen meter per seconde. Op mijn bevel. Drie, twee, een, nu.'

Will rende zo hard als hij kon over de veertig meter en vertraagde pas toen hij bij het gebouw was aangekomen. Hij liep tegen de muur op en negeerde de pijn in zijn handen en schouderwond.

'Loop nu langzaam naar de noordwestelijke hoek, tot ik zeg dat je moet stoppen.'

Will liep zo dicht langs de muur dat zijn jasje erlangs schuurde.

'*Stop.*'

Will stopte. Na dertig seconden hoorde hij Julians stem weer.

'Breng je materiaal in gereedheid. Als ik het zeg, heb je twintig seconden om naar binnen te gaan.'

Will haalde de rugzak van zijn rug en pakte er een van de instrumenten uit. Het voorwerp woog ongeveer tien kilo en was gemaakt door Julian. Hoewel de tweehandige ram er primitief uitzag, zou hij heel goed te gebruiken zijn tegen bijna alle sloten. Will hing zijn rugzak weer om en hield de ram vast.

'Doe het snel. Drie, twee, een, nu.'

Will rende hard, ging de hoek van het gebouw om terwijl hij rakelings langs de muur bleef gaan, en bleef rennen tot hij bij de zijdeur kwam. Hij hield nauwelijks de pas in toen hij bij de deur aankwam en stootte de ram met beide handen tegen het slot. Vervolgens stapte hij achteruit en vooruit terwijl hij de ram tegen het boven- en onderscharnier aan de andere kant van de deur liet dreunen. Hij stootte de ram tegen het midden van de deur en trok aan de handgreep. De deur viel opzij, en Will stapte het gebouw in. Hij stopte de ram weer in zijn rugzak en haalde een zaklamp tevoorschijn.

'Goed. Nu gaat het alarm af in de bewakingskamer. Als zich problemen voordoen, laat ik het je weten, maar ik denk dat je maximaal negentig seconden hebt.'

Will volgde de route die Julian hem eerder had opgegeven. Hij rende door een gang, twee trappen op, en door een gang op de bovenste verdieping. Hij telde acht deuren aan zijn rechterkant, sloeg toen links af en kwam tot stilstand tegenover de deur waar hij moest zijn. Hij hurkte neer en haalde een vijfdelige lockpickset tevoorschijn. Hoewel het primitief gereedschap was, was het goed genoeg voor het eenvoudige Yale-slot. Binnen vijf seconden had hij de deur geopend en betrad hij het kantoor dat door de Human Benevolence Foundation was gehuurd.

Hij liep door twee kamers, en nog een, en nog een. Al die kamers waren rommelig en zagen er niet naar uit dat ze waren opgeschoond om geheimen te beschermen. Hij bereikte de laatste kamer en besefte dat dit de plaats was waar hij moest zoeken. De kamer was smetteloos schoon. Er stonden twee bureaus met stoelen, en afgezien van pennen en andere kantoorartikelen waren beide bureaus leeg. Will doorzocht laden, kasten, antwoordapparaten en prullenbakken, maar vond niets. Hij vloekte binnensmonds, maar toen kwam hij op een idee en liep de kamer uit. Hij liep heen en weer tussen de vier rommelige kamers van het echte HBF-kantoor, tot hij een archiefkast vond. Hij trok hem open, en op datzelfde moment hoorde hij Julians stem.

'De bewaker heeft net zijn gebouw verlaten. Hij loopt niet hard, maar toch is hij over dertig seconden bij je.'

De kast bevatte hangmappen die van labels waren voorzien, en Will liet zijn blik erover gaan. De meeste hadden blijkbaar betrekking op bouwcontracten of financiële aangelegenheden van HBF, maar er was één uitzondering. Will glimlachte toen hij de titel BRANDPROTOCOL op het label van de map zag staan. Hij keek erin en zag één papier. Hij haalde het eruit en scheen met zijn zaklamp op de inhoud. Het papier bevatte de namen van elf mensen met informatie over hen. Hij haalde een digitale camera tevoorschijn en fotografeerde het papier.

'Schiet op. De tijd is om.'

Will legde het papier in de map terug, sloot de kast en liep door het kantoor naar de uitgang. Hij sloot de deur achter zich en knielde met zijn lockpickset in de gang neer.

'Bewaker is bij het gebouw. Hij heeft de kapotte deur gezien. Hij spreekt in zijn radio. Hij gaat je gebouw in.'

Will manoeuvreerde met drie van de instrumentjes tot de deur van het HBF-kantoor weer op slot zat. Hij haalde zijn ram tevoorschijn en liep door de gang. Op de vierde deur links zat een plaquette; dat kantoor was van een bedrijf dat Adriatic Travels heette. Will liet zijn ram tegen de deur dreunen, liep het kantoor in en pakte twee telefoons, die hij in zijn rugzak deed. Toen liep hij de gang weer op en sloeg met de ram tegen een willekeurige andere deur van een ander bedrijf. Hij stapte de kamer in, stal een laptop en liep de gang weer op. Hij liep vlug naar de bovenkant van de trap en keek naar beneden. Hij zag het schijnsel van een zaklantaarn en hoorde gepraat op een walkietalkie. Het licht werd sterker, en Will wist dat de bewaker de trap op kwam. Hij deed zijn eigen zaklamp uit. Op dat moment sprak Julian weer.

'Twee bewakingsauto's stoppen buiten jouw locatie. Er komen drie mannen uit. Ze lopen naar jouw gebouw. Ze gaan naar binnen.'

Will draaide zich om en rende geluidloos door de gang terug. Hij wilde elk contact met de bewakers vermijden, want een confrontatie met hen zou heel verkeerde gevolgen hebben. De eigenaar van het gebouw, zo had hij van tevoren geredeneerd, zou niemand behalve de slachtoffers op de hoogte stellen van de inbraak, uit angst andere huurders af te schrikken. Maar als er bewakers werden aangevallen, zou dat tot een uitgebreid politieonderzoek leiden, en dat zou onvermijdelijk onder de aandacht komen van alle kantoorhuurders, ook de mannen van de HBF en de twee Qods-agenten die tussen hen verscholen zaten. En die twee mannen zouden dan heel gemakkelijk argwaan kunnen krijgen en voorgoed uit het gebouw kunnen verdwijnen.

Will bereikte het eind van de gang en keek naar het trappenhuis aan de achterkant. Dat was nog donker, en hij ging voorzichtig de trap af naar de eerste verdieping. Hij liep de gang door tot hij bij een hoek was aangekomen. Er viel een bundel licht op de vloer dicht bij hem, en hij wist dat het licht afkomstig was van een bewaker die nu door de gang in zijn richting liep. Als de man de hoek omging, zou hij Will zien en zou Will hem moeten aanvallen. Will draaide zich om in de richting vanwaar hij was gekomen, maar zag ook licht uit het daarstraks nog donkere trappenhuis komen. Een van de bewakers kwam vanaf de begane grond omhoog, en als hij bleef staan om de eerste verdieping te doorzoeken, zat Will in het nauw tussen twee bewakers.

Will hoorde nog meer radioverkeer, en de zaklantaarns bleven op hun plaats. Will wist dat de bewaker om de hoek zich moest hebben omgedraaid, want zijn licht was verdwenen. Het licht van de man in het trappenhuis werd feller en verdween in net zo korte tijd als het was opgekomen. Het was duidelijk dat hij nu de trap op rende, bij Will vandaan en naar de bovenste verdieping toe. Will wist dat beide bewakers waren opgeroepen door een derde bewaker, die had ontdekt dat er op de bovenste verdieping bij twee bedrijven was ingebroken. Will rende naar het trappenhuis aan de achterkant, keek omlaag en liep langzaam naar de begane grond. Die was in halfduister gehuld, en hij liep vlug door de gang tot hij op een plaats kwam waar hij ofwel naar links kon gaan, naar de kapotte zijdeur die hij had gebruikt om het gebouw binnen te komen, ofwel kon doorlopen naar de afgesloten hoofdingang van het gebouw. Hij wachtte en zag toen twee lichtbundels uit de gang van de zijdeur komen. Dat betekende dat de vierde bewaker zich daar had geposteerd en Wills aftocht blokkeerde. Uit de positie van die zaklantaarn was af te leiden dat de man naar voren keek en dat hij Will zou zien als hij doorliep naar de hoofdingang. Will dacht snel na. Julian had Wills probleem blijkbaar voorzien, want zijn woorden kwamen overeen met het besluit dat Will al had genomen.

'Zet je capuchon op. Houd je hoofd gebogen. Stop nergens voor.'

Will bedekte zijn gezicht zo goed mogelijk met zijn Gore-Texas-winterjack en haalde zijn ram nog één keer tevoorschijn. Hij keek naar de hoofdingang. Die was twintig meter bij hem vandaan. Hij haalde diep adem en begon te rennen, in de wetenschap dat hij meteen zichtbaar zou zijn voor de bewaker in de gang links van hem. Hij hoorde nog meer radiogeluiden en toen geschreeuw, maar hij negeerde het en rende naar de deur, stootte met zijn ram de dikke glazen panelen kapot en sloeg zich een weg naar buiten. Zijn jas beschermde zijn hoofd en bovenlichaam, maar er sneden glasscherven in zijn benen. Hij zette het weer op een lopen zodra hij de deur en het gebouw achter zich had gelaten. Hij rende in noordoostelijke richting zonder zich iets van camera's aan te trekken, en na vierhonderd meter bereikte hij de rand van het terrein. Hij minderde even vaart om achterom te kijken en liep toen straten, steegjes en nog meer straten in. Toen pas ging hij gewoon lopen. Hij keek naar zijn benen en zag glassplinters zo groot als messen uit zijn dijen en kuiten steken. Toen hij bleef staan om een paar van de splinters eruit te trekken, bezweken zijn benen bijna onder hem.

Will drukte op de knop bij zijn keel en zei met een gejaagde, ademloze stem tegen Julian: 'Ik heb ze. Ik heb de namen van die schoften.'

30

'We hebben met professionals te maken.' Will haalde zijn digitale camera tevoorschijn. 'Aan het eind van elke dag verlaten de Qods-agenten hun kamer zonder sporen van hun activiteiten achter te laten. Maar ze hebben één fout gemaakt.' Hij hield de afbeelding van het door hem gefotografeerde papier omhoog. 'Of beter gezegd, ik denk dat er een fout is gemaakt zonder dat ze het wisten.'

Hij gaf Patrick de camera. De twee mannen bevonden zich in een huis van de CIA in Zwitserland.

Patrick keek bijna een minuut naar de camera en zei toen: 'Het was slim van je om in de map voor het brandprotocol te kijken. En ik denk dat je gelijk hebt: ik durf te wedden dat iemand bij de HBF zich aan de veiligheidsprotocollen van het gebouw heeft gehouden en al deze informatie aan hun administratieve afdeling heeft gegeven zonder het eerst aan de Qods-mannen te vragen.' Hij keek glimlachend naar de foto van het papier met de namen van drie vrouwen en acht mannen, compleet met hun paspoortnummers en geboortedata en -plaatsen.

Will wees naar de camera. 'Als ik op de indeling van het HBF-kantoor mag afgaan, behoren twee van de mensen op die lijst tot Qods.'

Patrick knikte en haalde zijn mobiele telefoon tevoorschijn. Hij voerde een gesprek en gaf alle informatie van Wills foto aan iemand door, waarschijnlijk iemand op het CIA-hoofdkantoor in Langley. 'Ik denk dat ik over tien minuten een antwoord heb.'

Will schonk koffie in en nam er grote slokken van, al was de drank eigenlijk te heet. Hij wreef over zijn ogen en liep naar een raam. Op de besneeuwde ochtend in Zürich was op dat moment een stukje van de zon te zien. Hij had het gevoel dat hij los stond van de tijd en het normale dagritme, en die zonsopgang had geen andere betekenis voor hem dan dat hij er weer eens van doordrongen raakte dat hij minder dan een dag de tijd had om Megiddo te pakken te krijgen. Na vijf of tien minuten hoorde hij Patricks telefoon zachtjes overgaan. Hij draaide zich om en keek naar de CIA-man, die roerloos stond te luisteren naar wie het ook was die hij aan de lijn had. Toen het gesprek was beëindigd, pakte Patrick de camera van Will op. 'We kunnen niet achterhalen wie van deze mensen de Qods-mannen zijn, maar dat is geen verrassing. We kunnen daarentegen wel nagaan wie ongetwijfeld géén lid van de Human Benevolence Foundation zijn.' Hij knikte naar de digitale afbeelding. 'Jamshed Alavi. Man. Geboren op 13 juni 1979 in Bandar-e Abbas.' Hij glimlachte. 'Gulistan Nozari. Man. Geboren op 29 april 1956 in Esfahan.'

Will ademde uit en glimlachte. Vanwege zijn leeftijd was Gulistan Nozari de enige van de elf mensen op de lijst die Megiddo kon zijn.

'We moeten hem onmiddellijk onder surveillance stellen, een foto van hem maken, en die foto aan Lana laten zien.' Patrick sprak op scherpe toon. 'Als ze zegt dat het Megiddo is, hoeven we niet te wachten tot ze hem ontmoet. Dan grijpen we de man en ondervragen we hem.'

Will sprak zacht en peinzend. 'Dat is niet de juiste handelwijze.'

Patrick keek hem scherp aan. 'Waarom nou weer niet? Harry heeft je een verdomd goede tip gegeven, en misschien geeft dat ons de kans om Megiddo's missie snel te beëindigen. Geef me één reden...' Hij zweeg even om zijn woorden kracht bij te zetten. 'Geef me één reden waarom mijn plan niet deugt.'

'Ik kan je drie redenen geven. Eén: Lana kende Megiddo toen hij veel jonger was. Zelfs wanneer we een goede foto kunnen maken, weet ze misschien nog steeds niet zeker dat hij het is. Twee: we weten sinds Kljujic dat Megiddo bedacht is op mogelijke volgers.'

'Hij zal Roger, Laith, Ben en Julian niet in de gaten krijgen. Die zijn van een heel ander kaliber dan iemand als Kljujic.'

Will stak protesterend zijn hand op. 'Maar het risico is wel aanwezig, en als zich een probleem voordoet terwijl we een foto van hem maken, zijn we Megiddo misschien voorgoed kwijt.' Hij schraapte zijn keel. 'Drie: als Lana een ontmoeting met Megiddo heeft, hoeven we niet zo'n roekeloze stap te zetten. Ik ben er nog steeds van overtuigd dat we er alleen op die manier zeker van zijn hem gevangen te kunnen nemen.'

'Maar hoe lang duurt dat?' Er klonken woede en frustratie in Patricks stem door.

Will keek Patrick even aan en zei toen: 'Sta je onder druk om deze klus af te ronden?'

Patrick lachte, maar het klonk vals en sarcastisch en hij hield er abrupt mee op. 'Alistair en ik hebben van het begin af onder druk gestaan om dit af te ronden. Megiddo laat een groot zwaard boven de Verenigde Staten of Groot-Brittannië hangen, en mijn president en jouw premier weten dat hij elk moment kan toeslaan. Onze premiers zijn echte leiders, en ze vertrouwen erop dat Alistair en ik ons werk doen. Maar ze verwachten elk moment door een van ons gebeld te worden met de mededeling dat het voor elkaar is.' Patrick wees naar Will. 'Ze willen horen dat Will Cochrane zijn werk heeft gedaan.'

Will knikte begrijpend en keek op zijn horloge. 'Laat me dan mijn werk dóén. Mijn inbraak in het HBF-kantoor heeft ons een soort verzekering opgeleverd. Als al het andere mislukt, kunnen we deze operatie altijd opengooien: we sporen Gulistan Nozari via zijn paspoort op en halen hem met behulp van Midden-Europese diensten uit de roulatie. Maar al het andere is nog niet mislukt.'

'Denk je dat de regeringsleiders daar net zo veel vertrouwen in hebben als jij?'

'Het kan me niet schelen wat ze denken. Maar ik eis dat jíj er net zo veel vertrouwen in hebt als ik.'

Will opende zijn mobiele telefoon en luisterde naar Harry's informatie. De informant sprak bijna twee minuten. Will sloot zijn telefoon en glimlachte.

In haar hotelkamer stak Lana een sigaret op en streek met haar hand over de brief. Ze inhaleerde de tabaksrook diep en keek angstig. Toen schoof ze de brief over de tafel naar Will toe.

Hij las hem, en er ging meteen een golf van misselijkheid en paniek door hem heen. Het kostte hem grote moeite de angst te bedwingen die bij hem was opgekomen, de angst om Lana's veiligheid. Hij keek haar aan en vroeg: 'Wat vind je hiervan?'

Ze tikte as van haar sigaret, en Will zag dat haar hand licht trilde. 'Wat vind jíj hiervan?' Ze glimlachte. 'Natuurlijk, ik weet wat je ervan vindt.'

Will zei niets. Hij voelde zich hulpeloos.

Lana zei: 'Je wist dat dit ervan zou komen. Je wist dat ik hem moest ontmoeten. Je weet dat ik dat wil. En ik weet dat je al het mogelijke hebt gedaan om te voorkomen dat ik dit doe.'

Will schudde zijn hoofd. 'Dit alles verandert niets. Ik wil je niet kwijtraken.'

Lana zuchtte. Ze drukte haar sigaret uit en stak meteen de volgende aan. 'Het zal vreemd zijn om hem in die stad te ontmoeten.'

Will zette zijn gedachten en angsten van zich af. 'Het klopt. Per slot van rekening is het daar voor jou begonnen.'

Lana snoof. 'Hij heeft die locatie uitgekozen omdat die hem om de een of andere reden goed uitkomt. Hij is niet iemand die waarde hecht aan symboliek of symmetrie.'

Will keek haar even aan. 'Je hoeft dit niet te doen. Je kunt nog weglopen.'

Lana nam weer een trek en keek Will strak aan. 'Maar als ik dat deed, zou ik weglopen van mijn enige kans om wraak te nemen op Megiddo.' Toen glimlachte ze. 'En ik zou ook van jou weglopen.' Ze schudde haar hoofd. 'Ik ga niet weglopen. Ik moet dit doen.' Ze haalde diep adem. 'Ik ben vanmorgen door mijn moeder gebeld. Ze klonk heel uitbundig en tegelijk verbijsterd. Ze zei dat een anonieme gever haar dertigduizend dollar had gestuurd.' Lana glimlachte. 'Je zei tegen me dat je ons pas zou helpen als dit achter de rug was. Toch moet jij degene zijn die haar het geld heeft gegeven.'

Will voelde zich ongemakkelijk. Hij wist niet wat hij moest zeggen en sloeg zijn ogen neer. 'Dat geld is er alleen om haar te helpen als je weg bent. Maar wat ik haar echt wil geven... wat ik echt veilig en wel aan haar terug wil geven... ben jij.'

Beste Lana,

Het is te begrijpen dat je woedend en gefrustreerd bent. Ik moet die Britse man dringend spreken, en daardoor werd ik onbesuisd en dacht ik even niet aan onze regeling. Dat zal niet opnieuw gebeuren.
Ik zal je de bescherming en het advies geven waaraan je behoefte hebt. Ik zal je de kans geven me weer te leren kennen.
Niettemin is de tijd inmiddels van groot belang. Je kunt de ambassade niet meer gebruiken om contact met me op te nemen, maar dat geeft niet, want we moeten nu een stapje verdergaan dan schriftelijke communicatie. We moeten elkaar over drie dagen om tien uur 's morgens ontmoeten in het Black Swan-café aan de Ferhadijastraat in Sarajevo. Ik verwacht je daar.

Groeten,

Megiddo

31

Will reed urenlang over heuvel- en bergwegen voordat hij zijn bestemming bereikte. Het was nu bijna donker, maar de kerk tegenover hem had buitenverlichting, en de lampen wierpen een zwak schijnsel over de omgeving van het gebouw. Daarachter was niets anders te zien dan bergen en bossen.

Hij zette de motor uit en stapte in de ijskoude Bosnische wind. Overal lag een dikke laag sneeuw, en de wind blies stuifsneeuw in zijn gezicht. Hij keek om zich heen. Er stond maar één andere auto bij de kerk, en die was aangekoekt met ijs. Hij vroeg zich af of de auto daar was achtergelaten vanwege het weer. Hij kon zich niet voorstellen dat zelfs de vroomste gelovige op deze avond de reis naar deze afgelegen kerk in de bergen zou maken. Waarschijnlijk had God de religieuze plaats en alles eromheen tijdelijk verlaten.

Will ploeterde door de sneeuw en hield zijn hoofd gebogen om zijn gezicht te beschermen tegen de naalden van ijs die nu horizontaal op hem af vlogen. Hij tornde tegen de wind in tot hij bij de kerk en de beschutting van de muren was aangekomen. Hij veegde ijs en water van zijn kleren en keek toen nog eens om zich heen. De omgeving voelde aan alsof het normale leven heel ver weg was.

Hij draaide aan de kruk van de deur en was blij met de warmte en stilte in de kerk. Hij liep naar binnen en stampte de sneeuw van zijn schoenen. Het geluid ervan weergalmde tegen de muren van de kerk. Het was een kleine ruimte; Will schatte dat er niet meer dan zo'n vijftig gelovigen in pasten. Hij sloot de deur en wreef zijn ijskoude handen over elkaar om de bloedsomloop op gang te brengen. Het was nogal donker in de kerk, maar er brandden een paar lampen in hoeken en hij kon de lege houten banken, het altaar en de iconen ontwaren, maar verder niet veel. Hij trok zijn jas uit, liep een eind door het middenpad en bleef toen staan. Alles binnen de dikke muren was stil. Hij hing zijn jas over de rugleuning van een van de banken en bleef stilstaan in zijn onberispelijke maatpak. Hij had zich erop gekleed om respect te tonen voor deze plaats.

Hij haalde diep adem en liep langs een bank voordat hij tegenover de iconen ging zitten. Een beeld van Maria Magdalena leek hem aan te staren. Ze keek bedroefd en angstig.

Rechts van hem klonk een geluid. Will draaide zich om en zag een licht en een man. Het licht kwam van een olielamp en de man die hem vasthield was duidelijk de priester van de kerk. Hij liep naar Will toe en zei iets in het Servisch. Will haalde verontschuldigend zijn schouders op en zei: 'Het spijt me. Ik spreek uw taal niet.'

De priester kwam dichterbij en fronste zijn wenkbrauwen. Hij was van middelbare leeftijd en had een glad gezicht en brillantine in zijn haar. Hij glimlachte. 'Ik spreek een beetje Engels – genoeg om u te vertellen dat u wel gek moet zijn om hier vanavond naartoe te rijden.'

Will glimlachte ook. Hij vroeg zich af waarom deze kerk in zo'n onherbergzaam deel van het land was gebouwd. Hij vroeg zich af of dat was gedaan om het geloof van de mensen op de proef te stellen. Toen richtte hij zijn blik weer op het beeld van Maria Magdalena.

De priester ging naast hem in de bank zitten, zette de lamp tussen hen in en volgde Wills blik. 'Ze heeft nieuwe verf nodig.' De stem van de priester galmde enigszins. 'Ze draagt een zware last en is moe geworden. Maar haar ogen zien en begrijpen nog steeds alles.'

Will knikte en keek de man weer aan. 'Stoor ik hier?'

De priester schudde zijn hoofd. 'De deuren van mijn kerk staan open voor iedereen.' Hij glimlachte scheef. 'Al komen de meeste mensen hier niet meer naartoe.'

'Ik kan me niet herinneren wanneer ik voor het laatst in een kerk ben geweest,' gaf Will toe.

'Dat geeft niet. Het gaat erom dat je hier nu bent.' De priester legde zijn hand even op Wills schouder. 'Zal ik iets warms te drinken voor je klaarmaken?'

Will wreef zijn handen over elkaar. Toen de bloedsomloop weer op gang kwam, maakte de kou plaats voor pijn. Hij knikte. 'Dat zou heel aardig van u zijn, als het niet ongelegen komt.'

De priester grinnikte. 'Je hebt een reis gemaakt die anderen niet konden of wilden maken. Het minste wat je verdient is dat je helemaal warm wordt.' Toen liep hij weg naar een donkere nis van de kerk.

Will vroeg zich af waarom hij deze reis had gemaakt. Hij probeerde zijn gedachtegang te begrijpen. Hij probeerde te begrijpen waarom het zo belangrijk voor hem was om op deze eenzame, gewijde plaats te zijn. Hij herinnerde zich zijn eigen woorden.

Ik doe mijn werk. Voor mij is dat het enige wat telt.

En hij herinnerde zich wat Alistair daarop zei.

Dat geloof ik niet.

Hij sloot zijn ogen en voelde de immense stilte om hem heen. Die hield hem even gevangen en Will had het gevoel dat de stilte hem niet wilde loslaten. Hij opende zijn ogen en zuchtte.

De priester kwam bij hem terug en ging naast de olielamp zitten. Hij gaf Will een mok warme thee, die Will dankbaar opdronk.

Will nam de mok tussen zijn ijskoude handen en zei: 'Soms kun je de kou gewoon niet kwijtraken.'

De priester knikte langzaam en bleef Will aankijken. 'Ik zie dat het niet je gewoonte is om naar een plaats als deze te komen. Ik zie dat je iets probeert te vinden wat verloren is gegaan, misschien iets in jezelf.' Hij legde zachtjes zijn hand op Wills onderarm. 'Als je wilt, kan ik je daarmee helpen.'

Will keek omlaag en schudde licht zijn hoofd. 'Ik weet het niet.'

De priester kneep in Wills onderarm. 'Je bent hier veilig. Je hoeft niet bang te zijn.'

Will keek naar de hand van de man en toen naar zijn gezicht. 'Ik ben bang voor mezelf,' zei hij zachtjes.

'En toch ben je hier gekomen, uitgerekend op deze avond.' De priester straalde een goedheid uit die Will in heel lange tijd niet had meegemaakt.

'Ik ben hier gekomen om een van mijn demonen onder ogen te zien.'

'Dan heb je een deel van je innerlijke angst overwonnen.' De priester haalde zijn hand van Wills arm weg. 'Maar misschien heb je liever dat ik je alleen laat.'

Will keek om zich heen naar de kerk. 'Ik wist niet of de kerk open was.' Hij keek de priester aan. 'En ik verwachtte beslist niet dat ik hier iemand zou aantreffen.'

De priester knikte begrijpend. 'Je moet alleen zijn.'

Will schudde zijn hoofd. 'Nee. Het zou prettig zijn als u tijd hebt om nog even bij me te blijven zitten.' Hij fronste zijn wenkbrauwen. 'Maar dit moet een eenzame plaats zijn om uw werk te doen. Hebt u hulp?'

'Ik houd van de eenzaamheid,' antwoordde de priester. 'Ik heb geen steun nodig, maar ik heb er wel behoefte aan om steun te verlenen.'

Will keek weer naar het beeld van Maria Magdalena. 'Misschien hoopte ik dat u hier zou zijn.'

'Misschien.'

Will keek de priester weer langzaam aan. Het verbaasde hem niet dat de man een CZ 99-pistool in zijn hand bleek te hebben. Het wapen was op Wills hoofd gericht. Hij had geweten dat de man zijn wapen had opgehaald toen hij thee ging zetten, en dat de geestelijke alleen maar op het juiste moment had gewacht om het pistool te trekken. De priester had geweten dat iemand zich wel heel nederig kon voordoen, alsof hij in grote geestelijke nood verkeerde, maar dat een man als Will nooit naar een plaats als deze zou komen als hij geen slechte dingen in de zin had.

Will glimlachte. 'Ik kwam hier om een demon onder ogen te zien.'

De priester knikte en kneep zijn ogen halfdicht. 'Wie heeft je gestuurd?'

Will keek naar het altaar en mompelde: 'Ik ben aan niemand verantwoording schuldig.' Hij keek de priester weer aan.

Er liep een zweetdruppel over de zijkant van het gezicht van de man. 'Wat wil je?'

Will glimlachte. 'Je leven.'

De woede flitste op in de ogen van de priester. Toen grijnsde hij. 'Het spijt me, maar ik moet je teleurstellen.'

Will keek kil. 'Dacht je dat je ongestraft zou blijven? Verwachtte je dat je misdaden van twintig jaar geleden vergeten zouden zijn?'

De man trok een spottend gezicht. 'Je weet niets van me af.'

Will keek hem aan. 'Ik weet dat je ooit kapitein was in een Bosnisch-Servische paramilitaire eenheid, de Panters, en dat je met je mannen aan het moorden bent geslagen. Soms verkrachtten en verminkten jullie de slachtoffers voordat jullie ze vermoordden. Je hebt persoonlijk honderden vrouwen en kinderen afgeslacht en in massagraven gegooid. Je hebt ongeboren baby's uit een levende moederschoot gesneden en ze daarna met je blote handen gewurgd. Je hebt je god onteerd om kwaad te kunnen doen.' Hij wees naar de kerk. 'Het had geen zin dat je je hier verborgen hield. Ook de dikke muren van deze kerk en het gewijde terrein eromheen zouden iemand als jij nooit kunnen beschermen tegen iemand als ik. Maar ondanks alle gruwelijke misdaden die je hebt gepleegd, ben ik hier nu gekomen om met je af te rekenen vanwege één misdrijf, en alleen daarvoor.'

De priester grinnikte. 'Dat is dan jammer, want ik ben degene met het pistool.'

Will knikte. 'Dat is waar.'

De man drukte de loop tegen Wills hoofd. 'Welk misdrijf?'

'Jij en vier van je mannen hebben een paar kilometer buiten Sarajevo een fatsoenlijke vrouw verkracht terwijl de stad door je landgenoten werd belegerd.'

'Eén enkele verkrachting?' De man grinnikte weer. 'Er zijn er te veel om te onthouden.'

'Een moslimvrouw. Je nam haar jas mee omdat je wist dat ze dan waarschijnlijk zou doodvriezen. De vier mannen die je bij je had zijn later in de oorlog omgekomen, maar dat doet er voor mij niet toe, want jij was degene die de bevelen gaf.'

De priester fronste peinzend zijn wenkbrauwen en glimlachte toen. 'Ja, nu weet ik het weer. Een boerin, een vrouw die in het bos lag te slapen. We maakten haar wakker en deden met haar wat we wilden.' Hij lachte hard; het geluid weerklonk door de hele kerk. 'Kom je namens die vrouw?'

'Ik kom namens de gerechtigheid.'

De man boog zich dicht naar Will toe en drukte het pistool harder tegen hem aan. 'Dan is het jammer dat de gerechtigheid geen betere vertegenwoordiger heeft gevonden.'

'Daar lijkt het op.'

Met een beweging die sneller was dan de vinger waarmee iemand een trekker kon overhalen pakte Will de hand met het pistool vast en verdraaide de arm van de priester om de spieren te blokkeren. Met zijn andere hand greep hij het achterhoofd van de priester vast en liet hij het hoofd tegen de olielamp dreunen. Het glas van de lamp ging aan scherven en versplinterde in het gezicht van de man, dat nu in de vlammen werd gedrukt. Will stond op en gaf een ontzaglijke ruk aan het hoofd, zodat de priester uit de bank vloog en op het middenpad van de kerk terechtkwam. Toen liep Will naar het kronkelende lichaam en gaf hij een keiharde stomp tegen de zijkant van het gezicht.

Hij keek neer op de man. 'Ik weet waarom ik hiernaartoe ben gekomen. Zolang er nog demonen bestaan, moet ik het opnemen tegen het kwaad. En ik heb de ultieme macht gekregen om creaturen als jij tegen te houden.'

Hij trok zijn pistool en richtte het op het hoofd van de man. 'Ik heb niet tegen je gelogen. Ik ben hier gekomen om je van het leven te beroven.'

Hij haalde de trekker over.

32

'Daar heb je ze.' Roger pakte Wills onderarm vast. Ze keken omlaag vanaf een hoge bovengalerij in de kathedraal van Zagreb. 'Er loopt er een door het middenpad, en de twee anderen hebben posities ingenomen achter in de kathedraal.'

Will keek naar de grote ruimte beneden hem. Er waren mannen en vrouwen die zaten te bidden, groepen toeristen, twee leden van het Iraanse surveillanceteam en de drie nieuwe mannen die Roger had geïdentificeerd, en Lana was er ook.

'Het vierde lid van hun team is buiten.' Roger sprak zo zacht dat Will hem bijna niet kon horen.

Will zei niets. Hij hield zijn blik op Lana gericht. Zoals hij haar had opgedragen, was ze naar het midden van de kathedraal gelopen. Hoewel hij het vanaf de hoge galerij niet kon zien, wist Will dat ze een toeristengids bij zich had en afwisselend in de gids en naar de kathedraal om haar heen keek. Hij keek weer naar de drie mannen, de twee Iraniërs, en toen weer naar Lana. Hij zag dat ze zich omdraaide en naar de uitgang liep. Ze ging nu naar de Preradovićeva-bloemenmarkt.

'Eens kijken wat er gebeurt,' zei Roger. 'Een van de Iraniërs gaat achter Lana aan, de ander blijft waar hij is, maar wat gaan onze nieuwe vrienden doen?'

Will keek naar de drie mannen en zag dat een van hen op zijn plaats bleef staan, terwijl de twee anderen verder de kathedraal in liepen, in de richting tegenovergesteld aan die waarin Lana nu liep.

'Oké.' De paramilitaire CIA-man ging verder met zijn verslag van wat er beneden gebeurde. 'Ze laten het vierde lid van hun team achter Lana aan gaan als ze buiten is. Hun nieuwe positie wijst er ook op dat ze zich volledig bewust zijn van het Iraanse team dat ze om zich heen heeft.'

'Maar kunnen we nagaan of de Iraniërs zich bewust zijn van die andere mannen?' Will sprak zelf ook heel zacht.

'Het hangt ervan af. Als de Iraniër en de drie andere mannen hier langer dan tien minuten blijven, kunnen we er zeker van zijn dat beide teams weet hebben van elkaar en dat de Iraniër hun de boodschap stuurt dat ze moeten blijven waar ze zijn. Maar als de Iraniër binnen die tijd vertrekt, kunnen we daar niets uit afleiden. Misschien heeft hij de andere mannen niet opgemerkt, of misschien wil hij de andere mannen laten denken dat de Iraniërs hen niet hebben gezien.'

De volgende vijf minuten keken Will en Roger alleen maar toe en zeiden ze niets. Ten slotte zag Will de laatste Iraniër langzaam naar de uitgang lopen en de kathedraal verlaten. Even later ging een van de drie mannen ook weg, en na nog eens drie minuten volgden de twee overige mannen hem.

Roger keek Will aan. 'Dit is een gecompliceerde situatie.'

Will streek met zijn vingers door zijn haar en dacht even na. Roger had hem naar deze plaats laten komen, nadat de CIA-teamleider niet alleen had gezien dat het Iraanse surveillanceteam nieuwe leden had gekregen om weer op een sterkte van zeven man te komen, maar ook en vooral dat een ander team van vier onbekende personen die ochtend positie rondom Lana had gekozen. Will wist dat zijn operatie met Lana in groot gevaar was gekomen.

Roger haalde zijn mobiele telefoon tevoorschijn en las een bericht. 'Ik heb Ben onderzoek naar ze laten doen. Ze zijn Frans.'

Will fronste zijn wenkbrauwen. 'Zijn ze van de DGSE?'

Roger knikte en zei: 'Dat moet wel.'

De Direction Générale de la Sécurité Extérieure was het Franse equivalent van de CIA en MI6. Het was de enige clandestiene organisatie van Frankrijk die door haar regering was gemachtigd om inlichtingenactiviteiten in het buitenland uit te voeren.

'Maar hoe zijn ze achter Lana gekomen?' Will dacht snel na.

'We hebben geen tijd om dat vast te stellen,' antwoordde Roger, 'maar ik denk dat ze eerst het Iraanse surveillanceteam hebben ontdekt. We weten dat het Iraanse team in Hotel Dubrovnik logeert. Misschien heeft de plaatselijke DGSE-vertegenwoordiger in Zagreb iemand van de receptie van het hotel gerekruteerd. Die persoon waarschuwt de DGSE-man dat er zojuist zeven Iraniërs in het hotel zijn aangekomen. Omdat de DGSE-man meer over hen te weten wil komen, laat hij zijn hotelspion in hun kamers kijken. Misschien heeft die spion geluk en vindt hij heimelijk gemaakte foto's van Lana, maar we mogen aannemen dat het Iraanse team daar te goed voor is. De kans is wel groot dat de spion bus- of treinkaartjes vindt, en bonnetjes van winkels en restaurants. Uit die gegevens komen patronen naar voren, en die patronen maken duidelijk waar de Iraanse groep naartoe gaat. Onze DGSE-man kijkt waar ze het vaakst naartoe gaan en wacht daar. Hij of zij zal ook voor die locatie kiezen omdat het waarschijnlijk een goed observatiepunt is en omdat het een bottleneck is, een plaats dus waar de groep heel goed te zien is. Misschien gebeurt het niet op de eerste of tweede dag, maar de kans is groot dat de Iraniërs daar uiteindelijk langskomen. De DGSE-persoon kijkt naar hun formatie en gedrag. Hij of zij stelt met zekerheid vast dat ze een surveillanceteam vormen. Als ik in die situatie verkeerde, zou ik kunnen nagaan wie het doelwit van het team is. Laten we maar aannemen dat het zo is gegaan.'

'Maar hoe zou die DGSE-persoon dan achter de naam van het doelwit van de Iraniërs kunnen komen zonder haar te volgen en dus te riskeren dat de Iraniërs hem in de gaten krijgen?'

'Ook dat is een kwestie van bonnetjes. Het Iraanse team zit in Hotel Dubrovnik. Hoe komt het dan dat daar zo veel bonnetjes liggen voor mineraalwater uit de 1925 Lounge van het Regent Esplanade? De DGSE-man kan niet voor de kortste weg kiezen en gewoon naar dat hotel toe gaan in plaats van team en doelwit op straat te volgen, want in tegenstelling tot een roterend team valt één persoon in zo'n kleine bar te gauw op.' Roger was blijkbaar zeker van zijn zaak. 'Maar omdat hij het gezicht van het doelwit kent, kan hij allerlei dingen doen wanneer de Iraniërs er niet bij zijn. Misschien kent hij een conciërge van het Regent die met hem wil praten, of is daar 's avonds een loslippige barkeeper. De DGSE-persoon laat een foto zien die hij heimelijk vanuit zijn tas heeft gemaakt toen hij het doelwit op straat volgde. Of anders vraagt hij naar een vrouw die er Arabisch uitziet – dat zijn er in Zagreb veel minder dan in Sarajevo, en in het Regent zullen het er helemaal niet veel zijn. Daarna is het niet moeilijk om een kamernummer bij de naam te vinden, hoe streng de veiligheidsprocedures van het hotel ook zijn.'

'En dan ontdekken ze dat de vrouw in kwestie een Frans staatsburger is.'

Roger sloeg zijn armen over elkaar. 'En de Franse inlichtingenagent besluit dan ook een DGSE-surveillanceteam van vier man op haar en de Iraniërs te zetten om uit te zoeken wat er aan de hand is.'

Will liet zijn blik door de kathedraal gaan en keek toen Roger weer aan. Hij merkte dat zijn hart sneller ging slaan. 'We moeten hopen dat het DGSE-team verborgen is gebleven voor de Iraniërs, maar we moeten ze ook tegenhouden voordat ze worden opgemerkt. Anders raken de Iraniërs misschien in paniek en vallen ze Lana aan. Als dat gebeurt, is alles verloren.' Hij voelde zijn maag samentrekken. 'Alles.'

'Wat had je in gedachten?'

Will keek op zijn horloge. 'Ze weet het nog niet, maar over drie uur moet Lana in een vliegtuig stappen om hier weg te komen.'

'Waar wil je dat ze naartoe gaat?'

'Waar dan ook... Als het maar buiten de Balkan is, maar niet te ver weg. Ik wil dat ze morgenavond in Sarajevo is, want de dag daarna heeft ze haar ontmoeting met Megiddo.'

Roger keek op zijn horloge en zei: 'Om vijf uur veertig vertrekt er een vlucht van Croatia Airlines naar Praag. Is dat goed?'

Will knikte. 'Ze neemt dat vliegtuig. En Laith, Ben en Julian nemen het ook, en ongetwijfeld ook een paar leden van de Iraanse en Franse teams.'

Roger zei: 'Als ik goed begrijp wat je van plan bent, zijn Laith, Ben en Julian niet genoeg.'

'Dat weet ik. Ik kan niet in hetzelfde vliegtuig zitten als je mannen, want de Iraniërs kennen me. En jij mag ook niet met ze mee, want het zou roekeloos zijn om jullie alle vier in hetzelfde vliegtuig te zetten. Jij en ik nemen het eerste het beste vliegtuig dat daarna vertrekt, en dan sluiten we ons bij hen aan als we in Tsjechië zijn.'

Roger nam zijn mobiele telefoon. Will nam de zijne om Lana te bellen en tegen haar te zeggen dat ze haar bagage moest pakken.

De Iraniërs konden het DGSE-team elk moment in de gaten krijgen. En Will moest drastische maatregelen nemen om dat te voorkomen.

33

Will zag het vier man tellende CIA-team voor het eerst bij elkaar. Ze zaten bij hem in een kamer van het kleine Savic Hotel in de Oude Stad van Praag. De rook uit Laith' sigaret bleef boven hen hangen en vermengde zich met de damp uit de mokken koffie die ze ieder in hun handen hadden. Het was bijna één uur 's nachts, maar de Amerikanen maakten een energieke, onrustige indruk.

'Waarom volgen we Lana niet?' Laith' stem klonk vijandig.

'Will en ik nemen een risico doordat we haar op dit moment alleen laten, maar we hebben daar heel goede redenen voor.' Roger sprak langzaam. Hij keek Will even aan en richtte zijn blik toen weer op zijn mannen. 'In welk hotel zit ze?'

'In het Clarion.' Ben nam een slok van zijn koffie en veegde met de rug van zijn hand over zijn mond. 'Dat is ongeveer een kilometer hiervandaan aan de andere kant van de Oude Stad.'

'En het DGSE-team?' Dat was Roger weer.

'Die zijn alle vier aangekomen.' Laith blies rook uit terwijl hij sprak. 'Net als wij hebben ze één kamer genomen om als basis te gebruiken. Ze zitten in Hotel Josef.'

'Wat doen ze?'

Laith glimlachte een beetje. 'De laatste keer dat we keken, hielden ze alle vier Lana's hotel in de gaten. Maar dat was voordat jullie ons hiernaartoe lieten komen, dus ik weet niet wat ze op dit moment doen.'

'Hebben ze wapens?'

Julian schudde zijn hoofd. 'Dat is heel onwaarschijnlijk. Daar hebben ze geen tijd voor gehad, en waarom zouden ze het nodig vinden zich te bewapenen?'

Roger knikte. 'Goed. Hoe zien ze eruit?'

'Heel professioneel.' Laith drukte zijn sigaret uit. 'Ze bewegen zich soepel, ze praten nauwelijks met elkaar, wat betekent dat ze dat niet hoeven te doen, en ze gebruiken creatieve volgtechnieken.'

'Zien ze ernaar uit dat ze in een confrontatie hun mannetje staan?'

Ben fronste zijn wenkbrauwen. 'Ze bewegen zich als Special Forces en zien er ook zo uit. Ze kunnen zichzelf redden als de Iraniërs hen zien en aanvallen.'

Roger zweeg en gaf Will het woord.

Will ademde in en zei: 'Over een uur verlaat Lana haar hotel om een wandeling door de Oude Stad te maken. Dat zal een verrassing zijn voor haar Iraanse en Franse volgers, maar ik denk niet dat ze het verdacht vinden, want Praag is 's avonds op zijn mooist, als de straten en steegjes leeg zijn. Ik denk dat alle vier DGSE-mannen achter haar aan gaan, want dit is de eerste avond waarop ze haar volgen. In tegenstelling tot het Iraanse team hebben ze nog geen gelegenheid gehad om in haar gedrag een patroon vast te stellen. Ze weten dus nog niet of ze haar op bepaalde uren van de dag met minder mensen kunnen volgen. De Iraniërs daarentegen zetten waarschijnlijk een of twee mensen op haar, want ze weten veel beter wat Lana doet en ze weten ook dat ze na twaalf uur altijd in haar hotel is. Evengoed zullen ze, als ze haar naar buiten zien komen, minstens twee van hun collega's bij zich roepen, en binnen dertig minuten zijn ze met drie of vier man.' Will keek de mannen een voor een aan. 'Dat hiaat van dertig minuten is van cruciaal belang, want in die tijd gaan we het DGSE-team doden.'

De CIA-mannen zwegen een tijdje. Will vroeg zich af wie als eerste iets zou zeggen.

Roger keek zijn mannen aan. 'Heeft een van jullie een probleem met die taak?'

Julian keek Will recht in de ogen. 'Zolang we daarvoor gemachtigd zijn, heb ik er geen probleem mee. Maar hoe doen we het zonder dat de Iraniërs ons zien?'

Will knikte Roger toe, en die zei: 'De Oude Stad is een labyrint. Een team van twee Iraniërs kan niet veel meer doen dan Lana overal volgen. Ze moeten tamelijk dicht bij haar blijven, anders kunnen ze haar kwijtraken. Het DGSE-team daarentegen kan op grotere afstand blijven, omdat het vier man telt. Dat betekent dat we hen kunnen aanvallen zonder dat de Iraniërs het zien.'

'En de lijken?' Laith haalde weer een sigaret uit het pakje, maar stak hem niet aan.

'Het ontbreekt ons aan de tijd en de middelen om ons daarvan te ontdoen,' antwoordde Will, 'maar het is vooral belangrijk dat de Iraniërs niets van de aanval merken. Als we klaar zijn, gaat Lana naar haar hotel terug en volgt ze een zodanige route dat haar Iraanse volgers en eventuele collega's van hen ver bij de plaats van de aanvallen vandaan blijven.

Ze verlaat haar hotel, gaat naar het vliegveld en reist naar Sarajevo.'

'Weet ze iets van onze plannen?'

'Ze vermoedt dat Megiddo iemand of zelfs een team achter haar aan heeft gestuurd, maar ze weet niet van ons team of het DGSE-team, en ze weet absoluut niet wat we gaan doen. Ze heeft me natuurlijk gevraagd waarom ze naar Praag moest en waarom ze die wandeling moest maken, en ik heb tegen haar gezegd dat ze haar antwoorden krijgt als ik haar weer ontmoet.' Hij schudde zijn hoofd. 'Maar die antwoorden zal ik haar niet geven.'

Hij stond op. 'Heren, ik stel voor dat jullie je de komende vijftien minuten mentaal voorbereiden, want daarna moeten we onze posities innemen.' Hij liep naar een hoek van de kamer om weer koffie in zijn mok te schenken. Terwijl hij daarmee bezig was, kwam Roger naast hem staan.

De CIA-man zei heel zachtjes: 'Zijn we echt gemachtigd om dit te doen?'

Will keek Laith, Ben en Julian aan en zag dat ze met elkaar praatten en hen niet konden horen. Hij keek Roger aan. 'Jullie zijn door míj gemachtigd.'

Roger kneep zijn ogen samen. 'En ook door Patrick?'

'Hij is op dit moment weer in Washington om de gemoederen daar tot bedaren te brengen. We hoeven hem hier niet mee lastig te vallen.'

Roger keek Will een hele tijd aan. 'We gaan een westerse bondgenoot aanvallen. Als er iets misgaat en we worden opgepakt, dan heeft dat vreselijke gevolgen voor ons.'

Will knikte. 'Dat weet ik.'

Will was op Týnská, en hij zag niemand anders op straat. Straatlantaarns verspreidden een schemerig licht en hij zat op een bankje onder een van die lantaarns om goed zichtbaar te zijn. Hij wreef zijn handen, waaraan hij handschoenen droeg, over elkaar en greep in zijn jaszak om een fles Becherovka tevoorschijn te halen. Vervolgens schroefde hij de dop van de fles en goot een deel van de drank over zijn spijkerbroek, jas en gezicht. Toen hij een slok uit de fles nam, voelde hij hoe de inhoud brandend door zijn keel omlaag gleed. Hij zette de halfvolle fles naast zich, drukte op een nummer van zijn weggestopte mobiele telefoon en zei: 'Ik ben er.'

Binnen enkele seconden hoorde hij Rogers stem in zijn oordopje. 'Goed. We zijn allemaal op onze plaatsen. Over vijf minuten verwachten we de dame.'

Will strekte zijn benen voor zich uit en sloeg zijn voeten over elkaar. Het was ruim beneden het vriespunt, al lag er geen sneeuw of ijs op de straten. Hij haalde langzaam adem en zag zijn adem veranderen in damp in de avondlucht. Intussen neuriede hij een deuntje en streelde hij de onderkant van de fles drank.

'Nog één minuut en ze is er. Van nu af radiostilte, dus oordopjes uitdoen.' Rogers stem klonk zacht en kalm.

Nog steeds neuriënd haalde Will het Bluetooth-dopje uit zijn oor en liet het in zijn zak vallen. Hij stelde zich Lana's route vanaf het hotel voor, de route die haar naar de plaats had gebracht waar ze nu zou zijn en verder zou brengen naar waar ze binnen een minuut zou zijn. Die laatste plaats was zorgvuldig door Roger uitgekozen; het was het kruispunt van V Kolkovně en Dlouhá. Als ze daar was, kon Roger tot op twintig meter nauwkeurig nagaan waar ieder lid van het DGSE-team zich bevond en dus ook waar zijn eigen teamleden moesten wachten. Will wist dat Ben zich op dat moment op vijfhonderd meter afstand in het noorden bevond, op Vězeňská, dat Laith in het noordoosten op Haštalská was, dat Roger in het westen ergens op Kostečná was en dat Julian Lana volgde. Will wist ook dat Roger ervoor had gekozen Lana naar dat kruispunt te laten gaan omdat het vijf uitgangen had; de Iraniërs zouden heel dicht bij haar moeten komen om haar niet kwijt te raken. Will zette de fles weer aan zijn lippen en hield hem schuin, maar deze keer zorgde hij ervoor dat er geen drank in zijn mond kwam. Hij neuriede zijn deuntje een beetje luider, zodat het geluid tegen de huizen galmde, en ondertussen bewoog hij zijn hoofd een beetje naar links en rechts om door de straat te kijken.

Hij zag de man. Eerst was het niet veel meer dan een vormloze variant op de duisternis aan het eind van de straat, maar toen Will zich concentreerde op een achtvormige zone rondom het silhouet, pasten zijn ogen zich aan en wist hij dat het de man was. De man liep langzaam door de straat in Wills richting. Hij was alleen, had zijn handen in zijn jaszakken gestoken en zijn hoofd diep gebogen. Will verstrakte zijn greep om de fles en deed alsof hij weer een slok nam. Hij sloot zijn ogen even en strekte de spieren in zijn benen en rug.

Toen hij zijn ogen weer opende, was de man dichterbij. Will hield de fles op zijn schoot. Hij neuriede weer, lachte wat en nam een echte slok van de Tsjechische drank. De man liep in hetzelfde tempo door. Toen hij Will tot op twintig meter was genaderd, begon hij de straat over te steken. Will haalde diep adem en lachte weer.

'Wil je wat drinken?' Will sprak de woorden met luide, duidelijke stem uit.

De man zei niets en liep door tot hij zich recht tegenover Will bevond.

'Hé, wil je iets drinken?'

De man liep door.

Will stond op, pakte de hals van de fles vast en rolde hem over de straat naar de man toe. 'Ik wil alleen maar beleefd zijn. Je hoeft niet te doen alsof ik niet besta.'

De man liep door. Hij had een normaal postuur, maar Will kon aan zijn houding zien dat hij heel sterk was. Will waggelde naar de overkant tot hij twee meter achter de man stond.

'Ik zei, je hoeft niet te doen alsof ik niet besta. Ik wil alleen maar beleefd zijn.'

De man draaide zich om, deed een stap naar voren en stootte met de muis van zijn hand tegen Wills borst. Het was zo'n krachtige, welgemikte stoot dat Wills negentig kilo zware lichaam loskwam van de grond en naar achteren sloeg. Toen hij op het trottoir neerkwam, sloeg de fles om hem heen aan scherven, en hij bleef even liggen om op adem te komen. De man vervolgde zijn weg in hetzelfde tempo. Will streek glas van zijn jas, hees zich overeind en vloekte luidkeels.

De man liep door, en Will glimlachte. Dit was het moment waarop hij had gewacht. Hij rende naar voren, stak zijn linkerhand naar het onderste deel van de rug van de man en pakte diens jas vast, en de riem daaronder. Hij ramde zijn rechterelleboog tegen de kin van de man, en sprong tegelijk zelf omhoog en naar achteren, zodat ze allebei even in de lucht hingen. Toen ze terugvielen, verdraaide Will het lichaam van de man zo dat het beneden hem kwam en met het hoofd tegen het trottoir zou slaan. Hij hield zijn elleboog in positie, en toen ze neerkwamen, knapte de nek van de man. Hij was dood.

Will zocht in de zakken van de man en pakte zijn portefeuille, paspoort, telefoon en alles waaruit verder zijn identiteit was af te leiden. Hij wist dat de politie de dode evengoed zou kunnen identificeren, maar doordat hij al die dingen had weggehaald, zou dat hopelijk een paar uur langer duren. Omdat het licht om hem heen zo zwak was, deed hij een klein zaklampje aan om het paspoort van de man te bekijken. Hij fronste zijn wenkbrauwen, scheen op het gezicht van de man en keek toen weer in het paspoort.

'O, god, nee.'

34

Will wendde zich af van het uitzicht op het besneeuwde Sarajevo en keek Roger aan. De twee mannen stonden in een luxe suite van het Radon Plaza Hotel.

'Ik was nog een tiener toen ik me bij het Franse vreemdelingenlegioen aanmeldde,' zei Will. 'Het viel in het begin niet mee, maar er was een iets oudere man die zich tegelijk met mij bij het Legioen had aangemeld en me onder zijn hoede nam om me door de training heen te helpen. Die man werd een vriend en diende later met me in de GCP. Gisteravond heb ik hem gedood.'

Roger deed een stap in zijn richting en bleef toen staan. 'Je kon niet weten dat het je vriend was. Je hebt zijn gezicht amper gezien.'

Will liep naar een stoel, ging zitten en liet zijn hoofd in zijn handen zakken.

'Will?'

Will keek op naar Roger. Hij probeerde de herinneringen aan zijn dode vriend uit zijn hoofd te zetten, maar hij zag weer voor zich hoe de man zeventien jaar geleden had geglimlacht toen hij de achttienjarige legionair Cochrane liet zien hoe hij de knopen van zijn uniform moest laten glanzen, hoe hij zijn paradelaarzen moest poetsen en hoe hij kon voorkomen dat hij genadeloos werd bestraft door de onderofficieren in hun kazerne. Will probeerde zich te concentreren. Dat moest wel – vanwege Roger en zijn mannen, vanwege Lana, vanwege zijn missie om de moordenaar van zijn vader te pakken te krijgen, vanwege de missie om een gruweldaad te voorkomen, vanwege alles. Hij haalde diep adem en vroeg: 'Hoe wil je ons morgen inzetten?'

Roger keek hem even aan en knikte. 'Ben is onze beste chauffeur, dus hij zit in de auto. De rest van ons gaat te voet. Hoe zit het met onze wapens?'

'Die krijg ik vandaag van Harry. Het plan om hem het land uit te krijgen?'

'Allemaal geregeld.'

'Goed.'

Omdat Roger deskundig was op dat gebied, had Will hem gevraagd een plan te bedenken om Megiddo uit Sarajevo weg te halen zodra ze hem gevangen hadden genomen. Roger had verschillende methoden overwogen – over de landgrenzen van Bosnië, door de lucht, over zee – maar Will had duidelijk gemaakt dat ze geen gebruik konden maken van Amerikaanse of Britse faciliteiten. Daardoor vielen sommige van Rogers ideeën af, omdat dan gebruik zou worden gemaakt van militaire voertuigen als helikopters, vrachtvliegtuigen en onderzeeboten. Het enige wat ze hadden, was Amerikaans en Brits geld.

Roger had dan ook voor de best haalbare mogelijkheid gekozen. Megiddo zou na zijn gevangenneming naar een vakantiehuis worden gebracht. Dat stond dertien kilometer buiten de plaats Konjic, dat op zijn beurt bijna vijftig kilometer ten zuidoosten van Sarajevo lag. Het huis stond op een afgelegen plek aan het Jablaničko-meer in een beboste, bergachtige omgeving. Als het moest, konden er zes mensen in verblijven. Will, Roger en Julian zouden Megiddo van Konjic naar de enige havenstad van Bosnië brengen, Neum aan de Adriatische Zee. Laith en Ben zouden niet met hen meereizen, maar in plaats daarvan met conventionele transportmiddelen het land verlaten en naar Groot-Brittannië reizen. De rest van het team zou met een gecharterd jacht het land verlaten. Megiddo zou worden opgesloten in de romp van het jacht. Roger kende de kapitein van het schip goed. De man had een populair charterbedrijf voor toeristen en verdiende wat bij door onder andere heroïne te smokkelen. Een illegale menselijke lading zou voor hem geen enkel probleem zijn.

Will en Roger hadden de risico's geanalyseerd die aan elk deel van de operatie verbonden waren. Ze hadden besloten dat het risico het grootst was vanaf het moment dat ze Neum verlieten tot aan het moment waarop ze in Italiaanse wateren kwamen. Hun bestemming was het Kanaal, maar als ze ergens buiten de territoriale wateren van Bosnië en Herzegovina gevangen werden genomen, zou er voor Will niets anders op zitten dan hun regeringsleiders om hun vrijlating te laten vragen op grond van wederzijdse westerse afspraken betreffende inlichtingendiensten. Hopelijk zou dat niet nodig zijn. Hij vond het wel een prettig idee om stilletjes met zijn buit een van de Engelse havensteden binnen te varen.

'En de ontmoeting zelf?' vroeg hij nu aan Roger.

'Lana moet ons een zichtbaar teken geven. Ik stel voor dat ze haar handtas op de tafel zet als de man Megiddo is, en op de vloer als hij het niet is. Kun je me nu bevestigen dat dat het teken zal zijn?'

'Dat kan ik. Handtas op de tafel als hij het is.'

'Goed. Nou, wat gebeurt er als de ontmoeting voorbij is? Als hij het is, moet ze maken dat ze wegkomt. Ze gaat regelrecht naar het vliegveld en neemt de eerste de beste vlucht naar Parijs. Ze mag niet naar haar hotel terugkeren. Als ze van de ontmoeting naar het vliegveld gaat, kan haar niets overkomen, want dat is allemaal voorbereid, maar als ze eenmaal op het vliegveld is, zijn daar zo veel gewapende politieagenten dat de Iraniërs geen domme dingen kunnen doen. Als hij het niet is, waar gaat ze dan heen?'

'Dan gaat ze naar haar kamer in het Holiday Inn terug en wacht ze op mij voor een debriefing.'

'Goed. We weten dat alle zeven Iraniërs nu in Sarajevo zijn. Ze volgen Lana om beurten, maar morgen komt natuurlijk het hele team in actie. En ik durf te wedden dat ze dan ook gewapend zijn.'

Will schudde zijn hoofd. 'Het had nooit zover mogen komen.' Hij keek Roger recht aan. 'Wat voor mannen zetten een onschuldige vrouw in het middelpunt van een cirkel vol levensgevaarlijke bedreigingen?'

Roger pakte Wills arm met onverwachte kracht vast. '*Wíj* zijn niet zulke mannen. *Wíj* wilden dit niet. *Jíj* wilde dit niet. Maar we doen allebei wat we moeten doen, al hebben we een hekel aan ons werk. Laat je niet afleiden, Will. We hebben je nu meer dan ooit nodig.'

Will zuchtte en knikte. 'Wat zijn de volgende stappen?'

'Het hangt ervan af wat de man doet. Als hij te voet verdergaat, volgen we hem te voet. Als hij in een auto zit, volgt Ben hem. Het hangt ervan af welke route hij volgt, maar als we geluk hebben – en alleen dan – kan Ben een van ons oppikken terwijl hij op het spoor zit. Het doel: Megiddo op één locatie vastpinnen. En dan improviseren we.'

Will keek Roger fronsend aan. 'Improviseren jullie? Hebben jullie geen plannen gemaakt?'

'Hoe zou dat kunnen? Het zou mooi zijn als hij naar het HBF-gebouw gaat. Als het daar moet gebeuren, hebben we een aanvalsplan. Maar gaat hij daarnaartoe? Hij kan ook naar een hotel gaan, een huis of een flatgebouw. Het kan in de binnenstad zijn, of in een buitenwijk, zo ongeveer overal.' Roger had de mogelijkheden op zijn vingers afgeteld. 'We wachten tot hij op een locatie is, en dan improviseren we. Maar dat doen we wel snel en accuraat.'

Will vond het logisch wat hij zei. Het team zou moeten reageren op de omstandigheden waarmee het te maken kreeg. 'Oké, Roger. Wat doe ik?'

Roger dacht daarover na. 'Je mag niet te dicht bij Lana komen, want de Iraniërs kunnen je herkennen. Maar je moet wel bij ons in de buurt zijn, want het is mogelijk dat Megiddo binnen dertig minuten het café verlaat en naar een locatie gaat waar we hem gevangen kunnen nemen. En dan gaan we regelrecht naar het huis in Konjic. Jij moet bij ons zijn, maar je mag geen actieve rol spelen bij het volgen.'

Will was daar niet blij mee, maar hij wist dat Roger gelijk had. Toch zou hij er heel graag getuige van zijn dat Lana haar handtas op de tafel zette om te kennen te geven dat de zoekactie bijna voorbij was.

Roger wreef over de stoppels op zijn kin. 'Nou, verder valt er nu niets te zeggen. Ik moet teruggaan om Lana in de gaten te houden. Zie je haar nog voor de ontmoeting?'

'Ik moet haar vanavond spreken.'

'Oké.' Hij keek Will tegelijk streng en begrijpend aan. 'Als dit achter de rug is, kunnen we ons geweten onderzoeken, maar op dit moment moet ik voorkomen dat een vrouw wordt aangevallen, of erger, en jij moet een massamoordenaar te pakken krijgen. Laten we ons daar voorlopig op concentreren.'

Er stonden twee auto's langs de verder verlaten heuvelweg. Will stopte erachter. Hij knipperde met zijn lichten en stapte uit. De auto voor hem was een Mercedes S-klasse en er zat één man in. De andere auto was een Jeep Grand Cherokee, en Will zag dat er vier mannen in zaten. Hij liep door de diepe sneeuw naar de eerste auto toe en sloeg met zijn vuist op de kofferbak.

Harry stapte uit en grijnsde. 'Jij besluipt me altijd van achteren, Charles. Maar je hebt deze keer geen mes bij je, hè?'

Will glimlachte en gaf hem een hand.

Harry knikte hem toe. 'Als je mijn materiaal nu nodig hebt, is het waarschijnlijk al snel zover.'

'Ik hoop het.'

Harry keek in de richting van de stad Sarajevo beneden hen. Zijn glimlach trok langzaam weg en hij zweeg een tijdje voordat hij Will weer aankeek. 'Dit zal wel betekenen dat ik geen waarde meer voor je heb.'

'Dat betwijfel ik. Onze paden kruisen elkaar heus wel opnieuw.'

Harry glimlachte weer, al keek hij sceptisch. Hij liep naar de achterkant van zijn auto, opende de kofferbak en haalde er een plunjezak uit die hij naar Will toe zwaaide. 'Dit is waar je om vroeg. SIG Sauer-pistolen met geluiddempers, munitie, Motorola-walkietalkies en een HK417-geweer.'

Will nam de zak van hem over. 'Hoeveel ben ik je schuldig?'

Harry wreef peinzend over zijn kin en zei: 'Weet je wat? Blijf gewoon met me in contact. Dat is beloning genoeg.'

Will knikte naar de Jeep en de vier passagiers. 'Ik laat het je weten als je geen bescherming meer nodig hebt.'

'Goed, want het is nooit mijn gewoonte geweest me achter anderen te verschuilen.'

Will hing de plunjezak over zijn schouder. 'Dat zie ik. Maar ik zie ook dat je een stadium in je leven hebt bereikt waarin je inziet dat je andere mensen nodig kunt hebben.'

Harry dacht daarover na. 'Misschien heb je gelijk, maar ik heb voor een leven gekozen waarin vriendschappen eigenlijk niet mogelijk zijn.'

Will glimlachte. 'Je hebt voor een leven gekozen dat te dicht bij de schaduwen uit je verleden ligt. Waarom ga je niet weg?'

Harry haalde zijn schouders op. 'Waarnaartoe?'

Will opende zijn mond, maar zweeg toen. Hij dacht even na en kwam tot de conclusie dat Harry zijn hulp nodig had voor een betere toekomst. Harry had hulp nodig om de laatste stappen op zijn weg naar verlossing te zetten. Hij keek de oude man aan. 'Je bent al rijk, en dus kan ik je niet met geld belonen voor wat je hebt gedaan om me te helpen. En ik ben ook beslist de verkeerde man voor vriendschap. Maar als ik je nu eens iets geef wat je helpt om in een heel andere omgeving opnieuw te beginnen, iets wat zelfs een man met jouw positie niet zou kunnen bemachtigen?' Will zag dat de man luisterde. 'Wat zou je ervan zeggen als ik je aan een legitiem Amerikaans paspoort kon helpen?'

Harry lachte. 'Sinds wanneer geeft de Amerikaanse immigratiedienst paspoorten aan mensen die als oorlogsmisdadigers worden beschouwd?'

'Dat doen ze niet, maar ik ben er vrij zeker van dat ik de Amerikaanse president kan overhalen persoonlijk zijn toestemming te geven.'

De man kwam dichter bij Will staan. 'Zou de president me van mijn zonden verlossen?'

Will grinnikte zacht. 'Zelfs presidenten kunnen dat niet.' Hij volgde Harry's blik naar de nu vreedzame maar ooit met bloed doordrenkte stad beneden hen. 'Maar ze kunnen de loop van de gebeurtenissen veranderen. Je hoeft hier niet meer te zijn, Harry. Je hoeft niet gevangen te zitten in je verleden. Dat paspoort zou je een nieuwe start geven, als je dat wilt.' Hij keek Harry aan. 'Ik zag dat je in staat was tot verlossing, en ik heb je streng gewaarschuwd voor het geval je van dat rechte pad zou afwijken. Je hebt mijn waarschuwing in acht genomen, en daarom ben ik bereid je een nieuw leven te geven.'

Harry stak zijn hand uit en schudde die van Will krachtig. Will deed alsof hij niet merkte dat er tranen in de ogen van de oude man stonden.

Lana ging niet in een van de andere stoelen zitten, maar liet zich naast hem op de bank zakken. Ze droeg een spijkerbroek en een trui met wijde V-hals. Ze had blote voeten, en Will zag dat ze geen beha droeg. Haar haar was los en glanzend, en ze had zich opgemaakt, maar met mate. In haar hand had ze een wodka-tonic, en hij rook haar Guerlain-parfum.

Ze keek nerveus. 'Ik heb mijn bagage gepakt.'

'Ik vergat te zeggen dat je alles moet achterlaten. Neem morgen alleen je paspoort mee.'

'Dan moet je met me gaan winkelen als ik thuis ben.' Ze glimlachte, maar haar woorden klonken geforceerd.

'Ik dacht wel dat je dat zou zeggen.' Hij glimlachte en knikte. 'Ik ben nog nooit met een vrouw wezen winkelen.' Hij keek Lana een tijdje aan en zei: 'Weet je zeker dat je hiermee wilt doorgaan?'

Ze keek hem scherp aan. 'Natuurlijk.' Ze nam een slok uit haar glas en wendde haar blik even af alvorens Will aan te kijken met een gezichtsuitdrukking die niet meer vijandig maar verbaasd was. 'Alleen... Hoe dichter ik bij hem kom, hoe reëler mijn herinneringen aan hem worden en hoe groter de haat wordt die ik voor hem voel.' Toen ze het glas weer naar haar lippen bracht, beefde haar hand. 'Ik wil niet door die haat worden verteerd. Ik wil dat het zo wordt als je in Parijs zei: dat ik andere dingen heb om voor te leven.'

Will knikte. 'Als dit achter de rug is, heb je alles om voor te leven.'

Lana zette haar glas neer en keek ernaar. Toen keek ze Will weer aan. 'Laat me die haat verliezen. Laat me die andere dingen hebben.'

Ze legde haar hand op Wills achterhoofd, trok hem naar zich toe en kuste hem vol op de lippen. Ze streek met haar vingers over zijn gezicht en fluisterde: 'Laten we niet wachten tot dit voorbij is.' Ze kuste hem opnieuw, nu met nog meer hartstocht.

Will wilde heel graag dat hun omhelzing eeuwig duurde, wilde haar heel graag optillen en naar het bed dragen, wilde heel graag de liefde met haar bedrijven, na afloop naast haar liggen en haar in zijn armen houden. Lana's omhelzing voelde zo goed aan, zo liefhebbend, zo hartstochtelijk, zo teder en tegelijk zo krachtig. Het was een goed gevoel, en op dat moment wist Will dat hij met Lana zijn angsten aankon, dat hij van haar kon houden zonder bang te zijn dat hij haar verloor, zwak zou zijn of een normaal leven niet aandurfde. Met haar zou hij die eerste stappen naar een ander leven kunnen zetten.

Hij wist ook dat ze moesten wachten, dat het heel verkeerd zou zijn om nu iets te doen, dat hij sterk moest blijven en zichzelf en zijn emoties moest beheersen, dat de gevaarlijke missie dat alles van hem eiste.

Hij legde zijn hand over Lana's vingers en trok zich voorzichtig van haar terug. Hij walgde van zichzelf toen hij dat deed, al wist hij dat het goed was.

Haar gezicht ging van verlangen en liefde over in verbazing en kilte. Ze mompelde: 'Je wilt me niet.'

Will fronste zijn wenkbrauwen en schudde zijn hoofd. 'Dat is niet waar, Lana. Ik...'

Ze stond vlug op en stootte daarbij tegen de salontafel, zodat haar glas omviel en de inhoud eruit stroomde. Ze draaide zich om en keek op Will neer. Ze schudde langzaam haar hoofd, en in haar ogen was nu niets meer te zien van de emotie van daarstraks. 'Dan heb ik alleen nog mijn haat.'

35

Sarajevo was ontwaakt. Ondanks de sneeuwstorm die steeds heviger over de stad raasde, waren er mensen en auto's in de straten.

Will en Laith stonden op de Zelenih Beretki. Ze hadden pasteitjes, toeristengidsen en camera's bij zich. Ze droegen een spijkerbroek en een winterjack met de capuchon omhoog. Ze lachten, keken naar de binnenstad en hoopten dat ze op een paar mannen leken die de tijd verdreven terwijl hun vrouwen aan het winkelen waren. Onder hun jacks hadden ze vleeskleurige Motorola-communicatiedraden die uit hun kraag kwamen en naar oordopjes en microfoons gingen. In hun zak had ieder van hen een SIG Sauer-pistool met geluiddemper en twee extra magazijnen.

Terwijl ze om zich heen keken en nu en dan naar iets wezen of knikten, zei Laith tegen Will: 'Ben zit in een SUV op Mula Mustafe Bašeskije, Julian heeft een sluipschutterspositie ingenomen in een gebouw aan Sarači, en Roger is op Ferhadija zelf.' Roger zou de positie van Lana's handtas in de gaten houden. Vanuit hun eigen positie konden Will en Laith het Black Swan-café niet zien. 'Alle zeven Iraniërs zijn om haar heen, en ze zijn alle zeven te voet.'

Will keek niet op zijn horloge, maar hij wist dat het bijna tien uur was. Hij nam nog een hap van zijn pasteitje, al had hij geen honger. 'In welke conditie verkeren de Iraniërs?'

'Te dicht bij elkaar voor goede surveillance. Ze zijn nu alleen nog maar met bescherming bezig.' Laith' hoofd bewoog wat, en Will wist dat hij de omgeving afspeurde. Het was inmiddels druk op straat. Overal om hem heen vochten auto's, winkelend publiek en mensen die naar hun werk gingen zich een weg door het slechte weer. 'Laten we hopen dat het alleen maar bescherming is. Weet je wat er de vorige keer gebeurde toen ze zeven moordenaars naar deze stad stuurden?' vroeg Laith.

'Nee.'

'In 1914. Toen hebben ze een eindje hiervandaan een aartshertog vermoord en dat leidde tot een wereldoorlog.' Laith deed alsof hij in zijn toeristengids keek.

'Bedankt voor de geruststelling.' Will probeerde weer te grijnzen.

Rogers stem weerklonk. 'De auto is gestopt. Twee mannen. Eén stapt uit. Hij is van middelbare leeftijd. Het zou hem kunnen zijn.' Hij zweeg even en ging toen vlug verder: 'Auto rijdt weg. De andere man gaat de Swan in. Dat betekent dat hij waarschijnlijk mobiel is na de ontmoeting.'

Bens stem. '*Begrepen.*'

Will haalde zo regelmatig adem als hij kon. Hij sloeg geen acht op zijn omgeving; voorlopig was dat Laith' taak. Will concentreerde zich op het dopje in zijn rechteroor en alle geluiden die daaruit kwamen. Die geluiden zouden bepalen of hij succes had of zou falen.

Rogers stem. 'Ze staat op. Er worden handen geschud. Handen worden vastgehouden. Ze kust hem op een wang. Ze gaan zitten.' Stilte. 'Zicht geblokkeerd. Serveerster.' Stilte.

Will telde de seconden. Hij hield op met tellen. Hij kon niet tellen.

'Ze praten.' Rogers stem klonk kalm en beslist. 'Hij geeft haar een envelop. Hij staat op. Zij blijft zitten. Hij voert mobiel telefoongesprek. Hij spreekt in telefoon. Einde gesprek. Kijkt op zijn horloge. Weer praten.'

Will schoof ongeduldig met zijn hoge schoenen in de sneeuw. Hij wilde alleen maar horen dat Lana haar handtas op de tafel had gezet. Hij wilde alleen maar weten dat ze daar veilig en in haar eentje was weggegaan.

Bens stem: 'Zelfde auto als daarstraks rijdt langs me. In zuidelijke richting. Linksaf Mula op.'

'Ik zie hem.' Roger sprak snel. 'Hij is nu op de Ferhadija. Hij stopt voor de Swan.'

'Haar handtas?' vroeg Will ongeduldig.

'Ik wacht.' Rogers stem bleef kalm. 'Er worden weer handen geschud. Man draait zich om. Hij loopt bij haar vandaan.'

Will keek even naar Laith en kon zien dat de man klaarstond om naar het café te rennen zodra het bevel werd gegeven.

'Lana haalt haar tas van haar schouder. Ze houdt hem bij zich vandaan. Ze zet hem op de vloer.'

Lana stond in haar hotelkamer te roken en was blijkbaar met haar tweede of derde wodka-tonic bezig. Ze keek hem aan en schudde haar hoofd. 'Hij was het niet.'

'Weet je het absoluut zeker?' Will moest zich inhouden om niet te schreeuwen.

Lana keek verontwaardigd en zwaaide met haar glas naar hem. 'Je weet dat ik de enige ben die Megiddo met zekerheid kan identificeren. De man die ik vandaag heb gezien was te klein. Hij praatte anders. Hij had andere trekken. Hij was het beslist niet.' Ze liet haar glas zakken en ging onderuitgezakt in een fauteuil zitten. 'Megiddo speelt een spelletje met me.'

Will stond zwijgend naar Lana te kijken. Hij meende de teleurstelling op haar gezicht te kunnen zien. Hijzelf was verdoofd van ongeloof. Hij kon bijna niet bevatten dat Megiddo hem was ontglipt.

'Heeft de man die je hebt ontmoet je zijn naam gegeven?' vroeg hij ten slotte.

Lana wapperde met haar hand. 'Hij stelde zich voor als Nozari.'

Will knikte. De man moest Gulistan Nozari zijn. Dat bevestigde alleen maar wat Ben had verondersteld toen hij de man en diens auto was terug gevolgd naar het gebouw van de Human Benevolence Foundation, waar Nozari werkte.

'Hij heeft me dit gegeven.' Op de salontafel tussen hen in lag een effen witte envelop van zakelijk formaat. Hij was dik en hij was opengemaakt. Lana knikte ernaar, en Will pakte hem op. Er zaten dollars en een opgevouwen brief in.

Beste mevrouw Beseisu,

U leest deze brief omdat u tegen de man die u vandaag hebt ontmoet hebt gezegd dat hij niet mij was. Dat betekent dat u me echt wilt zien. Dat betekent weer dat u waarschijnlijk geen financieel motief hebt. In dat geval zou u wellicht niets tegen de man hebben gezegd en hebben gehoopt dat hij u iets voor de moeite zou geven.

Maar u zult ook begrijpen dat ik heel voorzichtig moet zijn. Uw eerste brief aan mij kwam jaren nadat we elkaar voor het laatst hadden gezien, en u hebt me al verteld dat u het grootste deel van die tijd in Europa hebt gewoond. Een man in mijn positie zal natuurlijk argwanend zijn, en als gevolg daarvan was ik gedwongen voorzorgsmaatregelen te nemen. Een daarvan hield in dat ik eerst iemand anders naar u toe stuurde. U kunt de man die u vandaag hebt gezien als mijn adjunct beschouwen. Dat is hij niet, maar u kunt hem als zodanig beschouwen.

Ik weet nog steeds niet wat uw bedoelingen ten opzichte van mij zijn, en u zult er dus begrip voor hebben dat ik voorzichtig blijf. Maar omdat er vandaag niets verkeerds is gebeurd, bent u waarschijnlijk alleen en zal ik u dus eindelijk persoonlijk ontmoeten. U hebt mijn woord.

Ik heb mijn adjunct opdracht gegeven u wat geld te geven, dat bij deze brief zal zijn ingesloten. Het is vijftienduizend dollar en moet u helpen bij uw onkosten.

Ik heb zaken te doen in de Verenigde Staten van Amerika. Daar zullen we elkaar ontmoeten. U moet morgen naar Boston vliegen en een kamer in het Boston Park Plaza Hotel nemen. Op de dag daarna moet u het hotel om twaalf uur 's middags verlaten en recht naar het oosten lopen, tot u bij het InterContinental Boston Hotel komt. Vervolgens loopt u langs de haven door de binnenstad en het North End. Ik zal u tijdens die wandeling ontmoeten op een plaats van mijn keuze.

Met vriendelijke groeten,

Megiddo

Lana boog zich naar voren, haar hoofd in haar handen. 'Ik heb mijn moeder beloofd dat ik binnen twee dagen in Parijs terug zou zijn om voor haar te zorgen.'

'Dat had je niet moeten beloven.'

Ze keek vlug op. 'Waarom niet? Hoe kon ik weten dat jij zou falen?'

Will voelde hoe de woede bij hem opkwam. Hij haalde langzaam adem en zei zo kalm mogelijk: 'We wilden allebei heel graag dat de man die je vandaag zou ontmoeten Megiddo was.'

Lana schudde haar hoofd, en Will zag dat zij ook woedend was. 'Maar hij is ons altijd een stap voor.'

'Hij is alleen maar voorzichtig.'

'Voorzichtig?' Ze lachte. 'Wat hem betreft heb jij informatie waarmee je zijn geplande gruweldaad kunt voorkomen. Je zou denken dat hij geen tijd heeft voor voorzichtigheid.'

'Ik denk dat hij geen tijd voor ongeduld heeft.' Will zuchtte. 'Maar je hebt gelijk. Ik heb niet voorzien dat Megiddo zulke stalen zenuwen heeft.' Hij liep naar haar toe, hurkte neer en nam haar handen in de zijne. 'Je moet naar Amerika gaan. Daar komt een eind aan dit alles; daar ben ik zeker van. En je weet, je weet toch zeker echt, dat ik maatregelen zal nemen om ervoor te zorgen dat je moeder goed wordt verzorgd zolang jij er niet bent.'

'We hebben je hulp niet nodig.' Ze spuwde de woorden uit.

Will wist dat alles wat hij zei verkeerd was of verkeerd werd geïnterpreteerd. Toch sprak hij. 'Ik heb jouw hulp wél nodig. Ik wil dat je me helpt een ander mens te worden. Maar dat moet wel op de juiste manier gebeuren. Ik wil dat het gebeurt...' Hij keek om zich heen alvorens zijn blik weer op Lana te richten. '... als niets anders er nog toe doet.'

Lana trok haar handen met een ruk weg. 'Voor iemand als jij zullen er altijd andere dingen zijn die ertoe doen. Er zullen steeds weer schurken zijn die je moet vangen, gevaren die je moet bestrijden.'

'Misschien wel, maar daar hoef jij niet bij betrokken te raken. Daarentegen ben je wel heel erg betrokken geraakt bij wat er op dit moment gebeurt. Laten we de dingen niet met elkaar verwarren.'

'"Dingen"?' Lana schudde haar hoofd, en er rolde een traan over haar wang.

Will haalde diep adem. 'Ik wil dat je rust vindt, Lana. En al wilde ik niet dat je bij deze missie betrokken raakte, je had misschien toch gelijk toen je het deed. Misschien moet je dit doen om je haat te verdrijven, om rust te vinden.'

'En jij? Als je Megiddo te pakken krijgt, heb jíj dan rust?'

Heel even wilde Will haar alles vertellen. Hij wilde haar over zijn vader vertellen. Hij wilde haar vertellen waarom Megiddo zo belangrijk voor hem was. Hij wilde haar vertellen waarom het hem een vreemd soort rust kon geven als hij de man in de val lokte en strafte. Het zou weer betekenis aan zijn leven geven. In plaats daarvan zei hij: 'Misschien wel.'

Ze zwegen een hele tijd. Lana's woede nam blijkbaar af.

Ze zuchtte. 'Ik probeer me voor te stellen wat Megiddo nu voor iemand is.'

'Denk je dat hij trouw aan het Iraanse regime is?'

Lana schudde haar hoofd. 'Hij liet nooit veel los. Ik weet maar een beetje meer van hem dan van jou. Bijna niets dus. Maar nee, hij is niet trouw aan het huidige regime. Hij heeft me eens verteld dat zijn vader onder de sjah had gediend maar in het geheim tegen het eind van dat tijdperk de revolutionairen heeft geholpen de sjah van de troon te stoten. Hij zei ook dat zijn vader bijzonder moedig was, maar ook dat het roekeloos van hem was geweest. Hij zei dat het geheime werk van zijn vader ontdekt was door mensen uit de naaste omgeving van de sjah en dat hij toen is gedood.' Ze kneep haar ogen halfdicht. 'Toen dat gebeurde, werkte de jonge Megiddo al met de revolutionairen samen, maar hoewel zijn vader hen had geholpen, vertrouwden ze Megiddo nog steeds niet helemaal, omdat zijn vader vroeger voor de sjah had gewerkt. In het begin testten zijn bazen Megiddo uit om te zien of hij wel echt de kant van het nieuwe regime had gekozen. Eerst droegen ze hem op een Amerikaan gevangen te nemen en af te slachten. Toen hij me vertelde wat hij met de man had gedaan, walgde ik ervan.'

Wills maagspieren trokken samen. Er ging een golf van woede door hem heen.

'Ze gaven hem steeds weer nieuwe opdrachten, en Megiddo voerde ze uit met zo'n buitengewone wreedheid dat hij onder de aandacht van de hogere revolutionairen kwam en snel promotie maakte binnen de gelederen van het nieuwe regime.' Ze glimlachte. 'Megiddo maakte alleen maar gebruik van hen en heeft nooit echt de kant van de revolutionairen gekozen. Hij vond dat het ideologische idioten waren. Hij had ze wel nodig, want ze gaven hem de macht om te doen wat hij graag deed.'

Will schudde zijn hoofd. 'De macht om een loslopende psychopaat te zijn.'

Lana fronste haar wenkbrauwen. 'Ik heb daar niets van gemerkt toen ik hem in Bosnië kende. Hij was wel meedogenloos, geslepen en bijzonder intelligent, en het was duidelijk dat hij veel mensen had gedood. Maar ik zag geen gestoorde moordenaar in hem.'

Lana stond op en keek Will aan. 'Ik denk dat ik hem niet zo erg zou haten als hij gewoon een krankzinnige was.' Ze boog zich even naar Will toe om hem een kus op zijn lippen te geven. 'Ik heb spijt van mijn harde woorden. Misschien heb je gelijk. Misschien is dit niet het moment. Misschien moeten de "dingen" die zo zwaar op ons drukken helemaal worden opgelost voordat we de rust kunnen vinden om elkaar echt te leren kennen. Misschien kan ik pas een betere vrouw zijn als ik mijn haatgevoelens de vrije loop heb kunnen laten. Een vrouw voor jou.'

Will zat alleen in Lana's hotelkamer. Ze was al een kwartier weg, en hij had zojuist van Laith gehoord dat de Iraniërs haar waren gevolgd en dat hij de kamer kon verlaten. Hij probeerde aan veel andere dingen te denken, maar de dingen die Lana hem over Megiddo's verleden had verteld gingen steeds weer door zijn hoofd. Hij stond op, liep naar de deur en hoorde zijn mobiele telefoon overgaan. Hij herkende het nummer en nam meteen op.

'Harry.'

'Charles. Sorry dat ik je lastigval.' Harry's stem klonk zwak, wat Will niet van hem gewend was. 'Ik belde om te horen of mijn materieel goed genoeg was.'

Will zweeg even. 'Er is niet veel gebruik van gemaakt.'

Er volgde een lange stilte aan de andere kant. Toen zei Harry: 'Ik begrijp het.'

Will fronste zijn wenkbrauwen. 'Is er iets mis?'

Weer een lange stilte, en toen zei Harry: 'Meende je wat je tegen me zei? Over dat paspoort?'

'Ik meende het.' Patrick was woedend geweest toen Will met het verzoek kwam, maar Will had van de CIA-man bevestigd gekregen dat het paspoort kon worden verstrekt, mits Harry's informatie ertoe leidde dat Megiddo gevangen werd genomen en diens aanslag werd voorkomen.

Harry maakte een geluid als een zucht.

'Is er iets mis, Harry?' herhaalde Will.

'We moeten elkaar ontmoeten. Ik heb nieuwe informatie voor je.'

'Waar en wanneer?'

'Morgenochtend vroeg bij mij thuis. Daar is het veilig. Ik kan je het adres sms'en.'

'Goed. Maar kun je me nu iets over die nieuwe informatie vertellen?'

'Niet door de telefoon. Alleen persoonlijk. Maar de informatie die ik nu heb, zal alles op zijn kop zetten. Dat kan ik je wel vertellen.'

36

Will reed naar het noorden en daarna naar het oosten langs de rivier de Miljacka in Sarajevo. Hij had de route uit zijn hoofd geleerd, en onder het rijden streepte hij de straatnamen in gedachten weg.

Bulevar Meše Selimovića, Zmaja od Bosne, Obala Kulina Bana, naar het noorden over Sagardžije, Vrbanjuša, Kulenovića, Skenderaj, naar het oosten over Sedrenik, naar het noorden naar Pašino Brdo, en dan precies drie komma vier kilometer die weg door de heuvels op.

Harry had Will gewaarschuwd dat zijn huis afgelegen stond en opzettelijk moeilijk te vinden was, want het stond een heel eind bij de stille weg vandaan in een bos. Will hield de afstand over de weg goed bij en vond op het juiste punt een onverhard pad dat op de weg uitkwam. Het pad was duidelijk gebruikt door auto's en ging bijna schuil onder overhangende bomen. Will sloeg het besneeuwde pad niet in, maar reed nog eens vierhonderd meter door over de weg, tot hij een plaats vond die vroeger een post voor sluipschutters kon zijn geweest maar nu een natuurlijk uitkijkpunt voor wandelaars was. Een plaats waar je halt kon houden om boterhammen te eten en uit te rusten. Hij stapte uit en keek op zijn horloge. Hij was achtentachtig minuten te vroeg voor zijn afgesproken ontmoeting met Harry.

Will keek om zich heen. Vanaf dit punt zou een scherpschutter in staat zijn geweest het noordoosten van Sarajevo te bestoken. Hij zou ook een goed zicht hebben gehad op de weg die van de stad naar deze plaats leidde. Will had geen sluipschuttersgeweer, maar wel een kleine 10x25 kijker voor vogelliefhebbers. Hij tuurde naar de weg en zag geen voertuigen of personen. Hij liep over de weg terug tot hij minder dan tweehonderd meter van het pad naar Harry's huis was. Daar verliet hij de weg om evenwijdig met het pad door het bos te lopen. Toen hij het huis tot op honderd meter was genaderd, ging hij zitten. Hij bleef twintig minuten zitten voordat hij een eindje doorliep om het huis vanaf een andere positie te bestuderen. Op die plaats bleef hij ook twintig minuten wachten. Hij herhaalde die gang van zaken nog twee keer, zodat hij na tachtig minuten de hele omtrek van het huis had verkend.

De Mercedes S-klasse en Jeep Grand Cherokee stonden in een open garage bij de voorkant van Harry's huis geparkeerd. De ramen van het huis waren voorzien van houten luiken aan de buitenkant, en die stonden allemaal open. Will zag geen beweging binnen. Hij luisterde, maar hoorde geen menselijke geluiden.

Hij liep het bos uit en kwam op Harry's garagepad. Toen trok hij zijn handschoenen aan en liep recht op de voordeur af om aan te bellen. Omdat er geen reactie kwam, belde hij opnieuw. Weer niets. Hij nam zijn telefoon en probeerde Harry te bellen. De telefoon ging acht keer over voordat hij Harry's voicemail kreeg. Will stopte zijn telefoon weer in zijn zak en liep langzaam om het huis heen. Hij keek door de ramen op de begane grond en klopte op een achterdeur. Nog steeds stilte.

Hij probeerde de achterdeur open te maken, maar die zat op slot. Hij keek naar de achtertuin en zag een schuurtje. De deur daarvan zat niet op slot en hij vond er wat hij zocht. Hij liep naar de achterdeur van het huis terug en sloeg met de hamer naast de deurkruk. De deur vloog meteen open en Will stapte het huis in. Hij liep door de ruime keuken waarin hij was terechtgekomen en kwam in een gang. Links lag een grote huiskamer met open keuken. Er waren drie afzonderlijke zitjes die uit een bank en een fauteuil bestonden, plus een zware houten eettafel met acht stoelen. Bij een van de zitjes hing een 60-inch-flatscreen-tv, en naast een ander zitje zag hij een Bang & Olufsen-stereosysteem. Her en der stonden salontafels met marmer en verguldsel op grote geweven zijden vloerkleden in rood en goud. Er hingen grote schilderijen die echt en oud leken. Buiten was er het daglicht van de vroege ochtend, maar als er licht in de kamer had gebrand, zou dat het licht van kristallen kroonluchters zijn geweest. Het was duidelijk dat Harry van luxe hield.

Will liep vlug door de rest van het huis. Het had zes slaapkamers, acht badkamers, twee andere zitkamers en drie studeerkamers. Het was heel groot voor één persoon, maar Will stelde zich zo voor dat Harry het soort man was dat feesten gaf voor vrouwen met glamour. Will keek vooral goed in de studeerkamer op de bovenverdieping en vond daar veel documentatie en papieren. Als hij alles zou doornemen, zou dat uren duren. Hij keek op de meer voor de hand liggende plaatsen, maar vond niets van direct belang.

Hij ging weer naar beneden. Alles zag er smetteloos uit en hij rook een poetsmiddel op basis van alcohol.

Hij liep de grote huiskamer weer in en keek naar de vier lijken waar hij eerder overheen was gestapt. Harry's vier lijfwachten waren allemaal in hun hoofd en bovenlichaam geschoten. Ze moesten buitengewoon snel zijn uitgeschakeld, want zo te zien had geen van hen de tijd gehad om een wapen te trekken.

Will drukte op de knop van zijn microfoon om met Roger te praten. 'Vier lijken, maar Harry is nergens te bekennen.'

'*Begrepen*.' Roger sprak zacht, en Will wist dat hij ergens halverwege de drie kilometer lange weg door de heuvels verborgen zat.

Will voelde in de zakken van de dode mannen, maar vond niets van belang. Hij hoorde Rogers stem weer in zijn oordopje.

'Ik zie een vierpersoonsauto over Pašino Brdo rijden. Er zitten drie Iraniërs in. Een van hen is Nozari, de twee anderen komen uit het team. Ze rijden langzaam en ze zijn twee komma acht kilometer bij jou vandaan. Ze passeren mij over twee minuten en zijn over vijf minuten bij jou. Laat het me weten als je wilt dat ik ze tegenhoud.'

Will fronste zijn wenkbrauwen. Hij twijfelde er niet aan dat de mannen die Harry's lijfwachten hadden gedood dezelfde mensen waren die Kljujic hadden gedood, en hij wist dat Nozari direct of indirect bij beide moordpartijen betrokken was. Toch begreep hij niet waarom ze in zo'n rustig tempo naar Harry's huis terugreden. Als ze een stommiteit hadden begaan en iets in het huis hadden laten liggen dat hen kon verraden, zouden ze snel rijden. En als ze hadden gezien dat Will het huis binnenging – en dat leek hem onmogelijk – zouden ze ook met grote snelheid en met een groter aantal achter hem aan gaan. Maar ze reden alsof ze zich niet druk hoefden te maken om tijd of gevaren.

Plotseling drong tot hem door wat er aan de hand was. Hij vloekte in stilte en trok zijn SIG Sauer-pistool, en tegelijk vloog zijn vrije hand weer naar de schakelaar op zijn keel. 'Ze komen de moordenaar halen. Hij is hier nog.'

'Het kunnen er meer dan één zijn.'

'Er is maar één lege plaats in die auto.' Will zwaaide met zijn pistool. Hij voelde dat zijn hart bonkte, en hij bleef met het pistool zwaaien. 'Maar degene die hier is, is goed genoeg om vier man in een oogwenk uit te schakelen.'

'Dan moet ik maar gauw komen.'

Will hield zijn pistool in twee handen en liep vlug maar lichtvoetig door de kamer naar de gang beneden. Tegenover hem bevond zich een van de twee kleinere studeerkamers, en hij ging die kamer in, liep langs de rand en keerde naar de gang terug. Hij bleef staan luisteren, maar hoorde niets. Op de bovenverdieping van het huis bevonden zich de meeste kamers, kasten en andere ruimten waar iemand zich kon verbergen. Will concludeerde dat als de man nog in het huis was hij in een van die vertrekken moest zijn. Hij ging de trap weer op. Stralen wit daglicht vielen door de lange gang voor hem en kwamen uit deuropeningen en de ramen daarachter. Will kneep zijn ogen samen om zich ondanks het stroboscopisch effect van de lichtstralen te kunnen concentreren, liep over de verdieping en keek in de kamers links en rechts. De geur van het poetsmiddel was hier nog sterker, en hij herinnerde zich niet dat die scherpe geur hem ook was opgevallen toen hij een paar minuten eerder op dezelfde verdieping was. Hij verliet de laatste kamer aan de rechterkant van de gang en liep naar de grote slaapkamer aan het eind van de verdieping. Het was de laatste kamer. Hij ging ineengedoken naast de dubbele deur staan. Hij draaide langzaam aan de kruk en duwde de deur naar binnen open, terwijl hij op dezelfde plaats bleef staan, uit het zicht van iemand die zich in de kamer zou bevinden. In een fractie van een seconde stak hij zijn hoofd de kamer in en trok hij het weer weg. In die tijd had hij niemand in de kamer gezien, al wist hij van de vorige keer dat er daar minstens negen plaatsen waren waar iemand zich kon verstoppen. Hij telde al luisterend tot tien en liep toen langzaam de kamer in, zijn pistool naar voren gestoken. Hij bekeek alle negen plaatsen en schopte toen van frustratie tegen het bed. Hij was er nu zeker van dat de moordenaar vertrokken was voordat hijzelf het huis was binnengegaan. Hij keek nog een keer de kamer in en slaakte een zucht.

Achter hem weerklonk een harde plof, en hij draaide zich meteen om naar het geluid. Het was van het eind van de lange gang gekomen, en door de vlekken daglicht zag hij een open zolderluik en een man die daaronder stond, met zijn rug naar Will toe. De man draaide zich naar hem om. Hoewel hij dertig meter bij Will vandaan stond en voor een deel schuilging in het vervormende effect van het spel van licht en duisternis, kon Will zien dat de man lang en van middelbare leeftijd was. Hij kon ook zien dat de man zijn arm had gestrekt. Will bracht zijn pistool omhoog om te schieten, maar een kleine flits van een ander soort licht ging snel omlaag van de hand van de man naar de vloer. Te laat besefte Will dat het lichtje van een aansteker afkomstig was, en te laat begreep hij dat de scherpe alcohollucht die hij had geroken niet van een poetsmiddel afkomstig was, maar van een brandversneller. De aansteker viel op de grond, en de gang was meteen omringd door blauwe vlammetjes die zich razendsnel naar de grote slaapkamer verplaatsten. Will kromp enigszins ineen toen het vuur hem verblindde. Toen hij weer opkeek, zag hij tot zijn verbazing dat de man nog op dezelfde plaats stond. Op dat moment drong het tot hem door dat de man een pistool op hem gericht hield. Will zag de vuurflits van het wapen, voelde heel even een intense pijn in zijn hoofd, en viel toen neer en wist niets meer.

37

'Ik wil dat je in leven blijft.'

Will zag dat zijn lichaam van de vloer kwam. Hij zag zwarte wervelingen, hij zag geel en rood, en hij rook verbrand vlees. Iets scherps drukte steeds weer tegen zijn borst en deed hem pijn. Maar de pijn aan de zijkant van zijn hoofd was veel erger. Hij voelde dat er dingen bewogen, en hij voelde zich machteloos. Hij deed zijn ogen dicht en open, en telkens wanneer hij dat deed, zag hij andere beelden. Hij hoorde ademhaling en voelde dat iets strak en genadeloos om zijn rug gewikkeld was. De beweging ging sneller en ging gelijk op met de ademhaling die hij hoorde. Hij zag dingen en toen zag en hoorde hij niets meer.

'Je bent nog niet veilig.' De stem klonk anders.

Will keek met een ruk om en zag wit licht. Zijn hoofd zakte naar voren, en hij zag sneeuw, voeten en benen heel dicht bij hem. Opnieuw stootte er iets puntigs tegen zijn borst, en de beelden die hij zag bewogen met elk stootje mee. Hij voelde dat hij snel bewoog. Hij voelde zich hulpeloos. Zijn ogen gingen dicht, al wilde hij dat niet. Zijn hersenen vielen in een vreemde slaap.

Will opende zijn ogen en zag de hemel. Onder hem voelde alles koud aan. Hij concentreerde zich op zijn handen en duwde ermee zonder te weten welke gevolgen dat voor zijn lichaam zou hebben. Het dwong hem overeind te gaan zitten. Hij was op een plaats die hij eerst niet kon thuisbrengen. Hij zat in een dik pak sneeuw en op een steile helling. Hij schudde vlug zijn hoofd om het helder te krijgen.

'Doe dat niet.'

Will hield ermee op. Hij keek in de richting van de stem, die echt klonk. Hij zag Roger, maar de man keek niet naar hem. Roger zat op één knie en keek achterom, de helling op. Hij had een geweer en tuurde door het vizier. Will schudde weer zijn hoofd.

'Als je dat doet, raak je bewusteloos, en ik heb geen zin om nog eens duizend meter met jou over mijn schouder te rennen, alleen omdat je niet doet wat ik zeg.' Roger haalde zijn oog bij het vizier vandaan en keek naar Will. 'We moeten gaan.'

Will raakte zijn hoofd aan en voelde een lange groef langs de rechterkant van zijn haarlijn. Hij wist dat die wond moest zijn toegebracht door de kogel van de man in het huis. Hij hoestte en herinnerde zich de dichte rook in het huis. Zijn zicht werd wazig en hij knipperde een paar keer met zijn ogen om weer enigszins helder te kunnen zien. Hij haalde diep adem en voelde pijn in zijn longen. Hij ging langzamer ademhalen en probeerde zijn geest en lichaam te kalmeren. Hij zei: 'Hoe heb je me uit dat huis gekregen?'

Roger kwam naar hem toe. 'Dat heb ik niet gedaan, maar de man die het huis in brand heeft gestoken en daarna op jou heeft geschoten, heeft dat beslist wél gedaan.'

38

'Hij zou niet zo'n afstand moeten afleggen. Hij is in het hoofd geschoten.'

Will hoorde de woorden van achter gesloten ogen. Hij opende ze en zag Julian en Ben. De twee mannen stonden over hem heen gebogen. Hij keek om en herkende zijn omgeving. Het was de suite waarin hij eerder was geweest, in het Radon Plaza Hotel in Sarajevo.

Ben keek Will aan en zei: 'Het voelt vast aan alsof iemand je keihard met een ijzeren staaf op je hoofd heeft geslagen.'

Will bracht zijn hand naar de zijkant van zijn hoofd en voelde verbandgaas. 'Shit. Hoe laat is het, en waar is Roger?'

Terwijl Ben met vochtige watten over Wills gezicht streek, zei hij: 'Je bent hier twee uur geleden binnengekomen. Roger en Laith zitten nu in een vliegtuig, een paar plaatsen achter Lana. Ze landen over acht uur in Boston.'

Will duwde zich bij Ben vandaan en ging rechtop in het bed zitten. Hij zwaaide zijn benen buiten het bed en stond op. Hij was meteen duizelig en aan de rand van zijn gezichtsveld zag hij de twee CIA-mannen naar hem toe komen om hem overeind te houden. Hij sloot zijn ogen, haalde adem, opende ze weer. 'Laat me los.'

De twee mannen hielden hem nog even vast en deden toen wat hij vroeg.

'Hoe laat vertrekt het volgende vliegtuig naar Boston?'

Ben fronste zijn wenkbrauwen. 'Om twaalf uur vijfenvijftig vanmiddag vertrekt er een Lufthansa-vlucht via München, maar dat is al over drie uur en dan ben je nog lang niet fit genoeg om te vliegen.'

'Toch moet ik dat zijn. Lana heeft haar ontmoeting morgen onder lunchtijd. Ik moet met dat vliegtuig mee.'

Ben deed een stap in Wills richting. 'Je kunt onmogelijk...'

Will stak zijn hand op. 'Haal het verband weg. Camoufleer de wond zo goed mogelijk. Zorg ervoor dat ik schoon ben en geen stank van rook en bloed meer om me heen heb hangen. Trek me fatsoenlijke kleren aan en zet me op dat vliegtuig.'

Will keerde naar de Verenigde Staten terug. Vier weken eerder had hij het land verlaten terwijl hij ernstig gewond was, en nu hij terugkeerde, was hij er ongeveer even slecht aan toe. Hij liet zijn first class-stoel een beetje achterover zakken en keek naar zijn reisgenoten aan de andere kant van het gangpad. Ben was blijkbaar gaan slapen, maar Julian was wakker, en hij stond meteen op en liep naar Will toe.

'Wil je nog meer pijnstillers?'

Will schudde zijn hoofd. 'Nee. Dan kan ik niet helder denken.'

'Je moet rust nemen.'

'Ik moet hier over nadenken.'

Julian liep naar zijn stoel terug en Will sloot zijn ogen. Hij zag de moordenaar roerloos in de lichtstralen staan, zag hem het huis in brand steken, zag de man op hem schieten met zo veel precisie dat de kogel niet in zijn hersenen binnendrong maar langs de zijkant van zijn hoofd schampte. Hij vroeg zich af waarom de man hem daarna op zijn schouder had gehesen om hem door rook en vuur naar de tuin te dragen. Hij vroeg zich af waarom de man tegen hem had gezegd dat hij wilde dat Will in leven bleef, en waarom de man hem in de tuin had achtergelaten, en of hij dat had gedaan omdat hij bang was gevangengenomen of gedood te worden. Hij vroeg zich af waarom Harry was verdwenen nadat hij net had gezegd dat alles op zijn kop was gezet.

Will opende zijn ogen. Eén ding vroeg hij zich niet af. Hij wist dat de moordenaar, de man in het huis, Megiddo moest zijn geweest.

39

Will besefte dat de mannen tegenover hem waarschijnlijk twee van de machtigste personen in de westerse inlichtingenwereld waren. Hij besefte ook dat ze sterk op elkaar leken, niet alleen in fysiek opzicht maar vooral in hun denken en handelen. Will geloofde dat die overeenkomst geleidelijk was ontstaan in de meer dan twintig jaar van clandestiene samenwerking tussen Patrick en Alistair. Ze keken hem nu aan.

'Je mag nooit iemand vertellen wat je tegen de Fransen hebt ondernomen.'

'Want zelfs wij zouden je niet tegen de repercussies kunnen beschermen, als het ooit uitkomt.'

'Nu telt alleen nog je operatie om Megiddo te pakken te krijgen.'

'Als je nog in staat bent hem gevangen te nemen.'

'Maar ben je dat?'

Will klopte even met zijn hand op zijn nieuwe verband. Zijn wond was onderzocht en behandeld door dezelfde kleine, bebrilde Amerikaanse man die hem in New York had verzorgd. De man had tegen hem gezegd dat hij het verband er nog minstens een week op moest houden, en ook daarna zouden er enige lichte chirurgische ingrepen aan te pas moeten komen om alle sporen van de kogelwond weg te werken. Will had tegen hem gezegd dat hij het verband de volgende ochtend zou afdoen.

Hij keek in de minimalistisch ingerichte kamer om zich heen. Ze waren in een CIA-huis in een woonwijk in het West End van Boston. Hij keek de twee hoge inlichtingenfunctionarissen aan. 'Lana ontmoet hem morgenmiddag om twaalf uur, en ik zal erbij zijn om het te zien gebeuren.'

Patrick en Alistair keken elkaar niet aan en richtten in plaats daarvan hun aandacht op Will. 'Je bent nu weliswaar op Amerikaanse bodem, maar je weet toch wel dat we je nog steeds geen extra middelen kunnen geven voor die ontmoeting? En al kunnen we waarschijnlijk wel hulp van de politie en het leger krijgen, het is niet mogelijk daar om te vragen.'

'Dat weet ik.' Will was al tot de conclusie gekomen dat ze de politie er niet bij konden betrekken. Als het misging, zou het hun primaire doel zijn levens te redden. En betrokkenheid van het leger, vooral commando's, was te riskant, want die militairen zouden niet de tijd hebben om zich de nuances van de missie eigen te maken en je kon er dus niet op rekenen dat ze de juiste beslissingen namen wanneer ze geen directe instructies kregen. Hij zou opnieuw moeten vertrouwen op Roger, Laith, Ben en Julian.

'Nou, wat doen jullie hier dan, behalve om te kijken hoe het lichamelijk en geestelijk met me gesteld is?'

Alistair glimlachte.

Patrick niet. Hij deed een stap naar Will toe. 'We hebben nieuwe Hubble-informatie van de NSA gekregen.'

Will stak zijn hand op. 'Dat zal vervalst zijn door Megiddo. We moeten het negeren.'

'Dit kunnen we niet negeren, want het is echt.' Alistair glimlachte niet meer. 'Het is geen informatie over de locatie of het tijdstip van de aanslag, maar het gaat over de verplaatsing van mannen. En het is geverifieerd door onafhankelijke bronnen. We weten dat er in de komende achtenveertig uur vijfentwintig mannen vanuit Iran naar de Verenigde Staten komen. We weten dat ze allemaal lid zijn van het Islamitische Revolutionaire Gardistenkorps, en we hebben vier van hen als Qodsleden geïdentificeerd. We mogen dan ook aannemen dat het allemaal Qods-leden zijn.'

'Ze zullen naar Megiddo toe gaan.' Will keek Alistair en toen Patrick aan. 'Dat betekent dat hij straks een team van tweeëndertig mensen in dit land heeft. Het moet ook betekenen dat zijn aanslag niet in Engeland maar hier in dit land wordt gepleegd.'

'Precies.'

Will fronste zijn wenkbrauwen. 'Hoe weten jullie dat de informatie niet vals of misleidend is?'

'Omdat de berichten afkomstig zijn uit verschillende databasesystemen van binnenkomende en uitgaande reizigers en ook van vlieggegevens. Zelfs Megiddo kan niet zo veel van dat soort informatie manipuleren.'

Will dacht even na en vroeg toen: 'Weten we iets van die mannen af?'

Alistair gaf antwoord. 'Er zijn vier mannen bij van wie we zeker weten dat ze van Qods zijn. Drie van hen worden in verband gebracht met terreurdaden in het Midden-Oosten en Zuid-Azië. Het zijn mannen die bomaanslagen plegen.'

'Dan zullen de anderen hun chaperons zijn.' Will trommelde met zijn vingers. 'De mannen moeten ongemoeid gelaten worden. Megiddo moet er alle vertrouwen in hebben dat hij de meeste van zijn middelen voor zijn missie kan inzetten. Als we zijn mannen nu oppakken, kan hij weinig beginnen en duikt hij waarschijnlijk onder, en wie weet hoe lang het dan duurt voor hij weer opduikt? In elk geval zou hij er meteen niet meer zo'n behoefte aan hebben om mij gevangen te nemen en te ondervragen. Hij zou zich terugtrekken, een nieuwe strategie bepalen, zijn mensen hergroeperen en dan zijn aanslag plegen wanneer hij denkt dat hij dat veilig kan doen.'

Patrick ademde langzaam uit. 'Een NSA-rapport als dit gaat automatisch naar de CIA, de FBI en het ministerie van Binnenlandse Veiligheid.'

Will werd meteen kwaad. Hij sprong overeind en schopte zijn stoel bij zich vandaan. 'Hoe kon je dat laten gebeuren, Patrick? Als die Iraniërs worden opgepakt, is alles verloren.'

'William, houd je mond!' riep Alistair.

Will had de man nooit eerder zijn stem horen verheffen.

Alistair kwam heel dicht bij hem, legde zijn hand om Wills nek en trok zijn hoofd heel dicht naar zich toe. Zijn volgende woorden klonken zacht en krachtig. 'Je moet niet zomaar van alles veronderstellen.'

Will trok zich van hem los en keek Patrick aan. Zijn hart bonkte nu van emotie. 'Ik heb je gezegd dat je vertrouwen in mijn capaciteiten moet hebben.'

Patrick bleef zwijgen. Hij ging zitten, sloeg zijn benen over elkaar en drukte zijn vingertoppen tegen elkaar aan. Toen keek hij Will aan. 'Het NSA-rapport is twee dagen geleden aan me voorgelegd, toen het nog een concept was. Ik las het en kwam tot een conclusie. Ik stapte in een auto en reed naar Baltimore om met de directeur van de NSA te gaan praten. Omdat ik ben die ik ben, gaf de man me een audiëntie, koffie en lekkere koekjes. Ik stelde hem een ultimatum: vernietig dit rapport, of ik vernietig het hele Hubble-project op grond van het feit dat één procent ervan volslagen onzin was.'

Will fronste zijn wenkbrauwen en keek Alistair en Patrick aan.

Zijn supervisor knikte Will toe en zei met zachte stem: 'Patrick heeft voorkomen dat de Iraniërs worden opgepakt. Hij heeft voorkomen dat de operatie in het honderd liep. Hij heeft iets gedaan wat jíj niet had kunnen doen.' Hij kneep zijn ogen halfdicht. 'We hebben allebei vertrouwen in je capaciteiten, William, maar we willen niet dat de zoon van onze dode vriend door anderen wordt vermorzeld als hij faalt.'

Hij wisselde een snelle blik met Patrick en ging verder. 'Patrick en ik zijn onaantastbaar. Jij bent dat niet. Als je eraan twijfelt...' Zijn stem klonk nu krachtiger. 'Als je er ook maar énigszins aan twijfelt of je kunt slagen, nu je tegenover een grotere overmacht staat, moet je eerlijk tegen ons zijn. Als wij dat willen, kan het NSA-rapport opnieuw door de CIA-kanalen worden gestuurd en dan kunnen die vijfentwintig mannen nog steeds meteen na aankomst in ons land worden opgepakt. We hebben nog tijd om Megiddo's plan te vertragen.' Zijn stem klonk weer zachter. 'Als je er absoluut van overtuigd bent dat je zult slagen, mogen de andere diensten niets tegen de mannen ondernemen. Maar als je er ook maar enigszins aan twijfelt, kunnen we het zo regelen dat je deze operatie op een waardige manier kunt afsluiten. In beide gevallen geldt dat we geen enkele invloed hebben op het alternatief.'

Will kneep zijn ogen samen en schudde zijn hoofd. 'Als jullie die mannen iets doen, verdwijnt Megiddo. Laat ze met rust, en laat mij met rust.'

'Wat is er gebeurd, Nicholas?' De tranen stonden Lana in de ogen toen ze naar zijn hoofd keek.

Will had besloten niet tot de volgende ochtend te wachten met het verwijderen van het verband. Hij had het zelf weggehaald en zich zo goed mogelijk schoongemaakt voordat hij Lana in deze kamer in het Plaza Hotel ontmoette. 'Ik heb een fout gemaakt.'

Ze kwam naar hem toe, legde haar arm om zijn rug, drukte zich tegen hem aan en bracht haar andere hand dicht bij de schotwond. Will voelde haar borsten, haar warmte, en hij rook lotion op haar huid.

Lana raakte de wond aan. Ze bewoog haar vingers en raakte zijn lippen aan. Ze keek naar die lippen en toen naar zijn ogen. Toen trok ze hem nog dichter tegen haar mooie lichaam aan en schudde langzaam haar hoofd. 'Je wordt beetje voor beetje gebroken.'

Will was alleen in zijn hotelkamer. Het zou nog uren duren voordat de zon opkwam en nog meer uren voordat Lana haar wandeling moest maken, maar Will dacht niet aan slapen. Hij trok zijn kleren uit en maakte zijn P228-pistool schoon, ijsbeerde door de kamer, keek weer op de kaarten van Boston Harbor, schonk thee in en dronk ervan, nam een douche, laadde munitiemagazijnen, ontlaadde ze, laadde ze opnieuw, controleerde zijn communicatieapparatuur, trainde een tijdje, nam weer een douche, en ging zitten.

En toen vroeg hij zich af wat voor hem het belangrijkst was: dat hij wraak kon nemen op Megiddo of dat Lana veilig zou zijn. Hij kwam tot de conclusie dat beide even belangrijk waren. Beide waren op dat moment belangrijker voor hem dan al het andere in zijn leven.

40

'Het is begonnen. Ze is op weg.' Rogers stem klonk helder en afgemeten.

Will trok de capuchon van zijn jack over zijn oordopje, zodat zijn hoofd helemaal bedekt was, en draafde langzaam door Boylston Street in Boston. De weg was voor een deel sneeuwvrij gemaakt, maar links van hem was de Boston Common, een park met wandelaars en spelende gezinnen, nog bedekt met het witte spul. Hij stak de straat over en ging langzamer lopen toen hij bij de zuidoostelijke punt van de Common was. Hij keek op zijn horloge en luisterde.

'Ze loopt door Charles Street naar Boylston. Will, ga van die straat af en ga naar Tremont. Alle anderen: blijf op jullie posities.'

Will volgde Rogers instructies op en bleef staan toen hij driehonderd meter over Tremont Street had afgelegd. Er stond een noordenwind die een nieuw en dik pak sneeuw aanvoerde. Er liepen mensen langs hem. Sommigen hadden blijkbaar besloten de straat of het park te verlaten en beschutting te zoeken in winkels en cafés. Hij wreef zijn blote handen over elkaar en wachtte tot Roger weer iets zei.

Dat deed hij binnen enkele seconden. 'Ik ben achter haar op Boylston, net als drie van de mannen die haar volgen.'

Will wist dat Roger op dat moment de enige was die Lana en de Iraniërs kon zien. Ben zou ten zuiden van hen, in Washington Street, in een auto zitten te wachten, Laith zou in het oosten zijn, te voet in Essex Street, en Julian zou bij de doden staan op de begraafplaats in de Common. Will keek naar de mensen om hem heen, maar zag niets uitzonderlijks.

'Ze loopt in zuidelijke richting door Tremont Street. Wacht.'

Will wachtte dertig seconden en hoorde Rogers stem opnieuw.

'Ze is links afgeslagen, Lagrange Street in. Ik blijf een tijdje op afstand. Laith, ga naar het eind van Essex Street en blijf dan in South Street staan, zodat je voor haar uit bent. Julian, neem Laith' positie in Essex over. Loop zo snel als je kunt. Alle anderen: wachten.'

Will keek achterom door de straat. In de verte zag hij een man naar de overkant rennen. Hij wist dat het Julian was.

'Oké, ze loopt nu naar Beach Street en Chinatown. Ben, rijd naar Hudson Street.' Rogers ademhaling was te horen; dat wees erop dat hij vlug liep of rende. 'Ik kom nu dichter bij haar.'

Laith zei: 'Hier bij mij staan twee mannen te wachten. Die horen beslist bij het team.'

Ze hadden nu vijf leden van het Iraanse surveillanceteam geïdentificeerd.

Roger zei: 'Will, tijd voor jou om naar het oosten te gaan. Je bestemming is Milton Place. Probeer daar over drie minuten te zijn.'

Will zette meteen een sprint in. Hij liep Tremont Street uit, rende langs het Ritz-Carlton Hotel en kwam vervolgens in Essex Street. Hij ontweek voetgangers en auto's en deed zijn best om niet uit te glijden op het besneeuwde en beijzelde wegdek. Hij wist dat voorbijgangers naar hem keken en zich afvroegen wat hij deed, maar het kon hem niet schelen. Het enige wat telde was precies Rogers deadline halen. Hij rende door Lincoln Street en Devonshire Street en kwam zo op Milton Place, waar hij hijgend bleef staan. Hij keek op zijn horloge. Hij had de duizend meter in iets meer dan tweeënhalve minuut afgelegd. Hij drukte op de knop van zijn microfoon en hijgde: 'Ik ben er.'

Roger antwoordde: 'Heel goed. Laith, ga naar het InterContinental. Ben, rijd naar Matthews Street. Onze dame gaat nu naar het noorden.' Het was een tijdje stil, en toen sprak de CIA-teamleider opnieuw. 'Ja, de andere twee mannen hebben zich bij mijn drie aangesloten. Julian, ga naar de Harbor Walk. Will, ga naar het Langham Hotel aan Franklin Street.'

Will zoog zijn longen vol lucht en rende opnieuw. Hij volgde Federal Street en sloeg toen rechts af naar zijn bestemming. Toen hij het Langham naderde, hoorde hij Laith zeggen: 'Ik heb er weer eentje bij het InterContinental.'

Ze hadden nu zes leden van het Iraanse surveillanceteam in het oog.

Will veegde sneeuw van zijn schouders en wachtte enkele minuten. Hij keek naar de mensen die het Langham binnengingen of verlieten. Hij zag hen met tassen door Franklin Street lopen, hun hoofd gebogen om zich te beschermen tegen de sneeuwjacht. Auto's reden aarzelend met hun licht aan door de wervelende witte massa. Will registreerde al die dingen, maar nam intussen de omgeving van het InterContinental Hotel in zich op.

'Laith, er is net een auto langs mij en onze dame gereden.' Roger sprak zacht. 'Het is een Dodge Durango SUV en hij rijdt naar jouw positie.'

'Gezien.' Laith nam het over. 'Eén man in de auto. Zijn auto gaat langzaam rijden. Hij stopt bij het hotel. De andere man loopt erheen en wacht.'

De bestuurder moest de zevende man van het surveillanceteam zijn.

Roger sprak. 'Je zou onze dame nu moeten zien.'

Laith antwoordde: 'Ja. Wacht.' De radio zweeg enkele ogenblikken. 'Mijn voetganger loopt bij de auto vandaan. De bestuurder blijft in de auto zitten. De motor draait.'

'Ja, ik heb hem.' Rogers stem klonk gespannen. 'Hij komt recht op ons af. Mijn vijf naderen haar. De man ook. Hij blijft tegenover haar staan. Iedereen blijft staan. Ik zie hem met haar praten. Hij legt zijn hand op haar elleboog. Hij loopt met haar naar de auto.' Een fractie van een seconde was het stil, en toen zei Roger met luide stem: 'Ze gaan haar in de auto zetten. Ben, pik Will nu op.'

Wills hart bonkte. Hij drukte op de knop van zijn microfoon en stond op het punt tegen Roger te zeggen dat hij de Iraniërs moest tegenhouden. Hij dacht na, hij vloekte, hij wist dat Lana waarschijnlijk alleen maar naar een andere locatie in Boston werd gebracht. Als hij nu iets deed om haar tegen te houden, zou hij niet alleen de missie torpederen maar ook Lana in gevaar brengen. Hij haalde zijn hand bij de radiomicrofoon vandaan. Hij keek zijn straat door, en op dat moment hoorde hij Laith opnieuw.

'Ze stapt in de auto. De man ook, en twee van de vijf voetgangers.'

Will zag de Range Rover Sport van Ben met grote snelheid en tegen het eenrichtingsverkeer in op hem af komen. De auto slipte een beetje toen hij tot stilstand kwam, en Will sprong erin. Ben zei niets en reed door.

Will drukte op de knop van zijn microfoon om met Roger te praten. 'We rijden.'

'Jullie hebben geluk. Ze rijden door Pearl Street naar jullie toe.'

Ben remde, en hun auto met vierwielaandrijving kwam met een ruk tot stilstand. Will keek naar Ben en zag dat de man grimmig voor zich uit keek. Hij zag ook dat Bens hand naar de handrem en een Remington 870-geweer met afgezaagde loop ging.

Roger klonk bijna ademloos. 'Jullie kunnen ze nu elk moment op het kruispunt van Pearl Street en Franklin Street zien...'

Ben keek in zijn spiegeltje.

'*... nu.*'

Ben reed met hoge snelheid achteruit en keerde de auto bliksemsnel, zodat ze met de neus van de auto in de richting van het kruispunt stonden. Hij reed vlug naar voren, en binnen enkele seconden waren ze op het kruispunt. Ze sloegen rechts af Pearl Street in en reden weer ongeveer honderd meter tegen het eenrichtingsverkeer in, totdat Will de grote Dodge Durango kon zien. Ben had de ruitenwissers in de maximale stand gezet om in de sneeuwjacht nog iets te kunnen onderscheiden, maar het noodweer werd zo heftig dat de auto die voor hen reed bij elke beweging van de wissers opdook en verdween.

Ben mompelde: 'We moeten dichter bij ze komen.'

Ze zagen de auto rechts afslaan naar Milk Street, en gedurende enkele ogenblikken zagen ze hem helemaal niet meer. Ben sloeg ook af, zodat ze nu in dezelfde straat waren. Will fronste zijn wenkbrauwen. De Dodge was blijven staan, met de alarmlichten aan.

'Verdomme. Ik kan niet stoppen.' Ben reed door en Will wist dat hij dat deed omdat ze meteen zouden opvallen als ze stopten.

Ze reden gestaag naar de Dodge toe, en Will durfde er niet naar te kijken toen ze erlangs reden. Toen ze bij het volgende kruispunt kwamen, sloeg Ben rechts af, Oliver Street in, en stopte toen. 'Stap uit en loop zo dicht mogelijk naar hun auto toe. Er is iets mis.'

Will liep in een rustig tempo door Oliver Street terug tot hij bij het kruispunt met Milk Street was. Er waren zo veel voetgangers en voertuigen op straat dat hij niet opviel, en voordat hij overstak, keek hij naar links en rechts. Die korte blik stelde hem in de gelegenheid in de auto te kijken die ze volgden. Zijn hart bonkte toen hij aan de overkant van de straat kwam, maar hij bleef in een normaal tempo lopen. Hij liep niet naar de Dodge toe, maar vervolgde zijn weg door Oliver Street tot hij er zeker van was dat niemand in de auto hem kon zien. Hij sprak tegen Roger: 'Er zitten maar twee mensen in de Dodge, en onze dame is niet een van hen.'

'Verdomme. Laith, ga door Pearl Street. Ben, ga naar Federal Street en wacht daar. Julian, ga over de Harbor Walk tot je ter hoogte van Oliver Street bent. Will, jij bent de enige in het noorden. Probeer daar zo veel mogelijk terrein te verkennen voor het geval ze die kant op is gegaan.'

Will stak zijn handen in zijn zakken, zodat hij zijn pistool kon voelen. Hij liep vlug, maar kon nu niet rennen, want dan kon hij Lana en haar twee Iraanse begeleiders elk moment tegen het lijf lopen. Hij liep in westelijke richting door Kilby Street, Hawes Street en Congress Street, om vervolgens naar het oosten te gaan en via Exchange en Water Street in Broad Street te komen, die hij naar het zuiden volgde alvorens weer naar het westen te gaan, zodat hij terugkwam op de plaats waar hij begonnen was. Onderweg had hij twee bussen, achttien rijdende auto's, drieënzestig voetgangers en één politiewagen gezien, maar niet wat hij zocht. De sneeuw viel om hem heen, en hij vloekte op het weer en op al het andere. Hij sprak tegen Roger: 'Niets.'

'Begrepen. Ben, jij iets?'

'Niets.'

'Dan moeten we aannemen dat ze naar de haven teruggaat. Laith, blijf in Pearl Street. Julian, blijf waar je bent. Ik ga naar Batterymarch Street. Will, ik wil dat je naar het Christopher Columbus Park in het noordoosten gaat. Snel.'

Will maakte zich er nu niet druk meer om of het Iraanse team hem bij toeval zou opmerken. Hij rende door Kilby Street terug en door State Street en Atlantic Street tot hij bij het kleine park aan de haven kwam. Hij boog zich hijgend naar voren en zette zijn handen even op zijn knieën. Toen ging hij rechtop staan en keek om zich heen. Kinderen gooiden met sneeuwballen. Volwassenen stonden dichtbij naar hen te kijken. Maar verder was er niets te zien. Hij schopte in de sneeuw.

'Misschien zie ik iets.' Dat was de stem van Laith.

Will verstijfde en drukte vlug zijn hand tegen de capuchon en het oordopje daaronder. Hij wachtte en telde in zijn hoofd. Hij negeerde de ijskoude lucht die vanaf het water van de haven in zijn gezicht sloeg. Hij negeerde alles wat niet relevant was. Hij luisterde en wachtte tot Laith weer iets zei.

'Een vrouw en twee mannen. Ze lopen naar mijn positie toe, maar aan de overkant van de straat.' Laith sprak zacht, en Will spande zich in om hem boven de wind en de stadsgeluiden uit te horen. 'Ik kan nog niet bevestigen dat ze het zijn.'

Will deed twee onwillekeurige en zinloze stappen naar voren en hield zijn hand tegen zijn hoofd gedrukt. Niemand anders zei iets. Ze wachtten allemaal tot Laith weer sprak.

'Ik kom dichterbij. Geef me tien seconden.' Laith' stem klonk nog zachter.

Will telde de seconden af. Hij stelde zich voor dat de andere teamleden dat ook deden.

'Ze zijn het. Het is absoluut onze dame.'

Will haalde diep adem.

Roger sprak meteen met klem: 'Laith, laat ze passeren en volg ze.

Julian, ga naar Seaport Boulevard. Ben, rijd naar Atlantic Avenue en stop daar waar je maar kunt. Misschien stappen ze weer in een auto.'

'Waar wil je dat ik naartoe ga?' Will stelde zich de plattegrond van hun omgeving voor.

'Blijf waar je bent.'

'Ik zou dichter bij haar moeten zijn.' Will voelde de spanning in zijn eigen stem.

'Blijf waar je bent.'

Will wilde net weer iets zeggen toen hij Laith' stem hoorde. 'Ze gaan recht op de haven af.'

Will voelde zich nutteloos. Hij keek naar de Harbor Walk, die voor hem lag, maar hij wist dat Lana en haar begeleiders minstens negenhonderd meter bij hem vandaan waren.

Julian zei: 'Ik zie ze. Ze komen recht op me af.'

'Oké, Julian. Laith, blijf achter en laat Julian het overnemen.' Rogers stem klonk weer kalm. 'Ik blijf ten noordwesten van hen voor het geval ze terugkomen.'

Will liep heen en weer om zijn bloedsomloop op gang te houden.

Julian sprak weer. 'Ze gaan naar links over de Harbor Walk.'

Will bleef staan. Lana liep naar zijn positie bij de haven.

'Ik ben voor ze uit.' Julian klonk ontspannen. 'Ik stel voor dat je twee anderen inzet, dan zijn we met drie man om hen heen.'

'Akkoord,' antwoordde Roger. 'Laith, ga achter hen aan. Ik kom dichterbij, dan ben ik ten westen van hen.'

Will glimlachte voor het eerst op die dag. Lana en haar begeleiders zaten nu in de val tussen Julian, Roger, Laith en de wateren van de haven. Hij luisterde naar het commentaar van Laith en Julian.

'Ze is op Rowes Wharf.'

'Ze loopt langs het Boston Harbor Hotel.'

'Drie leden van het team zijn me zojuist voorbijgelopen. Ze sluiten zich aan bij onze dame en de twee anderen.'

Hij hoorde Rogers stem. 'Ik zie één man die door East India Row op hen af loopt.'

Hij hoorde Ben. 'Ik ben op mijn positie op Atlantic, maar het is moeilijk om hier te blijven staan. Wacht.' Will hoorde motorgeluiden achter Bens stem. 'De Dodge Durango is me net voorbijgereden. Maar hij gaat langzaam.'

'De kans is nog steeds groot dat ze een auto gebruiken.' Rogers stem klonk niet kalm meer.

'Ze is net rechts afgeslagen naar de Central Wharf.' Laith' stem klonk ook gespannen. 'Julian, je moet haar nu kunnen zien.'

Julian reageerde meteen. 'Natuurlijk. Onze dame en het team zijn zestig meter achter me. Ze lopen nu langs het aquarium.'

Will stampte met zijn voeten tegen de kou. Er speelden nog steeds kinderen om hem heen, en de winterwind gierde door de haven. Hij keek naar het water en zag dat het daar ondanks de sneeuwstorm en de koude, woelige zee nog wemelde van de schepen, die lading, toeristen en werknemers vervoerden. Hij wreef ijs van zijn gezicht en keek weer naar Harbor Walk. Het was een zigzaggend pad met gebouwen ertussen, en Will kon het dan ook niet goed overzien, maar hij wist dat Lana nu slechts tweehonderd meter bij hem vandaan was, nog geen honderd meter van Long Wharf verwijderd. Hij keek naar de pier en zag Julian langzaam naar hem toe lopen. Hij hoorde Roger spreken.

'Ik zie dat ze blijft staan. Een van de Iraniërs praat tegen haar. Die man wijst. Vier andere teamleden komen dicht naar haar toe.'

Laith zei: 'Ik sta honderd meter achter hen. Wat gebeurt er?'

'Dat weet ik niet zeker.' Rogers stem klonk even onzeker als zijn woorden. 'Iedereen op positie blijven.'

Will zag dat Julian bleef staan. Hij zag hem zijn hand in zijn zak steken en wist dat hij daar een wapen had.

'Er vindt een discussie plaats.' Laith' stem klonk gespannen. 'Een van hen probeert zijn hand op de arm van onze dame te leggen. Ze schudt hem af. Ze zwaait met haar armen. De man probeert haar weer aan te raken. Twee andere mannen komen dicht naar haar toe. Er is iets mis.'

Will stelde zich de kaarten van Boston voor die hij de vorige avond had bestudeerd. Hij stelde zich de wegen vanuit de stad voor, en de steegjes en zijstraten die gebruikt konden worden om mensen te voet vlug ergens naartoe te brengen. Hij herinnerde zich de dienstregeling en indeling van het metrosysteem. Hij herinnerde zich hetzelfde van de bussen. Hij trok de capuchon van zijn jasje weg om de ijskoude lucht over zijn hoofd te laten waaien. Hij keek naar de toeristengezinnen met spelende kinderen, en hij keek weer naar de haven. Zijn maag kwam in opstand bij het besef van wat er gebeurde, en hij drukte op de knop van zijn microfoon. Hij sprak erg snel. 'De veerboot. Ze houden haar op Long Wharf omdat de veerbootterminal daar is. Megiddo komt met de volgende veerboot aan, of ze brengen haar ernaartoe.'

'Wat gaat het worden, Will?' Roger klonk net zo geërgerd als Will zich voelde.

Ben zei: 'De veerboot gaat van Long Wharf naar Charlestown Navy Yard in het noorden. Het is tien minuten varen, maar als je wilt dat ik in Charlestown ben, moet je het nu zeggen, want met dit weer rijdt het verkeer langzaam.'

'Wat wordt het, Will?' Roger sprak nu met luide stem.

Voordat Will kon antwoorden, zei Laith: 'Ik kan de veerboot zien binnenkomen. Hij is er over twee minuten.'

'Will?'

De ijskoude lucht liet de kogelwond in Wills hoofd pulseren. Hij streek door zijn haar en keek naar de haven. Hij zag de veerboot, die langzamer ging varen terwijl hij de pier naderde. Will dacht koortsachtig na. Wat moesten ze doen? Als Megiddo op die boot zat, zou Lana haar bontmuts afzetten om te laten weten dat hij het was. Will had al zijn mensen rondom Megiddo op Long Wharf nodig. Als hij Ben nu naar Charlestown stuurde, zou hij daarmee een enorm risico nemen, want dan stuurde hij de enige auto van het team weg. Maar als hij Ben niet naar Charlestown stuurde, en als Lana op de boot stapte, zou hij kostbare tijd verliezen. Er was geen eenduidige oplossing.

Will sprak tegen iedereen: 'We wachten af of hij op de veerboot zit.'

'Dat is riskant, Will.' Dat was Ben. 'Als hij niet op de veerboot zit, en ze gaat aan boord, dan kan ik niet garanderen dat ik in Charlestown ben voordat de boot daar aankomt.'

'Will heeft zijn besluit genomen, en dus blijven we hier.' Roger klonk vastbesloten. Toch vroeg Will zich af of Roger het met hem eens was.

De veerboot kwam langs de pier te liggen. Hij deinde wat in het water, totdat hij met kabels was vastgelegd. Mensen stapten uit. Will tuurde over Long Wharf, maar vanaf zijn positie in het park kon hij Lana en de Iraniërs niet zien, want er stond een groot havengebouw tussen. Hij zag meer passagiers van de boot komen, en toen zag hij geen mensen meer.

'Onze dame wordt naar de veerboot geleid.' Roger klonk neutraal. 'Hij is er niet. Ze brengen haar alle zes naar de boot.'

Will stampte van woede op de grond. Zonder de frustratie in zijn stem te verbergen zei hij tegen Ben: 'Kom me halen, Ben. De anderen gaan met haar mee op de boot.'

Roger zei: 'Will, als we het hele team op de boot zetten, is de kans groot dat de Iraniërs ons in de gaten krijgen. De boot is te klein. Wil je dat risico nemen?'

Will kon dat risico niet nemen. Als de Iraniërs ontdekten dat Lana door anderen werd gevolgd, zou alles verloren zijn, want dan zou Megiddo vermoeden dat ze hem in de val had gelokt.

'Julian, ga de boot op. Alle anderen gaan naar Atlantic Avenue om door Ben te worden opgepikt.'

Will rende het park uit en stopte op de straat die erlangs liep. Hij draaide zich om en keek net op tijd naar Long Wharf om de veerboot te zien vertrekken. Hij keek op zijn horloge. Hij keek weer naar de straat.

'Ik heb Laith.' Ben sprak met stemverheffing om boven het geluid van de motor uit te komen.

Will keek weer op zijn horloge. De veerboot zou er nu nog negen minuten over doen om zijn bestemming te bereiken. Op de straat voor hem werd heel langzaam gereden. Sommige auto's hadden hun alarmlichten aan, en in de verte, rechts van hem, zag Will overal remlichten, een teken dat het verkeer ergens op de route die ze moesten volgen tot stilstand was gekomen.

'Roger is bij me. We zijn op weg naar jou, Will.'

De veerboot zou over acht minuten in Charlestown aankomen.

'Oké, we zien je.'

Will tuurde in de sneeuwstorm. Hij keek naar links. Er bewogen zich daar veel koplampen over de weg, en hij bekeek allemaal om vast te stellen welke van Bens auto waren. Hij zag een auto schuin over de straat rijden, veel sneller dan de andere. Die auto knipperde twee keer met zijn lichten, en toen hij Will tot op twintig meter was genaderd, ging er achter een portier open. De auto minderde vaart toen hij bij Will was aangekomen, maar stopte niet. Will rende mee en sprong erin. De auto maakte meteen weer snelheid, en Will voelde dat de banden er moeite mee hadden hun grip op het wegdek te behouden. Hij ging op de achterbank zitten. Roger zat naast hem, en Laith zat naast Ben voorin. Aanvankelijk zei niemand iets.

Ze hadden zesenhalve minuut om hun bestemming te bereiken.

Will keek Roger aan. 'Ik heb de verkeerde beslissing genomen.'

Roger haalde een pistool uit zijn jasje. 'Het had de juiste beslissing kunnen zijn, als hij op die boot had gezeten.'

Will tuurde voor zich uit. Laith sprak zacht met Ben.

'Blijf op Atlantic Avenue. Wissel van baan over vijftig meter. Commercial Street komt van links bij ons. We zitten nu op Commercial Street. Massachusetts 1A komt van links. Ga het kruispunt over. Verderop langzaam rijdend verkeer. Wissel van baan. Wissel nog een keer. Neem de opening tussen die twee auto's voor ons.'

Will legde zijn linkerhand op de rugleuning van Bens stoel, zodat zijn horloge te zien was. Ze hadden nog maximaal vier minuten om hun bestemming te bereiken.

'Langzaam rijdend verkeer. We moeten elke opening gebruiken die we kunnen vinden. Naar links, auto rechts van je. Accelereren. Nu langzamer. Doorrijden. Weg maakt hoek van vijfenveertig graden naar links. Charlestown Bridge over honderdveertig meter. Neem de volgende opening met snelheid. Nu langzamer. En sneller.'

Met zijn rechterhand haalde Will zijn pistool uit zijn zak. Hij hoorde Julians stem. *'De klok tikt. Ik zie onze pier op de Charleston Navy Yard.'*

Ben reed zwijgend door. Hij concentreerde zich geheel op zijn taak en op de instructies van Laith.

'We rijden de brug op. De komende honderd meter zit er meer ruimte in het verkeer. Nu sneller rijden.'

De auto schoot naar voren, en Will vroeg zich af hoe Ben het klaarspeelde om niet van de weg af te slippen.

Ze hadden nog tweeënhalve minuut.

'Binnen langs de bus. Naar rechts. Meer verkeer. Probeer die opening te gebruiken – correctie, te smal. Ga naar links en rijd door.'

'*Wat wil je dat ik doe, Will?*' Julian sprak met gedempte stem.

Will boog zich naar voren om tegen de mannen voorin te spreken. 'Zijn we op tijd?'

De mannen negeerden hem. Laith ging verder met zijn instructies voor Ben. Will zuchtte, want hij wist dat ze hem geen antwoord konden geven. Ze konden alleen maar hun uiterste best doen zo snel mogelijk vooruit te komen.

'We gaan langzamer varen.' Julian was nauwelijks te horen. 'We zijn er bijna. Moet ik voorkomen dat ze aan wal gaan?'

Will stompte tegen de rugleuning voor hem.

Julian sprak weer. 'Je moet weer een beslissing nemen, Will. Wil je dat ik intervenieer?'

Will keek voor zich uit. Ze naderden het einde van de brug en zouden straks rechts afslaan naar Charlestown.

'Onze veerboot is er over dertig seconden. Wil je dat ik intervenieer?'

Will keek naar Roger terwijl hij Laith zijn instructies hoorde geven.

'Nu negentig graden naar rechts, Chelsea Street in. Zeshonderdvijftig meter tot bestemming. Veel verkeer voor ons. Shit.'

Hun snelheid liep abrupt terug, en toen stonden ze stil achter een rij auto's die ook stilstond.

Ben keek over zijn schouder naar Roger. 'Ik kom er niet door.'

Roger opende meteen zijn portier en riep: 'Laith en Will, ren met mij mee! Ben, doe wat je kunt om daar met de auto bij ons te komen!'

Will maakte zijn portier open, stak zijn wapen in een zak en zette het op een lopen. Op dat moment sprak Julian opnieuw in zijn oor.

'We zijn gestopt. Als je wilt dat ik iets doe, moet je het nu zeggen.'

Wills hand vloog naar de knop van zijn microfoon. 'Niets. Je bent in de minderheid en ze zou in het kruisvuur geraakt kunnen worden. Doe niets.'

Hij liep met Roger en Laith tussen de auto's door en over een dikke, doorploegde laag sneeuw. Auto's claxonneerden, vermoedelijk om te proberen het verkeer in beweging te krijgen, en sommige automobilisten waren uitgestapt en keken door Chelsea Street. Will zigzagde tussen auto's en mensen door. Hij rende zo hard als hij kon langs alle obstakels. Boven het lawaai van de auto's en zijn eigen snelle ademhaling uit hoorde hij Julian weer praten.

'Ze komen van de veerboot af. Ze lopen over de pier. Ik zie dat hun auto op hen staat te wachten.'

Will riep: 'Alleen gadeslaan! Niet interveniëren!' Hij probeerde harder te rennen. Hij struikelde over een berg sneeuw, viel met zijn schouder op de grond en landde op de kogelwond die hij op de berg Medvednica had opgelopen. Hij kromp ineen van de pijn, voelde een hand die zijn jasje vastgreep en werd overeind gehesen. Hij keek Laith even aan en rende toen door. Hij zag de marinewerf rechts van hem. Roger, Laith en hij verlieten Chelsea Street en renden over een open vlakte en een parkeerterrein naar hun bestemming. Will haalde zijn pistool tevoorschijn. Hij zette een nog snellere sprint in. Hij hoorde Julian weer spreken.

'Ze stappen in hun SUV. Ik zie hem wegrijden van mijn positie. Ik zie hem wegrijden van jullie positie. Jullie zijn te laat. Ze zijn weg.'

41

'Megiddo heeft zijn zenuwen in bedwang gehouden – nu is het onze beurt om dat ook te doen.' Will zei dat met luide stem terwijl hij zich over een kaart van Massachusetts boog. Hij was in het huis van de CIA in het West End van Boston. Patrick en Roger waren bij hem. Will wees naar de kaart en keek op naar Patrick. 'We kunnen op dit moment niets doen.'

'We kunnen niets doen om jouw fout ongedaan te maken.' Patrick wees naar Will en stak toen zijn armen in de lucht. 'Ze had nooit door hen meegenomen mogen worden. Misschien gaat Megiddo haar martelen.'

'Dat weet ik,' snauwde Will, en hij streek gedachteloos met zijn vingers door zijn haar. Hij voelde zich misselijk van frustratie en maakte zich vreselijk veel zorgen om Lana.

'Dan weet je ook dat ze, als ze wordt gemarteld, vertelt wat wij aan het doen zijn, en dan is alles afgelopen.'

'Is dat het enige waar jij om geeft?' riep Will uit. 'En Lana dan? Haar leven? Geef je daar niets om?'

'Ik geef om de duizenden levens die verloren kunnen gaan als ze hun vertelt wat wij aan het doen zijn. Ze wist dat het riskant was om met ons samen te werken.'

'Hoe kon ze dat weten? Hoe kon een vrouw als zij nu werkelijk weten wat de risico's zijn bij het werk dat wij doen?'

Patrick kwam naar voren. 'Je hebt haar aan hen verloren, en daar is geen excuus voor aan te voeren.'

Will sloeg met zijn vuist op de tafel. 'Ik ben niet de eerste in deze kamer die iemand kwijtraakt.'

Patrick schudde vlug zijn hoofd. 'Gooi me dat niet voor de voeten. Je zit er helemaal naast als je denkt dat je het verlies van Lana aan Megiddo kunt vergelijken met het feit dat Alistair en ik hem niet in eerste instantie te pakken hebben gekregen.'

'Het komt jou wel goed uit om dat te denken.'

'O, god nog aan toe.' Patricks armen vlogen weer de lucht in. Hij draaide zich met een ruk naar Will om. 'Het is niet te vergelijken.'

Will voelde de woede in hem opwellen. 'Waarom niet?'

Er klonk grote ergernis in Patricks stem door. 'De vergelijking gaat niet op omdat jij iets hebt gedaan wat wij niet konden doen. Wij hebben de jonge Megiddo nooit in het vizier gehad, maar jij hebt kans gezien de oudere Megiddo, een man die nu het meest gezochte meesterbrein op deze planeet is, bijna binnen handbereik te krijgen.' Opnieuw wees hij naar Will. 'Ik ben kwaad op je omdat je veel meer hebt bereikt dan Alistair en ik en toch nog alles op het laatste moment hebt verknoeid. Ik ben kwaad omdat je de situatie niet meer volledig in de hand hebt. Ik ben kwaad omdat we nu afhankelijk zijn van het beeld dat Megiddo van Lana heeft. We zijn kwetsbaar.'

'We zijn niet kwetsbaar.' Roger sprak de woorden zacht en kalm uit en keek intussen uit het raam. 'Megiddo zal Lana niet martelen.'

Hij had ieders onverdeelde aandacht.

Ten slotte verbrak Patrick de stilte. Hij klonk aarzelend. 'Hoe kun je daar zo zeker van zijn?'

Roger haalde zijn schouders op. 'Voor Megiddo telt maar één ding: zijn missie moet slagen. Misschien vertrouwt hij Lana niet helemaal, maar hij zal er ook rekening mee houden dat ze hem misschien de waarheid vertelt. Als hij haar martelt, verliest hij haar medewerking. Hij wil nu allereerst Will te pakken krijgen, en daarvoor moet hij op Lana vertrouwen.' Roger draaide zich om en knikte naar Will. 'Will is degene die hij wil martelen.'

Patrick verroerde zich niet. 'Ik hoop dat je gelijk hebt.'

'Ik weet dat Roger gelijk heeft.' Will richtte zich in zijn volle lengte op en liep bij de kaart vandaan. Hij keek Patrick aan. 'Lana zal me bellen om een afspraak voor een ontmoeting te maken. Ze weet dat ik dat wil, en ik weet dat Megiddo het wil. We moeten onze zenuwen in bedwang houden.'

Patrick zuchtte. 'We hebben geen tijd om af te wachten. De andere vijfentwintig mannen zijn intussen het land binnengekomen.'

Het was avond, en Will was alleen. Hij keek naar zijn mobiele telefoon. Hij verlangde er wanhopig naar dat het ding zou overgaan.

Hij sloeg zijn armen om zichzelf heen. Hij wilde zijn eigen woorden geloven. Hij wilde zijn zenuwen in bedwang houden. Maar hij voelde zich hulpeloos en hopeloos.

Hij voelde drie kogels in zijn buik, en hij rook het gras van New York.

Hij zag Lana de deur van haar woning in Parijs openmaken en hem onderzoekend aankijken. Hij zag Ewan zijn hoofd schudden en dood neervallen in de sneeuw van Bosnië. Hij zag een man die Will of Megiddo kon zijn een mes tegen Harry's keel houden. Hij stond in de buurt, maar niet dichtbij genoeg toen een jonge Lana zich zo klein mogelijk maakte in een bos in de Balkan, omringd door verkrachters, en hij zag de angst en het verzet op haar gezicht. Hij keek naar zijn vader terwijl de man die hij niet kende op een eenzame weg in de buurt van Bandar-e Abbas stond. Hij zag een oude man die niet meer door zijn verleden achtervolgd wilde worden. En hij zag hoe een bom ergens in de Verenigde Staten onbekende mensen uiteenreet.

Alles leek nu zinloos, onwezenlijk, onvermijdelijk.

Hij stond op, liep door zijn hotelkamer en weer terug, en wist niet wat hij moest doen. Hij hoorde geluiden. Hij keek naar zijn telefoon. Hij hield op met ademhalen. Hij hield op met denken.

Lana belde hem.

42

Will kwam onder de hoteldouche vandaan en keek naar zichzelf in de manshoge spiegel in de badkamer. Hij zag littekens, striemen, blauwe plekken en rijt- en brandwonden. Hij bleef even staan en pakte toen een handdoek. Toen draaide hij zich om en liep naar de slaapkamer. Hij keek naar de kleren die hij over het bed had gespreid, en voor de derde keer die avond voelde hij in elke zak en plooi van elk kledingstuk. Zodra hij er zeker van was dat er niets compromitterends in zat, trok hij de kleren aan: een wit Ede & Ravenscroft-overhemd met dubbele manchetten, zilveren manchetknopen, een blauwe Chester Barrie-das, een blauw Huntsman-maatkostuum en zwarte Crockett & Jones-schoenen. Hij bekeek zichzelf in een andere spiegel. Met uitzondering van de donkere groef die de kogel aan de zijkant van zijn hoofd had achtergelaten zag hij er respectabel genoeg uit.

Hij trok een winterjas en handschoenen aan en liep naar een zijtafel, waarop zijn portefeuille, mobiele telefoon en paspoort lagen te wachten. Hij haalde geld uit de portefeuille en stopte het in zijn zak. De rest liet hij liggen. Hij keek naar een wekker op het nachtkastje, wachtte nog even en verliet toen de kamer.

Hij liep door de hal van het vijfsterren Mandarin Oriental Hotel, ging naar buiten en stond in Washington. Een portier kwam naar hem toe en vroeg of hij een limousine wilde. Will wees het aanbod van de hand en antwoordde dat hij ondanks de zware sneeuwval wilde lopen naar zijn bestemming. De man zei beleefd tegen Will dat hij gek was en liet hem toen met rust. Will zette de kraag van zijn overjas op en liep.

Hij wist dat Roger, Laith, Ben en Julian dicht bij hem zouden zijn, maar hij keek niet naar hen uit. Hij wist dat ze met elkaar zouden praten, maar hij had geen apparatuur om hen te horen. Hij wist dat ze voldoende bewapend zouden zijn om te compenseren dat hij geen wapens bij zich droeg.

Hij liep door het bijna lege Seaton Park, langs de Smithsonian Institution en de National Gallery of Art, en toen in noordelijke richting door Seventh Street N.W. Hij had zijn bestemming bereikt.

Hij keek naar het luxe Hotel Monaco en glimlachte. Ieder ander zou het stijlvolle, smaakvol verlichte gebouw met zijn vele marmer verwelkomend en uitnodigend vinden, maar Will wist dat er mannen in het hotel waren die zouden proberen hem te vermoorden. Hij bleef even staan en ging toen het gebouw in. Hij liep naar de conciërge, gaf zijn naam op en zei dat hij een gast van mevrouw Lana Beseisu was.

Will ging vier verdiepingen met de lift omhoog en kwam in het deel van het hotel waarin zich de Majestic Suites bevonden. Hij bleef bij de kamer staan die hij moest binnengaan. Hij haalde diep adem en sloot zijn ogen even. Nadat hij ze had geopend drukte hij op de bel.

Lana stond tegenover hem. Ze zag er adembenemend mooi uit en vertoonde geen sporen van mishandeling. Toch had ze tranen in haar ogen, en aan haar gezicht was duidelijk te zien dat ze onder spanning stond. Ze sloeg haar ogen neer en mompelde: 'Nicholas. Ik stel het op prijs dat je zo snel kon komen.'

Will wilde een stap naar voren doen en haar in zijn armen nemen, maar hij wist dat hij dat niet kon doen. Hij wilde vragen of ze ongedeerd was, maar hij wist dat die vraag onuitgesproken moest blijven.

Lana draaide zich om en liep de suite weer in. Will wist dat er twee slaapkamers waren en dat de suite groot genoeg was voor twintig gasten. Hij volgde haar door de gang langs een badkamer en een kastenwand. Hij hoorde een geluid achter zich.

De slag trof hem op de zijkant van zijn hals, en hij vloog meteen over de vloer. De pijn schoot door zijn rug en armen en bleef steken in de wonden die hij in de afgelopen weken had opgelopen. Hij sloot zijn ogen en kreunde. Hij voelde dat iemand hem plastic handboeien omdeed. Hij voelde armen die hem voor een deel overeind hesen en hem vlug naar voren duwden. Hij opende zijn ogen en zag mannen en een huilende Lana. Hij hoorde stemmen. Een daarvan schreeuwde, maar niet tegen hem. Hij keek naar dat alles alsof hij buiten zichzelf stond. Toen werd hij in een eetkamerstoel midden in het huiskamergedeelte geduwd. Hij keek vlug om zich heen en zag vier mannen. Een van hen liep naar hem toe en stompte tegen de zijkant van zijn gezicht. Door de schok vielen de stoel en hijzelf achterover. Mannen trokken hem overeind en sloegen een touw om zijn bovenlichaam, zodat hij nu stevig aan de stoel vastgebonden zat. Ze keken in zijn zakken en op andere plaatsen, maar vonden alleen het geld dat hij bij zich had. Ze liepen bij hem weg. De man die schreeuwde keek naar Lana. Hij liep naar haar toe en leidde haar naar een slaapkamer. Toen hij terugkwam, haalde hij een jachtmes tevoorschijn en liep daarmee naar Will toe. Hij draaide zich om en pakte nog een eetkamerstoel, die hij tegenover Will neerzette, waarna hij ging zitten en hem recht aankeek.

De man leek midden vijftig. Zijn zwarte haar was onberispelijk gekapt en van brillantine voorzien. Hij was gladgeschoren, en zijn jasje en broek zagen er duur uit. Hij rook naar tabak en mannen-eau de toilette van Chanel.

Er was geen enkele uitdrukking op het gezicht van de man te bespeuren. Will schatte dat hij een minuut lang niets anders deed dan zijn gevangene aankijken. Toen de man sprak, klonk zijn stem gepolijst, met nauwelijks een accent. 'Je kunt in leven blijven, als je deze situatie op een intelligente manier aanpakt.'

Will keek naar het mes en keek toen de man weer aan. 'Wat is de situatie?'

De man glimlachte. 'Ik zou hebben gedacht dat een MI6-agent heel snel zou kunnen zien wat hier aan de hand is.'

Will blies zijn adem uit. 'Nou, blijkbaar ben ik verraden.'

'Waarom zou dat gebeurd zijn?'

Will keek om zich heen. De drie andere mannen keken naar hem, maar bleven zwijgen. Will herkende twee van hen als leden van het Iraanse surveillanceteam. Ze hadden pistolen met geluiddempers op hun schoot liggen. Will keek de man weer aan die duidelijk hun chef was. 'Val dood.'

De man bracht zijn mes naar zijn andere hand over. 'Zo'n uitdagende houding is misplaatst en heeft hier geen enkele zin.' Hij boog zich naar voren en streek met de punt van het mes over Wills gezicht. 'Ik begrijp dat je op zoek bent naar iemand.'

Will glimlachte. 'Ga jij me daarbij helpen?'

De man drukte wat harder met het mes, zodat het een lijn op Wills gezicht achterliet. Hij leunde achterover en keek naar de dunne streep bloed die opkwam. 'Denk je dat ik de man bent die je zoekt?'

'Ik weet het niet.'

'Inderdaad. Je weet het niet.' De man knikte naar een van de andere mannen en keek toen Will weer aan. 'Ik heb gehoord dat je waardevolle informatie voor ons hebt. Ik wil die informatie hebben.'

'Ik praat alleen met de man die ik zoek. Als jij dat bent, vertel me dat dan maar, want anders verlies ik mijn belangstelling.'

Will zag een van de mannen langzaam door de kamer lopen tot hij uit het zicht was. Even later voelde hij een koord om zijn keel. Het werd zo strak aangetrokken dat hij geen lucht meer kreeg. Will keek naar de man die tegenover hem zat. In stilte telde hij de seconden af. Toen hij een minuut niet had kunnen ademhalen, voelde hij zich zwak. Bij twee minuten werd zijn gezichtsveld wazig. Na drie minuten wist hij dat zijn lichaam dringend zuurstof nodig had.

Het koord verslapte, en Will hapte naar lucht terwijl hij op de stoel heen en weer schommelde. Hij schudde zijn hoofd en keek de man tegenover hem aan. Toen glimlachte hij. 'Dat was interessant.'

De man maakte een afwerend gebaar. 'Dat kun jij wel vinden, maar ik houd niet van wreedheid.' Hij haalde een sigaret uit de zak van zijn jasje, stak hem bedachtzaam aan en inhaleerde rook. 'Maar ik heb er wel belang bij om mijn werk zo goed mogelijk te doen.' Hij keek Will een tijdje aan en zei toen: 'Het is voor ons beiden belangrijk dat we nu gaan praten over de informatie die je hebt.'

'Welke informatie?'

De man knikte naar de ondergeschikte die nog achter Will stond. Het koord werd weer strakgetrokken. Will telde tot vier minuten, zag toen dat zijn benen wild naar voren schopten en voelde dat het koord slap werd.

'Ik dacht even dat we je al kwijt waren, maar blijkbaar ben je sterk.' De sigaret van de man was bijna opgebrand, en hij drukte hem uit. 'Laten we nu gaan praten, en wees deze keer niet zo koppig.' Hij stak weer een sigaret aan.

'Wat krijg ik daarvoor in ruil?' Wills stem klonk gespannen en zwak. Hij hoestte een paar keer.

De man glimlachte. 'Wat zou je graag in ruil willen hebben?'

Will fronste zijn wenkbrauwen en hoopte dat het leek alsof hij over die vraag nadacht. In werkelijkheid hield hij de tijd bij. Hij blies zijn adem uit. 'Ik zou graag hiervandaan weg willen lopen.'

'Ongetwijfeld.' De man keek naar zijn eigen gemanicuurde vingers. 'Maar dat gebeurt alleen als je eerst met mij praat. En zelfs dan verlaat je deze kamer alleen...' Hij keek om zich heen. '... wanneer dat gesprek iets nuttigs heeft opgeleverd.'

'Dat is niet bepaald een aanmoediging om te praten.'

De man zuchtte en knikte. Het koord sneed diep in de opengehaalde huid van Wills keel, en aanvankelijk was de pijn van de snede erger dan het zuurstofgebrek door de wurging. Will telde weer. Hij wist dat het deze keer langer zou duren, en hij wist ook dat hij onder geen beding het bewustzijn mocht verliezen, want dan had hij geen besef meer van de tijd. Hij telde tot vier minuten en merkte dat hij duizelig werd. Hij telde tot vijf minuten en voelde dat zijn hele lichaam trilde en zijn benen weer stuiptrekten. De man achter hem was erg sterk. Will telde tot bijna zes minuten, en toen kon hij niet meer tellen en dacht hij dat zijn hoofd zou exploderen. Het koord werd slap.

Will viel naar voren op de vloer. Hij voelde dat zijn hart te snel sloeg, en hij vroeg zich af of het zou bezwijken en zou blijven stilstaan. Hij probeerde niet te snel adem te halen, maar de instincten van zijn naar zuurstof snakkende lichaam waren te sterk en lieten hem onwillekeurig diep inademen. Het deed vreselijk veel pijn. Ze zetten hem overeind en duwden zijn hoofd naar achteren om zijn luchtwegen helemaal vrij te maken. Er ging een minuut voorbij waarin hij wanhopige pogingen deed zijn lichaam weer onder controle te krijgen. Zodra hij eindelijk niet meer zo vlug ademhaalde, duwde iemand zijn hoofd agressief naar voren. Hij keek de man tegenover hem aan.

'Ik doe mijn werk.' De man zoog aan zijn sigaret. 'Maar jouw werk heeft nu geen zin. Je zou alleen aan je leven moeten denken.'

Will schudde zijn hoofd.

De man knikte zijn wurger toe.

'Nee, nee.' Will sprak de woorden zwakjes uit. Zijn hoofd pulseerde van pijn, en het bloed gonsde in zijn oren. 'Niet meer.'

'Ik beslis of er nog meer komt, niet jij. Maar wat je nu gaat zeggen, kan van invloed zijn op mijn beslissing.'

Will haalde gierend adem. Hij wist tot op ongeveer twintig seconden nauwkeurig dat hij negentien minuten in deze kamer was geweest. Hij wist dat de volgende minuut van cruciaal belang was. Hij wist ook dat hij niet kon toestaan dat de mannen hem opnieuw wurgden, want dan zou die tijd misschien worden overschreden. 'Er is geen informatie. Dat was een leugen.'

De man kneep zijn ogen halfdicht en glimlachte. 'Met uitvluchten kom je er niet.'

Will schudde vlug zijn hoofd. Zijn eigen ogen waren wijd open. 'Ik heb tegen Lana gelogen. Ik heb nooit informatie gehad over de details van Megiddo's plan. Dat heb ik haar alleen maar wijsgemaakt. Ik wilde alleen maar dat ze me naar hem toe leidde.' Hij hield zijn hoofd nu stil. Het zweet liep over zijn gezicht. 'Ben jij Megiddo? Ik moet het weten.'

De man tegenover hem gooide het jachtmes van de ene in de andere hand. 'Je moet het weten?'

'Je gaat me toch vermoorden. Ik moet het weten.' Wills hoofd zakte naar voren toen hij het zei, maar op datzelfde moment greep een hand zijn haar vast en trok hem omhoog, zodat hij de man weer aankeek.

'Je moet het weten?'

Will hoestte weer. 'Ik heb tegen haar gelogen om dicht bij Megiddo te komen. Alsjeblieft, bewijs me de eer dat je me vertelt of ik daarin geslaagd ben, voordat je me doodt.'

De man hield zijn handen en het mes stil. Hij keek naar de mannen in de kamer en keek toen Will weer aan. 'Blijkbaar was dit grote tijdverspilling. En ik zal mezelf niet verlagen door je leven af te sluiten met een leugen, al heeft een leugen van jou ons hiernaartoe gebracht. Ik ben niet de man die je zoekt. Ik ben niet Megiddo. Ik ben zijn dienaar.' Hij grinnikte. 'Je staat op het punt te sterven, maar ik kan niet tegen je liegen en zeggen dat je dicht bij je prooi bent gekomen.'

De teleurstelling kwam harder aan bij Will dan de mishandelingen die hij zojuist had ondergaan. Hij had hier willen zijn; hij had zo erg gemarteld willen worden dat hij een kwetsbare indruk maakte, alsof hij voor zijn leven vreesde. Hij had de man tegenover hem in de waan willen brengen dat er niets te verliezen was als hij zijn identiteit aan Will bekendmaakte. Maar hij had beslist niet willen horen dat de man niet Megiddo was. Hij ademde diep in en uit. Hij wist dat hij daar nu bijna twintig minuten was.

Will schudde langzaam zijn hoofd. 'Je moet toch van zijn exacte plannen weten?'

De man liet een kort lachje horen. Hij deed een stap naar voren en drukte het lemmet van het jachtmes tegen Wills voorhoofd. 'Ik ga de komende twee uur met je aan het werk. Ik wil zeker weten of MI6 echt geen informatie heeft over wat mijn baas hier aan het doen is. Je zult me de waarheid vertellen om een eind aan de pijn te maken. En als dat gebeurt, laat ik je sterven.'

Will knikte weer en glimlachte. 'Pijn en dood maken me niet bang.' Hij deed geen enkele poging meer om de veerkracht in zijn stem te verbergen. 'Maar jou maken ze misschien wel bang. Jouw tijd is nu om.'

De man fronste zijn wenkbrauwen.

'Ik heb mezelf twintig minuten gegeven om erachter te komen of jij Megiddo was. Twintig minuten...' Wills glimlach werd nog breder. '... voordat ik mijn belangstelling voor deze situatie verloor.'

Will hoorde een gedempt pistoolschot en voelde dat de wurger hem meteen losliet. De man tegenover Will keek vlug naar links, sprong op en deed een stap achteruit. Er volgde een snelle beweging, en meteen daarop zag Will dat Roger voor hem langs rende en een van de bewakers in het hoofd schoot. Hij zag Laith en Ben ineengedoken bij de deur van de kamer staan en op een andere man schieten. Hij zag de Iraniër van middelbare leeftijd naar voren komen en met zijn jachtmes naar Will uithalen, zag een kogel door het voorhoofd van de man naar buiten komen en zag de man opzij vallen voordat zijn mes Will had bereikt. En ten slotte zag hij Lana achter in de kamer staan. Ze hield het pistool van een van de dode Iraniërs in haar hand en de tranen liepen over haar gezicht.

Laith liep naar Will toe en sneed zijn touwen door. Will hees zich overeind en moest even blijven staan, want zijn hele gezichtsveld werd weer wazig. Hij haalde diep adem en legde zijn hand op zijn geteisterde keel.

Roger hurkte bij de Iraniër van middelbare leeftijd neer. 'Het is Gulistan Nozari. De tweede man.'

Will liep door de kamer naar Lana toe. Ze liet het pistool vallen en viel in zijn armen. Hij hield haar even vast en streek met zijn hand over haar gezicht.

Ze keek naar hem op. 'Heb ik het goed gedaan?' Ze beefde en huilde.

Will trok haar dicht tegen zich aan en zei zacht: 'Waarschijnlijk heb je mijn leven gered.'

Ze schudde haar hoofd. 'Je stierf hier bijna omdat ik in Boston in hun auto werd geduwd. Ik wist niet wat ik moest doen.'

Will klemde haar dichter tegen zich aan. 'Je bent geslaagd in alles wat ik je heb gevraagd, maar ik heb je in een afgrijselijke situatie gebracht door je in Boston kwijt te raken. Ik heb een fout gemaakt. Ik heb gefaald.'

Lana schudde heftig haar hoofd. 'Je hebt niet gefaald, Nicholas. Ik heb hem ontmoet.' Ze wreef over haar ogen. 'Ik heb Megiddo ontmoet voordat ik hiernaartoe werd gebracht door zijn helper. Misschien kun je Megiddo niet te pakken krijgen, maar je kunt nog wel voorkomen dat zijn mannen zijn missie uitvoeren. Want ik weet wat hij van plan is.'

43

'De bijeenkomst op Camp David?' Patrick sloeg zijn armen over elkaar en blies zijn adem uit.

'We waren dom.' Will keek naar de zeven politiewagens en drie ambulances die om hen heen stonden. De vallende sneeuw glinsterde in het schijnsel van hun zwaailichten. Sommige geüniformeerde mannen en vrouwen liepen Hotel Monaco in en uit, terwijl anderen blijkbaar moesten voorkomen dat het nieuwsgierige publiek te ver opdrong. Will keek naar een van de ambulances en zag Lana bij de achterkant staan. Ze had een deken om zich heen geslagen en dronk iets uit een plastic beker. Hij keek Patrick weer aan. 'We gingen ervan uit dat het Megiddo om grote aantallen te doen was. Niet om een klein aantal vips.'

Patrick knikte langzaam. 'De president van de Verenigde Staten, de Britse premier, de president van Egypte, de president van de Verenigde Arabische Emiraten, een van de belangrijkste leden van het Saoedische vorstenhuis en de president van Syrië. Alle regeringsleiders die Irans ambities in het Midden-Oosten in de weg staan.' Hij hield zijn handpalmen omhoog om onbegrip te tonen: 'Het is me een raadsel waarom die Camp David-bijeenkomst in de openbaarheid gebracht moest worden.'

Will keek naar de wolkjes van zijn eigen adem in de ijskoude lucht en zei: 'Goed voor de public relations.'

Patrick maakte een geluid dat als kreunen klonk. 'Nou, het heeft Megiddo aan zijn doelwit geholpen.' Hij keek Will recht aan. 'Jammer dat Lana niet kon ontdekken hoe zijn mannen door de beveiliging van die top heen willen komen.'

Will schudde zijn hoofd. 'Een van de terroristen dacht dat ze tot Megiddo's team behoorde. Daarom liet de man zich bijzonderheden over het doelwit ontglippen. Maar toen kwam Megiddo binnen en zei hij tegen de man dat hij zijn mond moest houden. In de twee dagen die ze bij Megiddo heeft doorgebracht heeft ze die man niet meer gezien.' Will glimlachte. 'Ik denk dat Megiddo hem voor zijn loslippigheid heeft gestraft.'

'Waar is ze naartoe gebracht?'

'Ze hadden een huis aan de rand van New York gehuurd, maar dat staat nu leeg. Megiddo en zijn mannen zijn vertrokken voordat zijn plaatsvervanger haar hiernaartoe bracht.'

Patrick knikte. 'De top zou over drie dagen hebben plaatsgevonden, maar wordt nu afgezegd. Dat zal niet worden bekendgemaakt. En als Megiddo's mannen dom genoeg zijn om de aanval op Camp David toch door te laten gaan, stuiten ze daar op veel meer verzet dan ze verwachten.' Hoewel Patricks gezicht slecht te zien was in het halfduister en het flikkerende licht, zag Will dat hij dit alles heel jammer vond. Patrick zuchtte en zei: 'Misschien denk je er zelf anders over, maar je bent geslaagd. Je hebt ontdekt waar de aanslag zou plaatsvinden.'

Will stak zijn handen diep in de zakken van zijn jas, keek Patrick aan en schudde zijn hoofd. 'Ik wilde wel voorkomen dat Megiddo's missie slaagde, maar dat had alleen betekenis voor mij als ik de man zelf ook te pakken kreeg.' Hij glimlachte, maar voelde zich kwaad en leeg vanbinnen. 'Hij heeft me verslagen.'

Hij liep naar Lana toe, die er doodmoe uitzag. Ze knikte hem toe en trok haar deken strakker om zich heen. 'Ik heb iemand gedood. Ik weet niet of ik daar ooit overheen kom,' zei ze tegen Will.

Hij zuchtte. 'Uitgerekend ik kan je niet vertellen hoe je je zou moeten voelen als je iemand van het leven hebt beroofd. Ik kan je wel vertellen dat de man die je hebt neergeschoten een slecht mens was, iemand die heel nauw bij dat terreurplan was betrokken.'

Lana knikte langzaam, en Will zag dat haar wangen glansden van de tranen. Hij keek om zich heen. Patrick praatte met een geüniformeerde hoofdinspecteur van politie. Roger en zijn mannen waren al lang verdwenen. Het personeel van de nooddiensten was hard aan het werk. Niemand keek naar hen.

Will legde zijn armen om Lana's middel. Hij trok haar dicht tegen zich aan en hield haar vast. Hij kuste haar tranen en haar mond. Hij boog zich dicht naar haar oor en fluisterde: 'Het spijt me dat ik Megiddo niet te pakken heb gekregen. Het spijt me dat ik je niet definitief van je last kon bevrijden.'

Lana legde haar hoofd op Wills schouder. Haar zachte haar gleed over zijn borst en gezicht. Ze hield hem stevig vast. 'Wat gebeurt er nu?'

'Je moet naar huis gaan, Lana. Ga naar je huis in Parijs en zorg voor je moeder.' Hij glimlachte en voelde daardoor de wurgwonden op zijn keel. 'Daar ben je veilig. Ik zal ervoor zorgen dat een paar mannen je huis in de gaten houden.'

Er loeide even een sirene van een van de politiewagens. Will keek op en zag politie en ambulancepersoneel met lichamen op brancards uit Hotel Monaco komen. Er viel sneeuw op de doden, op Will en Lana, op alles. Hij draaide haar een beetje weg, opdat ze de lijken niet zag.

'En jij?' vroeg Lana.

'Ik moet hier nog een paar dagen blijven om de zaken af te wikkelen.'

Ze stapte bij hem weg. 'Ik begrijp het.'

Will trok haar weer dicht tegen zich aan. 'En daarna kom ik naar Parijs.'

Lana glimlachte en omhelsde hem. 'Mijn moeder ligt nu in het ziekenhuis voor nader onderzoek. Ze lijkt heel goed vooruit te gaan. Met het geld dat je ons hebt gegeven kunnen we de behandeling versnellen. Ik hoef nog minstens vijf dagen niet naar huis. Als ik nu eens een leuk hotel zoek hier in Washington en daar op je wacht?' Ze gaf hem een kneepje. 'Ik zal ervoor zorgen dat de kamer geschikt is voor twee personen.'

Will dacht een hele tijd na. Hij dacht aan zijn leven, aan de tijd waarin hij nog hoop, onschuld en vreugde kende, aan het moment waarop dat alles was veranderd, de jaren waarin hij een pantser had opgetrokken om zich tegen geestelijke en lichamelijke verwonding te beschermen, de wetenschap dat achter dat schild nog steeds een man zat die rust wilde. Hij dacht aan zijn enige echte angst: zijn angst dat hij iets zou doen waardoor dat schild wegviel, zijn angst voor stappen die naar geluk en liefde leidden. Hij keek Lana aan. Hij zag dat ze haar haat nog niet kwijt was, maar hij zag ook haar liefde en haar verlangen naar geluk. Hij zag iets waarvan hij nu begreep dat het moed was.

Hij trok haar dicht tegen zich aan en besloot dat het nu eindelijk zover was, dat hij nu zijn eigen moedige beslissing moest nemen, de allermoedigste beslissing van zijn leven.

Hij keek om zich heen. Het sneeuwde nog, maar alles zag er nu vriendelijk en sereen uit.

Hij keek Lana aan, knikte, glimlachte en zei: 'Dan zie ik je daar.'

Will belde Roger. 'Wij spelen geen rol bij het voorkomen van de aanslag op Camp David. Laith houdt Lana discreet in de gaten en zorgt ervoor dat ze veilig is in de stad. Ben en Julian zijn weggestuurd. Maar ik moet nog één ding doen, en als je wilt, mag je me helpen.'

44

'Heb je het lockpicksetje?' Will minderde vaart en stopte op Messenger Lane in de voorstad Sands Point ten oosten van New York.

'Natuurlijk.' Roger haalde zijn pistool tevoorschijn, controleerde het nog eens en stopte het weer in de zak van zijn jasje.

'Oké.' Will keek op de klok op het dashboard. Het was bijna vijf uur in de morgen en het was nog donker. Hij wilde voor zonsopgang op zijn bestemming aankomen en zijn taak volbrengen. 'Laten we dan gaan.'

De twee mannen stapten zwijgend uit en liepen met ferme pas door de straat van de woonwijk om vervolgens uit elkaar te gaan. Will draafde naar het eind van het blok. Hij bleef staan, keek op zijn horloge, wachtte en keek om zich heen. Alle huizen waren in duisternis gehuld. Hij keek op zijn horloge, en toen hij zag dat hij daar een minuut had gestaan, liep hij langs zes huizen alvorens de straat te verlaten en door een steegje te rennen. Roger stond aan het eind ervan op hem te wachten.

'Ik heb de achterdeur opengemaakt. Alles is stil.' Roger knikte naar het huis rechts van hen.

'Er is geen beweging aan de voorkant van het huis,' zei Will. 'Laten we gaan.'

Beide mannen haalden hun pistool en een kleine zaklamp tevoorschijn en liepen de achtertuin van het huis in.

Will draaide zorgvuldig aan de kruk van de achterdeur, zette hem op een kier en bleef staan luisteren. Hij hoorde niets. Hij dook ineen en duwde de deur helemaal open. Toen hij het huis binnenging, volgde Roger hem.

Will zag meteen dat het niet klopte. De keuken om hen heen zag er gebruikt uit, met kindertekeningen aan de muren, een kleine kooi voor een huisdier op de vloer en een ontbijttafel die voor vier mensen was gedekt. Hij liep door naar een kleine huiskamer en zag dvd's met tekenfilms in een hoek van de kamer, een krant die was opengeslagen bij de puzzelpagina, twee lege koffiemokken en twee blikjes cola. Hij ging naar boven. Daar stond de deur van de badkamer open, met aan weerskanten een kamer waarvan de deur dicht was. Het hele huis was te klein, en er waren dingen die er niet zouden moeten zijn.

Will knikte Roger toe en draaide zwijgend aan de kruk van de eerste deur. Hij opende de deur en liep de kamer in. In het midden stond een tweepersoonsbed en daarin lagen een man en een vrouw te slapen. Will liep naar het bed en richtte zijn pistool op de twee mensen. Hij bleef een tijdje bij hen staan kijken, draaide zich toen om en verliet de kamer. Hij maakte de deur van de andere kamer open en liep naar binnen. Het was een kinderkamer met een stapelbed aan de ene kant. In de rest van de kamer lagen speelgoed, stripboekjes en andere dingen van kinderen rommelig verspreid. Hij liep naar het onderste bed. Daarin lag een jongen te slapen, zijn blonde haar uitwaaierend over het kussen. Will keek naar het bovenbed en gebruikte de loop van zijn pistool om het dekbed enigszins van het hoofd weg te trekken. Ook daar lag een jongen te slapen. Will verplaatste het dekbed, zodat het niet meer over het hoofd van het kind lag en het kind gemakkelijker kon ademhalen.

Will keek Roger aan en schudde zijn hoofd. Hij liep vlug de kamer uit, de trap af, het huis uit. Hij liep door tot Roger en hij bij hun auto stonden.

Hij keek door de straat terug naar het huis. 'Toen ik hiernaartoe kwam, wist ik dat het huis waarin Megiddo zijn mannen had ondergebracht en waar hij Lana een paar dagen gevangen had gehouden was schoongeboend tot er helemaal geen sporen meer van hen over waren. Ik ben hier naartoe gekomen omdat ik toch nog hoopte dat Megiddo misschien slordig was geweest en een spoor voor ons had achtergelaten.' Hij keek Roger aan. 'Maar ik had niet verwacht dat ik hier een gezin zou aantreffen en dat het huis blijkbaar nooit verhuurd is aan een grote groep extreem gevaarlijke mannen. En ik had beslist niet verwacht...' Hij voelde woede en emotionele verwarring in hem opkomen. '... dat Lana over dit adres had gelogen.'

Roger perste zijn lippen op elkaar. 'Wat betekent dit?'

Will schudde zijn hoofd. Hij vroeg zich af of Lana ook tegen hem had gelogen over de behandeling die haar moeder in Parijs kreeg. Hij vroeg zich zelfs even af of ze tegen hem had gelogen over haar wens dat hij in haar hotel bij haar zou komen. Hij ademde langzaam uit. Hij wist dat ze niet over die dingen tegen hem had gelogen. Ze had te veel respect voor haar moeder, hield te veel van haar, om haar in gevaar te brengen, en ze had hem altijd de waarheid verteld over haar emoties en gevoelens voor hem. En ze was ook eerlijk geweest toen ze tegen hem zei dat ze Megiddo zou blijven haten zolang de man ongestraft bleef. Hij keek naar zijn omgeving en richtte zijn aandacht toen weer op Roger. 'Het betekent dat Lana iets heel doms heeft gedaan. Het betekent dat ze met opzet de gegevens heeft achtergehouden van het echte adres waar ze naartoe is gebracht. Daar kan ze maar één reden voor hebben. Ze wil in haar eentje achter hem aan gaan. Ze wil zelf wraak op hem nemen.'

Hij keek op naar de lege hemel. 'Maar als ze dat probeert, zal Megiddo haar doden.'

45

Tien minuten later reed Roger met hoge snelheid door Long Island. Will zat naast hem.

Will haalde zijn mobiele telefoon tevoorschijn. Hij belde Laith en luisterde naar wat de CIA-man te zeggen had.

'Ik wilde je net bellen. Ze is drie uur geleden uit haar hotel in Washington vertrokken. Ik ben haar in een auto naar New York gevolgd. Ik dacht dat ze naar de binnenstad ging, maar tien minuten geleden ging ze naar het noorden en nu rijdt ze bij New York City vandaan. Ik heb geen idee waar ze naartoe gaat. Wil je dat ik haar tegenhoud?'

Will dacht even na. Hij vervloekte Lana's verlangen naar wraak, maar hij wist ook dat ze weliswaar roekeloos en onbezonnen te werk ging, maar dat ze hun nu ook enige hoop gaf. Hij zei: 'Nee. Ik denk dat ze op weg is naar de man die we zoeken. Doe nog niets, maar je moet absoluut dicht bij haar blijven en haar beschermen.'

Hij belde Ben, en het was duidelijk te horen dat hij de man wakker had gemaakt. 'Julian en jij moeten meteen op pad. Ga naar het noorden. Breng alle wapens en materieel mee waar jullie de hand op kunnen leggen. We hebben genoeg spullen nodig voor een grote aanval. Laith zit in een auto en volgt Lana vanuit New York naar het noorden. Ik zorg ervoor dat we allemaal met elkaar verbonden zijn, dan kunnen we onze routes op elkaar afstemmen.'

Toen belde hij Patrick. 'Blijf bij je telefoon en gebruik hem niet voor gesprekken, tenzij ze van mij of een van mijn teamleden komen.' Hij stelde hem vlug op de hoogte en zei toen: 'Dit is onze laatste kans om hem te pakken te krijgen. En ik grijp die kans met beide handen aan.'

Hij stak zijn hand uit naar de bekerhouder van de auto, pakte Rogers mobiele telefoon en handsfree-apparaat en toetste nummers in om de handset op een verzamelgesprek met alle leden van het CIA-team te zetten. Hij drukte een dopje in Rogers oor. Die knikte en reed sneller.

Een kwartier later mompelde Roger tegen Will: 'Ben en Julian zijn onderweg. Laith geeft instructies aan hen, maar ze moeten als idioten rijden, want ze zijn nog in Washington.'

'Vraag om hun kenteken.'

Dat deed Roger en hij gaf de informatie aan Will door.

Will belde Patrick en gaf hem de gegevens van de auto waarin Ben en Julian reden, en ook die van zijn eigen auto. 'Ik weet niet hoe je het gaat aanpakken, maar zorg ervoor dat iedere politieman in dit deel van je land weet dat zijn carrière of zelfs zijn leven voorbij is als hij probeert ons aan te houden omdat we te hard rijden.'

Binnen veertig minuten reden ze over de New York State Thruway. Will zag hun omgeving overgaan van stad naar voorstad en naar bos. Hij probeerde te kalmeren, maar zijn geest en lichaam waren gespannen en weer geheel alert. De afgelopen twaalf uur was hij gebukt gegaan onder het gevoel dat hij had gefaald, maar nu had hij weer een doel en voelde hij zich sterk. Toch maakte hij zich nog steeds kwaad op Lana omdat ze zo dom was geweest – en hij maakte zich ook enorm veel zorgen om haar.

Hij gaf zijn pogingen om zich te ontspannen op en probeerde in plaats daarvan helder te denken, al zijn mentale kracht te verzamelen om de voorafgaande gebeurtenissen op een rijtje te zetten en er conclusies uit te trekken. Hij dacht aan wat er in Boston was gebeurd, aan wat er in de hotelkamer in Washington was gebeurd, zijn grote teleurstelling, al had hij vastgesteld dat Camp David het doelwit van Megiddo was, en hij dacht aan wat zich nu afspeelde. Hij dacht vooral aan dat laatste. Gedachten, vragen en veronderstellingen vlogen chaotisch door zijn hoofd, en hij wees de meeste van de hand. Sommige niet. Hij vroeg zich af waarom een van Megiddo's mannen zo slordig was geweest om Lana over de aanslag op Camp David te vertellen. Hij vroeg zich af waarom Megiddo en zijn mannen nog in de staat New York waren, want Megiddo moest toch weten dat zijn geplande aanslag op Camp David nu gemakkelijk te voorkomen was. Hij fronste zijn wenkbrauwen toen er nog meer gedachten door zijn hoofd schoten, gedachten die boven de rest uitstaken, gedachten die opeens een schok door hem heen joegen. Hij pakte zijn mobiele telefoon, toetste snel een nummer in en wachtte ongeduldig tot er werd opgenomen.

Patrick nam op.

Will sprak snel en nadrukkelijk: 'Camp David is niet het doelwit. Ik herhaal, niet het doelwit.'

'Wat?!'

'Niet het doelwit. Dat zou niet kloppen. Megiddo heeft waarschijnlijk jaren aan de voorbereiding van deze operatie gewerkt. Hij zal alle details hebben uitgedacht. Hij zou nooit toestaan dat een van zijn mannen Lana iets over zijn doelwit vertelde.'

'Waarom zei Lana dan tegen ons dat hij het op Camp David had voorzien?'

Will haalde snel adem. 'Ze sprak de waarheid. Ze heeft ons precies verteld wat Megiddo ons wilde laten horen wanneer zij en ik uit de martelkamer in Hotel Monaco zouden worden gered.'

'Verdomme!' Patrick haalde zwaar en moeizaam adem. 'Hij heeft een van zijn mannen een leugen aan haar laten vertellen, zodat ze die aan ons zou doorgeven.'

'Precies.' Will voelde het bonzen van zijn hart in zijn oren. 'Wat zou erger kunnen zijn dan een aanslag op de regeringsleiders in Camp David?'

'Ik weet het niet.'

'Het moet een doelwit in de staat New York zijn, want hij en zijn mannen zijn nog hier.'

'Dat ben ik met je eens, maar ik weet het niet.' Patrick klonk gefrustreerd. 'Ik kan contact opnemen met de desbetreffende diensten en de hele oostelijke zeekust in staat van alarm brengen.'

Will schudde heftig zijn hoofd. 'Absoluut niet. Dan duikt Megiddo onder. We hebben nog één kans om dat monster te pakken te krijgen en hem eindelijk tegen te houden.'

Patrick zei een tijdje niets. Toen hij weer sprak, klonk hij kalm. 'Goed, Will. Maar ik stel al mijn vertrouwen in jou. Er zit niets anders voor me op.'

Will verbrak de verbinding.

Roger keek hem even aan. 'Als we haar nu eens gewoon tegenhouden en haar dwingen ons te vertellen waar ze naartoe gaat?'

Will schudde zijn hoofd. 'Megiddo's mannen houden haar bijna zeker in de gaten. Als we op haar af gaan, komt hij dat te weten.'

'Bel haar dan. Zeg tegen haar dat ze gewoon moet doorrijden, maar dat ze je moet vertellen waar ze heen gaat.'

Will schudde zijn hoofd. 'Nee.'

'Waarom niet?'

'Ik ben verdomd zeker van wat er aan de hand is, maar ik ben er ook verdomd zeker van dat ik Megiddo vroeger heb onderschat. Het is heel goed mogelijk dat hij haar telefoon afluistert. Hij zou van alles kunnen doen, en op dit moment ben ik hem niet een stap voor. Ik lig nogal wat stappen op hem achter. Voorlopig moeten we Lana gewoon volgen tot we weten waar ze naartoe gaat. En dán komen we in actie en houden we haar tegen.'

Roger knikte. 'Lana's auto en Laith' auto liggen negentig minuten op ons voor, maar we lopen in.'

'En Ben en Julian?'

Roger glimlachte. 'Als ik het zo hoor, overtreedt Ben alle maximumsnelheden die er maar zijn.' Hij drukte op een knop van zijn telefoon om hem op de speaker te zetten, en Julians stem daverde meteen boven hun eigen motorgeluid uit.

'Harrisburg voorbij, op weg naar de 78. Geen auto's voor ons. We rijden tweehonderdtien kilometer per uur en voeren de snelheid op.'

Roger zette de speaker uit en zei: 'Laith, update alsjeblieft.' Hij luisterde, knikte en gaf de informatie aan Will door. 'Lana heeft de stad New York nu ver achter zich gelaten. Ze rijdt met normale snelheden.'

Will wreef over zijn gezicht en zei: 'Als ze teruggaat naar het huis waar ze door Megiddo's mannen naartoe is gebracht, waarom is hij daar dan nog? Toen we Megiddo's mannen in Hotel Monaco hadden gedood, moest Megiddo weten dat ze zijn mannen in de val had laten lopen.'

Roger stak zijn wijsvinger op; hij luisterde naar zijn telefoon. Hij knikte en keek Will even aan. 'Lana is gestopt. Ze is uitgestapt en kijkt op een kaart.'

Will knikte. 'Ze is daar niet eerder geweest.' Hij keek uit het raam van zijn auto. Het landschap was inmiddels ruig en heuvelachtig. 'Maar hoe weet ze dan waar ze zijn?'

Roger keek Will geërgerd aan. 'Ze heeft iets gevonden toen ze bij hen in dat huis was, iets waardoor ze nu weet waar ze naartoe zijn gegaan.' Hij schakelde toen ze door een bocht vlogen, en de auto schoot met gierende banden naar een nog hogere snelheid. 'Ze wil wraak nemen. Ze is nooit van plan geweest hen uit het zicht te laten verdwijnen.' Hij zweeg even en luisterde naar zijn telefoon. 'Maar waar ze ook naartoe gaat, ze is weer in beweging.'

Ze kwamen langs Lake George en Schroon Lake en reden toen over Route 73 naar het noordwesten. De heuvels maakten plaats voor besneeuwde bergen.

Terwijl hij zijn blik strak op de weg gericht hield, zei Roger: 'Ben is een ongelooflijk eind ingelopen. Ze zitten nu nog maar zo'n honderd kilometer achter ons.' Hij luisterde met gefronste wenkbrauwen naar zijn telefoon en zweeg een volle minuut. Toen zei hij: 'Oké, ik zal Will om instructies vragen.' Hij minderde vaart en keek Will aan. 'Laith heeft net gemeld dat Lana is gestopt en uitgestapt in een bebost gebied bij het stadje Saranac Lake. Ze loopt bij haar auto vandaan. En ze heeft een pistool.'

'Verdomme.' Will stompte op het dashboard.

'Wil je dat Laith haar tegenhoudt?'

Will sloeg nog een paar keer met zijn vuist op het dashboard.

'Will, wil je dat ze wordt tegengehouden?' Roger klonk gespannen.

Will ademde uit en hield op met stompen. 'Houd haar tegen. Haal haar daar weg!' Hij streek met zijn vingers door zijn haar.

Roger knikte en gaf de instructie aan Laith door. Will keek naar de CIA-man. Hij zag dat die zijn ogen snel samenkneep en aandachtig naar zijn telefoon luisterde.

'Wat gebeurt er?'

Roger hield zijn hand weer omhoog. Hij concentreerde zich volkomen op de stem in zijn oor. Toen zei hij in de telefoon: 'Absoluut niet. Je bent in de minderheid, en ze zouden in paniek raken en verdwijnen. Ga zo dicht mogelijk naar het huis toe, en geef me een beschrijving van de omgeving. Maar blijf in godsnaam uit het zicht.' Hij sprak luider. 'Ben, Julian... Waar zijn jullie? We hebben jullie hier over hooguit tien minuten nodig.' Hij keek Will aan. 'Megiddo's mannen hebben haar.'

'Wat is er gebeurd?' Will schreeuwde de woorden uit.

'Laith rende achter haar aan, kwam dicht bij haar en zag dat ze naar een huis aan het meer liep. Toen ze daar bijna was, werd ze omsingeld door mannen. Ze ontwapenden haar en sleurden haar het huis in. Laith moest gauw uit het zicht duiken. Maar toen de mannen hem hun rug hadden toegekeerd, wilde hij er recht op af gaan en het in zijn eentje tegen hen opnemen. Je hebt mijn antwoord gehoord.' Roger haalde het dopje uit zijn oor, zette de telefoon weer op de speaker en trok zijn pistool.

Meteen daverde Julians stem door de auto: 'Scherp naar rechts over twintig meter. Voer de snelheid op. Naar links. Oost rechts, haarspeldbocht. Tegenligger. Rechte weg. Nu snelheid opvoeren.'

Wills hart bonkte; de adrenaline golfde door zijn lichaam. Hij stompte weer op het dashboard en vloekte. Toen hij uit het raam keek, zag hij op borden dat ze nog maar zeven kilometer van Saranac Lake verwijderd waren. 'Ken je deze omgeving een beetje?'

Roger haalde zijn schouders op. 'Ik ben hier nooit eerder geweest, maar ik weet dat er drie meren zijn en dat die omringd worden door bossen en het Adirondackgebergte. Lana is naar een huis op de oever van een van de meren gebracht. Ik durf te wedden dat het huis afgelegen staat en dat het een geschikte plek is voor een vuurgevecht.'

Will balde zijn vuisten weer. 'We redden haar, en als Megiddo er is, proberen we hem levend in handen te krijgen. Maar alle anderen moeten dood.'

Roger knikte. 'Nou en of.'

Roger minderde vaart en stopte bij een picknickplaats. Er was niemand te zien. Hij keek Will aan en zei: 'We zijn nu anderhalve kilometer bij het doel vandaan. Ik rijd niet verder.' Hij pakte zijn telefoon en vertelde zijn mannen waar hij was.

Will belde Patrick om hem op de hoogte te stellen van de laatste ontwikkelingen.

Beide mannen stapten uit, en Will trok zijn wapen. Hij keek op zijn horloge en mompelde: 'Kom op, kom op.'

Hij hoorde gierende banden en het janken van een motor. Het geluid zwol aan, en algauw zag hij Bens auto met een snelheid van minstens honderdvijftig kilometer per uur over een smal weggetje op hen af komen. De auto slingerde, slipte en kwam tot stilstand. Julian en Ben sprongen er meteen uit en liepen naar de achterkant van hun auto. De gezichten van beide mannen waren nat van het zweet, en hun haar was doorweekt. Terwijl ze de kofferbak openden, renden Will en Roger naar hen toe.

'Ik heb in mijn leven heel wat snelle ritten gemaakt,' zei Julian met een glimlach. Hij maakte een van de plunjezakken in de kofferbak open. 'Maar dit slaat alles.'

Ben en Julian haalden wapens en ander materieel uit de plunjezakken en legden ze naast elkaar in de kofferbak. Will zag Colt M4A1-geweren met vizier en schijnwerper, Heckler & Koch MP5-N-machinepistolen, MK23-pistolen met KAC-geluiddempers, een Barrett M82A1 scherpschuttersgeweer, kaliber vijftig, dolken en waterdichte militaire communicatiesystemen. Roger kwam dichter bij zijn mannen staan en bekeek de wapens. Net als Will waren de CIA-mannen allemaal gekleed alsof ze een trektocht door de bergen gingen maken.

Will haalde diep adem.

Herinneringen en beelden kwamen naar boven: een jongen die zijn vader uitzwaaide. Megiddo die zorgvuldig een infuus met een zoutoplossing naar het lichaam van zijn vader leidde. De jongen die op de schoot van zijn vader zat terwijl de man hem een verhaal voorlas.

Megiddo die de voeten van zijn vader afhakte. Zijn vader die glimlachte terwijl de jongen naar hem toe rende. Een man die er niet meer uitzag als zijn vader en die in zee werd gedumpt. De jongen die woedend, bang en alleen was. De jongen die opgroeide tot een man die geen angst kende, die van eenzaamheid, woede en dood hield, en van niets anders. Hij zag de man die hij nu was – een man die dat alles wilde veranderen en bij Lana wilde zijn, een man die nu groot gevaar liep dat hij die vrouw zou verliezen, dat hij rust, geluk, alles zou verliezen.

Roger kwam bij hem staan. De man sloeg zijn ogen even neer en keek Will toen aan. 'We kunnen niet meer terug. Er zullen veel doden vallen.'

Will keek hem aan. 'Dat is ons werk.'

'Ja.' Roger keek naar de auto en zijn mannen en richtte zijn blik toen weer op Will. Hij pakte zijn arm vast, trok hem een paar meter bij Ben en Julian vandaan en zei heel zacht: 'Patrick heeft me verteld dat Megiddo je vader heeft vermoord.'

Will knikte. 'En Patrick zal ook wel in het geheim tegen je hebben gezegd dat je moet voorkomen dat ik hem dood als we hem te pakken krijgen.'

Roger haalde zijn schouders op. 'Ja. Maar dat ga ik niet doen.'

Will zei niets.

'Als je Megiddo in leven laat,' zei Roger, 'weet je de rest van je leven dat je de dood van je vader had kunnen wreken maar het niet hebt gedaan. Als je hem doodt, weet je misschien de rest van je leven dat er duizenden mensen zijn omgekomen doordat jij zo nodig wraak moest nemen. Ik hoef niet met de gevolgen van een van die beslissingen te leven, maar jij wel.' Hij keek Will weer aan. 'Wat je nu doet, moet jouw beslissing zijn, en jouw beslissing alleen. Ik zal je niet in de weg staan.'

Will knikte langzaam. 'Er is een derde optie. Ik ontfutsel hem zijn geheim en dood hem daarna.'

Laith kwam dravend tussen de bomen vandaan en ging toen gewoon lopen. Hij liep naar Will en Roger toe.

'Ik heb er acht bij het huis geteld,' zei hij vlug. 'Binnen zijn er vast nog meer.'

'Wat voor wapens hebben ze?' vroeg Roger.

'Drie van hen hebben een geweer, en de rest heeft een machinepistool. En ze hebben ook allemaal een gewoon pistool.'

'En Lana?' Roger gaf een teken aan Julian en Ben, en de twee mannen kwamen naar hen toe lopen.

Laith schudde zijn hoofd. 'Ik heb haar niet meer gezien sinds ze haar naar binnen hebben gebracht.'

Will en Roger keken elkaar aan. Will keek Laith weer aan en zei: 'Vertel ons over dat huis.'

Laith hurkte voor de vier mannen neer en haalde een mes tevoorschijn. 'Lower Saranac Lake ziet er ongeveer zo uit.' Hij trok lijnen in de sneeuw. 'Het heeft ongeveer twintig kleine eilandjes, en de meeste bevinden zich hier in het midden. Het huis staat aan de oostkant van het meer, op de oever.'

'Zijn er daar nog meer huizen of andere gebouwen?' Roger keek aandachtig naar Laith' geïmproviseerde kaart, die steeds gedetailleerder werd.

'Nee.' De ex-Delta-man keek niet op van zijn werk. 'In tegenstelling tot de andere Saranac Lakes is dit meer eigendom van de staat en mag er niets meer worden gebouwd. Onze jongens hebben blijkbaar voor dat huis gekozen omdat ze weten dat ze daar niet worden gestoord.'

'Wat is de indeling van het huis?' wilde Julian weten.

'Het is rechthoekig, het heeft een botenhuis hier in het noorden, en een steiger leidt vanaf de veranda recht het meer in. Het huis heeft een verdieping en als ik het goed heb uitgerekend, zijn er in totaal twaalf kamers. De ingangen zijn hier, hier, hier en hier. Er gaat één weg naartoe.' Laith bleef gehurkt zitten, maar deed een paar stappen achteruit. 'De eerste vijfentwintig meter naar het zuiden staan er geen bomen, maar we hebben geluk, want ten noorden en noordoosten van het huis is er niet veel open terrein.'

'Waar zijn de mannen?' vroeg Ben.

'Ze staan verspreid rond het huis, maar er zijn altijd mannen in het noorden, oosten en zuiden.' Laith stak met zijn mes in de sneeuw om de posities weer te geven. 'En ze hebben altijd twee man op de steiger staan om het huis tegen aanvallen vanaf het meer te beschermen.'

Will keek Roger aan. 'Wat denk je?'

Roger keek zwijgend naar de kaart. Toen knikte hij en zei: 'Ik denk niet dat het de moeite waard is om op de duisternis te wachten, want dan trekken ze heus geen bewakers terug. Trouwens, de tijd werkt niet in ons voordeel. Ik denk dat we er nu op af moeten gaan.'

'Dat ben ik met je eens.' Will keek naar de andere mannen, en ze knikten allemaal. Hij keek Roger weer aan. 'Jij hebt de leiding van de aanval. Waar wil je ons hebben?'

Roger haalde diep adem en zei: 'Ben en ik gaan vanuit het noordoosten naar het huis toe. We schakelen de mannen daar uit, en dan ga ik het huis binnen door de noordelijke deur en neemt Ben de deur aan de oostkant. Will en Julian gaan vanaf het zuiden naar het huis toe. Om het open terrein te vermijden moeten jullie het water in. Julian kan door de deur aan de zuidkant naar binnen gaan. Will, jij gaat door tot je bij de steiger bent.' Roger keek op. 'Laith, jij wordt onze scherpschutter. Ik wil je op dit eiland hebben, maar om daar te komen moet je zeshonderd meter zwemmen met een zwaar geweer op je rug. En gezien de weersomstandigheden moet je onderweg ook ijs breken.' Hij glimlachte een beetje ondeugend. 'Dat is eigenlijk een taak voor een SEAL, niet voor een Delta-man, maar ik moet in het huis zijn om het bevel te voeren. Denk je dat je daarnaartoe kunt zwemmen?'

Laith beantwoordde zijn glimlach. 'Denk je dat jij goed kunt schieten als je op het droge bent?'

'We doen het vast allebei wel goed.' Roger keek weer naar de kaart en was weer ernstig. 'De eerste eliminaties moeten tegelijk plaatsvinden, en Laith zal ons vertellen wanneer het zo ver is. Als we eenmaal in het huis zijn, gaan we van kamer naar kamer.' Hij bewoog zijn hand over de sneeuw. 'En geen van de doelwitten mag ontsnappen.' Roger stond op. 'Als het voorbij is, brengen we onze auto's naar het huis om eventuele gevangenen weg te halen.'

Ben vroeg: 'Waar rijden we dan naartoe?'

Roger haalde zijn schouders op. 'Daar werkt Patrick nog aan.' Hij keek alle mannen aan. 'Nog meer vragen?'

Ze schudden allemaal hun hoofd.

Het was nu midden op de middag en de lucht was zuiver en windstil. Will knikte de mannen toe. 'Er valt niets meer te zeggen. Laten we gaan.'

Ze liepen allemaal naar Bens auto terug en bewapenden zich. Will hing communicatieapparatuur om, pakte een mes en pistool, die hij in de zakken van zijn jasje stopte, en maakte een Colt M4A1-geweer aan zijn borst vast. Hij zag dat Roger, Ben en Julian hun eigen wapens kozen en dat Laith het krachtige scherpschuttersgeweer inspecteerde. Will deed zijn telefoon in een waterdichte zak en stopte die in een binnenzak van zijn jasje. De auto's zaten op slot, de sleutels lagen verborgen onder voorbanden, en ze liepen het picknickterrein af. Het bos strekte zich voor hen uit.

Ze benaderden hun doel vanuit het zuiden, en hoewel hij het meer nog niet kon zien, wist Will dat het links van hen lag. Ze liepen langzaam achter elkaar, met telkens vijf meter tussen hen in. Laith ging voorop, en zo nu en dan gaf hij hun zwijgend een teken dat ze moesten stoppen. Dan hurkte hij neer en keek hij door het telescoopvizier van zijn geweer naar voren. Zo liepen ze dertig meter door. Toen stopte Laith opnieuw. Hij draaide zich naar hen om, wees naar zijn borst en toen in een andere richting. Hij verliet hen en Will wist dat de man naar het meer liep om door het ijskoude water naar zijn scherpschutterspositie op het eiland te zwemmen. Ze bleven bijna veertig minuten wachten en hoorden toen Laith' stem in hun oordopjes.

'Ik heb mijn positie ingenomen.'

Ze liepen door. Julian ging nu voorop. Het terrein was vlak, maar dicht begroeid met bomen. Ze liepen voorzichtig en geruisloos. Binnen tien minuten bleef Julian staan en wees hij naar Ben. Julian liep ineengedoken terug naar Will en bleef naast hem staan. De twee mannen zagen Ben en Roger doorlopen en uit het zicht verdwijnen. Ze wachtten vijftien minuten, en toen klonk Rogers stem in Wills oor.

'We hebben onze positie ingenomen.'

Will keek Julian aan. De man knikte hem toe en liep naar links. Will volgde hem, diep voorovergebogen lopend. Binnen enkele minuten waren ze bij de oever van het meer.

Julian liep dicht naar Will toe en maakte een kom van zijn hand bij Wills oor. Hij fluisterde: 'Het huis moet tweehonderd meter verderop staan.'

Ze volgden de oever ongeveer tachtig meter, en toen bleef Julian staan. Hij draaide zich een kwartslag om en liep langzaam tot aan zijn middel het meer in. Hij maakte zijn Colt-geweer los en liet zich zo ver zakken dat alleen zijn hoofd nog te zien was. Will liep ook het water in en voelde meteen de kou optrekken. Hij concentreerde zich, hield zijn ademhaling onder controle en volgde Julian.

Hij zag het huis. Hij zag een man bij de zuidoostelijke hoek ervan staan, en twee mannen op de steiger. Hij zag Julians hoofd onder het oppervlak verdwijnen en wist dat de man nu onder water naar zijn positie zou zwemmen. Will keek voor zich uit en schatte dat hij honderd meter onder water moest zwemmen om ongezien onder de steiger te komen. Hij ademde een paar keer diep in, ontspande zijn lichaam en liet zich zakken. Hij zwom naar dieper water en zette toen koers naar de steiger. Terwijl hij zwom, negeerde hij de kou en de gestaag toenemende pijn door zuurstofgebrek. Hij telde zijn slagen om de afgelegde afstand bij te houden en wist binnen drie minuten dat hij dicht bij de steiger moest zijn. Hij zwom langzaam omhoog en ontwaarde de donkere contouren van de steiger voor hem. Hij zwom door tot hij onder de steiger was en liet zich toen langzaam omhoogkomen tot zijn hoofd uit het water was. Hij zoog geluidloos lucht in zijn longen en ging naar een zijkant van de steiger, waar hij zich omdraaide en over het meer uitkeek, bij het huis vandaan. Voor hem uit, op meer dan een halve kilometer afstand, lag het grootste van de vele eilanden in het meer. Laith was op dat eiland, en Will wachtte tot hij hem hoorde spreken.

'Ik zie je, Will.' Laith' stem was erg zacht. 'Ga terug langs die kant van de pier tot ik zeg dat je moet stoppen.'

Will ging enkele meters terug.

'*Stop.*'

Hij stopte.

'*Ik ben op mijn positie*,' zei Julian.

En Roger zei: 'Alles is gereed. Laith, jij geeft het groene licht.'

Will wachtte bijna dertig seconden en hoorde Laith toen weer spreken.

'Oké, er is beweging achter sommige ramen aan mijn kant van het huis. We moeten dus het juiste moment kiezen. Will, jij bent twee meter onder een van de mannen op de steiger. Ik neem de andere man, maar iedereen wacht op mijn bevel.'

Will haalde zijn dolk tevoorschijn, legde voorzichtig zijn vrije hand op een van de steigerpalen en zette zijn voet op een lage dwarsbalk. Zo bleef hij bijna twee minuten zitten. Er dwarrelde sneeuw op hem neer.

'Op mijn bevel...' Laith zweeg. 'Nu!'

Will hees en stuwde zich omhoog tot hij helemaal uit het water was en verticaal door de lucht sprong. In een fractie van een seconde zag hij een man met zijn rug naar hem toe staan. Hij greep het hoofd van de man vast, zette de dolk tegen zijn keel en sneed diep terwijl ze allebei naar het water vielen. Voordat ze in het water vielen, hoorde Will het kraken van Laith' geweer, en hij wist dat de andere bewaker op de steiger dood was. Will hield zijn gevangene stevig vast en negeerde de spartelende benen van de man. Ze verdwenen allebei onder het wateroppervlak en Will bleef in de keel van de man zagen.

Will liet de dode man bij hem weg drijven en hees zich weer op de steiger. Hij rende naar het huis toe en maakte intussen zijn geweer los. Hij zag een man uit de deur aan de kant van het meer komen. De man had een geweer. Een van Laith' kogels verwijderde het hoofd van de man van zijn lichaam. Er waren nu aan alle kanten schoten te horen, en toen hij bij het huis aankwam, hoorde hij Rogers harde maar beheerste stem.

'We zijn binnen.'

Will bleef naast de deur staan, keek naar binnen en stapte het huis in. Het lawaai was oorverdovend, en zijn oren tuitten. Hij zag een vrouw de gang in rennen waarin hij terecht was gekomen. Ze draaide zich om en richtte een pistool op hem. Will schoot haar in de borst en het gezicht. Een man keek uit een kamer aan de rechterkant van de gang en zodra hij Will zag verdween hij weer in die kamer. Hij richtte een pistool vanuit de kamer en schoot daarmee blindelings op Wills positie. Will zag het lichaam van de man de gang in vallen. Julian kwam de kamer uit lopen, keek Will even aan en liep door.

Will liep door de gang zonder zich iets aan te trekken van het snelle machinepistoolvuur uit de kamers om hem heen. Hij zag een trap en liep langzaam naar boven. Boven aan de trap verscheen een man die iets gooide voordat hij achteruitsprong. Will rende de trap op en schreeuwde: 'Granaat!'

Toen hij bij de man was die de granaat had geworpen, schopte hij hem in zijn buik en vuurde een salvo kogels op hem af, waardoor de man achteroverviel. Will keek over zijn schouder, zag Julian onder aan de trap staan, zag hem vlug eerst naar Will en toen naar de granaat kijken en toen zijn lichaam op het explosief werpen. Zijn lichaam vloog in kleine stukjes vlees uit elkaar. Will wist dat de man zich had opgeofferd om hem te beschermen. Hij hield zijn M4A1 omhoog, liep naar voren en keek in de deuropeningen links en rechts. Hij hoorde schoten in een van de kamers en zag een man ineengedoken de gang op komen. Will richtte zijn wapen op de man, maar besefte toen dat het Ben was. Hij haalde diep adem en liep door.

Laith zei: 'Ik zie twee mannen in bovenkamer drie oost.'

Will en Ben liepen samen door tot ze bij de deur van die kamer waren. Ze gingen aan weerskanten staan, en toen draaide Ben zich om, trapte de deur in en ging naar binnen. Will volgde hem, hoorde het geluid van Bens wapen en zag een man rechts van hem. Will schoot op de man, draaide zich snel om en liep de kamer uit.

Ben kwam naast hem lopen en wees naar de laatste kamer aan de gang. 'Alle kamers hierboven zijn doorzocht, behalve die daar.'

Will hoorde Laith' scherpschuttersgeweer kraken, en toen zei de CIA-man: 'Geen vijanden meer in het zicht.'

Hij hoorde Roger boven het daverend lawaai uit roepen: 'Waar ik ben, zijn verdomme nog vijanden genoeg!'

Hij keek Ben aan.

Ben knikte, glimlachte en trapte de laatste deur in.

Het gebeurde in een fractie van een seconde. Toen de deur vijf centimeter open was, zag Will de draad. Hij riep: 'Boobytrap!' Ben en hij werden door de krachtige explosie van de vloer getild. Will kwam een paar meter bij de deur vandaan op zijn rug terecht. Stukken van Bens bovenlichaam vielen op hem en om hem heen. Vanaf dat moment zag en hoorde Will niets meer.

Will lag moeizaam adem te halen. Hij drukte zijn vingers in de houten vloer om hem heen. Hij probeerde dingen te voelen. Hij probeerde zijn benen te bewegen. Hij probeerde na te denken. Maar hij had geen besef van tijd en van de plaats waar hij was en nauwelijks van zichzelf.

Hij lag daar en probeerde gedachten te vormen. Er kwam er maar één bij hem op: *Als je hier blijft liggen, heb je gefaald en ga je dood.*

Hij schudde zijn hoofd en drukte zijn vingertoppen nog harder in de vloer. Hij concentreerde zich helemaal op zijn handen en armen, probeerde ze te gebruiken om overeind te komen.

Vanuit de verte drong een geluid tot hem door. Eerst leek het op een zacht fluiten, maar het zwol aan en hij besefte dat het daverende schoten waren. Het gevecht in het huis was nog aan de gang. Hij schudde weer zijn hoofd, stootte een schreeuw uit en zette zich af met zijn handen en armen. Hij zat nu rechtop. Zijn gedachten, zijn zicht en zijn gehoor kwamen zo plotseling terug dat hij ervan schrok. Hij keek om zich heen en zag overal stukken vlees liggen.

Hij keek naar de opening waaruit de deur was weggeslagen. Hij hees zich overeind, voelde dat hij in elkaar zou zakken, maar wankelde enkele passen naar voren tot hij het gevoel had dat hij in evenwicht was. Hij pakte zijn geweer op, constateerde dat het onbeschadigd was en liep naar de kamer toe. Hij hurkte naast de deur neer, zijn geweer stevig in zijn handen. Als er iemand in die kamer was, zou hij die persoon doden zonder zich druk te maken om de gevolgen.

Hij liep vlug de kamer in, zijn wapen hoog in zijn armen. Hij zag stoelen, een bed, een televisie en een open raam. Maar geen persoon, levend noch dood.

Laith' gespannen stem drong tot hem door. 'Elf... nee, twaalf vijanden die vanuit het noorden door het bos naar het huis komen.' Na enkele seconden van stilte voegde hij eraan toe: 'Ik kan er een paar van uitschakelen.'

Het verre geluid van Laith' Barrett M82A1-geweer was overal te horen.

Roger riep: 'Begane grond vrij! Het is een puinhoop!'

Laith zei met een zachtere, meer beheerste stem: 'Eén neer. Twee neer. Nu drie neer.' Hij riep: 'Ik zie scherpschutters! Twee!'

Roger kwam de kamer in. Hij zat onder het zweet en zwart roet. Hij liep vlug naar Will toe en pakte hem bij zijn arm vast. 'Wat is er gebeurd?'

Will zoog lucht in zijn longen. 'Ben en Julian zijn dood. Ze vingen allebei een explosie op die voor mij bestemd was.' Hij keek naar het open raam en keek toen Roger weer aan. 'Megiddo moet daardoor ontsnapt zijn.'

Roger knikte vlug en sprak in zijn microfoon. 'Laith, hier zijn alleen nog wij tweeën. We gaan achter onze man aan, maar je moet die scherpschutters uitschakelen.'

Twee geweerschoten klonken bijna tegelijk. Zo te horen kwamen ze niet uit Laith' wapen.

Roger keek abrupt in de richting van de schoten. Hij riep: 'Laith? Laith?' Hij schopte tegen een stoel, die kletterend aan de andere kant van de kamer terechtkwam.

'Ze moeten hem hebben gedood. Nu zijn we met z'n tweeën, Roger.' Will keek weer naar het raam. 'Ik ga achter Megiddo aan, maar er moeten minstens negen vijanden zijn die nog onze kant op komen. Denk je dat je sommigen kunt uitschakelen?'

Roger knikte en rende de kamer uit.

Will rende en sprong door het open raam. Hij viel tweeënhalve meter, voordat hij de grond raakte en in de sneeuw rolde. Hij ging gehurkt zitten en keek door het vizier van zijn geweer naar links en rechts.

Hij hoorde Rogers stem. 'Ik ben uit het huis en honderd meter naar het noorden. Ik tel zeven mannen die in mijn richting komen, maar ik kan de twee scherpschutters niet zien.'

'Kun je iets anders zien? Lana? Auto's? Beweging op het meer?'

'Verder is er niets.'

Shit. Will keek bij Rogers verscholen positie ten noorden van het huis vandaan en richtte zijn blik op het zuiden. Hij keek naar het meer rechts van hem en naar het eiland, waar Laith nu onbeweeglijk lag. Hij keek weer voor zich uit. Overal om hem heen was bos. Op de boomtakken lag een dikke vracht sneeuw. Zes kilometer in de verte keek een van de Adirondackbergen op hem en alles om hem heen neer.

'Het is niet met zekerheid te zeggen,' zei hij tegen Roger, 'maar ik moet aannemen dat hij naar het zuiden gaat, bij het vuurgevecht vandaan.'

'Misschien is hij hier nooit geweest.'

Will dacht aan de boobytrap in de kamer. Hij zag voor zich hoe Bens lichaam uiteengereten werd door de krachtige explosie. 'Nee. Die kamer was belangrijk. Hij was hier.'

'Zoek dan naar hoog terrein. Daar gaat hij heen. Hij wacht daar tot zijn mannen ons allemaal hebben gedood.'

Will kneep zijn ogen halfdicht en concentreerde zich op de berg in de verte. Hij hoorde Rogers MP5-N-machinepistool korte, beheerste salvo's geven en wist dat Roger nu druk in de weer was en dat hij op zichzelf was aangewezen. Hij greep zijn geweer steviger vast en rende.

Hij zigzagde tussen bomen door en keek beurtelings naar wat er voor hem, naast hem en op de grond te zien was. Hij was wanhopig op zoek naar voetafdrukken in de sneeuw of bladeren die waren afgerukt – tekenen dat Megiddo daarlangs was gekomen. Hij sprintte tot hij het meer niet langer naast zich had. Hij sprintte tot hij minstens een kilometer bij het huis vandaan was.

Roger riep: 'Twee man uitgeschakeld, maar die schoften vallen me in de flanken aan! Als ik hier blijf, ben ik dood!'

Will bleef meteen staan. 'Ga daar weg, Roger.'

'Niet voordat jij je man in het vizier hebt.'

Will schopte gefrustreerd tegen de grond. Hij keek voor zich uit naar het hogere terrein. Hij keek achterom in de richting van het huis en Rogers hachelijke positie. Toen vloekte hij en richtte zijn wapen omhoog. Hij schoot alle kogels weg die nog in zijn magazijn zaten. Het lawaai van die schoten galmde over het dal van het meer.

'Als jij dat was...' Roger moest schreeuwen om zich boven het geluid van zijn eigen machinepistool verstaanbaar te maken. 'Als jij dat was, dan heb je nu beslist hun aandacht! De vier mannen aan mijn rechterflank laten me met rust! Je hebt me een kans gegeven! Maar die vier vijanden komen nu op jou af!'

Will schoof een nieuw magazijn in het geweer en rende door. De sneeuw viel weer met zachte vlagen, en hij hoopte vurig dat het niet harder ging sneeuwen, want dan maakte hij helemaal geen kans meer om nog een spoor te vinden. Hij rende twee kilometer door en hoorde al die tijd schoten van de kant van het huis komen.

Toen er een eind aan de schoten kwam, bleef Will even staan. Hij drukte met zijn vinger tegen zijn oordopje, wachtte even en slaakte een zucht van verlichting toen hij Rogers stem hoorde.

'Alle vijanden bij het huis zijn dood. Er komen er nog vier achter je aan, en de scherpschutters zijn nergens te bekennen. Maar ik kom naar je toe.'

'Ik ben ongeveer twee komma vijf kilometer bij je vandaan. Loop in de richting van de berg.'

Er blies een frisse wind in Wills gezicht. Hij keek naar de lucht, waar de wolken zich samenpakten, en schudde zijn hoofd. Hij vroeg zich af of de aanval op het huis vergeefs was geweest, of de moedige offers van Julian, Ben en Laith uiteindelijk voor niets waren geweest, en of het Roger zou lukken in leven te blijven. Hij vroeg zich ook af of dit de dag was waarop er een zinloos eind aan zijn eigen leven kwam.

Hij dwong zijn benen in beweging te komen en nog sneller door de dichte sneeuw tegen de helling op te lopen. Hij haalde hoorbaar adem, en zijn longen deden pijn van de ijskoude lucht. Hij rende sneller tot hij nog eens ongeveer twee kilometer had afgelegd, en al die tijd tuurde hij naar zijn omgeving.

Toen zag hij hen.

Het waren eerst twee stipjes in de verte, maar toen hij door het vizier van zijn geweer keek, zag hij een man en een vrouw tegen de helling onder aan de berg op rennen. Hij stelde zijn vizier bij om het beeld te vergroten en zag dat de vrouw Lana was. De man liep met zijn rug naar hem toe en trok aan Lana's arm.

Will drukte op het knopje van zijn microfoon en riep: 'Ik zie ze! Een man en Lana! Onder aan de berg!'

Een geweerschot daverde door het dal achter hem. 'Roger?' riep Will.

Enkele ogenblikken later sprak Roger. Zijn stem klonk zwak. 'Wacht even, Will... bezig.'

Er waren nog meer schoten te horen. Het klonk alsof ze uit Rogers wapen kwamen.

Toen sprak Roger weer: 'Eén scherpschutter dood, maar hij heeft mij eerst geraakt.'

'Hoe erg is het?'

'Niet kritiek. Maar de kogel heeft een stuk van mijn kuitspier weggeslagen. Ik kan me alleen nog wat over de grond slepen.'

'Ik kom je halen.'

'Nee, dat doe je niet, Will.' De stem van de man klonk schor maar krachtig. 'Je gaat achter die twee aan.'

Will stampte van frustratie op de grond. 'Goed. Blijf waar je bent. Houd radiocontact. Schiet op alles wat bij je in de buurt komt.'

Hij keek vlug weer door zijn vizier en schatte dat zijn prooi ongeveer vijftienhonderd meter voor hem liep. Hij haalde diep adem en rende naar voren. Na tien minuten wist hij dat hij onder aan de berg was. Hij zag voetafdrukken en kreeg meteen weer hoop.

'Kun je me vanuit jouw positie zien?' vroeg hij aan Roger.

Rogers woorden klonken moeizaam. 'Nee. De bomen staan te dicht op elkaar. Maar...' Hij zweeg. 'Ik gebruik het geweervizier van de dode scherpschutter om naar het gebied tussen ons in te kijken. Ik vang nu en dan een glimp op van de mannen die achter je aan zitten, maar dat is steeds zo kort dat ik ze niet onder schot kan nemen. De mannen zijn ongeveer een kilometer achter je. Maar ik kan die andere scherpschutter nog steeds niet zien.'

'Begrepen.'

Er klonk een harde knal bij Wills oor en hij werd meteen opzij geworpen. Hij bracht zijn hand naar zijn hoofd en voelde bloed en houtsplinters. Toen hij naar de boom naast hem keek, zag hij dat die door een kogel uit een scherpschuttersgeweer was getroffen, zodat er splinters in zijn gezicht waren gevlogen. Hij dook ineen en keek achter zich. Hij wist dat de kogel afkomstig was van de scherpschutter. Hij was nu binnen dodelijk bereik van het wapen van die man.

'Roger, de scherpschutter heeft me binnen bereik.'

Roger hoestte. 'Degene die ik heb gedood, droeg een camouflagepak voor poolgebieden. Daarom zag ik hem pas te laat. Je moet je man uitschakelen, anders schiet hij je gemakkelijk neer voordat je zelfs maar op de helft van de berghelling bent.'

Will keek in de richting van Lana en de man die haar gevangenhield, en keek toen weer in de richting van het dal. Hij wist dat Roger gelijk had. Hij keek vlug weer naar het kogelspoor op de boom en constateerde dat de man vanuit het oosten op hem moest hebben geschoten. De schutter was blijkbaar in zijn eentje; hij was van zijn collega's in het zuiden verwijderd geraakt. Hij moest ook dichtbij zijn, want anders had hij nooit zo goed door het bos op Will kunnen schieten. Will nam aan dat zijn belager geen reden had om van zijn oostelijke positie af te wijken, want hij zou niet verwachten dat zijn doelwit rechtsomkeert maakte om op hem te jagen. Will maakte zijn geweer aan zijn borst vast, trok zijn dolk en begon aan de jacht.

Hij draafde de helling af, en hoewel hij zigzagde om zijn route onvoorspelbaar te maken, wist hij dat hij nog steeds een gemakkelijk doelwit vormde voor de scherpschutter. Dat was ook zijn bedoeling. Hij wilde de scherpschutter aanmoedigen op hem te schieten en daarmee zijn positie te verraden. Hij had geen tijd voor een verfijnde tactiek. Aan de andere kant wist hij dat de kans dat hij werd neergeschoten groot was, en hij wist ook dat als zo'n supersnelle kogel hem ergens in zijn dij of boven zijn middel trof hij waarschijnlijk aan de wond zou sterven. Hij zou willen rennen, maar deed dat niet en draafde in een gestaag tempo door.

Hij kwam bij een veldje, bleef staan en keek om zich heen. Hij luisterde, maar hoorde niets. Sneeuwvlokken streelden zijn gezicht. Hij liep dichter bos in en zag toen een heel kleine beweging aan de rand van zijn gezichtsveld. Hij keek in die richting, maar zag niets, en hij vroeg zich af of zijn ogen hem misleidden. Hij liep door, maar op datzelfde moment klonk er dichtbij een harde knal, gevolgd door een luchtstroom dicht bij zijn hoofd. Hij zag een lichtflits en besefte dat die van het vizier van een geweer afkomstig was. Achter het vizier zat een man wiens witte gevechtstenue hem bijna onzichtbaar maakte tegen de achtergrond van de sneeuw. De man richtte zijn geweer op hem en was slechts veertig meter bij hem vandaan.

Will dook opzij op het moment dat er weer een schot werd gelost. Hij sprong meteen overeind en rende op de scherpschutter af, terwijl de man koortsachtige pogingen deed een volgende patroon in zijn wapen te stoppen. De man duwde de grendel van zijn geweer naar voren toen Will hem tot op een paar meter was genaderd. Hij bracht zijn wapen omhoog, maar Will sprong naar voren en dreunde tegen de scherpschutter aan. Benen en armen haalden met veel geweld uit naar Wills hoofd en lichaam en hij werd wat teruggeduwd. De man sloeg met de kolf van zijn geweer tegen Wills hoofd en probeerde zich van hem los te maken. Will schudde met zijn hoofd van pijn en wist dat de man maar een paar meter afstand nodig had om te kunnen schieten. Hij aarzelde niet. Hij hees zich overeind, dook met zijn hoofd naar voren, greep zijn dolk stevig vast en stormde op de man af. Toen hij bij hem was aangekomen, richtte hij zich op, greep de man in zijn nek en drukte het mes in zijn buik. Ondanks de dikke voering van de poolcamouflage gleed het mes gemakkelijk door kleding en vlees, totdat het lemmet helemaal in het lichaam van de man was verdwenen. Will hield het zo nog even vast en trok het toen omhoog om de buik van de scherpschutter open te snijden. Hij trok het mes terug en zag het sneeuwwitte pak van de scherpschutter doorweekt raken met bloed. Hij liet de man achterovervallen, maakte zijn geweer los en schoot hem twee keer in zijn hoofd.

Will haalde diep adem en sprak in de microfoon op zijn keel. 'De tweede scherpschutter is dood.'

Roger antwoordde meteen: 'Je hebt geen tijd om daar te blijven staan. Ik zie dat het team van vier man is uitgewaaierd. Dat betekent dat ze niet weten waar je bent. Maar ze zijn dicht bij je.'

'Weet je zeker dat je ze niet met je geweer kunt raken?'

Roger zweeg even en zei toen: 'Ik heb het geweer aan een boom gebonden om goed te richten. En ik heb mezelf aan dezelfde boom vastgebonden.'

Will sloot zijn ogen, zuchtte en zei zachtjes: 'Hoeveel bloed heb je verloren, Roger?'

'Genoeg om mijn armen en benen te laten trillen en me het schieten bijna onmogelijk te maken. Maar ik kan nog met jou praten.' Hij hoestte. 'Een beetje bloedverlies kan ik wel hebben. Ik zal doen wat ik kan. Concentreer jij je nou maar op wat je moet doen.'

Will opende zijn ogen, wreef over een kneuzing aan de zijkant van zijn hoofd en huiverde van pijn toen hij dat deed. Hij haalde diep adem en rende terug naar de berg, naar Lana en de man die haar de helling op sleepte. In hevig contrast met alle gebeurtenissen bleef de sneeuw sereen uit de hemel vallen. Will rende harder dan hij voor mogelijk zou hebben gehouden, tot hij op het punt was waar hij zijn prooi voor het laatst had gezien. Hij keek door zijn kleine vizier, maar zag niets en zocht koortsachtig op de grond naar de voetafdrukken die hij eerder had gezien. Hij vond ze, al lagen ze nu onder een poederlaagje verse sneeuw, en rende door. Zijn voeten stampten over de route die Lana en de man hadden gevolgd.

De helling werd steil en Will moest langzamer gaan lopen. Hij keek naar links en rechts, op zoek naar een bergpad dat het hem gemakkelijker zou maken, maar alles om hem heen was wild en onherbergzaam.

Links van hem sloegen vijf of zes kogels snel achtereen in de met sneeuw bedekte grond. Ze gingen ver naast, en Will wist dat ze uit een automatisch wapen waren gekomen. Hij wist ook dat hij gezien was door minstens een van de vijanden achter hem. Hij keek naar de voetafdrukken en zag dat ze een bijna rechte lijn tegen de helling op volgden. Will dacht even na. Toen nam hij een besluit en rende zo ver naar rechts als de helling toestond. Na driehonderd meter bleef hij hijgend staan. Hij draaide zich om, ging op de besneeuwde helling zitten, wachtte tot zijn ademhaling tot bedaren was gekomen en tuurde door het vizier naar het terrein beneden hem. Het was een schitterende omgeving, met de Saranac Lakes in de verte, de heuvels daaromheen en een tapijt van zuiver witte sneeuw dat de bodem en de bomen bedekte. Will had geen oog voor de schoonheid van zijn omgeving. Hij zocht naar de man die op hem had geschoten, want dan kon hij hem doden.

Hij sprak tegen Roger en vertelde de CIA-man waar hij ongeveer was. 'Een van de vijanden is dicht bij me. Kun je iets zien?'

Roger wachtte even met zijn antwoord, en Will wist dat hij door de krachtige lens van zijn scherpschuttersgeweer tuurde, op zoek naar tekenen van leven. Toen sprak hij snel en zacht. 'Ik zag iets, heel even maar. Het was ten zuidwesten van jou en het ging naar de berghelling toe.'

Will zwaaide zijn geweer in die richting en bewoog het zo dat hij ermee tussen de bomen door keek. Zo zocht hij systematisch de omgeving af.

'Weer beweging.' Roger was nauwelijks te verstaan. 'Zelfde locatie. Hij moet ongeveer negenhonderd meter bij je vandaan zijn.'

Will haalde diep adem. Toen zag hij de man en hield meteen op met ademhalen. De man liep vlug en had zijn geweer in zijn hand. Zijn hoofd en bovenlichaam waren gebogen. Blijkbaar liep hij naar een andere positie om vandaar op Will te schieten. En blijkbaar wist hij niet dat Will hem nu kon zien.

Will ontspande zijn lichaam, bracht het kruis van zijn vizier iets voor het hoofd van de bewegende man en wachtte op het juiste moment. De afstand tussen hem en de vijand was minstens twee keer zo groot als het effectieve bereik van de Colt M4A1, en Will wist dat hij maar één kans zou krijgen om de man te raken. Als hij miste, zou de man meteen dekking zoeken en verdwijnen. Zijn prooi dook telkens even op tussen de bomen en was op weg naar een grote rotsmassa. Will moest op de man schieten voordat die bij de rotsen was aangekomen. Hij ademde diep in, liet een deel van de lucht ontsnappen en hield zijn adem in. Hij wachtte. Hij schoot.

De man zakte in elkaar. Wills kogel had hem midden in zijn hoofd getroffen.

Will stond op en keek weer naar de steile berghelling. 'Hij is uitgeschakeld.'

'Goed, maar de anderen zullen nu weten waar je bent.' Rogers stem klonk erg zwak. 'Het is nu of nooit. Red Lana. Zorg dat je Megiddo te pakken krijgt.'

Will ademde uit. 'Roger, jij en je mannen hebben veel meer gedaan dan wat ik van jullie vroeg. Je hoeft daar niet te blijven. Je verwonding is vast wel erger dan je me hebt verteld. Kruip naar het huis terug. Daar is vast wel verband te vinden.'

'Er zit nog één kogel in mijn geweer en ik ga nergens naartoe voordat ik de kans heb gekregen hem te gebruiken.'

Will knikte en rende verder de berg op. Nu en dan struikelde hij over rotsen en takken die onder de sneeuw lagen. De top van de berg kwam steeds dichterbij, tot hij wist dat hij er nog maar een paar honderd meter bij vandaan was. De wind werd krachtiger en voerde ijskoude lucht met zich mee.

Hij kneep zijn ogen samen en probeerde alles om hem heen in zich op te nemen. Hij hoorde Lana's woorden.

Op een dag zul je er voor me zijn.

Hij tuurde door het vizier van zijn geweer, bewoog zijn geweer naar links en rechts, rende, liep, kroop, deed alles wat hij maar kon om een jager te blijven en geen lijk te worden.

Hij rende weer en bleef plotseling staan. Hij hurkte neer en bracht zijn wapen omhoog. Hij kon ze zien. De man liep nog met zijn rug naar Will toe en sleepte Lana mee. Will richtte het dradenkruis van zijn vizier op de rug van de man. Op deze afstand zou het een gemakkelijk schot zijn.

Hij dacht aan zijn vader. Hij dacht aan de wreedheden die zijn vader waren aangedaan door de man die hij nu in het vizier had. Hij bedacht hoe gemakkelijk het zou zijn de man met één schot buiten gevecht te stellen en hem dan op een langzame, bevredigende manier te doden.

Hij hield zijn adem in.

Hij dacht aan de duizenden levens die verloren konden gaan als hij met zijn schot Megiddo en diens geheimen zou doden. Hij dacht aan Lana en aan wat Megiddo haar zou aandoen als Wills schot hem níét meteen doodde.

Hij liet zijn geweer zakken.

Rogers stem klonk zacht in zijn oordopje. 'De drie vijanden zijn nu bij elkaar en zevenhonderd meter bij de top vandaan.'

'Roger, ik ben erg dicht bij mijn prooi, maar ik heb tijd nodig.' Will deed een stap naar voren. 'Probeer een schot te lossen. Probeer die drie mannen bij me vandaan te lokken.'

Roger zuchtte. 'Ze zijn bijna drie kilometer bij me vandaan, maar ik zal het proberen.'

Will keek weer door zijn vizier, maar Lana en de man die haar gevangenhield waren uit het zicht verdwenen. Hij vloekte en liep verder de berg op.

Hij wist dat het geluid van de supersnelle kogel van ver kwam, maar het galmde evengoed door het hele dal en over de bergen die het omringden. Will liet zich meteen op de grond vallen en keek snel achterom. Na bijna tien seconden hoorde hij Rogers stem.

De woorden van de CIA-man klonken moeizaam. 'Ik heb hem in zijn hoofd geraakt. Hij is dood.'

Roger had zojuist een van de drie Iraniërs gedood die Will volgden. Gezien de afstand, het hoogteverschil en de weersomstandigheden, en het feit dat Roger gewond was, mocht het een opmerkelijk schot worden genoemd.

Roger sprak weer. 'Verdomme. Die twee anderen hebben zich even op de grond laten vallen, maar ze komen nu alweer achter je aan. Het spijt me, Will. Ik dacht dat ze terug zouden komen om mij te doden. In elk geval was dat mijn laatste kogel.'

Will vloekte. 'Oké. Probeer hun bewegingen te volgen. Houd radiocontact. Dat is nu het enige wat telt.'

Er galmde weer een geweerschot vanuit de verte. Will fronste zijn wenkbrauwen. 'Ik dacht dat je geen kogels meer had.'

'Dat was ik niet, maar een van de twee Iraniërs die achter je aan zitten, is neergeschoten.'

Er volgde nog een schot.

'Ik heb de twee mannen neergeschoten die achter je aan zaten.' Dat was de stem van Laith. 'De scherpschutters hebben me een tijdje uitgeschakeld, maar ik ben weer in de wedstrijd.' Hij hoestte. 'Ik ben van het eiland af en zit op de oever van het meer.'

Will knikte. 'Ik ben blij dat je weer in het land der levenden bent. Ga naar Roger toe en help hem.'

Will rende bijna honderd meter de helling op en zag toen iets wat daar niet thuishoorde. Hij dook naar de grond, bracht zijn geweer omhoog en ging gehurkt zitten.

Hij zag Lana.

Ze zat op haar knieën, met gebogen hoofd. Er waren touwen om haar keel, bovenlichaam en benen geslagen, en ze was daarmee vastgebonden aan een boom. Haar handen waren voor haar borst gebonden in de vorm van een kruis.

Hij keek overal om haar heen door de grote sneeuwvlokken die langzaam naar beneden dwarrelden. Ze waren op de top, en met uitzondering van de boom waaraan Lana was vastgebonden was er nergens een teken van leven te bekennen. Hij keek naar haar. Zijn hart bonkte en er schoten allerlei gedachten door zijn hoofd. Hij wist dat ze misschien als lokaas fungeerde. Misschien moest ze hem vertragen, zodat Megiddo tijd had om over de andere kant van de berg te ontkomen. Megiddo moest hebben geweten dat Will hem tegen de berghelling op volgde. Er waren nog steeds twee gewapende en gevaarlijke mannen achter Will die hem wilden doden. Wat er ook gebeurde, hij mocht haar zo niet achterlaten.

Will liep behoedzaam door. Hij richtte zijn geweer links en rechts van Lana. Hij kwam bij haar aan, hurkte neer en duwde haar hoofd omhoog. Haar ogen waren gesloten. Ze was bewusteloos.

Hij keek naar de handen die kruiselings over haar borst waren gebonden, nam zijn mes en sneed de touwen voorzichtig door. Toen bracht hij zijn mes omhoog en sneed ook de touwen door waarmee haar polsen waren vastgebonden. Door die beweging kwamen haar handen naar hem toe. Hij keek omlaag en fronste heel even zijn wenkbrauwen.

Uit Lana's vrijgekomen armen vielen twee granaten, die daaronder verborgen hadden gezeten. Ze vielen op de grond, en in die fractie van een seconde vervloekte Will zijn eigen domheid. Megiddo had haar op een zodanige manier vastgebonden dat zij en Will gedood zouden worden zodra de touwen werden doorgesneden.

Het immense lawaai en licht vernietigde al het andere. Hij had geen gedachten meer, geen pijn, geen beelden, niets.

Hij opende zijn ogen. Of misschien waren ze al open. Hij dacht dat hij wit zag. Hij voelde dat hij zich in niets dan wit bevond. Hij wist niet of hij iets echts kon zien of voelen. Maar overal om hem heen was het wit.

Seconden, minuten of uren gingen voorbij. Hij had geen enkel besef meer van tijd.

Toen verdween het wit geleidelijk en kwamen er andere dingen voor in de plaats. Will dacht dat hij de hemel zag, en vlekjes sneeuw en land. Zijn gezicht was koud. Hij hoorde weer dingen. Hij zag weer dingen. Hij kon weer denken.

Hij wist dat hij in de sneeuw lag. Hij wist dat het galmen in zijn oren was veroorzaakt door de explosie. Hij wist dat hij zijn armen en benen niet kon bewegen. Hij gebruikte al zijn kracht om zijn hoofd opzij te draaien en naar Lana te kijken. Haar hoofd hing nog naar voren, maar hij kon zien dat ze moeizaam ademhaalde. Er ging een immense opluchting door hem heen. Ze hadden allebei dood moeten zijn. Toen besefte hij wat er gebeurd was. Het waren verdovingsgranaten geweest. Megiddo had hem in leven willen houden.

Hij wendde zich van Lana af. Die beweging deed verschrikkelijk pijn en hij kon niets anders doen dan op de grond blijven liggen.

Toen zag Will hem. Hoewel zijn gezichtsveld wazig en gefragmenteerd was, zag hij hem.

De man leek eerst ver weg. Hij liep langzaam. Er viel sneeuw om hem heen, maar het leek wel of de vlokken hem niet raakten. Hij had een geweer. Hij keek naar Will en kwam naar hem toe.

Het was een lange man en hij hield zijn geweer in één hand, met de loop op zijn schouder. De man zag er kalm uit. Hij kwam naar Will toe, keek hem aan en zei: 'Jij verdient een betere dood dan door een explosief, of als een hond op de grond te worden doodgeschoten. En ik vind dat er dingen zijn die je moet weten voordat ik je een eerzamere dood laat sterven. Maar dit is daar het moment niet voor.'

Toen sloeg hij met de kolf van zijn geweer op Wills hoofd.

46

'Kom op, kom op.' De stem van de man klonk hard, en zijn hand voelde ijskoud aan toen hij ruw over Wills gezicht streek. 'Ik weet dat je me kunt horen, dus gebruik je verstand en kom in beweging.'

De grote hand streek nog eens ruw over Wills gezicht en voelde nu nog kouder aan.

Een ogenblik dacht Will dat hij niet kon bewegen en niets kon doen. Hij had een kloppende pijn in zijn hoofd. Zijn gezicht tintelde van de pijn die de man hem met zijn hand had toegebracht. Hij was kwaad op de man en nam zich voor hem tegen te houden, wie hij ook was. Will zoog lucht in zijn longen, en meteen kwam er ijskoude drab in zijn mond. Hij schudde met zijn hoofd om te proberen zich van de hand van de man te bevrijden. De man bleef hem smoren. Wills woede laaide hoog op. Met al zijn kracht greep hij de pols van de man vast en trok hem weg.

Laith was boven hem. Hij keek ernstig en bezorgd. Zijn gezicht zat onder het bloed en een van zijn oren was voor de helft verdwenen. Hij knikte en zei: 'Dat werd tijd.'

Will ging rechtop zitten en betastte zijn gezicht. Hij veegde de sneeuw weg waarmee hij was bedekt en keek in het rond. Hij was nog op de bergtop, en de sneeuwjacht wervelde om hem heen. Hij keek naar Laith en wist dat de ex-Delta sneeuw in zijn gezicht had gewreven om hem bij te brengen. 'Hoe lang ben ik bewusteloos geweest?'

Laith keek op zijn horloge. 'Het is meer dan zestig minuten geleden dat jij en ik voor het laatst met elkaar spraken. Ik denk dat je twintig of dertig minuten buiten westen bent geweest.'

Will vloekte. Hij legde zijn vingers op het deel van zijn hoofd waar de geweerkolf hem had getroffen. Meteen huiverde hij van pijn, maar hij voelde alleen een kneuzing. Hij stak zijn hand uit, en Laith pakte hem vast om hem overeind te trekken. Nadat hij zich in evenwicht had gebracht keek hij uit over het dal dat in het zuiden voor hem lag. Hij mompelde: 'Waarom heeft hij me niet gedood?' Hij keek Laith aan. 'Waar is Roger?'

'Ik heb zijn been verbonden en hem naar onze auto's teruggebracht. Hij loopt mank, maar hij overleeft het wel.'

Will voelde in zijn zakken. Zijn pistool, mes en tactische communicatiesysteem waren weg, maar tot zijn opluchting zat zijn verborgen mobiele telefoon nog op zijn plaats. Hij haalde de telefoon tevoorschijn en belde Roger. 'Kun je rijden?'

Roger zei dat hij dat kon.

Will knikte en liet zijn blik over de meren en het huis gaan, en ook over de plaats waar Roger was. 'Goed. Megiddo heeft Lana nog, en ze moeten naar het noorden zijn gegaan, in jouw richting, want in het zuiden is niets dan eindeloze wildernis. Zolang ze te voet zijn, zal Lana hem hinderen in zijn tempo. Hij zal dus op zoek gaan naar een auto of ander vervoermiddel om hier snel weg te komen.' Will dacht even na. 'Toen we het huis hadden aangevallen, kwamen Megiddo's versterkingen vanuit het noorden door het bos. Hoe zit het met het netwerk van wegen rondom de meren?'

Roger zei dat er maar één weg was die langs de oostkant van het meer leidde, de weg waarover ze waren aangekomen en die Megiddo's mannen hadden moeten gebruiken om bij het huis te komen en daarvandaan te vertrekken.

Will knikte. 'Oké. Megiddo's auto's moeten ergens in de buurt van die weg staan, ten noordwesten van jouw positie en voorbij het huis.' Hij keek op zijn horloge. 'Hij heeft een voorsprong van ongeveer dertig minuten op ons, maar ik denk dat hij nog niet bij de auto's is aangekomen. Rijd nu in die richting, dan komen wij lopend naar je toe.'

Will keek naar de grond om hem heen. Hij zag zijn Colt M4A1-geweer, liep erheen, pakte het op, onderzocht het even, vloekte en gooide het weg. De grendel was verwijderd. Hij keek Laith aan. 'Welke wapens heb jij?'

'Eén pistool, verder niets. Ik moest het scherpschuttersgeweer achterlaten om snel bij Roger en jou te kunnen komen.'

'Verdomme.' Will keek in de richting van het huis en keek toen Laith weer aan. 'We moeten heel snel zijn.'

'Weet je zeker dat je dit kunt?'

De kloppende pijn in Wills hoofd was nu nog erger. 'Ik moet wel.'

De twee mannen renden de helling af. Ze bleven dertig meter bij elkaar vandaan om de kans dat ze allebei werden neergeschoten zo klein mogelijk te maken, maar Will wist dat ze te snel en te blindelings liepen om Megiddo te kunnen zien voordat hij met groot gemak een van hen kon neerschieten. Will hoopte vurig dat Megiddo alleen nog maar aan ontsnappen dacht.

Ze renden langs de lijken van mannen die ze hadden doodgeschoten. Ze renden tot ze aan de voet van de helling kwamen en het terrein vlak werd. Ze renden nog harder en veranderden enigszins van richting om bij de weg te komen, over terrein dat bedekt was met sneeuw en bomen, terrein dat mooi en onschuldig was geweest maar dat nu bij sommigen in de herinnering zou voortleven als de plaats waar een bloederige slag was geleverd.

Plotseling bleef Laith staan en hurkte neer. Will deed hetzelfde en zoog lucht in zijn longen, die het moeilijk hadden gekregen door het harde rennen. Laith keek om zich heen, keek Will aan en wees naar voren. Zonder iets te zeggen gebaarde hij Will dat ze nu heel dicht bij de weg waren.

Will knikte, kalmeerde zijn ademhaling, pakte zijn telefoon en belde Roger. Om het geluid te dempen maakte hij een kom van zijn andere hand over zijn mond en de telefoon, en hij sprak zo zacht als hij kon. 'We zijn erg dichtbij. Wat kun je zien?'

'Niets. Zelfs geen verse bandensporen.'

Will sloot zijn ogen even van pure frustratie. 'Kan hij je in een auto voorbij zijn gekomen zonder dat je hem zag?'

'Onmogelijk. Maar misschien heeft hij een auto en is hij naar het zuidwesten gereden, dus bij me vandaan.'

'Wat denk je?'

'Ik weet het niet zeker, maar ik heb over deze weg heen en weer gereden en ik weet wel zeker dat ik geen auto heb zien rijden, en ik heb ook geen sporen gezien.'

'Shit. Goed, nou, ik weet het ook niet zeker, maar dan moeten we aannemen dat hij nog loopt en op weg is naar het dorp Saranac Lake in het noorden.'

'Dat denk ik ook. Ik blijf op de weg en wacht op je.'

Will rende voorovergebogen naar Laith toe, klopte hem op zijn schouder en liep door, met Laith naast zich. De bomen stonden hier niet meer zo dicht op elkaar, en Will ving nu en dan een glimp op van de weg. Laith draaide zich om en stak zijn hand op om Will duidelijk te maken dat hij moest stoppen. Toen sloop hij voorovergebogen verder en bewoog zijn pistool naar links en rechts. Toen Laith de rand van de weg tot op een paar meter was genaderd, bleef hij staan. Hij ging op zijn buik liggen, legde sneeuw over zich heen en wachtte af.

Will, veertig meter achter Laith, wachtte ook. Hij keek om zich heen en voelde zich erg kwetsbaar. Hij stelde zich voor dat Megiddo ergens uit het dichte bos achter hem opdook, onzichtbaar naar hem toe liep en zijn keel doorsneed met het mes dat hij van Will had afgepakt. Hij hoorde een geluid in de verte en keek vlug naar de weg, naar Laith' gecamoufleerde positie daarnaast. Het geluid zwol aan, en Will wist dat het een auto was. Hij keek naar Laith, maar de man bleef roerloos liggen.

Will tuurde tussen de bomen door. Eerst zag hij niets, maar toen bewoog er iets ver rechts van hem. Het was iets groots en donkers, en het flitste tussen de bomen. Het was de auto. Waarschijnlijk was het Roger, maar het kon ook Megiddo zijn, of zwaarbewapende politie. Hij keek weer naar Laith en wist dat die hetzelfde zou denken.

De auto reed langzaam van rechts naar links. Will negeerde hem, keek naar Laith en zag dat die nog steeds heel stil bleef liggen. Maar toen de auto naderde, kwam Laith langzaam overeind uit zijn zelfgemaakte ondiepe sneeuwkuil. De auto bevond zich nu bijna recht voor hem. Laith stond op, hield zijn pistool omhoog en deed vijf stappen naar voren. De auto bleef abrupt staan. Laith hield zijn pistool op de bestuurder gericht.

Will slaakte een zucht van verlichting toen hij zag dat het Roger was.

Will keek weer vlug om zich heen en rende toen naar Laith toe. Ze stapten in de auto en gingen allebei op de achterbank zitten.

'Hoe ver is het naar het dorp?' vroeg Will aan Roger.

Roger draaide zich naar hem om. Zijn gezicht was vertrokken van pijn. 'Zes kilometer. Kijk onderweg goed uit je ogen. Als Megiddo en zijn gevangene nog niet in het dorp zijn, lopen ze misschien evenwijdig met deze weg.'

Roger trapte het gaspedaal in en de auto ging meteen achteruit. Hij keerde hem, zodat ze met de motorkap in de richting van Saranac Lake stonden, en reed met matige snelheid weg. Laith liet zijn raam helemaal zakken en keek zwijgend, met zijn pistool in beide handen, naar de kant van de weg. Will keek in de bagageruimte van de auto en zag daarin tot zijn opluchting de plunjezakken liggen met sommige van de ongebruikte wapens die Ben en Julian hadden meegebracht voor de aanval op het huis. Hij stak zijn hand ernaar uit en pakte een Heckler & Koch MK23-pistool met geluiddemper en drie extra magazijnen. Toen maakte hij zijn eigen raam ook open om hun rechterflank te dekken.

Het sneeuwde hard en Will hoorde dat Roger de ruitenwissers op volle kracht had gezet om hem te helpen door de sneeuwstorm heen te kijken. Will durfde zijn blik niet weg te nemen van de rij bomen aan zijn kant van de weg. Hij kneep zijn ogen halfdicht om meer te kunnen zien; hij bewoog zijn ogen om niet gedesoriënteerd te raken door de snelle witte stippen ijs en sneeuw; hij tuurde tussen de bomen in de duisternis daarachter. Zonder zijn blik daarvan weg te nemen riep hij naar Roger: 'Hoeveel tijd hebben we nog tot zonsondergang?'

Roger antwoordde met luide stem boven de motor, de wissers en de wind uit: 'Met dit weer waarschijnlijk niet meer dan twintig of dertig minuten.'

Will vloekte en mompelde tegen niemand in het bijzonder: 'We hebben niet genoeg tijd om hier naar ze te zoeken.'

'Volgens mij ook niet.' Dat was Laith.

Will keek Roger recht aan. 'Geef maar wat meer gas en breng ons zo snel mogelijk naar het dorp. Ik denk niet dat Megiddo en Lana daar al zijn. We rijden ze nu voorbij en wachten tot ze daar aankomen.'

Hun auto ging met een ruk naar voren en ze slipten over de beijzelde weg, totdat Roger het voertuig behendig in bedwang kreeg en ze met grote snelheid hun weg vervolgden. Will en Laith lieten hun ramen dichtglijden en leunden achterover. 'Probeer het bloed van je gezicht te vegen,' zei Will tegen Laith. 'We gaan ergens naartoe waar burgers zijn, en we moeten niet opvallen. Je ziet er belabberd uit.'

Laith glimlachte. 'Dat moet jij nodig zeggen.'

Roger boog naar voren, opende het dashboardkastje, zocht erin en gooide een pakje naar achteren. Will ving het op en glimlachte toen hij zag dat het een pak natte doekjes voor baby's was. Hij haalde een paar van de wegwerpdoekjes uit het pak, gaf het pak aan Laith en begon zijn eigen gezicht, hals en handen schoon te maken. Zijn glimlach verdween toen hij opeens rilde. Hij bekeek zichzelf en besefte waarom hij het plotseling zo koud had: zijn kleren waren doorweekt geraakt toen hij door het meer zwom en later bevroren toen hij de berghelling op rende. Door de warmte in de auto waren ze nu aan het ontdooien. Hij wist dat Laith hetzelfde probleem had. Roger had zijn eigen verwondingen. Will besloot de kou, de pijn van zijn wonden en de vermoeidheid voorlopig maar te negeren.

Maar hij kon de gedachten niet uit zijn hoofd zetten die draaiden om de vraag die hij eerder aan Patrick had gesteld.

Wat zou erger kunnen zijn dan een aanval op de regeringsleiders in Camp David?

Evenmin kon hij voorbijgaan aan een andere vraag.

Wanneer voelt Megiddo zich zo veilig dat hij Lana niet meer als gijzelaar nodig denkt te hebben?

Hij dacht erover Patrick te bellen. Hij dacht erover hem te vertellen dat zijn vertrouwen in Will misplaatst was en dat alle hoop op succes snel vervloog.

Hij dacht aan wat Patrick bijna zeker zou zeggen: 'Omdat Megiddo's mannen allemaal dood zijn, is het nu een klopjacht. Ik ga dit openbreken en de politie erbij halen. Wat er ook gebeurt, hij zal Lana in elk geval doden. Het gaat er nu dus alleen nog om dat we hem te pakken krijgen.'

Will keek naar Laith en Roger. Hij vroeg zich af of hij tegen hen moest liegen, of hij zijn gedachten voor zich moest houden. Hij herinnerde zich wat Roger had gezegd toen ze elkaar voor het eerst ontmoetten in dat huis in Zürich.

Ik weet dat niemand van ons – mijn voorouders, hun broers en ik – voor onze organisatie of ons land heeft gevochten. We vochten allemaal voor de man naast ons.

Hij zou niet kunnen liegen tegen de mannen die bij hem in de auto zaten. Hij had nog nooit samengewerkt met zulke goede professionals als de twee CIA-mannen hier bij hem of de twee heldhaftige dode collega's die ze achterlieten.

Hij sprak. 'Roger. Laith. Ik ben er nog steeds van overtuigd dat we dit op onze eigen manier en zonder anderen moeten doen. Ik denk dat Lana om het leven komt als we er anderen bijhalen. Als Megiddo het gevoel heeft dat hij niet meer kan ontkomen, heeft hij vast wel noodprotocollen om zijn aanslag evengoed te plegen. We moeten hem laten geloven dat hij een kans maakt om te ontsnappen en zijn aanslag uit te voeren.' Hij zweeg even. 'Dat denk ik, maar ik zou me kunnen vergissen. Ik zou me heel erg kunnen vergissen en ik weet zeker dat mijn supervisor bij MI6 dat zou denken en dat jullie baas bij de CIA diezelfde conclusie zou trekken.' Hij keek hen beiden aan. 'Patrick zou niet willen dat we het in dit stadium in ons eentje doen, en als jullie dat ook vinden – of als een van jullie dat vindt – moet ik hem vertellen wat er op dit moment gebeurt.'

Laith keek hem met een staalharde blik aan. '*Fuck* nee.'

'Precies. *Fuck* nee.' Roger trapte het gaspedaal nog wat verder in en ze vlogen met nog hogere snelheid naar het inmiddels zichtbare maar toch nog verre dorp Saranac Lake.

Bijna op datzelfde moment klonken er schoten ergens voor hen. Kogels boorden zich door de motorkap, door de voorruit en door Roger.

De auto slingerde naar links, en Will dook naar voren, sloeg zijn ene arm om Roger en diens rugleuning heen en greep met zijn andere hand het stuur vast.

Laith riep: 'Hou ons op de weg!' Hij stootte zijn elleboog een paar keer door de ruit aan zijn kant, pakte de hoofdsteun voor hem vast en boog zich met zijn pistool naar buiten. 'Laat de schutter maar aan mij over!'

Will trok het stuur naar links en rechts en weer naar links om de bewegingen van de op hol geslagen auto te compenseren, maar ze gingen te hard en hadden geen grip op het beijzelde wegdek. Hij riep: 'Te laat! Zet je schrap!'

De auto vloog driehonderdzestig graden in het rond, kwam van de grond, kantelde, dreunde op zijn zijkant en gleed over de weg alvorens met een ruk tot stilstand te komen. Will haalde enkele ogenblikken diep adem. Aarzelend bewoog hij zijn armen en benen. Hij constateerde dat hij ongedeerd was. Toen hij een dreunend geluid hoorde, keek hij om en zag Laith tegen zijn portier schoppen. Hij hoorde de CIA-man vloeken en voelde dat Laith over hem heen klom om zich door het raam te hijsen. Will hield Roger nog vast. Hij hoorde de gewonde bestuurder piepend ademhalen, maar verder bleef hij roerloos liggen en maakte hij geen geluid.

Laith was nu buiten de auto, en Will zag dat hij zijn pistool voor zich uit hield, op zoek naar de man die hun auto met een geweer had verwoest, de man die absoluut Megiddo moest zijn. Will wist dat Laith een gemakkelijk doelwit voor Megiddo zou zijn als de man nog bij hen in de buurt was. En hij wist dat hijzelf zou kunnen omkomen als hij nog langer in de auto bleef.

Hij liet Rogers hoofd voorzichtig op het wegdek zakken via het zijraam en hees zich uit het raam aan de bovenkant waarin Laith een gat had geramd. Hij sprong op het asfalt en trok zijn pistool. Hij keek in beide richtingen van de weg, naar de bermen en in het bos, maar hij zag niets. Hij keek naar de lucht. De duisternis viel snel in.

Laith was tien stappen voor de auto uit gelopen en hurkte midden op de weg neer. Hij hield zijn pistool recht voor zich uit in de richting vanwaar de kogels waren gekomen. Hij bleef heel stil zitten, en Will wist dat hij die positie had gekozen om een menselijke barrière te vormen voor eventuele kogels die voor Will bestemd waren.

Will klom weer op de auto en probeerde het voorportier aan de passagierskant open te maken. Het bleek klem te zitten, maar na vier pogingen lukte het hem het portier open te rukken. Hij keek in de auto en naar Roger. De ogen van de gewonde man waren stijf dicht, en daaruit leidde Will af dat hij hevige pijn leed, maar ook – en dat was belangrijker – dat hij bij bewustzijn was. ‘Roger, kun je praten?’

De man haalde fluitend adem, maar zei niets.

‘Roger, ik wil je hier uithalen. Maar als ik je verplaats, en je hebt een gebroken nek of rug, dan wordt dat waarschijnlijk je dood. Begrijp je dat?’

Het sneeuwde hard op Will, door het raam en op Roger. Eerst kwam er geen reactie. Toen zag Will dat de man zijn handen en voeten wat bewoog. Hij zag dat Roger probeerde na te gaan of hij botten had gebroken.

Ten slotte zei Roger: ‘Kogel in mijn linkerarm.’ Zijn stem klonk zwak en ijl. ‘Minstens één kogel in mijn schouder... maar ik denk dat ik wel verplaatst kan worden.’

Will verspilde geen tijd. Hij dook omlaag. Zijn bovenlichaam hing naar beneden in de auto, en hij stak zijn handen onder Rogers oksels en hees hem omhoog. Roger schreeuwde het uit, maar Will bleef trekken en gebruikte al zijn kracht om het dode gewicht van de grote CIA-man langzaam naar boven te hijsen. Wills bicepsen en rugspieren trokken zich samen van pijn, en terwijl hij Roger centimeter voor centimeter ophees, vroeg hij zich af of zijn lichaam daar sterk genoeg voor was. Hij ging sneller ademhalen. Hij kneep zijn ogen stijf dicht. Hij concentreerde zich er helemaal op dat hij zijn collega beetje bij beetje naar boven trok. Hij spreidde zijn benen tegen de buitenkant van de auto om beter in evenwicht te blijven en meer kracht te kunnen zetten. Een ogenblik moest hij ophouden en bleef hij hijgend van inspanning liggen. Toen zoog hij zijn longen vol lucht, hield zijn adem in, drukte zijn benen hard tegen de auto en hees met alle spierkracht die hij nog had. Hij trok tot zijn hele lichaam er pijn van deed. Hij trok tot hij

Rogers hoofd tegen zijn kin voelde. Hij wachtte even, want hij wist dat hij zijn greep zou moeten veranderen en dat hij het hele gewicht van de man dan even met één hand zou moeten dragen. Hij ademde uit en weer in, zette zich schrap met zijn rechterarm, haalde zijn linkerhand weg en voelde meteen dat zijn rechterbiceps zo strak kwam te staan dat hij dacht dat hij zou springen. Vlug legde hij zijn linkerarm om Rogers borst en haalde toen weer adem. Hij trok met beide armen en leidde de man door het raam. Toen ging hij langzaam op zijn voeten staan en gebruikte hij zijn beenspieren om de man helemaal uit de auto te trekken.

Hij riep naar Laith: 'Als de schutter daar nog was, zou je nu dood zijn. Ik heb je hulp nodig.'

Laith kwam naar de auto toe. Samen met Will liet hij Roger op het wegdek zakken. Ze legden hem op zijn rug. Will bleef nog even op de auto staan. Hij haalde moeizaam adem en probeerde zijn spieren te ontspannen na de immense krachtsinspanning die ze hadden geleverd. Ten slotte sprong hij van de auto af en hurkte bij Roger neer. Laith kwam naast hem zitten.

Will zag drie kogelgaten in Roger. 'Ik laat hem hier niet achter. Dan gaat hij dood.'

Laith knikte. 'Dat is zo. Maar wat gaan we doen?'

Will keek over de weg in de richting van Saranac Lake. Het was bijna donker, en hij zag in de verte het kunstlicht van het dorp. 'Megiddo heeft Lana als last bij zich,' zei hij tegen Laith. Hij keek naar Roger. 'Nu hebben wij onze eigen last. Maar er verandert niets.'

Laith knikte. 'Ik zou zeggen dat we ongeveer drie kilometer bij het dorp vandaan zijn. Elke vijfhonderd meter wisselen?'

Will ging akkoord. 'Roger, je weet dat dit veel pijn gaat doen, maar je weet ook dat dit moet.'

'Doe het,' mompelde de CIA-teamleider, zijn tanden op elkaar geklemd.

Will pakte een van de armen van de man vast, legde zijn andere arm onder Rogers rug, zette hem overeind en hees hem op zijn schouder. Hij keek Laith aan. 'Jij gaat voorop. We vertrekken.'

Laith draafde met zijn pistool ter hoogte van zijn middel voor hem uit. Hij hield het wapen gericht op de weg die ze volgden. Will rende een paar meter achter hem en probeerde zijn voeten plat op de met sneeuw en ijs bedekte weg neer te zetten om niet te veel te bonken en Roger niet nog meer pijn te doen. Ze renden over het midden van de weg in de richting van Saranac, met alleen het maanlicht en het verre schijnsel van het dorp om zich te laten leiden. Ze renden in de wetenschap dat een man met een geweer of machinepistool hen in tweeën kon maaien voordat ze er ook maar iets tegen konden beginnen.

Will telde in stilte zijn stappen, en hij wist dat Laith hetzelfde deed. Hij hield Roger stevig vast en concentreerde zich op het lopen. Precies zoals Roger moest hebben gedaan toen hij Will op zijn schouder droeg om hem bij Harry's huis vandaan te krijgen. En zoals de man op wie ze nu joegen moest hebben gedaan toen hij Will op zijn schouder uit de hel in Harry's huis had weggedragen.

Will telde tot vijfhonderd en riep: 'Wisselen!'

Hij legde Roger voorzichtig op de grond, haalde zijn pistool tevoorschijn en liep voor Laith uit.

Hij hoorde dat Laith hun gewonde college op zijn schouder hees. 'Ik ben klaar!' zei Laith. 'Lopen!'

Ze renden door. Will hield zijn pistool voor zich uit, zijn ellebogen gekromd en tegen elkaar gedrukt. Het bos aan weerskanten van hen was nu in volslagen duisternis gehuld, en hij deed geen enkele poging meer om in die zwartheid naar verborgen gevaren te zoeken. Hij keek alleen naar de weg die voor hem lag, keek uit naar tegemoetkomende auto's, keek uit naar alles wat een man met een geweer zou kunnen zijn.

Na een paar minuten wisselden ze weer en rende Will met zijn hoofd voorover en met het dode gewicht van Roger op zijn schouder. Hij hoorde hem piepend ademhalen en soms zuchten van pijn, maar hij klaagde niet.

Algauw riep Laith 'Wisselen!' en nam hij Roger over. Ze waren nog maar een kilometer van Saranac Lake verwijderd.

De sneeuw joeg door de avondlucht en koekte aan op Wills gezicht. Hij liep nu voorop, met zijn pistool voor zich uit. Hij was licht in het hoofd, doodmoe maar vastbesloten. Op dat moment telde niets anders dan Roger in leven houden, Megiddo vinden, Lana redden, Megiddo tegen de grond slaan, zijn pistool op de man richten, te horen krijgen wat erger kon zijn dan een aanslag op Camp David en hem dan in zijn hoofd schieten. Hij rende door een dikkere laag sneeuw en zijn benen voelden zwak aan – maar hij rende door. Soms glibberden en struikelden zijn voeten – maar hij rende door.

Ze wisselden nog één keer, en Rogers gewicht drukte bijna ondraaglijk op Wills schouder. Saranac was nu erg dichtbij en gemakkelijk te zien. Will keek strak naar Laith' rug en rende achter hem aan. Hij concentreerde zich op elke stap en zorgde ervoor dat hij Laith bijhield. Elke seconde leek een minuut te duren; elke long vol lucht leek een long vol ijs; elke voetstap leek een stap met blote voeten op een spijkerbed.

Het leek een eeuwigheid te duren voordat Laith eindelijk langzamer liep, naar de rand van het bos ging en daar bleef staan. Will stond een tijdje naar zijn rug te kijken, voordat hij zijn benen liet doorbuigen en op zijn knieën ging zitten. Hijgend liet hij Roger op de grond zakken. Hij wreef ijs en sneeuw van het gezicht van de man. Hij vroeg: 'Leef je nog?' Hij zag Roger heel vaag knikken. Hij welfde zijn rug om te proberen de schroeiende spierpijn te verlichten. Laith kwam naar Will toe en hurkte naast hem neer. Beide mannen keken door de bomen naar het dorp Saranac Lake. Ze waren er nu heel dichtbij, maar bleven verscholen in het donkere bos. Ze zagen een paar auto's, een paar voetgangers in de verte, en een paar huizen en straatlantaarns, en hoorden geluiden van een normaal menselijk bestaan.

Laith legde twee vingers op Rogers halsslagader en bleef een tijdje stil zitten. Hij knikte. 'Hij heeft geen shock. Die ijzige kou heeft waarschijnlijk geholpen hem in leven en stabiel te houden. De kou zal zijn hele lichaam hebben vertraagd.' Hij keek Will aan. 'Maar diezelfde kou wordt uiteindelijk zijn dood. Als we er niet voor zorgen dat hij medische behandeling krijgt, is hij er binnen twee uur geweest.'

Een hand pakte Laith' vingers vast. Die hand was van Roger, en hij sprak met een ingespannen maar krachtige stem. 'Ik ga dood wanneer ik dat wil, niet wanneer jij het zegt.' Hij hoestte en glimlachte vaag. 'Vergeet niet: ik ben een SEAL. We zijn onder andere gewend aan kou en pijn.' Hij keek ernstig. 'Laat me hier achter. Gaan jullie maar naar het dorp en vind hem. En kom me dan pas halen.'

Will schudde zijn hoofd. 'We nemen je mee en zoeken medische hulp. We kunnen je hier niet achterlaten.'

'Ik heb schotwonden,' merkte Roger op. 'Ze bellen de politie en dan worden jullie gearresteerd. Dan moeten jullie vluchten en maken jullie geen kans meer om Megiddo te vinden.'

Will keek naar Laith' onzekere gezicht. Will was zelf ook onzeker.

Roger liet Laith los, pakte Wills jasje vast en trok Wills gezicht naar zich toe. 'Laat me hier achter. We moeten eerst Megiddo te pakken krijgen.'

Will schudde opnieuw zijn hoofd. 'Dan ga je dood, al ben je nog zo sterk.' Toen kwam hij op een idee. 'Wat er ook gebeurt, jouw rol in deze missie is nu voorbij. Als we je aan medische behandeling helpen, wordt er goed voor je gezorgd, al wordt de politie in kennis gesteld en zullen ze je gevangen houden tot ze weten wat er met je is gebeurd. Maar dat doet er niet toe, want na verloop van tijd zorgt Patrick ervoor dat je vrijkomt.' Hij keek Laith aan. 'Hoeveel politieagenten denk je dat ze in Saranac Lake hebben?'

Laith haalde zijn schouders op. 'Dat weet ik niet precies, maar het zullen er hooguit drie of vier zijn, en waarschijnlijk hebben er altijd maar twee tegelijk dienst, behalve in noodsituaties.'

Will knikte. 'Ik ga de politie van Saranac Lake bellen. Ik zeg dat ik ongeveer anderhalve kilometer buiten het dorp een auto op zijn kant heb zien liggen. En dan hang ik op.' Hij keek Roger aan. 'Dat moet genoeg zijn om die paar agenten uit Saranac weg te krijgen. We gebruiken die tijd om jou naar het dorp te brengen, medische hulp te vinden, je daar achter te laten en achter Megiddo aan te gaan.' Hij keek Laith even aan. 'Ik denk dat we twintig of dertig minuten de tijd hebben om het dorp te doorzoeken, voordat de politieagenten terugkomen en horen dat er een man met schotwonden in het ziekenhuis is gedumpt.' Hij keek Roger weer aan. 'Vertel niets aan de artsen of de politie.' Hij glimlachte. 'Het zal niet zo moeilijk zijn, maar doe alsof je op sterven na dood bent.'

Roger knikte langzaam, keek hem even aan en zei toen rustig: 'Het was me een genoegen met je samen te werken, Will.'

Will gaf een kneepje in zijn hand. 'Dit was vast niet de laatste keer dat we samenwerken. Ik hoop tenminste van niet.'

Hij klopte op Rogers zakken, vond de mobiele telefoon van de man en zei glimlachend: 'Het doet er niet meer toe of ze een telefoontje van dit apparaat kunnen traceren.' Hij maakte de telefoon open, belde het alarmnummer, vroeg naar de politie van Saranac en praatte enkele seconden voordat hij zei dat hij een erg slechte ontvangst had, waarna hij midden in een zin ophing. Hij sloot de telefoon, haalde de SIM-kaart eruit, brak hem in stukjes en gooide die stukjes en het apparaatje in het bos. Toen liep hij dichter naar de boomgrens bij het dorp toe en wachtte. Binnen twee minuten hoorde hij een politiesirene, en een minuut later zag hij een politiewagen met vierwielaandrijving voorbijkomen over de weg waarop ze waren verongelukt.

Hij liep vlug naar Laith toe en zei: 'Ik draag hem. Doe jij het woord.'

Hij keek naar Roger, knikte de man toe en zei: 'Je hebt nog één reis te maken, mijn vriend.'

Laith en Will stopten hun pistolen in hun zak. Will hees Roger op zijn schouder. De drie mannen verlieten het donkere bos en liepen het dorp Saranac Lake in.

47

Er waren niet veel mensen op straat, maar degenen die de sneeuwjacht en de duisternis trotseerden, keken naar het vreemde trio dat behoedzaam door het dorp liep. Will lette goed op al die mensen. Het kon hen niet schelen dat ze naar Laith en hem staarden, en naar de man die hij droeg, maar hij vroeg zich af hoe ze zouden reageren als ze wisten dat de mannen naar wie ze keken gewapend en extreem gevaarlijk waren. Hij liep met Laith door een straat, Olive Street geheten. Die voerde hen naar wat blijkbaar het midden van het dorp was en hij zag dat het een populaire vakantiebestemming was, want de weinige mensen die ze zagen droegen wintersportkledij. Will wist dat Laith hen zou negeren, dat hij op zoek was naar iemand die eruitzag als een inwoner van het dorp.

Will keek op zijn horloge en vloekte. De tijd drong.

Laith bleef staan, bewoog zijn hand bij zijn middel om Will te laten weten dat hij moest wachten en liep toen vlug naar een man en een vrouw aan de overkant. Hij sprak even met het echtpaar, wees naar Will en de man die hij droeg, schudde zijn hoofd, wees in een andere richting en knikte naar het echtpaar voordat hij bij hen vandaan liep. Hij deed hetzelfde bij een tegemoetkomende auto met alleen een man erin. Laith wees naar Will en Roger, gaf de automobilist iets uit zijn zak en draafde naar Will terug. 'Niet gunstig. Het dichtstbijzijnde ziekenhuis is het Adirondack Medical Center, twee kilometer hiervandaan aan Route 86 naar het noorden. Maar het is me gelukt de man in de auto over te halen ons daar voor vijftig dollar naartoe te brengen. Ik heb hem verteld dat we een jachtongeluk hebben gehad.'

Will liep vlug naar de auto toe. Laith maakte het achterportier open en hielp hem Roger op de plaats aan de passagierskant te zetten. Will ging naast Roger zitten en hield de gewonde man met beide armen tegen zich aan. Laith sprong voorin en vertelde de automobilist onder het rijden alles over het jachtongeluk. De automobilist zag eruit als een verkoper of winkelier, en het grootste deel van wat Laith tegen hem zei was overbodig of een herhaling, maar Will wist dat Laith de man alleen maar zo min mogelijk gelegenheid wilde geven tegen Will te praten – of sowieso te praten.

Binnen een paar minuten stopten ze bij het ziekenhuis. Laith keek de automobilist aan. 'Gaat u naar het dorp terug?'

'Ja,' antwoordde de man.

Laith knikte. 'Ik geef u nog eens vijftig dollar als u op ons wacht en ons naar het dorp terugbrengt wanneer we onze vriend hier naar binnen hebben gebracht.'

De man aarzelde. 'Hoe lang zou ik moeten wachten?'

Laith glimlachte. 'Bijna niet.'

De man keek onzeker maar knikte.

Laith sprong uit de auto en hielp Will vlug Roger eruit te halen. In plaats van Roger over zijn schouder te leggen tilde Will hem in zijn armen. Terwijl Laith bij de auto bleef, liep Will in zijn eentje met zijn last naar de kleine receptie. Daar zat alleen een vrouw achter een balie, verder was er niemand. De vrouw zag hen en drukte meteen op een knop. Blijkbaar vroeg ze om onmiddellijke medische assistentie. Will liet Roger op de vloer zakken, keek naar hem en vocht tegen de sterke aandrang om te blijven. Roger schudde zijn hoofd en glimlachte vaag. Will knikte naar hem, glimlachte, draaide zich om en draafde het ziekenhuis uit zonder zich iets aan te trekken van de vrouw, die naar hem riep. Laith sloeg op het dak van de auto toen Will eraankwam. Beide mannen stapten weer in, en Laith zei dat ze van het ziekenhuis opdracht hadden gekregen het incident op het politiebureau in het dorp te gaan melden.

Binnen enkele minuten waren ze in het dorp terug en liepen ze over straat. Will keek weer op zijn horloge. Hij keek naar het politiebureau tegenover hen en zei: 'Ik wil dat je uitzoekt hoe het met het vervoer hier zit. Zoek uit waar Megiddo en Lana nu misschien wachten. Maar we mogen hier niet worden gezien.'

Ze doken de duisternis in en bereikten Woodruff Street, die naast een brede rivier liep. Laith keek door de straat en liep toen naar een groepje van drie mannen toe. Hij sprak met hen en liep naar Will terug. 'Megiddo heeft pech. Er zijn drie mogelijkheden om het dorp met het openbaar vervoer te verlaten – de bus van Franklin County Public Transportation, de Greyhound-bus en de trein van Adirondack Scenic Railway – maar die zijn er allemaal voor vandaag mee gestopt. De bussen rijden morgen weer, en de treinen rijden de hele winter niet. Er is ook een vliegveld, maar dat ligt hier meer dan tien kilometer vandaan.'

'Taxi's?'

Laith schudde zijn hoofd. 'Er zijn twee particuliere firma's, maar die zijn gesloten vanwege het slechte weer.'

'Wij zijn degenen die pech hebben,' zei Will. 'Als er openbaar vervoer was, konden we hopen Megiddo bij een halte te vinden. Maar nu...' Hij keek om zich heen. 'Nu kan hij hier overal zijn.'

'Misschien wacht hij tot morgenvroeg en neemt hij dan de bus.'

'Dat betwijfel ik. Hij heeft Lana bij zich. Als hij hier blijft rondhangen, loopt hij het risico dat ze om hulp gaat roepen. En als ze de hele nacht in het bos wachten, vriezen ze dood.'

'Misschien doet hij wat wij hebben gedaan: iemand betalen om hen ergens naartoe te brengen. Misschien gaat hij naar het vliegveld.'

'Misschien, misschien.' Will schopte gefrustreerd in de sneeuw. 'Misschien.' Hij keek weer om zich heen en werd opeens kalm, want er was een gedachte bij hem opgekomen. 'Misschien weet hij nog niet wat hij gaat doen.' Hij keek Laith aan. 'Net als wij. Misschien is hij nog ergens op straat en vraagt hij zich af wat hij moet doen.'

Laith knikte. 'Hij weet de weg niet in het dorp, net zomin als wij.' Hij keek naar de rivier. 'Maar ik zou zeggen dat de rivier naar het noordoosten stroomt. We kunnen ons het best opsplitsen. Jij verkent het deel van het dorp aan de oostkant van de rivier. Ik ga naar de overkant en verken het westen.'

Will ging akkoord en zei: 'Als je hem ziet, ga dan geen gevecht met hem aan, want dan gebruikt hij Lana als schild. Zorg dat hij je niet ziet en bel mij.'

Laith rende door de straat en sloeg links af een andere straat in om de rivier over te steken. Will keek om zich heen, haalde zijn pistool van zijn rug vandaan en stopte het in een jaszak, waar hij er makkelijk bij kon. Hij draafde een eindje en zette toen een sprint in. Hij rende naar links, Main Street in, en nog eens naar links naar River Street, waar de ijskoude rivier naast hem meteen breder werd. Zijn hoge schoenen knerpten over opeengepakte sneeuw. Hij liep over de weg en het trottoir, om geparkeerde auto's, langzaam lopende voetgangers en schemerige straatlantaarns heen. De wind was gaan liggen en de sneeuw viel nu snel en verticaal. Terwijl hij daar rende, keek hij naar iedere man, iedere vrouw, elke huisdeur en elke winkelpui, en in elke auto. Hij keek naar alles, maar zag niets wat hem ertoe bracht zijn pistool te trekken.

Hij liep bij de brede rivier vandaan en nam Shepard Avenue, stak door naar Clinton Avenue en Franklin Avenue, liep in noordoostelijke richting door Helen Street en in noordelijke richting door Pine Street, tot hij bij de rivier terug was, niet ver van de plaats waar hij zijn zoektocht was begonnen. Hij vloekte hardop.

Heel dichtbij loeide een sirene, en Will rende meteen van de weg af en dook achter een lege auto. Hij lag in de sneeuw en hoorde de sirene dichterbij komen. Een politiewagen reed hem met grote snelheid voorbij en Will bleef liggen tot de auto uit het zicht was verdwenen. Hij was er zeker van dat de politie op weg was naar het Adirondack Medical Center. De artsen hadden natuurlijk de politie gebeld nadat ze zich over hun vreemde nieuwe patiënt hadden ontfermd. Hij was er ook zeker van dat de politie snel naar het dorp zou terugkeren om naar de man te zoeken die Roger bij het ziekenhuis had afgeleverd en daarna was verdwenen.

Zijn telefoon trilde geluidloos in zijn broekzak. Hij haalde hem tevoorschijn en zag dat het Laith was. Hij nam op.

Laith' stem was nauwelijks hoorbaar. 'Ik zie twee mensen die het kunnen zijn. Ze zijn ongeveer honderd meter bij me vandaan in Prospect Avenue. Als ze het zijn, heeft Megiddo zijn geweer weggedaan. Maar de man die ik zie, houdt de vrouw erg dicht tegen zich aan. Dat kan betekenen dat hij een pistool op haar gericht houdt.'

Will sprak snel. Hij deed geen enkele poging zijn opwinding te camoufleren. 'Blijf ze volgen, maar kom in godsnaam niet te dichtbij. Ik kom naar je toe. Leid me erheen.'

'Oké. Prospect Avenue ligt ongeveer vierhonderd meter ten noordwesten van de rivier. Zodra je in William Street of Leona Street bent, moet je langzamer gaan lopen, anders loop je ze tegen het lijf.'

Will hield zijn telefoon in zijn hand, rende over een weg naar de overkant van de rivier en ging naar het westen. Hij rende door Bloomingdale Avenue en zag winkels die dichtgingen en restaurants en eethuisjes die opengingen. Hij rende een stillere straat in en herkende hem meteen als Olive Street, de straat die hen naar het dorp had geleid. Hij ging langzamer lopen, keek om zich heen en constateerde dat hij naar het noorden moest om bij Laith in de buurt te komen. Hij draafde door William Street, en alles om hem heen was nu stil en verlaten. Hij ging gewoon lopen, belde Laith, vertelde waar hij was en luisterde naar de kalme instructies van zijn collega.

'Linksaf Neil Street in. Neem de tweede afslag rechts naar Fairview Avenue. Dan zie je mij ongeveer honderd meter voor je uit. Maar loop langzaam. Als ze in beweging komen, moet je misschien snel van richting veranderen om ze vanuit het oosten te naderen.'

Will stak zijn andere hand in zijn zak en pakte zijn MK23-pistool vast. Hij liep langzaam, weerstond de verleiding om zo snel mogelijk bij Laith te komen. Hij liep Neil Street in en kon zien dat de huizen links en rechts van hem even ver bij elkaar vandaan stonden en dat er in de meeste huizen licht brandde. Hij stelde zich voor dat de gezinnen die daar woonden aan tafel gingen. Aan de overkant liep een groepje van vier mannen en een vrouw vlug in tegenovergestelde richting. Ze hielden hun hoofd gebogen en hadden daar sjaals en mutsen omheen getrokken om zich tegen het weer te beschermen. Will hield zijn hoofd ook gebogen tot ze achter hem waren. De straat was nu weer leeg.

Hij kwam langs de eerste afslag rechts, trok zijn pistool en hield dat tegen zijn buik. Hij haalde regelmatig adem en zag zijn adem wolkjes vormen in de vrieskou. Toen dwong hij zichzelf nog langzamer te gaan lopen, voor het geval hij opdracht van Laith kreeg om van richting te veranderen en een van de straten in te rennen die hij achter zich had gelaten. Hij hield zijn pistool nog steviger vast en keek behoedzaam om zich heen.

Hij was vlak bij de hoek die hij moest omgaan om bij Laith te komen. Hij wist dat het tweetal dat door de CIA-man werd gadegeslagen zich nog op dezelfde plaats bevond, anders had Laith wel contact opgenomen. Hij wierp een blik achterom en keek toen weer voor zich uit. Hij haalde de veiligheidspal van zijn Heckler & Koch over en besloot de hoek om te gaan. Hij liep voorzichtig door, ging rechtsaf Fairview Avenue in en bleef staan.

Hij kon Laith zien, maar die zat op de grond, leunend tegen een muurtje in het vaalgele schijnsel van een straatlantaarn. Will fronste zijn wenkbrauwen en rende naar hem toe. Na twintig meter ging hij nog harder lopen. Hij hield zijn pistool voor zich uit.

Hij bereikte Laith, richtte zijn wapen op Prospect Avenue, richtte het de andere kant op, zag niemand en hurkte tegenover zijn collega neer. Laith glimlachte en maakte een kalme indruk. Hij hield zijn telefoon met zijn ene hand tegen de grond en drukte met zijn andere hand tegen zijn buik. De sneeuw om hem heen was rood. De ex-Delta-man sloeg zijn ogen neer en keek toen op naar Will. Hij haalde zijn hand van zijn buik weg. Zijn jasje was opengereten door iets scherps. Zijn buik was opengesneden.

'O mijn god. Wat is er gebeurd, Laith?'

Laith haalde zijn schouders op. 'Het echtpaar liep in mijn richting.' Hij sprak elk woord uit alsof hij het uit zijn mond moest wringen. 'Ik wilde je niet bellen, want dat zou verdacht zijn overgekomen. En dus liep ik rustig naar hen toe. Toen we elkaar passeerden, duwde de man de vrouw tegen de grond en vloog hij me aan. Ik liet me zakken om zijn benen uit te schakelen, maar blijkbaar had hij dat voorzien, want hij dook over me heen, greep van achteren mijn keel vast en stak me.'

Will keek door Prospect Avenue. 'Welke kant gingen ze op?'

Laith knikte naar Fairview Avenue achter hem, de straat waar Will zojuist doorheen was gerend. 'Je moet ze hebben gezien.'

Will fronste zijn wenkbrauwen en sperde toen van pure frustratie zijn ogen open. 'Verdomme.' Hij herinnerde zich het groepje van vijf mensen met mutsen en sjaals aan de overkant van Neil Street, en de man en vrouw die achter in het groepje liepen. 'Ik ben ze voorbijgelopen. Ze hadden zich aangesloten bij drie willekeurige voetgangers. Misschien hield Megiddo zelfs een pistool op hen gericht.'

Laith haalde diep adem. 'De verwonding is ernstig. Mijn lever is doorboord. Als ik niet gauw word behandeld, ga ik dood.'

Will knikte. 'En dus krijg je die behandeling.'

Laith ademde langzaam uit. 'Dat weet ik, maar daarvoor heb ik jouw hulp niet nodig. Ik wil dat je achter die schoft aangaat en dit afmaakt.'

In de verte loeide een sirene. Die klonk anders dan de sirene van de politiewagen die Will had gehoord.

Laith glimlachte weer en bracht zijn telefoon een beetje omhoog. 'Ik wist wel dat je me nooit zonder medische hulp zou achterlaten als je me zo vond. En dus nam ik jou de beslissing uit handen en belde ik ze zelf. Nu kun jij verdergaan met de missie. Die sirene is van de ambulance die me komt halen. Ik zei dat ik was beroofd. Als de politie naar het ziekenhuis komt, zullen ze dat verhaal niet geloven, niet na alles wat hier vanavond is gebeurd. Maar wat kunnen ze me maken?' Zijn glimlach werd breder. 'Als ik nog leef wanneer ik in het ziekenhuis aankom, krijg ik misschien een bed naast Roger. Maar ik hoop van niet. Die kerel snurkt als een kettingzaag.'

Will probeerde te glimlachen maar was wanhopig. 'Blijf druk op de wond uitoefenen. Blijf bij bewustzijn.'

Laith antwoordde met een krachtiger stem: 'Ik weet precies wat ik moet doen, Will Cochrane.'

Will knikte. 'Dat weet ik.' De sirene kwam dichterbij. 'Heb je iets compromitterends bij je?'

Laith schudde zijn hoofd. 'Geen papieren, alleen geld. Maar neem jij mijn telefoon, pistool en magazijnen mee.'

Will pakte ze, wierp een blik over zijn schouder en keek toen Laith weer aan. 'Bedankt voor alles, Laith.'

'Je hoeft me niet te bedanken. Als ik in leven blijf en het ook weer goed komt met mijn lever, mag je me op een biertje trakteren wanneer dit achter de rug is.'

Will wilde vertrekken, maar Laith greep zijn hand en hield die met ongelooflijk veel kracht vast. 'Nadat hij mijn buik had opengesneden, hurkte de man bij me neer. Hij zei dat hij wist dat Nicholas Cree in de buurt was. Hij zei dat ik lang genoeg in leven moest blijven om tegen je te zeggen dat ik overhoop was gestoken door een man die Megiddo wordt genoemd, de man die je zoekt.' Hij huiverde van pijn en hoestte. 'Hij wil je over een dag in je eentje ontmoeten in New York. Als je niet komt, sterven er vele onschuldigen.' Hij spuwde een klodder bloed in de sneeuw en vloekte. 'Als hij zelfs maar het vage vermoeden heeft dat die ontmoeting wordt gadegeslagen of dat je anderen bij je hebt, sterft Lana.' Hij zoog lucht tussen zijn samengeklemde tanden door naar binnen. Het was duidelijk dat hij veel pijn leed. 'Je moet op een besloten plaats zijn, anders gaat de hele ontmoeting niet door. Je moet Lana een bericht sturen om te vertellen waar je zult zijn.' Zijn ademhaling werd oppervlakkig, maar hij greep Will nog steviger vast. 'Hij zei dat je de komende drieëntwintig uur zo goed mogelijk moest gebruiken, want in het vierentwintigste uur komt hij naar je toe, praat hij met je en maakt hij je dood.'

Will keek op zijn horloge. Het was net zes uur 's avonds geweest. Hij schudde zijn hoofd. 'Wat doet hij toch? Hij zet zijn eigen operatie op het spel. Wat voert hij in zijn schild?' Er ging een golf adrenaline door hem heen. 'Wat er ook aan de hand is, die aanslag moet in New York plaatsvinden.'

Laith knikte, liet Will los en legde zijn hand over zijn andere hand, die op de wond drukte. 'En je moet nog iets weten.' Hij spuwde weer bloed. 'Iedereen die me ooit kwaad heeft gemaakt, heb ik geslagen of gedood. Niemand is ooit sterker geweest dan ik, sneller dan ik, of beter getraind. Maar...' Hij hoestte weer en huiverde. 'Megiddo was anders. Will, luister naar me. Die kerel was zo verrekte snel, zo verrekte dodelijk.'

De sirene was nu heel dichtbij. Will knikte, stond op, wierp nog een blik op Laith, draaide zich om en rende achter de man aan die de leden van het beste team waarmee hij ooit had samengewerkt had gedood of ernstig verwond.

Hij rende door Fairview Avenue terug en kwam in Neil Street. Hij hield zijn pistool voor zich uit en trok zich er niets van aan of iemand hem met een wapen zou zien. Hij tuurde om zich heen, op zoek naar het groepje dat hij eerder was tegengekomen. Tweehonderd meter voor hem zag hij een ambulance met grote snelheid door William Street rijden en uit het zicht verdwijnen. Hij rende door tot hij bij het kruispunt was, keek daar naar links en rechts en voor zich uit en vloekte toen hij niets zag. Hij vroeg zich af welke van de drie straten Megiddo had genomen en bedacht dat de man door Leona Street naar het zuiden zou zijn gegaan, weg van de plaats waar Laith was neergestoken. Hij liep vlug die straat in, tot hij bij het kruispunt met Olive Street kwam. Daar keek hij naar rechts en zag niets. Hij keek naar links en zag hen.

Het groepje van vijf was ongeveer honderdvijftig meter bij hem vandaan. Will bracht zijn wapen omhoog, haalde snel adem en richtte het op de man die achter in de groep liep, naast de vrouw. Hij tuurde door de sneeuw. Hij wist dat hij een kogel door het hoofd van de man zou kunnen jagen, maar hij wist ook dat hij dan geen kans meer maakte Megiddo's aanslag te voorkomen, en dat zijn kogel tot gevolg zou hebben dat Megiddo de trekker overhaalde van het pistool dat hij op Lana gericht hield, zodat ze meteen dood zou zijn. Bovendien was er een kans dat Wills supersnelle kogel dwars door Megiddo's hoofd heen ging en een van de drie onschuldige mannen trof die voor hem liepen. Hij vloekte en liet zijn wapen enigszins zakken, waarna hij een paar stappen naar voren deed. Hij zag dat de man en de vrouw de groep verlieten en de straat overstaken. Vlug bracht hij zijn wapen weer omhoog. Toen hoorde hij geluid. Hij zag flitsen op de grond om hem heen.

Hij hoorde een man roepen: 'Stop! Politie!'

Will ademde langzaam uit, maar kwam niet in beweging.

Hij hoorde een andere man roepen: 'Laat dat wapen vallen! Steek je handen omhoog en schop je wapen bij je vandaan!'

Will kwam niet in beweging.

'Doe dat, of anders schieten we op je!'

Will wist dat er minstens twee politieagenten achter hem waren. Hij zuchtte, stak zijn armen opzij, wachtte nog even en liet toen zijn Heckler & Koch MK23 op de grond vallen. Hij draaide zich snel naar de politie om. Er stonden twee agenten tegenover hem, ongeveer tien meter bij elkaar vandaan. Ze hielden allebei een pistool op hem gericht. Achter hen stond hun politiewagen. De portieren stonden open; zwaailichten flitsten geluidloos op het dak.

'Staan blijven. Niemand heeft gezegd dat je je mocht omdraaien.' Dat was de agent rechts. De andere agent deed twee stappen opzij, en Will wist dat de man de hoek tussen hem en zijn collega wilde vergroten, zodat Will nog minder kans maakte de mannen aan te vallen en te ontsnappen.

Will vloekte in stilte. Daarstraks was hij heel dicht bij Megiddo geweest, maar nu zou de man met Lana wegvluchten en ongetwijfeld op zoek gaan naar een plaats waar veel mensen waren om zich onder hen te verbergen. Will vloekte opnieuw. De mannen tegenover hem deden natuurlijk alleen maar hun werk, maar zonder het te weten lieten ze in hun eigen dorp de gevaarlijkste man van de hele wereld ontsnappen. Hij keek naar de gezichten van de politieagenten. Hij zag geen angst in hun ogen, geen aarzeling, geen onzekerheid. Ze zagen er professioneel en competent uit. Toch wist hij dat hij sneller zou zijn; hij wist dat hij Laith' pistool uit zijn zak kon trekken en kogels in hun hoofd kon jagen voordat ze zelfs maar met hun ogen konden knipperen. Hij keek hen met een zucht aan. Hij wist dat hij nooit twee Amerikaanse politieagenten kon doodschieten.

'Hou je armen bij je vandaan. Ga op je knieën zitten.'

Will deed wat hem gezegd werd.

'Ga nu op je buik liggen, met je gezicht omlaag en met je handen achter je rug.'

Will bracht zijn lichaam in die positie, maar hield zijn gezicht naar voren. Hij zag dat de agent aan zijn linkerkant nog wat stappen opzij deed tot hij uit het zicht was verdwenen en achter Will kwam te staan om hem handboeien om te doen. Hij keek naar de andere agent. De man stond nog op dezelfde plaats en hield zijn pistool op Wills hoofd gericht.

'Ik zei, met je gezicht omlaag.'

Will drukte zijn gezicht in de sneeuw en wachtte. Hij voelde een knie die tegen het onderste van zijn rug werd gedrukt. Hij bleef wachten. Hij voelde sterke vingers die om een van zijn handen werden gelegd, en hij wist dat nu elk moment de handboeien zich om zijn polsen zouden sluiten. Toen kwam hij snel in actie.

Hij pakte de pols van de agent vast en draaide zich bliksemsnel om, waarbij hij de arm van de man meetrok, zodat die gedwongen was met hem mee te draaien tot hij naast Will kwam te liggen. Will hoorde de andere agent schreeuwen en wist dat die niet zou schieten omdat hij bang was zijn collega te raken. Toen greep hij de keel van de liggende agent vast, trok zijn hoofd omhoog en vlak voor zich, ging op zijn knieën zitten, trok de man mee, ging gehurkt zitten en deed met de man een uitval naar de andere agent. Hij duwde zijn gevangene frontaal tegen zijn collega op. De twee agenten vlogen door de lucht en dreunden tegen de grond. Will rende op hen af, schopte het pistool uit de hand van een van de mannen, stampte op zijn middenrif om hem tijdelijk te verlammen, liep naar de andere man, die overeind probeerde te krabbelen, stootte zijn elleboog tegen het sleutelbeen van de man en sloeg tegelijk zijn been om de enkels van de man om hem weer tegen de grond te drukken. Hij pakte hun wapens op en gooide ze de straat door. Beide agenten kreunden van pijn, maar Will wist dat ze zich binnen enkele minuten zouden herstellen. Hij keek naar hen beiden, zuchtte en zei: 'Sorry.'

Toen draaide hij zich om en rende weg. Hij rende in de wetenschap dat hij geen moment langer in die plaats kon blijven. Hij wist dat hij nu geen kans meer maakte Megiddo of Lana in het dorp te vinden. Hij kon alleen nog maar hopen de zaak tot een goed eind te brengen als Megiddo in New York naar hem toe kwam.

Binnen vierentwintig uur zou hij een persoonlijke confrontatie hebben met Megiddo en zou zijn prooi daar zijn om hem te doden.

48

Will liep in noordelijke richting door het bos, maar niet te ver bij Route 86 vandaan, waar hij eerder borden had gezien die naar het Adirondack Regional Airport wezen. De wind sloeg sneeuw en ijs in zijn gezicht. Hij liep soms blindelings door het aardedonkere bos en gebruikte de weinige straatlantaarns rechts van hem om zich te oriënteren. Hij had het erg koud, maar hij was ook woedend en vastbesloten om te blijven lopen.

Hij liep zes kilometer en hurkte nu en dan neer als er een auto over de weg reed. Op een gegeven moment zag hij dat de weg zich in tweeën splitste. Hij veranderde van koers en vervolgde zijn weg in westelijke richting, waarbij hij de nieuwe weg dertig meter rechts van hem hield.

Hij dacht erover Patrick te bellen en de man alles te vertellen wat er die dag was gebeurd. Als hij Patrick vertelde waar hij was, kon de man hulp sturen om hem meteen naar New York te brengen. Hij dacht aan Roger en Laith, en zijn volgende gedachte was een echo van de woorden die ze eerder hadden gebruikt.

Fuck nee.

Het werd nog donkerder, en de temperatuur daalde nog meer. Zijn kleren voelde zwaar aan en hij wist dat ze bevroren waren.

In de verte zag hij de lichten van het vliegveld.

Hij draafde verder en was nu erg dicht bij de weg. Hij keek naar weerskanten, stak hem toen vlug over om opnieuw in het bos te komen en liep door tot hij dicht bij de rand van het vliegveld was. Daar haalde hij diep adem, al deed de ijzige lucht pijn aan zijn longen. Hij hurkte neer en liet zich op zijn knieën zakken en voorover vallen. Hij schoof een halve meter over de grond tot hij het complex van het vliegveld goed kon zien.

Het vliegveld had maar één gebouw, en dat was klein en fungeerde blijkbaar tegelijk als aankomst- en vertrekhal. Maar het was in volslagen duisternis gehuld. Naast het gebouw kon Will nog net een paar ondergesneeuwde eenmotorige vliegtuigen op het asfalt zien staan, met drie startbanen daarachter. Hij was hiernaartoe gekomen in de hoop een druk vliegveld aan te treffen dat vierentwintig uur per dag open was en misschien zelfs een rechtstreekse vlucht naar New York te bieden had. Wat hij nu zag, was het tegenovergestelde daarvan. Het hele vliegveld was blijkbaar 's nachts dicht. Hij zou in de ijzige kou moeten wachten tot het vliegveld de volgende morgen openging.

Hij hoorde auto's, keek vlug naar rechts en zag er twee langzaam over de smalle toegangsweg naar het vliegveld rijden. Hij probeerde in de dichte sneeuwval iets te ontwaren en zag dat de voorste auto een witte SUV was, en de tweede een politiewagen. Hij bleef roerloos liggen en zag ze tot vlak bij het gebouw rijden.

De auto's stopten. Er stapte een man uit de SUV, en uit de tweede auto stapten twee politieagenten. Will kon de gezichten van de agenten niet goed onderscheiden, maar aan hun bouw zag hij dat het niet de mannen waren die in Olive Street hun wapens op hem hadden gericht. Hij wist dat er meer politieagenten naar het dorp waren geroepen om op zoek te gaan naar de man die de twee agenten had ontwapend. Niettemin vroeg hij zich af wat er op dat moment tegenover hem gebeurde.

De burger liep naar het gebouw, bleef bij de deur staan, zocht blijkbaar naar iets en maakte toen de deur open. Hij ging naar binnen, maar bleef bijna meteen staan en keek naar een van de muren. Hij bracht zijn arm omhoog en bleef enkele ogenblikken op diezelfde plaats staan voordat hij weer naar buiten kwam en de twee agenten toeknikte. Ze liepen met de burger het gebouw in, en de drie mannen verdwenen tijdelijk uit het zicht.

Will wist dat de burger de beheerder van het vliegveld was en dat de man een code had ingetoetst in een paneeltje op de muur om het alarmsysteem uit te schakelen. Maar hij wist niet wat die man en de politie daar deden. Hij wachtte en wreef zijn handen over elkaar om de bloedsomloop op gang te houden.

Er gingen lichten in het gebouw aan tot het helemaal verlicht was. Will keek naar de ramen en zag de mannen door het gebouw lopen en toen naar een kamer gaan. De politieagenten deden blijkbaar niets anders dan de burger beschermen; de burger gebruikte verschillende telefoons om gesprekken te voeren. Hij keek aandachtig en pakte telefoons even snel op als hij ze neerlegde. De mannen waren tien of vijftien minuten in de kamer toen de lichten werden uitgedaan en ze weer in de deuropening verschenen. De burger toetste een code in, deed de deur op slot en liep vlug naar zijn auto. De agenten liepen met hem mee, schudden hun hoofd en liepen naar hun eigen wagen.

Will wist nu precies wat er gebeurd was. De politie had de baas van het vliegveld gebeld, hem ernaartoe gebracht en hem beschermd toen hij naar andere vliegvelden belde om te zeggen dat het Adirondack Regional Airport tot nader order gesloten was: de autoriteiten organiseerden een klopjacht om de man te vinden die twee agenten had mishandeld en bijna zeker bij twee mannen hoorde die momenteel met schot- en steekwonden onder politiebewaking in het ziekenhuis lagen.

Will voelde een enorme frustratie. Hij wreef ijs van zijn gezicht, zag de politieagenten in hun auto stappen, zag een van hen in de radio praten en zag hen wegrijden zonder zwaailicht. Hij stelde zich voor dat ze, nu hun taak erop zat, naar het dorp terugreden om aan de klopjacht deel te nemen.

De burger bleef bij het portier van zijn auto staan, probeerde een sigaret aan te steken, slaagde daar niet in, maakte het portier open en bleef even achter het stuur zitten. Will zag een gloed achter de kom van de handen van de man, gevolgd door rook van zijn sigaret. Will stond op, trok Laith' pistool en rende naar de man in de auto toe. Toen hij bij hem aangekomen was, hield hij zijn pistool in beide handen. De sneeuw wervelde om hem heen.

De man keek met grote ogen op en was blijkbaar erg bang. 'Ben jij de man die ze zoeken?'

Will richtte zijn pistool op het hoofd van de man en kwam enkele passen naar voren. 'Misschien. Ben je gewapend?'

De man schudde zijn hoofd. 'Zie ik eruit als iemand die met een wapen rondloopt?'

'Nee.'

De man wierp een blik over zijn schouder en keek toen Will weer aan. Hij haalde snel adem. 'Je bent zeker hiernaartoe gekomen om met een vliegtuig uit Saranac Lake te vertrekken. Maar er stijgen geen vliegtuigen op, niet zolang de politie denkt dat jij hier nog ergens in de buurt bent.'

Will knikte. 'Ik wil je auto, je mobiele telefoon en de sleutels van dit gebouw.'

De man verkeerde blijkbaar op de rand van de paniek. 'Als je me die dingen afneemt, moet ik proberen naar het dorp terug te lopen zonder dat ik iemand kan laten weten waar ik ben.'

'Dat is de bedoeling.'

De man keek naar de lucht. 'Ik ben te dik en niet fit, en ik weet niet of ik met dit weer het dorp wel haal. Waarschijnlijk vries ik dood.' Hij keek Will in paniek aan. 'Wil... wil je dat?'

Natuurlijk had de man gelijk. Hij was van middelbare leeftijd, minstens twintig kilo te zwaar en zag eruit alsof hij zich inderhaast had aangekleed en niet van plan was geweest langer bij zijn huis en zijn verwarmde SUV vandaan te blijven dan nodig was. Will hield zijn pistool op de man gericht. 'Gooi je mobiele telefoon naar me toe.'

De man greep in een borstzakje, haalde zijn mobieltje tevoorschijn en gooide het bij Wills voeten op de grond. Will trapte met de hak van zijn zware schoen op de telefoon, die meteen aan diggelen ging. 'Sta op en loop twee passen bij je auto vandaan.'

De man aarzelde even voordat hij ging staan. 'Alsjeblieft, doe dit niet.' Een van zijn benen trilde. 'Alsjeblieft. Ik ga dood.'

Will hield zijn pistool op de man gericht en liep langzaam om de auto heen tot hij bij het voorportier aan de passagierskant was. 'Ja, dat gebeurt er als je daar blijft staan. Stap weer in de auto. Je gaat me hier vandaan brengen.'

Will stapte in de auto, hield zijn pistool op zijn schoot en wees naar de bestuurdersstoel. De man stapte in, blies zijn adem uit, keek Will aan en stak de sleutel in het contact. Hij zette de auto in beweging.

Ze reden bij het vliegveld vandaan naar Route 186. Toen ze het eind van de weg naar het vliegveld hadden bereikt, stopte de man en vroeg: 'Waar gaan we naartoe?'

'Maakt niet uit, als het maar bij Saranac Lake vandaan is.' Will keek de man aan. 'Maar ik moet naar het zuiden.'

De man keek naar links over Route 186. 'Dan moeten we door het dorp.'

Will drukte vlug het pistool tegen de slaap van de man en zei niets.

De man keek even opzij, maar bewoog zijn hoofd niet. Hij zag er doodsbang uit en sprak snel: 'We kunnen een andere route nemen. We kunnen hier naar rechts gaan en de 186 en de 30 naar het zuidwesten volgen. Dan komen we aan de westkant van het Upper Saranac Lake uit.'

Will hield het pistool even stil en liet het toen zakken. 'Goed.'

De man ging met de SUV naar rechts, de 186 op. Will fronste zijn wenkbrauwen. 'Wat zeiden die politieagenten?'

'Heb je ze bij mij gezien?'

Will knikte.

De man haalde diep adem terwijl hij reed. 'Ze zeiden dat ze op zoek waren naar een extreem gevaarlijke man. Ze zeiden dat ze twee andere heel gevaarlijke mannen bewaakten in het Adirondack Medical Center. Ze zeiden dat ze meldingen hadden binnengekregen van een enorme toestand bij een van de meren.'

Dat was niet gunstig. Will had gehoopt dat het door de duisternis en het noodweer tot de volgende morgen zou duren voordat de politie ontdekte wat er bij het Lower Saranac Lake was voorgevallen. 'Hoeveel agenten hebben ze hierheen laten komen om naar mij te zoeken?'

De man streek over zijn voorhoofd. 'Hoe moet ik dat nou weten? Ik ben niet van de politie.'

'Nee,' schreeuwde Will, 'maar je bent wel de baas van het vliegveld, en dat staat ongetwijfeld in contact met de nooddiensten! Je hebt vast wel een idee!'

De ogen van de man gingen wijd open en hij knikte vlug. 'Een jaar geleden was er een incident. De piloot van een van onze vliegtuigen gaf over de radio door dat een passagier zich verdacht gedroeg. Ze waren bang dat het een terrorist was. We zeiden tegen de piloot dat hij zijn koers naar ons vliegveld moest blijven volgen. We belden ook de politie, en binnen drie kwartier hadden ze vijfendertig man en twintig wagens om het vliegveld heen staan. De meesten waren opgeroepen uit omliggende plaatsen.'

Will keek op de snelheidsmeter en vroeg: 'Wordt deze weg veel gebruikt?'

De man schudde zijn hoofd. 'Het meeste verkeer gaat via Saranac Lake. Ik denk niet dat we op dit uur van de nacht veel tegenkomen.'

'Rij dan harder.'

De man voerde de snelheid op. Het was nu erg warm in de auto, en Will voelde dat zijn kleren ontdooiden.

De man vroeg met een gespannen stem: 'Wat moet ik zeggen als we door de politie worden aangehouden?'

'Als we door de politie worden aangehouden, hoef je niets te zeggen, want dan is het te laat voor woorden.'

De man keek hem snel aan. 'Wie ben jij?'

'Je zou me niet geloven als ik het je vertelde.'

'Nou, ik kan horen dat je niet hier uit de buurt komt.'

Will drukte zijn pistool hard in de slappe buik van de man. 'Rij nou maar door.'

Er stonden geen lantaarns langs de weg. De ruitenwissers leverden een moeizame strijd tegen de sneeuw, en de koplampen van de auto waren hun enige gids op deze eenzame weg. Algauw reden ze langs een heel groot meer, en Will zag op borden langs de weg dat ze bij het Upper Saranac waren.

Will keek de man aan. 'Heb je een kaart van de staat?'

De man knikte naar het dashboard. 'Mijn gps brengt me overal.'

'Daar heb ik niets aan. Ik heb een kaart nodig.'

'Er moet daar ook een kaart liggen.'

Will opende het dashboardkastje en vond de kaart. Hij bestudeerde hem een tijdje en nam een besluit. 'Je brengt me naar Albany.'

De man schudde zijn hoofd. 'Met dit weer kan dat wel drie uur duren.'

'Rij dan maar vlug.' Will wreef over zijn gezicht en voelde dat zijn spieren en huid tintelden doordat de kou daar plaatsmaakte voor warmte. 'Hoe laat word je thuis verwacht?'

De man haalde zijn schouders op. 'Voor mijn werk word ik vaak op vreemde tijden weggeroepen en duurt het soms een hele tijd voor ik thuis ben.' Hij glimlachte. 'Ik heb de leiding van een vliegveld. Er gaat vaak iets mis.' Hij keek Will aan. 'Ik ga niet tegen je liegen. Ik zeg niet dat mijn vrouw de politie belt als ik niet gauw terug ben.'

Will nam de man op. Hij wist dat iemand intelligent moest zijn om het werk te doen dat hij deed. De man zou zich snel een oordeel over Will en diens situatie hebben gevormd, zoals Will zich nu een oordeel over hem vormde: de man had hem gewoon de waarheid verteld, omdat hij ervan uitging dat Will een leugen meteen zou doorzien. Blijkbaar had de man besloten volledig met hem mee te werken, in de hoop in leven te blijven en veilig naar huis terug te keren. Toch vroeg Will zich af of de man inmiddels vermoedde dat hij geen misdadiger was en dat er in dit deel van het land iets heel ongewoons aan de hand was.

Will zei rustig: 'Ik ben niet van plan je iets aan te doen. Je brengt me naar Albany, zet me daar af en gaat naar huis.'

De man grinnikte, al klonk hij nog steeds nerveus. 'Je weet dat ik de politie bel zodra je weg bent.'

Will knikte. 'Natuurlijk doe je dat.'

Ze reden een uur en zagen geen ander verkeer. Ze reden nog een uur en zagen in die tijd alleen drie tegenliggers, die er alle drie normaal uitzagen. Ze zagen bossen, gebergten en nu en dan een langgerekt meer. Alles zag er onbewoond uit.

Will keek op zijn horloge. Het was nu drie uur in de nacht. Hij vroeg: 'Hoe lang duurt het voor we in Albany zijn?'

'We hebben goed tempo gemaakt. Nog twintig tot dertig minuten, denk ik.' De man keek vlug in zijn spiegeltje en fronste zijn wenkbrauwen voordat hij zijn blik weer op de weg richtte.

Will keek meteen in de spiegel aan de zijkant en zag koplampen achter hen. Ze waren ongeveer vierhonderd meter bij hen vandaan, maar blijkbaar kwamen ze snel dichterbij. Hij pakte zijn pistool stevig vast en beval de man naast hem: 'Blijf gewoon doorrijden totdat ik iets anders zeg.'

De lichten kwamen dichterbij. Will deed verwoede pogingen om vast te stellen wat voor auto het was, maar het felle licht en de sneeuwjacht maakten dat onmogelijk. De auto reed nu ongeveer driehonderd meter achter hen. Will keek op de snelheidsmeter. Ze reden bijna honderdvijftig kilometer per uur, veel harder dan de maximumsnelheid die daar gold. De auto achter hen reed blijkbaar nog harder.

Met zijn pistool in de hand zei Will: 'Rij snel naar de kant en stop.'

De man greep het stuur stevig vast en deed wat Will hem opdroeg.

'Zet de motor uit en geef me de sleutels.' Hij keek de man aan en glimlachte. 'Ik stap uit de auto en wil niet dat je zonder mij wegrijdt.'

De man zette de motor uit en gaf de sleutels aan Will. Will stapte uit de SUV en liep naar de achterkant. Hij ging met zijn gezicht naar de naderende auto staan. Hij hield de hand met het pistool op zijn rug. Hij wachtte.

De auto was ongeveer tweehonderd meter bij hem vandaan, maar ging nog steeds schuil achter zijn koplampen. Will zag hem dichterbij komen en de koplampen iets omlaaggaan. Hij bewoog zijn pistool wat en zag toen duidelijk dat het een politiewagen was.

Will bleef staan. De auto was nu ongeveer honderdvijftig meter bij hem vandaan. Will bleef staan wachten. De auto reed naar hem toe tot een afstand van honderd meter. Toen kwam Will in actie. Hij ging op zijn hurken zitten, hield zijn pistool voor zich, schoot in de rechtervoorband, zag de auto naar links slingeren, schoot in de andere voorband, zag de auto een beetje naar voren zakken en terug slingeren naar het midden van de weg, joeg drie kogels in het motorblok en zag de auto schuddend tot stilstand komen. Hij draaide zich om, liep naar de SUV terug, stapte in, gaf de sleutels aan de bestuurder en zei: 'Rijden.'

De man startte de motor, trapte het gas helemaal in en schudde zijn hoofd toen de auto naar voren sprong. 'Wat deed je daar nou?'

Will antwoordde kalm: 'Er zaten politieagenten in die auto achter ons. Het zou heel slecht zijn afgelopen als ik ze te dichtbij had laten komen. En dus heb ik zojuist hun levens gered.' Hij keek achter zich en zag mannen uit de politiewagen stappen, maar hij wist dat ze op deze afstand niet op hen konden schieten. Hij wist ook dat ze over de radio om hulp zouden vragen. 'Harder rijden.'

Binnen tien minuten waren de lichten van de stad Albany in zicht. Will keek de bestuurder aan. 'Ken je deze stad?'

De man knikte. 'Ik kom hier ongeveer eens per maand.'

'Goed. Gebruik elke route die je kunt vinden om me in de stad te krijgen, maar ga zo gauw mogelijk van deze weg af.'

Binnen enkele minuten sloeg de man rechts af, zodat ze op een andere weg kwamen. Na nog een paar minuten was de man twee keer van weg gewisseld. Er stonden nu overal gebouwen om hen heen. Ze waren in de stad.

'Hou je nu aan de maximumsnelheid.' Will trok het magazijn uit zijn pistool, keek naar de inhoud en schoof het magazijn in de MK23 terug. Hij keek de man aan. 'Je bent straks aan het eind van je reis.'

De man keek eerst naar het pistool en toen naar Will. Zijn gezicht was een en al angst.

Will schudde zijn hoofd. 'Je gaat straks stoppen, en dan stap ik uit en loop ik weg. Daarna rijd je naar huis.'

De angst van de man nam af. 'De politie heeft me verteld dat je hun collega's in het dorp hebt ontwapend maar niet gedood. En ik zag je net een politiewagen tot stilstand brengen, maar je deed de inzittenden niets. Weet je zeker dat ik je niet zou geloven als je me vertelde wie je bent?'

Will stopte zijn pistool in de zak van zijn jasje. Hij wees naar voren. 'Stop daar.'

De man ging langzamer rijden en stopte in een lege zijstraat.

Will zuchtte en keek de man aan. 'Ik heb je hier onder bedreiging van een pistool naartoe gebracht, maar ik ben je toch dankbaar voor je hulp.' Hij haalde diep adem en glimlachte. 'Je zou me niet geloven als ik je vertelde wie ik ben, maar één ding geloof je misschien wel. Binnen vierentwintig uur zullen de media het over niets anders hebben dan een gebeurtenis die de hele wereld zal schokken.' Zijn glimlach verflauwde. 'Als ik faal, wordt het een verschrikkelijke ramp.' Er verscheen een harde blik in zijn ogen. 'Maar als ik slaag, zullen de media vertellen dat er een verschrikkelijke gebeurtenis is voorkomen. In beide gevallen kun je naar het nieuws kijken en weten dat je deel hebt uitgemaakt van dat verhaal, dat je een paar uur lang een man hebt geholpen die honderden, misschien wel duizenden levens probeerde te redden.'

De man keek hem weer aan, kneep zijn ogen halfdicht en glimlachte heel even. 'Ook al kom ik hier elke maand, ik verdwaal altijd in deze stad. Ik doe er waarschijnlijk minstens een uur over om een telefoon te vinden en de politie te bellen. Het is nog een paar uur donker. Als je in die uren van de straat blijft, moet het bijna onmogelijk zijn je in deze stad te vinden.'

Will beantwoordde de glimlach en zei: 'Rij voorzichtig.' Hij stapte uit, liep bij de auto vandaan en ging op een drafje lopen.

Toen de eerste zonnestralen de stad Albany verlichtten, kwam hij uit de schaduw van een steegje tevoorschijn. De trottoirs en straten van de grote stad waren aangekoekt met bevroren sneeuw, en de temperatuur lag nog ver onder het vriespunt, maar door het zonlicht zag alles er schilderachtig uit. Will probeerde zich te herinneren wanneer hij voor het laatst een hemel had gezien met iets anders dan sneeuw, wolken of duisternis.

Hij keek op zijn horloge en zag dat het bijna acht uur 's morgens was. Hij voelde dat zijn mobiele telefoon in zijn zak trilde en haalde hem tevoorschijn. Het was Patrick. Will vloekte, maar wist dat de CIA-man zich een slapeloze nacht lang had afgevraagd wat er gebeurde. Door hem te bellen had Patrick het operationele protocol geschonden, maar de president van de Verenigde Staten en de premier van Groot-Brittannië zetten hem natuurlijk onder grote druk om te horen wat er aan de hand was. Bovendien was Patrick een van de weinige bondgenoten die Will had. Hij vroeg zich af wat hij moest doen. Hij nam een besluit, haalde diep adem, nam de telefoon op en sprak voordat de man aan de andere kant iets kon zeggen.

'Ik ben in leven. Ben en Julian zijn dood. Roger en Laith zijn ernstig gewond en liggen in het Adirondack Medical Center. Je moet ze daar weghalen en naar een ziekenhuis van de CIA brengen. Ik achtervolg ons doelwit, maar alles wat ik op dit moment verder nog zeg kan deze missie in gevaar brengen.'

Hij sloot zijn telefoon en zette hem uit voordat Patrick iets terug kon zeggen.

Hij keek om zich heen. Er waren mensen en auto's op straat en Will sloot zich bij hen aan. Hij moest nieuwe kleren kopen, en nog een paar andere dingen om er normaal uit te zien. Omdat een vlucht vanaf het vliegveld van Albany te riskant zou zijn, besloot hij de laatste etappe van zijn reis naar New York per trein af te leggen.

Will ging naar een toilet in de trein, sloot de deur achter zich en deed hem op slot. Hij pakte een stang vast om zich in evenwicht te houden terwijl de Amtrak-trein naar New York denderde. Hij zette twee draagtassen op de vloer, haalde alle voorwerpen eruit en legde ze op een plank. De inhoud van beide draagtassen had hem meer dan vijftienhonderd dollar gekost en was hem verkocht door winkeliers in Albany, die hem hadden aangekeken alsof hij een dakloze was die rechtstreeks vanuit een opvanghuis hun winkel was komen binnenwandelen. Hij vulde de wastafel met water, deed zijn horloge af en kleedde zich helemaal uit. Hij maakte zijn gezicht nat, deed gel op zijn stoppels, schoor zich zorgvuldig en waste daarna zijn gezicht. Toen vulde hij de wasbak met schoon water en gebruikte hij een grote handdoek om zijn hele lichaam nat te maken. Hij stak zijn hoofd in de wasbak met water en wreef shampoo in zijn haar, waarna hij de kraan liet stromen om alles weg te spoelen. Hij poetste zijn tanden. Hij gebruikte een borsteltje om zijn vingers schoon te maken en het vuil onder zijn nagels vandaan te halen. Hij droogde zijn hoofd en lichaam af, pakte toen lotions van de plank en deed ze op zijn lichaam en gezicht. Hij spoot Chanel Platinum Égoïste eau de toilette op zijn keel, hals en polsen. Hij borstelde zijn korte haar en bekeek zichzelf in de kleine spiegel van het toilet. Zijn gezicht vertoonde diepe lijnen van vermoeidheid, en zijn lichaam zag er afgebeuld, gekneusd en gebroken uit. Maar hij leek nu tenminste heel schoon, en rook ook schoon, en al had hij de schijn tegen, hij voelde zich sterk en helder. Hij pakte gloednieuwe kleren uit een van de draagtassen en trok ondergoed, een kraakhelder wit overhemd met dubbele manchetten, een zwart Hugo Boss-pak en bijpassende brogues aan. Hij keek naar de stapel vuile kleren op de vloer en voelde in de zakken. Hij haalde het Heckler & Koch MK23-pistool met geluiddemper eruit, en drie extra magazijnen, een waterdichte plastic envelop met ongeveer tweeduizend dollar en zijn telefoon. Hij stopte dat alles in zijn nieuwe pak, pakte de vuile kleren bij elkaar en stopte ze in een van de lege draagtassen. Hij veegde de toiletartikelen van de plank in de andere draagtas, bekeek zichzelf nog eens in de spiegel, vond dat hij er goed uitzag en liep met de twee draagtassen het toilet uit. Hij dumpte de draagtassen in een leeg deel van de treinwagon waar hij nu doorheen liep. Hij liep door naar het voorste deel van de trein. Toen hij in de voorste wagon was aangekomen, koos hij een lege stoel en keek om zich heen naar de andere passagiers. Ze lazen, praatten met elkaar, keken uit het raam of sliepen. Hij keek op zijn horloge en wist dat de trein over vijftig minuten op het Penn Station van New York zou aankomen.

Hij vroeg zich af of hij moest gaan slapen, maar bedacht dat slaap wel het allerlaatste was waaraan hij behoefte had, want misschien was hij over zeven uur wel dood.

49

Will stond in een zijstraat van Broadway in Upper West Side van New York en vond dat het kleine hotel dat hij daar zag precies datgene was wat hij zocht. Er liepen allerlei mensen in en uit: rugzaktoeristen, slecht geklede toeristen en dubieus uitziende vrouwen met dubieus uitziende mannen. Het hotel zag er goedkoop uit, net als degenen die er gebruik van maakten. Het was Wills ervaring dat goedkope hotels anoniem waren. Vaak waren het de beste plaatsen om aan ongewenste bemoeienis te ontsnappen of geheime besprekingen te houden. Hij stak de straat over en ging naar binnen.

Achter de kleine balie stond een man, die verveeld keek en met kamersleutels en papieren speelde. Hij keek op naar Will en keek nog steeds verveeld toen Will om een kamer voor één nacht vroeg en zei dat hij cash zou betalen. De man nam tweehonderd dollar van Will aan en vroeg om zijn identiteitsbewijs. Will zei tegen hem dat hij zijn identiteitsbewijs was kwijtgeraakt maar hem vijftig dollar extra wilde betalen als hij een kamer kon krijgen. De man aarzelde even, pakte toen het extra geld aan en gaf hem een sleutel. Hij zei dat er misschien warm water in de badkamer van de kamer was, of misschien ook niet, en dat het deurslot van de kamer soms kuren had. Hij zei ook dat Will na zeven uur 's avonds geen bezoek in zijn kamer mocht ontvangen, maar dat het in feite niemand iets kon schelen of Will 's nachts bezoekers had en hoeveel het er waren.

Will nam de sleutel aan en beklom een smalle, krakende trap naar de tweede verdieping van het hotel. Hij moest zich langs een vrouw met een kort rokje en royaal aangebrachte make-up persen die op hoge hakken de trap af kwam wankelen. Hij kwam boven en zag dat zijn kamer de eerste aan de rechterkant was. Hij prutste aan het deurslot tot het opensprong en ging de kamer in. Die was groter dan hij had verwacht en had een zitgedeelte, met achterin een tweepersoons bed. De kamer rook muf, en afgezien van het bed waren er alleen één fauteuil, twee lampen en nachtkastjes, een kleine koelkast en een oude tv. Hij keek uit het raam, zag het daglicht van New York en hoorde de geluiden van de stad.

Hij pakte zijn mobiele telefoon en toetste een sms'je in dat hij naar Lana's nummer stuurde, in de wetenschap dat niet zij maar Megiddo het zou lezen. Hij vertelde de man waar hij Nicholas Cree kon vinden. Toen stopte hij de telefoon in de binnenzak van zijn jasje terug en wreef over zijn gezicht.

Hij vroeg hij zich af of er die avond een groot gat in de stad New York zou worden geslagen – en of hij kort daarvoor in dit hotel vermoord zou worden.

50

Het werd al donker.

Er gingen lichten aan in de stad, en de ruiten van de gebouwen kaatsten wit licht terug naar Wills hotelkamer. Will had geen licht aan in zijn kamer en keek naar buiten. Hij stond roerloos voor het raam en dacht aan alles wat hem naar deze plaats had gevoerd en alles wat daar zou kunnen gebeuren. Hij keek naar de stad, tuurde naar de spleten tussen de gebouwen en zag overal activiteit. Hij vroeg zich af of Lana ergens in de stad in leven was, of dat Megiddo haar keel had doorgesneden en haar lijk ergens in de buurt van Saranac Lake had gedumpt. Hij vond dat hij gewoon maar moest geloven dat ze nog leefde, dat Megiddo haar in leven moest houden en dat ze alles zou doen om in leven te blijven.

Hij hoorde mensen lachen, schreeuwen, ruziemaken en vloeken in andere kamers en gangen van het derderangs hotel. Deuren gingen open en klapten dicht, en voetstappen bewogen zich vlug over houten vloerplanken en traptreden. Hij keek omlaag naar de straat en zag een groepje van zes mannen en vrouwen luidruchtig uit het hotel komen. Zo te zien waren ze dronken, en Will stelde zich voor dat ze ergens naartoe gingen om zich nog meer te bedrinken. Hij was daar blij om. Na hun vertrek was het voorlopig stil in het hotel.

Hij liep bij het raam weg en vroeg zich af of hij een van de hoeklampen moest aandoen. Hij besloot het donker te laten in de kamer, afgezien van het licht dat van buiten kwam. Hij liep naar de fauteuil toe en pakte het jasje van zijn pak op.

Toen hoorde hij gekraak op de trap.

Hij trok zijn jasje aan en liep naar een van de nachtkastjes. Hij pakte zijn telefoon op, zette hem uit en stopte hem in een binnenzak.

De trap kraakte opnieuw.

Hij nam zijn pakje geld, stopte het zorgvuldig in een andere zak, liep naar zijn bed en keek naar zijn Heckler & Koch MK23 en de drie extra magazijnen die midden op het bed lagen. Hij stopte de magazijnen in zijn broekzakken.

De trap kraakte weer, en ditmaal was het geluid dichterbij.

Hij keek naar het pistool en vroeg zich af of hij ooit een leven zonder pistolen zou leiden, en hoe dat zou zijn. Hij pakte het pistool op, controleerde het mechanisme en beproefde het gewicht van het wapen in zijn hand. Op een dag zou het een goed gevoel zijn om een leven zonder wapens te leiden. Maar niet vandaag.

Het gekraak op de trap ging nu vergezeld van hoorbare, weloverwogen, langzame voetstappen.

Will wendde zich van het bed af en keek naar de kamer. Buiten was het nu helemaal donker. Dunne strepen wit licht vielen schuin door de ruit de kamer binnen en verlichtten stofdeeltjes in de lucht. Het deed denken aan Harry's gang, zoals die eruit had gezien voordat Will in zijn hoofd was geschoten.

De voetstappen waren nu heel dichtbij. Ze waren afkomstig van één persoon.

Will haalde diep adem en was plotseling erg kalm. Hij had het gevoel dat alles buiten deze kamer kunstmatig was; deze kamer was het enige wat telde. Hij ademde langzaam uit, sloot zijn ogen en glimlachte. Toen hij zijn ogen weer opende, was zijn glimlach verdwenen.

De voetstappen hielden op bij zijn deur.

Will hield zijn pistool voor zijn ogen, gericht op de deur. Hij wachtte, wetend dat het nu zes uur 's avonds was, dat dit het belangrijkste moment van zijn leven was, en ook van heel veel andere levens.

Hij hield zijn pistool rustig voor zich uit en wist dat zich aan de andere kant van de deur een dodelijk meesterbrein bevond dat Megiddo heette.

51

De deurknop maakte een kreunend geluid toen hij langzaam werd omgedraaid.

Will stond roerloos vijf meter bij de deur vandaan. Hij hield zijn pistool omhoog, gericht op de deur. Buiten zijn kamer hoorde hij verkeer, stemmen in de straten, sirenes in de verte, en overal het geroezemoes van een levendige, energieke stad bij avond. In zijn kamer was alles anders. Het was er stil en de duisternis en het licht maakten alles zwart of wit.

Schuine dunne strepen wit licht vielen door de luxaflex de kamer in, flikkerden en leken de kamer in plakjes te snijden. Will keek door het licht van die strepen en zette een voet naar voren, gereed om te schieten. De knop kreunde luider, en de deur ging op een kier. De kier omlijstte geel licht van de hotelgang. Een ijskoude bries die blijkbaar vanaf de straat over de trap omhoog was gekomen, drong de kamer binnen. Hoewel hij wel eens weken in ijzige kou had doorgebracht, voelde de lucht kouder aan dan alles wat hij ooit eerder had gevoeld.

Het witte licht flikkerde en bewoog zich naar verschillende delen van de kamer. Will bleef roerloos staan, controleerde zorgvuldig zijn ademhaling en wachtte af.

Een laatste vlaag van de snijdende koude lucht trof hem in zijn gezicht toen de deur wijd openvloog en het silhouet van een man in de opening verscheen. Toen klapte de deur dicht en was de opening verdwenen.

Will wist dat de man nu in de kamer was.

Heel even was het doodstil in de stad. Het leek wel alsof de buitenwereld even pauzeerde en de adem inhield.

'Kom tevoorschijn,' zei Will kalm.

Er gebeurde niets. De witte lichten vlogen door de kamer maar bleven bij de deur vandaan.

'Kom tevoorschijn.'

Will hoorde een voetstap op de vloerplanken van de kamer. Hij hoorde iets ademhalen. Iets bewoog heel langzaam.

Het witte licht flikkerde wild, maar kwam nog steeds niet in de buurt van de deur. Er was weer een stap te horen. En nog een.

De man verscheen in het onrustige licht.

Wills hart sloeg snel, maar hij was in staat volkomen helder te denken. Hij richtte het pistool op het gezicht van de man. De man was net zo groot als hij, had zwart haar dat naar achteren gekamd was, een gladgeschoren gezicht en zwarte ogen. Het was de man die hij op hem neer had zien kijken vanaf de berg bij Saranac Lake maar die nu een pistool op Wills hoofd gericht hield.

Het licht kwam tot rust en nam er nu blijkbaar genoegen mee telkens een soort foto van de man te laten zien. De man droeg een donker maatkostuum en een wit overhemd met open boord. Hij zag er slank maar toch heel sterk uit en was net zo gekleed als Will, al was hij veel ouder. Hij was een man die zichzelf en alles om hem heen volledig beheerste.

De man deed weer een stap naar voren en bleef staan. Hij keek Will recht in de ogen. De hand waarin hij het pistool hield, was bewegingloos. Zijn gezicht vertoonde geen enkele emotie.

'Je weet wie ik ben?' zei hij.

De stem van de man was diep en beschaafd en er klonk nauwelijks een accent in door.

Will bewoog niet. 'Ja.'

De man knikte. 'Maar je weet niet waarom ik hier ben.'

'Nee, maar nu je hier toch bent, zul je proberen me te doden.'

'En jij zult proberen me daarvan te weerhouden. Je wilt voorkomen dat ik ooit nog iets doe.'

De twee mannen stonden drie meter bij elkaar vandaan. Ze bewogen geen van beiden. Hun pistolen waren op exact gelijke hoogte.

Will streek met zijn vinger over de trekker.

De man ademde langzaam door zijn neus in en zei toen: 'Toen ik onderweg was naar deze kamer, voelde ik bij elke stap je aanwezigheid. Je hebt mijn verwachtingen overtroffen. Je bent de waardigste tegenstander die ik ooit heb gehad.' Hij hield zijn hoofd schuin 'Je hebt me gefascineerd, mijn bewondering verworven en me laten zien dat je altijd doorgaat.' Zijn glimlach verdween, en hij keek erg gespannen. 'Eerst bracht je me in verlegenheid. Toen vertraagde je me. Ten slotte pakte je me bijna alles af.' Hij haalde diep adem. 'Maar ik faal nooit. Ik ben anders dan alle andere mensen.' Zijn ogen werden groot en leken vervuld van de dood. 'Ik ben Megiddo.'

De tijd stond stil.

Will hield zijn pistool op Megiddo's voorhoofd gericht. Hij wist dat de man hem kon doden als hij ook maar even werd afgeleid. 'Weet je wat ik wil?'

Megiddo glimlachte, maar zijn gezicht had een ijskoude uitdrukking. 'Je wilt mijn geheim en mijn leven.' Hij schudde vaag zijn hoofd. 'Ik ben bereid je een van beide te geven.' Zijn glimlach verdween. 'Maar niet allebei.'

'We zullen zien.'

'Dat zullen we zeker.'

Will deed een stap naar Megiddo toe. 'Ik faal ook nooit. Ik ben ook anders dan alle andere mensen.'

Megiddo deed op zijn beurt een stap naar Will toe. 'Dat kan ik zien, Will Cochrane.'

Will voelde dat zijn maag zich samentrok. Hij hield zijn pistool nog steviger vast.

Megiddo ontblootte zijn witte tanden. Het licht flikkerde over zijn gezicht.

Will haalde langzaam adem en sprak met een krachtige stem. 'Er zijn maar heel weinig mensen die mijn echte naam kennen. Hoe komt het dat jij een van hen bent?'

Megiddo schudde zijn hoofd. 'Je zult geheimen van me te horen krijgen, maar niet alle geheimen.'

Will hield zijn blik strak op Megiddo gericht. Hij knipperde niet met zijn ogen. Dat durfde hij niet.

'Wat is je missie?' vroeg hij Megiddo.

'Ik zou jou hetzelfde kunnen vragen.'

'Dat zul je straks doen.'

Will kneep zijn ogen halfdicht. 'Het is mijn missie te voorkomen dat jij andere mensen doodt.'

'Wat nog meer?' snauwde Megiddo.

Will verhief zijn stem. 'Dat is de missie, en dat ga ik doen.'

'Wat jij wilt doen, wordt bepaald door vele factoren. Er is meer aan de hand dan dat je bang bent dat anderen door mij worden gedood.'

Heel even vroeg Will zich af of hij hier nu een eind aan moest maken en een kogel in Megiddo's schedel moest jagen.

Megiddo keek hem aan. 'Laat je wapen zakken, Cochrane. Dan doe ik dat ook. Anders doden we misschien woorden die uitgesproken moeten worden.'

Will bewoog niet.

Megiddo ook niet. 'Ik had je in Sarajevo kunnen doden. Ik had je op de berg kunnen doden. Ik had je op straat kunnen doden in het dorp Saranac Lake. Maar dat heb ik niet gedaan, en daar had ik een reden voor. En nu ben ik hier om met je te praten. Pas nadat we dat hebben gedaan, haal ik de trekker over. Dus ik stel voor dat we allebei onze wapens laten zaken en enkele belangrijke ogenblikken niet bang voor elkaar zijn.'

Will keek Megiddo aan en vroeg zich af of de andere man hem probeerde te misleiden. Waarschijnlijk niet. 'Tegelijk.'

Megiddo knikte.

Ze hielden hun pistolen nog even voor zich uit en keken ieder naar het wapen van de ander. Toen maakten ze tegelijk een heel lichte beweging, totdat de pistolen zich met dezelfde snelheid bewogen en langs hun zijde hingen.

Maar ze hielden hun pistolen stevig vast. Will wist dat als de pistolen weer omhoog werden gebracht, een van hen zou sterven. Hij herinnerde zich wat Laith had gezegd.

Die kerel was zo verrekte snel, zo verrekte dodelijk.

Megiddo knikte. 'Wat maakt je missie nog meer zo belangrijk voor je?'

Het licht bewoog weer en liet verschillende aspecten van Megiddo's gezicht zien: een goed uitziende man met trekken die op grote intelligentie wezen, maar ook op dodelijke vastbeslotenheid, kennis, kilte, ervaring, dood en nog een paar zaken die Will niet goed kon thuisbrengen. Het was een gezicht vol tegenstrijdigheden en verborgen diepten.

Will ademde langzaam uit. 'Ik wil levens redden.'

'Voor een man als jij is dat vast de enige bestaansreden die je kunt aanvoeren.'

'Iemand als ik hoeft zijn bestaan niet te rechtvaardigen voor iemand als jij.'

Megiddo schudde zijn hoofd. 'Dat is waar, maar je wordt ook gedreven door wraak... een wraak die ten volle moet worden bevredigd, een wraak die mijn dood eist.'

Will voelde dat zijn hart een slag oversloeg. 'Dan zul je weten waarom ik wraak wil nemen.'

'Ja.'

De woede golfde door hem heen. 'Waarom heb je mijn vader gedood?'

Megiddo keek naar Wills pistool en keek hem toen weer recht aan. 'Ik zal je een antwoord geven op die vraag. Dat is een van de twee redenen dat ik hier ben. Maar voordat ik dat doe, moet ik je vragen of jij ooit vaders hebt gedood. Vast wel. Ik weet het wel zeker.'

Will schudde zijn hoofd en mompelde met zijn tanden op elkaar: 'Ja, als het schurken waren, maar ik heb nooit iemand afgeslacht zoals jij dat met mijn vader hebt gedaan.'

Megiddo glimlachte.

Will moest vechten tegen de sterke aandrang om de man te doden.

Beide mannen bleven onbeweeglijk staan.

Will haalde diep adem. 'Waarom is jóúw missie belangrijk voor jou? Waarom wil je een bloedbad aanrichten?'

Megiddo glimlachte. 'Het bloedbad is niet belangrijk voor mij. Dat zal alleen maar het resultaat zijn van iets wat belangrijk voor mij is.' Hij keek even naar het raam en New York en richtte zijn blik toen weer vlug op Will. 'Ik heb de rang van generaal in de Qods-macht van het IRGC. Ik was de strateeg achter alle grote Iraanse terreuraanslagen van de afgelopen jaren. Die aanvallen worden door anderen in Iran beschouwd als een belangrijk middel om de ambities van het land in het Midden-Oosten en daarbuiten te verwezenlijken.' Hij kneep zijn ogen halfdicht. 'Maar wat nog belangrijker is dan de ambities van anderen: de aanvallen hebben mijn macht en invloed in mijn land vergroot. Na dit bloedbad zal mijn macht absoluut zijn. Het wordt mijn meesterwerk.'

Will dacht even na. 'Maar voor een meesterwerk is een meester nodig die door anderen wordt gezien en erkend. Afgezien van een heel klein aantal Iraanse leiders zal niemand weten dat jij het meesterbrein achter je aanslag was.'

Een ogenblik flitste er woede over Megiddo's gezicht.

Will stond op het punt zijn pistool naar boven te zwaaien.

Toen was Megiddo's woede weer verdwenen. 'Je hebt gelijk. En dat is de andere reden dat ik hier ben. Ik heb besloten jou tot mijn publiek te maken en je te vertellen wat ik ga doen.' Hij glimlachte even. 'Het maakt voor mij niet uit, want je bent te laat om me tegen te houden, en trouwens, ik zal je doden.'

Will zweeg.

Megiddo deed een klein stapje naar Will toe. 'Er is een kinderconcert in het Metropolitan Opera House in deze stad. Er zullen daar vierduizend uitvoerenden en toehoorders zijn, en de meesten van hen zijn natuurlijk kinderen. Het concert wordt gesponsord door een rijke stichting uit het Midden-Oosten en heeft tot doel vrede, kennis en interculturele sentimenten binnen de Golf en de Levant te bevorderen. Het begint vanavond om acht uur. Om negen uur zullen mijn bommen alle kinderen in het gebouw vernietigen.'

Will voelde dat zijn maag zich samentrok. 'Dat is een willekeurige wreedheid.'

Megiddo grinnikte zacht. 'Niet willekeurig.' Er verscheen een hardere uitdrukking op zijn gezicht. 'De echte doelwitten zijn bepaalde vrouwen, Cochrane. Het zijn de eregasten van de avond. De vrouwen van de regeringsleiders van de emiraten, Syrië, Saoedi-Arabië, Egypte, de Verenigde Staten en Groot-Brittannië, de regeringsleiders die in Camp David bij elkaar komen. En de vrouw van de Iraanse president.' Megiddo glimlachte. 'Haar man wordt niet in dit land toegelaten, maar Amerika heeft haar uitgenodigd om zijn goede wil te tonen.'

'De vrouwen van de regeringsleiders?' Will kon het niet geloven.

Megiddo keek hem onbewogen aan. 'Ik vernietig dat gebouw zoals ik het Duitse parlement zou hebben vernietigd als dat niet een list was geweest om jou op het verkeerde spoor te zetten. Een list die je hebt doorzien.' Hij haalde nonchalant zijn schouders op.

Will vloekte in stilte. Hij dacht aan de bommen die het Duitse GSG 9-team op de zolder van het huis aan de Onlauerstrasse in Berlijn had gevonden, bommen met thermiet en explosieven die vuur door elk materiaal konden jagen, inclusief beton en staal. Met zulke bommen kon je alles vernietigen.

Megiddo keek hem aandachtig aan. 'Het is me gelukt personeelspasjes voor het operagebouw te krijgen. Mijn bommenleggers kwamen als schoonmakers het gebouw binnen. In de loop van enkele dagen hebben ze hun vele kleine bommen verstopt. Het gebouw zal vandaag door de antiterreurpolitie, met hun apparatuur en snuffelhonden zijn doorzocht, maar ze zullen de bommen niet hebben gevonden. Die zijn te goed verborgen, niet te zien, niet te ruiken, niet met een speciale detector te vinden.'

Will schudde zijn hoofd. 'Ben je van plan iedereen in het Metropolitan Opera House door het vuur te laten omkomen? Waarom?'

'Je zult het wel weerzinwekkend vinden dat ik vierduizend mensen ga doden, voor het merendeel kinderen, en ook de vrouwen van de regeringsleiders. Toch is dat niet mijn eindspel, mijn meesterwerk. Nee, mijn meesterwerk is van meer epische proporties.'

Will wachtte af.

'Het is nog nooit eerder gebeurd dat de vrouwen van al die regeringsleiders tegelijk bij een dergelijke gelegenheid aanwezig waren. Hun mannen waren bang dat de vrouwen iets zou overkomen. Dat zou catastrofale gevolgen hebben. Maar de Amerikaanse veiligheidsdiensten hebben de Arabische leiders de verzekering gegeven dat hun vrouwen in dit land niets overkomt.' Megiddo grinnikte. 'Dat was een erg arrogante en domme verzekering.'

Will voelde zich misselijk worden toen hij het begreep. 'Als er een aanslag op de vrouwen wordt gepleegd, zouden de Arabische en Perzische volkeren van die landen de schuld aan het Westen geven.'

'Nou en of.' Hij knikte. 'Ik woon in een deel van de wereld waar iedereen in samenzweringen gelooft. Het feit dat de Amerikaanse presidentsvrouw en de vrouw van de Britse premier ook om het leven kwamen, zou voor de meeste mensen in mijn wereld geen enkel verschil maken. Ze zouden dat zien als een sluw middel om te verbergen dat het Westen achter de aanval zat.'

'Maar jullie gaan ook de vrouw van de Iraanse president vermoorden. Hoe kun je dat laten gebeuren?'

Megiddo boog zich naar voren. 'Ze moet worden opgeofferd. Er mogen geen beschuldigende vingers naar Iran wijzen. De president van mijn land weet niets van de aanslag. Daar heb ik voor gezorgd.' Hij genoot hiervan. 'De Arabische regeringsleiders hebben het de Verenigde Staten goed duidelijk gemaakt: mocht hun vrouwen iets overkomen, dan zullen de bevolkingen van hun landen de schuld aan de Verenigde Staten geven. De Arabische regeringen zouden proberen hun landgenoten te kalmeren en tegen hen zeggen dat de Verenigde Staten niet achter de aanslag zaten, maar hun volkeren zouden hen niet geloven. Die zouden hen voor marionetten van het Westen aanzien. En die volkeren zouden zo woedend op hen en de Verenigde Staten zijn dat ze in opstand kwamen.'

'Het zou tot revoluties leiden, en het omvergooien van regimes. Er zouden legers worden gemobiliseerd.' Will schudde zijn hoofd. 'Chaos en oorlog.'

'Geen totale chaos,' verbeterde Megiddo hem. 'Iran zal sterk blijven. Het zal het enige land zijn waarvan de leiders het Westen van de aanslag beschuldigen. De Arabische landen daarentegen zullen verscheurd zijn, waarna er nieuwe regimes komen die trouwe bondgenoten van mijn land zijn. Irans vroegere Arabische vijanden zullen zich samen met ons te weer stellen tegen de Verenigde Staten en bondgenoten daarvan. Ze zullen een totale oorlog tegen het Westen voeren. Het wordt genocide. Honderdduizenden, misschien miljoenen zullen omkomen in de strijd.'

Will klemde zijn kiezen op elkaar, maar zei kalm: 'Er zouden kernwapens worden ingezet om dat te voorkomen.'

Megiddo schudde zijn hoofd. 'Alleen Israël zal kernwapens gebruiken. De voormalige Sovjet-Unie en Aziatische en Europese landen zullen hun grenzen versterken en daar zware gevechten leveren. Maar zolang de oorlog tot de grenzen beperkt blijft, zullen die landen het niet wagen kernwapens in te zetten, want ze zullen bang zijn dat wij dan tegenaanvallen doen op de Europese NAVO-bondgenoten. Maar Israël zal absoluut raketten op Syrië en Egypte af sturen, raketten die duizenden mensen zullen doden. Dat zal de vernietiging van Israël tot gevolg hebben. Het zal worden verslagen door de massaliteit van de Arabische en Perzische legers die over het land uitzwermen. Dan houden de andere gevechten op en hebben we een resultaat bereikt dat tegen onze verliezen opweegt. Dat resultaat zal een almachtig Midden-Oosten zijn. Een supermacht waarvan het leiderschap in de Iraanse hoofdstad Teheran is gevestigd.'

'En jij maakt ongetwijfeld deel uit van dat leiderschap.'

Megiddo glimlachte. 'Ik ben van plan helemaal aan de top van dat leiderschap te staan. Ik zal president van een supermacht zijn.'

Will hield zijn pistool stevig vast. 'Waar is Lana? Leeft ze nog?'

'Voorlopig leeft ze nog, maar binnenkort sterft ze tegelijk met de kinderen en de vrouwen van de regeringsleiders. Ze is vastgebonden in het souterrain van het Metropolitan Opera House.' Hij lette op Wills reactie. 'Ik wil dat ze levend verbrandt. Ik wil dat ze schreeuwt van pijn als de vlammen haar mooie gezicht verwoesten. Ik wil dat ze lijdt bij de gedachte dat ze een man als ik naar een man als jij heeft geleid.'

Will had het gevoel dat hij een stomp in zijn buik had gekregen. Hij moest slikken om niet over te geven. Hij haalde langzaam adem om zijn lichaam en geest te kalmeren. Hij wist dat hij zich volledig moest beheersen. Hij wist dat hij zijn emoties de baas moest blijven en dat alles daarvan afhing. 'Je zei dat je nog een tweede reden had om hier te zijn: je wilde me vertellen waarom je mijn vader hebt vermoord.'

'Vermoord?' Megiddo fronste zijn wenkbrauwen. 'Ik heb hem niet vermoord. Ik heb hem geëxecuteerd, hoe je het ook formuleert.'

'Mijn vader is door jouw toedoen gestorven.'

Megiddo knikte. 'Dat is zo. Ik heb hem gedood omdat hij *míjn* vader had gedood.'

'Wat bedoel je?'

Megiddo haalde zijn schouders op. 'Je vader behoorde tot een kleine CIA-eenheid die in Teheran was gestationeerd in de tijd die aan de Iraanse revolutie van 1979 voorafging. De CIA steunde de sjah en wilde niet dat het de revolutionairen lukte hem van de troon te stoten. Ze werkten nauw met de naaste kringen van de sjah samen om hem te beschermen. Ze gaven informatie aan het regime van de sjah om hem te helpen zijn tegenstanders dwars te zitten. Terwijl ze aan het werk waren, ontdekten de CIA-mannen dat er een hooggeplaatste verrader in de naaste kringen van de sjah verkeerde. Die verrader was mijn vader. De CIA-mannen ontmaskerden mijn vader, en hij werd op een gruwelijke manier vermoord door de SAVAK, de inlichtingendienst van de sjah.' Er verscheen een wazige blik in Megiddo's ogen. 'Toen ik ontdekte wat er gebeurd was, bedacht ik een plan om wraak te nemen op de CIA-mannen die verantwoordelijk waren voor de dood van mijn vader. Ik deed me voor als een overloper van de revolutionairen, benaderde de Amerikaanse ambassade, hoorde dat er nog maar twee CIA-mannen in Teheran opereerden en dat een van hen de leiding had. Dat zou de man zijn die het geheime werk van mijn vader had ontmaskerd, dacht ik. Ik zei tegen hen dat ik uit Iran weg wilde zolang het nog kon, en dat ik hun in ruil daarvoor alles zou vertellen over de plannen van de revolutionairen met een nieuw opgebouwd Iran.

Twee Amerikaanse mannen en een MI6-agent brachten me in een auto naar Bandar-e Abbas,' ging hij verder. 'Ik dacht al dat ze daarnaartoe zouden gaan, maar voor alle zekerheid had ik gezorgd voor wegafzettingen op de voornaamste Iraanse wegen naar de grenzen en kust. De jongere CIA-man en de MI6-man ontsnapten, maar je vader werd door soldaten gevangengenomen bij de wegafzetting van Bandar-e Abbas. Hij is jarenlang gevangen gehouden en ik heb hem later opgezocht in de Evin-gevangenis en met hem gepraat.' Hij glimlachte. 'Ondanks alles wat ik met hem deed heeft hij nooit toegegeven dat zijn informatie tot de dood van mijn vader had geleid. Hij was erg moedig en wilde niets over zijn werk vertellen.' Toen was de glimlach weer verdwenen. 'Maar ondanks die moed bleef ik hem haten en maakte ik een eind aan zijn leven.' Hij knikte Will toe en sprak zacht. 'Toch verried hij zonder het te willen een belangrijk stukje informatie over zichzelf. Op het eind riep hij de naam van zijn zoon. Hij riep je naam toen ik zijn maag in stukken sneed.'

Will knarsetandde.

Megiddo's ogen leken opeens nog zwarter. 'De SAVAK van de sjah heeft niet alleen mijn vader op een gruwelijke manier vermoord. Ze hebben ook mijn moeder, mijn zusters en mijn broers vermoord.' Hij knikte langzaam. 'Daarom kun je je wel voorstellen hoe blij ik was toen ik hoorde dat de MI6-man die me de afgelopen weken achtervolgde niemand anders was dan de zoon van de CIA-man die met zijn informatie verantwoordelijk was voor de dood van mijn hele familie.'

Will had moeite om zijn ademhaling onder controle te houden. 'Mijn vader kon onmogelijk weten dat zijn informatie tot de dood van je hele familie zou leiden.'

De woede flitste over Megiddo's gezicht. 'Hij was een inlichtingenagent die met een wreed, corrupt en wanhopig regime samenwerkte. Hij moet preciés hebben geweten wat er zou gebeuren als hij die informatie over mijn vader zou doorspelen.'

'Hij deed zijn werk!' riep Will uit. 'Hij werkte met een weerzinwekkend regime samen, maar zag dat er een nog wreder regime in opkomst was. Hij zal niet blij zijn geweest met de beslissingen die hij moest nemen, maar hij was daar om die te nemen en had vast en zeker orders om te helpen de val van de sjah uit te stellen totdat de Arabische buren van Iran zich tegen het nieuwe Iraanse regime konden beschermen.'

Megiddo snauwde: 'Rechtvaardig jij de daden van je vader maar zoals het je goeddunkt. Voor mij maakt het geen verschil, want door hem is mijn hele familie afgeslacht.'

Will spande zijn spieren even en voelde het gewicht van het pistool. Hij fronste zijn wenkbrauwen toen hij bedacht dat Patrick hem had verteld dat zijn vader nog maar drie weken in Iran was toen hij gevangen werd genomen. Kalm vroeg hij: 'Wanneer is je vader gedood?'

Megiddo keek hem fel aan. 'Twee maanden voordat we je vader gevangennamen.'

De woede golfde door Will heen. Hij stelde zich voor dat hij een mes in Megiddo's buik zou steken, dat hij met de man zou doen wat de man met zijn vader had gedaan, en dat hij hem langzaam in stukjes zou snijden. Hij schreeuwde: 'Mijn vader was niet in Iran toen iemand de sjah over het geheime werk van je vader vertelde! Hij was niet de CIA-man die verantwoordelijk was voor de dood van jouw vader. Hij was nog maar drie weken in Iran toen jullie hem gevangennamen. Je hebt hem zonder enige reden vermoord!'

Megiddo fronste zijn wenkbrauwen en bleef roerloos staan. 'Je liegt tegen me om de daden van je vader te rechtvaardigen.'

Will dempte zijn stem. 'In dat geval zou ik ook tegen mezelf liegen.'

Megiddo dacht daarover na. Toen vroeg hij zachtjes: 'Weet je de naam van de andere CIA-man die me in de auto naar Bandar-e Abbas bracht?'

Will knikte. 'Ja, en die naam zul je nooit horen.'

Megiddo glimlachte, maar hij keek verbitterd. Hij dacht een tijdje na. 'Nou, dat doet er nu niet toe. Al zou het volmaakt zijn geweest als ik wraak had kunnen nemen op de moordenaar van mijn vader door zijn familie te vermoorden, zoals hij de mijne heeft vermoord.' Blijkbaar merkte hij zelf dat hij woedend werd. 'Dat zou volmaakt zijn geweest.' Hij haalde diep adem, en zijn woede verdween. 'Maar blijkbaar was mijn aanwezigheid hier zinloos.'

Will fronste zijn wenkbrauwen. 'Misschien sta je niet tegenover de zoon van de man die je vader heeft gedood, maar je bent hier ook om een andere reden naartoe gekomen. Je bent hiernaartoe gekomen om over je meesterwerk te vertellen. Ik zou je publiek zijn.'

Megiddo leek te aarzelen. 'Ja... ja, dat ook.' Hij keek even een andere kant op en schudde toen zijn hoofd. 'Alles is voor mij veranderd toen ik mijn vader verloor.'

'Voor mij ook.'

De twee mannen keken elkaar aan.

Toen verscheen er weer een harde blik in Megiddo's ogen, en hij sprak met een diepe, genadeloze stem. 'Hier zijn we dan, mannen die overal in uitblinken omdat niets in ons leven ons rust schenkt, mannen die heel erg op elkaar lijken.'

Will keek hem met net zo'n harde blik aan. 'Jij wilt miljoenen mensen doodmaken en oorlog en ellende veroorzaken om macht over het hele Midden-Oosten te krijgen. We lijken niet op elkaar. Jij bent een monster, en ik ben hier om je te doden.'

'En ik om jou te doden.'

Het was stil en donker in de kamer.

Will wist dat er geen woorden meer gesproken zouden worden. Hij wist dat het nu tijd was om eindelijk met Megiddo af te rekenen. Hij keek Megiddo in de ogen en zag hoe koud ze waren. Hij hoorde dat de man langzamer ging ademhalen en voelde zijn aanwezigheid, zijn kracht. Hij wist dat de man net zo aandachtig naar hem keek, wachtend op een teken dat Will zijn pistool omhoog zou brengen, zoals Will daarbij hem naar uitkeek. Will gebruikte zijn ademhaling om zijn lichaam te kalmeren en bereidde zich er mentaal op voor om zijn pistool met absolute snelheid en nauwkeurigheid omhoog te brengen. Hij besloot nog drie keer adem te halen en dan zijn adem in te houden en te schieten. Hij wachtte wanhopig op een teken van Megiddo, iets wat erop wees dat de man als eerste in actie zou komen – ogen die flikkerden, iets in zijn gezichtsuitdrukking, een verandering van houding, wat dan ook. Maar Megiddo bleef onbewogen staan. Will haalde adem. Hij zag Megiddo hetzelfde doen. Will zoog zijn longen weer vol lucht. Megiddo ook. Will haalde voor de derde keer adem. Megiddo hield op met ademhalen.

Will wist dat dit het teken was. Megiddo stond op het punt zijn wapen omhoog te brengen om op hem te schieten.

Gedurende een seconde gebeurde er niets.

In de volgende seconde begon en eindigde alles.

Megiddo bracht zijn pistool bliksemsnel omhoog. Will bracht zijn arm ook omhoog, haalde de trekker over en liet zijn lichaam wat zakken. Hij hoorde zijn schot, en tegelijkertijd Megiddo's schot. Hij voelde een luchtstroom over zijn hoofd gaan. Hij zag Megiddo's mond wat opengaan en wist dat deze zijn doel had gemist.

Hij zag dat zijn kogel Megiddo midden in het hoofd trof.

52

Will rende in zuidelijke richting over Broadway. Hij rende langs groepen voetgangers, tussen rijdende auto's door. Hij rende terwijl de sneeuw omlaag dwarrelde, door een avond in het felle schijnsel van de stadslichten.

Hij keek op zijn horloge en vloekte op de vele mensen en het verkeer. Hij vloekte op alles waardoor hij er langer over deed om bij het Metropolitan Opera House te komen. Wat was de snelste manier? Hij wist dat hij de metro zou kunnen nemen, maar dan moest hij misschien op een perron staan wachten en daar had hij het geduld niet voor. Hij wist dat hij maar één hoop had: een taxi vinden.

Onder het rennen vroeg hij zich af wat hij moest doen. Onder andere omstandigheden zou hij Patrick bellen en zou de man opdracht geven de Critical Incident Response Group van de FBI in te schakelen bij wat nu een federale politiezaak was. Die eenheid zou de omgeving van het operagebouw afzetten, volgens de geijkte procedures het gebouw ontruimen en tegelijk naar terroristen en bommen zoeken. Maar Will wist niet of hij daar goed aan zou doen, want er klopte iets niet. Megiddo had iets gezegd wat niet goed klonk. Will wist wat het was.

Ik maak jou tot mijn publiek.

Hij rende over een kruispunt waar het verkeer was vastgelopen en bleef uitkijken naar een taxi die in zuidelijke richting reed. Intussen deed hij wanhopige pogingen om na te denken. Hij wist dat Megiddo niet het soort man was dat een publiek nodig had. Hij wist dat de man een andere reden moest hebben gehad om hem over zijn plan te vertellen, maar hij kon niet achter die reden komen. Misschien had Megiddo hem gewoon weer een leugen verteld en de bommen op een andere plaats gelegd. Toch zou dat onlogisch zijn, want Megiddo zou Lana hebben gedwongen alles te bekennen, ook het feit dat Will niet over de informatie beschikte waarmee hij het complot kon verijdelen. Misschien had Megiddo gewíld dat zijn plannen werden verijdeld. Misschien had hij de dood van de kinderen en vrouwen en uiteindelijk miljoenen anderen willen voorkomen. Aan de andere kant herinnerde hij zich dat hij de dood had gezien in Megiddo's ogen en wist hij dat de man niet van plan was te stoppen met zijn aanslag.

Hij vloekte en zag toen een half blok voor hem uit een taxi Broadway in slaan. Hij wist dat hij hem moest halen. Na een sprint kreeg hij de taxi te pakken toen die vaart minderde voor een verkeerslicht. Hij sprong erin en zei tegen de chauffeur: 'Lincoln Center. Zo snel als u kunt.'

Hij dacht nog steeds na, probeerde Megiddo's gedachten te doorgronden, herinnerde zichzelf eraan dat de man een meesterbrein was, zei tegen zichzelf dat de man altijd een reden had om iets te doen, dat hij niets aan het toeval zou overlaten en alle mogelijkheden zou hebben geïnventariseerd.

Megiddo vertelde me over het plan, want hij wist dat als ik hem doodde ik zou proberen te voorkomen dat de bommen om negen uur ontploffen. Hij wilde dat ik in het operagebouw was of in elk geval dichtbij als de bommen afgingen. Hij wilde dat ik leed, want hij dacht dat ik de zoon van de moordenaar van zijn vader was. Maar dat ben ik niet. En daarom kwam hij uiteindelijk tot de conclusie dat zijn komst naar de hotelkamer geen enkele zin had gehad.

Will wist dat hij gelijk had. En hij wist ook dat Megiddo, al was hij dood, hem nog steeds te slim af was.

Waarom had Megiddo er zo veel vertrouwen in dat hij altijd zou slagen, wat ik ook deed?

Hij sloot zijn ogen even toen het antwoord met volle kracht tot hem doordrong.

Megiddo heeft een bommenlegger in dat gebouw. Die man heeft Lana eerder vandaag het gebouw in gebracht en bewaakt haar. Die man is daar om de bommen voor negen uur vanavond te laten ontploffen, als ik het gebouw probeer te evacueren, of als de FBI dat doet. De man is bereid zichzelf om het leven te brengen.

Hij opende zijn ogen, zag de stad met grote snelheid aan zich voorbijtrekken en was wanhopig.

Toen ze dichterbij kwamen, was er steeds meer verkeer op straat en waren er ook meer voetgangers. Will keek op zijn horloge en zag dat het net half acht was geweest. Het concert zou binnen dertig minuten beginnen. Over nog geen negentig minuten zou het hele gebouw door bommen worden verwoest.

Toen de taxi de kruising met 110th Street bereikte, wist Will dat ze vlak bij Central Park waren. Hij zou bij dat park altijd aan Soroush moeten denken. Alles in New York deed hem denken aan Soroush.

Hij zette de herinnering uit zijn hoofd om zich te concentreren op wat er te gebeuren stond.

Tegen de tijd dat de taxi 69th Street had bereikt, stond het verkeer bumper aan bumper. Hij gooide de chauffeur wat geld toe, stapte uit en zette het op een lopen. Hij rende door een paar straten, zigzaggend om voetgangers heen, en bleef toen staan om zich te oriënteren. Hij bukte om lucht in zijn longen te zuigen. Toen hij overeind kwam, zette een bus zich in beweging en zag hij de grote glazen gevel van de Alice Tully Hall en de Juilliard School recht tegenover zich, nog maar één blok naar het zuiden. Hij wist dat het Metropolitan Opera House daarachter stond, iets naar het westen toe.

Toen hij op Lincoln Center Plaza arriveerde, stonden er veel mensen voor het operagebouw. Het was duidelijk dat ze voor het concert kwamen. De meesten waren kinderen, en ze werden in groepen begeleid door volwassenen, die fluorescerende jasjes in verschillende kleuren droegen, met de namen van allerlei scholen en clubs. Iedereen had een jas of andere warme kleding aangetrokken om zich te beschermen tegen de kou en de sneeuw, en sommigen hielden een paraplu op. Geleidelijk vormde de menigte lange, kronkelende rijen over het plein en om de fel verlichte fonteinen heen. De begeleiders liepen heen en weer en blaften instructies naar de kinderen. Natuurlijk wilden ze de kinderen zo gauw mogelijk uit de kou en in het gebouw krijgen. Will ging langzamer lopen, ging op in de menigte en voelde zijn verborgen Heckle & Koch MK23 op zijn heup.

Hij bleef staan en wist dat hij een besluit moest nemen, desnoods het verkeerde. Hij wilde de FBI er niet bij betrekken, want die zou te duidelijk zichtbaar zijn. Hij moest ongezien en in zijn eentje het gebouw binnengaan, hopen dat de terrorist hem niet zag en deze zaak op de een of andere manier tot een goed eind brengen.

Hij naderde de ingangen van het gebouw en zag er personeelsleden van het operahuis staan. Hij draaide zich om en keek naar de menigten. Hij zag vijf rijen kinderen en hun begeleiders, en hij zag een zesde rij met alleen volwassenen. Toen keek hij weg van de rijen die naar de ingangen van het gebouw leidden en richtte zijn blik op volwassenen die niet in een rij stonden. Velen van hen waren ouders van kinderen die in de rijen stonden; ze zwaaiden en riepen naar hun zoons en dochters.

Er waren ook mediatypes bij, die foto's of video's maakten of een microfoon in de hand hadden. Sommigen leken hem toeristen of New Yorkers die een kijkje kwamen nemen. Sommigen leken wel ouders, mediatypes, toeristen of willekeurige New Yorkers, maar waren niets van dat alles; dat kon Will met zijn getrainde oog zien. Hij zag een van hen, en nog een, en telde er toen zes. Uiteindelijk wist hij dat het er negen waren, verspreid over het plein. Ze droegen niet hun gebruikelijke en herkenbare zwarte pak met een speldje op de revers, maar waren net zo gekleed als ieder ander in deze weersomstandigheden. Ze waren van de geheime dienst en ze waren daar ongetwijfeld vanwege alle vips. Ze hadden zich in de menigte gemengd om uit te kijken naar schurken of mensen als Will.

Will keek gefrustreerd om zich heen. Hij was daar niet op zijn plaats, en de kans was dan ook groot dat de mannen en vrouwen van de Geheime Dienst hem zouden opmerken. Ze zouden geen moment aarzelen om hem tegen de grond te drukken en hun pistolen op hem te richten, louter omdat hij eruitzag alsof hij daar niet thuishoorde. Ze waren erop getraind om sneller en dodelijker te schieten dan wie ook op de wereld, al wist Will dat hij sneller en dodelijker zou zijn dan zij allemaal bij elkaar. Maar als het tot een vuurgevecht kwam, zou de terrorist in het gebouw weten dat er iets aan de hand was.

Hij liep nonchalant van het plein af en bevond zich nu aan de zijkant van het operagebouw. Daar stonden dranghekken met politie. Will vloekte binnensmonds, al had hij wel verwacht dat op de hoofdingang na alle ingangen waren afgesloten en werden bewaakt. Hij liep naar de andere kant van het gebouw en zag nog meer dranghekken en politie, en ook nog meer agenten van de geheime dienst. Hij bleef een tijdje naar hen staan kijken. Toen stopten er een limousine, twee personenauto's en vier politiewagens bij de zijkant van het gebouw. Hij zag portieren opengaan en mannen uitstappen en naast hun stilstaande auto's staan, terwijl een groepje van vier onopvallende vrouwen vlug van de limousine naar het operagebouw liep. Daarna reed de colonne snel door. In de tien minuten daarna kwamen en gingen er nog drie colonnes, die drie vrouwen afzetten. Will liep terug naar de voorkant van het gebouw. Hij wist dat de vrouwen van de regeringsleiders nu binnen waren.

De rijen kropen naar voren, en Will schatte dat nu minstens de helft van de menigte binnen was. Hij keek weer op zijn horloge en zag dat het concert over een paar minuten zou beginnen. Hij hoorde de personeelsleden bij de ingangen naar de mensen roepen dat ze moesten doorlopen, zag dat de begeleiders de kinderen elkaar een hand lieten geven terwijl ze zelf kaartjes en papieren in hun handen hadden. Geüniformeerde politieagenten liepen langzaam tussen de mensen door.

Will wist dat hij niet veel tijd en mogelijkheden meer had. Zijn pistool drukte tegen zijn zij en hij besloot zich van het wapen te ontdoen. Hij keek om zich heen, zag een afvalbak, liep erheen en liet het pistool en de extra magazijnen er vlug in vallen. Daarna liep hij langzaam naar het midden van het plein terug en keek naar de rij met alleen volwassenen. Er stonden ongeveer driehonderd mensen in die rij. De meesten waren echtparen, en daar had hij niets aan, want hij wist dat het waarschijnlijk ouders waren van kinderen die optraden of in de zaal zaten. Die zouden nooit hun plaats in de rij opgeven. Er waren ook een paar volwassenen die daar in hun eentje stonden, en Will keek langs de rij naar hen. Hij verspilde geen tijd en stapte op de rij af.

Hij sprak een man van midden dertig aan. 'Hebt u een kaartje?'

De man keek Will met gefronste wenkbrauwen aan, vroeg zich natuurlijk even af of de man een personeelslid van het operagebouw was en kwam tot de conclusie dat dat niet het geval was. 'Natuurlijk. Hoezo?'

Will haalde zijn schouders op en knikte naar het operagebouw. 'Mijn dochter speelt daar vanavond.' Hij schudde zijn hoofd. 'Ik hoorde het pas twee dagen geleden. Mijn ex-vrouw vond het niet nodig het me te vertellen. Ik zou er alles voor over hebben om haar te zien optreden, maar ik weet dat de voorstelling is uitverkocht. Zou u me uw kaartje willen verkopen?'

De man keek hem meelevend aan. 'Dat is pech voor u, maar ik ben van de *New York Times* en ik moet een recensie over het concert schrijven, dus tenzij u dat in mijn plaats zou kunnen doen, moet ik uw verzoek van de hand wijzen.'

Will knikte, bedankte de man evengoed en liep verder langs de rij. Hij zag een vrouw en vertelde haar hetzelfde verhaal. De vrouw zei dat hij kon ophoepelen.

Hij liep naar een man van in de zestig die duidelijk last had van de kou; hij had zijn armen om zich heen geslagen. Will zei: 'Koud vanavond.'

'Zegt u dat wel,' zei de man.

Will zei: 'Mijn dochter speelt hier vanavond. Ze zou het vast wel geweldig vinden als ze mij in het publiek zag. Mag ik uw kaartje kopen?'

De man zei: 'Mijn kleindochter speelt hier vanavond. Daarom sta ik hier al veertig minuten te vernikkelen van de kou, en ik ben niet van plan om ook maar een centimeter bij deze rij vandaan te gaan.'

Gefrustreerd keek Will weer langs de rij. Hij zag een volwassene die een heel eind naar voren stond en liep naar hem toe. De man was erg jong, misschien nog maar twintig, en hij was gekleed als een student. Will zei: 'Ik geef je duizend dollar voor je kaartje.'

De man keek hem verrast aan. 'Duizend dollar?'

Will knikte.

De man fronste zijn wenkbrauwen, keek onzeker en herhaalde: 'Duizend dollar?'

Met een strakke, ernstige stem zei Will: 'Over tien seconden kun je uit deze rij vandaan lopen met dat geld op zak. Maar als je het niet wilt, vind ik vast wel iemand anders.'

De jongeman schudde vlug zijn hoofd en stak zijn hand in zijn jaszak. 'Hier.' Hij liet Will zijn kaartje zien.

Will stak zijn hand in de zak van zijn pak, haalde er de plastic envelop uit waarvan hij wist dat er ruim tweeduizend dollar in zat, keek ernaar en zei: 'Het is een beetje meer dan ik zei. Pak aan en loop weg.'

Ze wisselden van kaartje en geld, en Will ging in de rij staan. De jongeman liep vlug weg.

Will stond ongeveer tien meter bij de ingang van het operagebouw vandaan. Hij zette de kraag van zijn jasje op, stampte met zijn voeten en sloeg zijn armen om zich heen om de indruk te wekken dat hij het koud had. Personeelsleden van de opera bleven naar mensen roepen dat ze moesten doorlopen. Bijna alle kinderen waren nu in het gebouw, en het was niet meer zo druk op het plein. Will keek terloops om zich heen. De negen mannen en vrouwen van de geheime dienst waren allemaal van positie veranderd, maar ze waren nog steeds op het plein. Hij keek naar de ingang, kon een blik naar binnen werpen en zag mensen van zijn rij langs een metaaldetector lopen. Hij was enorm blij dat hij zijn wapen had weggedaan.

Will schuifelde met zijn rij mee tot hij vijf meter bij de ingang vandaan was. Hij draaide zich een beetje om, keek naar zijn eigen rij en kneep zijn ogen wat samen toen hij zag dat de vrouw die hij eerder had aangesproken twee stappen uit de rij deed om met een politieagent te praten. Ze was ongeveer veertig meter bij Will vandaan, en ze keek nu langs de rij, haalde haar schouders op en stapte weer in de rij. De agent sprak in zijn radio. Will richtte zijn blik meteen op een van de mannen van de geheime dienst. De man bleef een ogenblik roerloos staan en liep toen vlug naar een van zijn collega's toe. Wills hart ging sneller slaan. Hij wist dat de vrouw melding had gemaakt van een verdachte man die haar had aangesproken en dat alle veiligheidsfunctionarissen in de buurt van het operagebouw daar nu van wisten. Hij draaide zich om naar de menigte en schuifelde een paar meter verder.

Er stonden nu drie mensen voor hem in de rij. Will haalde zijn kaartje tevoorschijn en ademde bewust in en uit om zichzelf te kalmeren. De kaartjescontroleur bij de deur keek gestrest. Met zijn ene hand pakte hij de kaartjes aan en met zijn andere hand maande hij de mensen tot doorlopen. Will deed een stap naar voren toen er nog twee mensen voor hem stonden. Hij keek over zijn schouder en zag een politieagent langzaam langs de rij lopen en naar alle mannen en vrouwen kijken die achter Will stonden. Will keek opzij en zag dat vier agenten van de geheime dienst dichter naar de rij toe waren gekomen. Hij hoopte vurig dat de rij opschoot. Er stond nog maar één persoon voor hem, en Will stampte met zijn voeten om nog sterker de indruk te wekken dat hij het koud had. De man voor hem gaf zijn kaartje aan de controleur en liep naar binnen.

Will haalde diep adem en glimlachte toen hij zijn kaartje aan de controleur gaf. Hij ademde langzaam uit en liep het operagebouw in.

Hij passeerde de metaaldetector, bleef staan, keek rustig naar de bewakers die bij de detector stonden, zag hen naar hem knikken en liep door. Hij liep vlug, want hij wist dat andere toeschouwers die nog niet op hun plaats zaten hetzelfde deden. Hij keek naar zijn kaartje, zag dat hij een plaats op een van de balkons had en de brede trap met rode loper op moest lopen om daar te komen. Maar hij was niet van plan daarnaartoe te gaan en bleef in plaats daarvan op de begane grond, turend naar deuren links en rechts van hem. Overal om hem heen waren mensen; sommigen wisten blijkbaar waar ze heen moesten, anderen niet. Hij liep door en wenste dat hij meer tijd had gehad om de indeling van het reusachtige gebouw te bestuderen. Aan de andere kant was hij blij dat hij niet de enige was die de weg niet wist. Een tijdlang ging hij schuil tussen de mensen die verdwaald waren.

Hij liep door een gang tot er geen mensen meer om hem heen waren. Er waren daar ook geen deuren naar de zaal. Hij liep door tot hij helemaal alleen was en kwam bij een deur met het opschrift VERBODEN TOEGANG – ALLEEN PERSONEEL. Hij keek achterom door de gang. Niemand keek naar hem. Hij draaide zich weer om naar de deur, probeerde de knop, opende de deur en liep verder. Recht voor hem zag hij een smalle trap. Hij ging vlug naar beneden tot hij wist dat hij op het souterrain onder het podium was. Er strekte zich een smalle gang voor hem uit, met andere gangen die naar links en rechts leidden. Alles was zwak verlicht. In een gang rechts van hem stonden kledingkluizen; hij nam aan dat ze werden gebruikt door degenen die zouden optreden. Links was net zo'n gang. Hij liep door.

Hij bleef plotseling staan toen er boven hem een enorm lawaai weerklonk. Zijn hart bonsde. Hij besefte dat het concert begon. Nu kon hij de instrumenten en zangstemmen duidelijk onderscheiden. Zijn hart ging weer langzamer slaan, en hij liep door. De muziek klonk zachter.

Er waren meer gangen naar links en rechts. Hier en daar werd met borden en pijlen naar repetitielokalen, kantoorruimten en kleedkamers verwezen. Will stelde zich voor dat het in dit hele souterrain voor het concert had gewemeld van de artiesten die zich aan het voorbereiden waren, personeelsleden die zich druk maakten om tijdschema's, mensen die hun dierbaren achter de coulissen succes kwamen wensen, en technisch personeel dat bezig was met gordijnen en dat katrollen en rekwisieten naar het toneel bracht. Maar op dat moment leek het labyrint om hem heen volkomen uitgestorven.

Plotseling hoorde hij aan snelle voetstappen dat het souterrain toch niet helemaal verlaten was. Hij keek vlug om zich heen om na te gaan waar de voetstappen vandaan kwamen. Ze weerklonken achter hem, meende hij, maar ze kwamen in zijn richting. Hij draafde naar voren en ging vlug naar links, weer een andere gang in. Hij bleef staan, draaide zich snel om, hurkte neer en wenste dat hij zijn pistool nog had. De voetstappen klonken luider, en hij besefte dat het meer dan één persoon betrof. Politieagenten? Geheime dienst? Toen de voetstappen nog dichterbij kwamen, maakte hij een vuist van zijn rechterhand en wachtte af. Heel even vroeg hij zich af wat hij zou doen als hij daar door gewapende agenten werd aangetroffen. Er zou niets anders voor hem op zitten dan hun snel een pijnlijke maar niet-dodelijke slag toe te brengen en ervoor te zorgen dat ze buiten bewustzijn waren.

De voetstappen klonken nu bijna recht voor hem, en Will balde zijn vuist nog strakker. Hij zette zich schrap om snel in actie te komen en concentreerde zich geheel op zijn eigen gang en de gang die daar dwars op stond. De voetstappen vertraagden. Will kon nu elk moment in actie komen.

Aan het eind van de gang verschenen een vrouw en een meisje. Will blies langzaam zijn adem uit en ontspande zijn hand. De vrouw had haar armen om het meisje heen geslagen en troostte haar. Het meisje droeg een zwarte jurk en witte blouse, en ze huilde. Ze had een fluit in haar hand.

Ze bleven staan, en de vrouw zei tegen haar: 'Het heet plankenkoorts en ik had het ook toen ik zo oud was als jij. Laten we iets warms te drinken zoeken en kijken of je er daarna weer aan toe bent terug te gaan.'

Ze liepen bij Will vandaan en even later waren ze verdwenen. Hij ging rechtop staan en keek om zich heen. Dit was de verkeerde plaats, dacht hij. De terrorist zou ergens verborgen zitten waar hij niet per ongeluk door onschuldige mensen zou worden gestoord. Hij liep door. Het geluid van het concert zwol aan.

Hij probeerde zich de indeling van een gebouw als dit voor te stellen en dacht aan alles wat ervoor nodig zou zijn om zo'n gebouw te laten draaien. Het Metropolitan Opera House zou generatoren en airconditioning nodig hebben, en ook verwarmingsketels en dikke zuilen om het podium en de rest van het gebouw te ondersteunen. Hij zag dat de meeste van die zaken niet op deze verdieping aanwezig waren. Hij wist dat er nog een verdieping onder hem moest zijn. Dat zou voor de terrorist de ideale plaats zijn om Lana gevangen te houden en te wachten.

Will wreef over zijn gezicht en deed zijn best om niet aan Lana te denken. Hij wilde zich niet afvragen hoe ze eraan toe was en of ze zelfs nog in leven was. Hij deed zijn best om aan niets te denken wat hem zou afleiden. Het was nu zaak dat hij die gruwelijke aanslag voorkwam.

Rechts van hem flitsten lichten, en Will drukte zich instinctief tegen een muur. De lichten waren dichtbij en gleden over vloer en plafond. Hij wist dat het zaklantaarns waren, die in een gebouw als dit ongewoon waren en alleen gebruikt werden door functionarissen die naar iets zochten. Hij kwam tot de conclusie dat de functionarissen naar hem zochten en waarschijnlijk gewapend waren. Hij draaide zich om en rende bij hen vandaan door de gang waarin hij zich al bevond. Hij kwam in een schemerig deel van de gang, keek achterom en zag twee mannen die een windjack, een spijkerbroek en hoge schoenen droegen. Ze hadden ieder een pistool. Hij kon hun gezichten niet goed onderscheiden, maar ze waren gekleed als de agenten van de geheime dienst die hij buiten het gebouw had gezien. Ze hadden hem niet gezien, maar hij wist dat hij zou worden opgemerkt als hij bleef waar hij was.

Hij liep verder de schaduw in, nam een andere gang, draafde geruisloos langs lege kamers en andere gangen, en bleef staan. De lichten waren een eind achter hem, maar ze waren uit elkaar gegaan. Will keek naar het plafond. Aan de geluiden te horen die van boven kwamen moest hij recht onder het podium zijn. Hij rende door een andere gang en schatte dat hij dicht bij een van de buitenmuren van het gebouw was. Hij keek in elke opening en achter elke deur, koortsachtig op zoek naar een route die hem een verdieping lager zou brengen, naar het laagste van de twee souterrains.

Hij rende naar het eind van de gang en bleef tegenover een deur staan met een bord waarop ALLEEN ONDERHOUDSPERSONEEL stond. Hij wilde net naar die deur toe lopen toen er nauwelijks een meter voor hem een licht over de vloer gleed. Hij ging geruisloos achteruit en stapte een gang aan zijn rechterkant in. Hij bleef staan en nam zijn omgeving in zich op. Hij zag het licht van de zaklantaarn nog steeds, en het kwam erg dichtbij. De muziek boven hem zwol aan en hij vervloekte het geluid, want dat maakte het hem onmogelijk de bewegingen van de mannen op deze verdieping te horen. Hij haalde diep adem en spande zijn spieren om naar voren te rennen zodra de dichtstbijzijnde man zijn gang in kwam. Het licht van de zaklantaarn bewoog zich naar links en rechts over de vloer en de wanden. Het kwam steeds dichterbij. Will bleef staan.

Hij zag het pistool voordat hij de man zag. Het bewoog zich langzaam door zijn gezichtsveld en was bijna binnen handbereik. Het pistool bewoog even niet meer en kwam toen naar voren. De man stapte in het zicht en liep voorzichtig door de gang. Will duwde zich plat tegen de muur, al wist hij dat de man hem zou zien als hij naar links keek. Maar de man liep door en verdween even later uit het zicht.

Will wachtte dertig seconden en liep toen behoedzaam naar de hoek van de gang waar de agent van de geheime dienst zich bevond. Hij liet zich zo ver zakken dat hij niet meer op ooghoogte was en stak toen heel even zijn hoofd de gang in. De agent van de geheime dienst was weg. Will kwam langzaam tevoorschijn en rende voorovergebogen naar de deur voor onderhoudspersoneel.

Hij sloot de deur voorzichtig achter zich en zag een trap naar beneden. Hij liep de trap af, en met elke trede werden de geluiden van het concert boven hem zachter. Hij kwam in het onderste souterrain en wenste nu meer dan ooit dat hij gewapend was. Toen hij daar om zich heen keek, wist hij dat dit een ideale plaats was om Lana te verbergen, en ook dat het een ideale plaats voor Megiddo's terrorist was om te wachten en zijn bommen vervroegd tot ontploffing te brengen als er iets gebeurde.

Er staken grote vierkante metalen buizen uit het plafond. Die buizen liepen ter hoogte van zijn hoofd door de ruimte en gingen op verschillende plaatsen het plafond weer in. Grote generatoren, dicht bij hem, brachten een zoemend geluid voort. Hij zag dikke stalen zuilen die van vloer tot plafond reikten en nam aan dat het podium van het operagebouw, met alles wat daar verder nog was, erop steunde. Hij zag lampen aan de muur en hier en daar ook aan het plafond, maar het licht was daar nog zwakker dan op de verdieping erboven. Hij keek de trap weer op en vroeg zich af of de mannen van de geheime dienst straks die deur zouden openen om in dit lagere souterrain te kijken. Hij keek in de grote ruimte om zich heen en vroeg zich af of er andere manieren waren om er te komen. Er moesten andere ingangen zijn. De mannen van de geheime dienst konden daar gebruik van maken om hem hier beneden te zoeken. Ze zouden elke vierkante centimeter van dit gebouw kennen.

Hij keek op zijn horloge. Het was nu twintig over acht.

Hij liep naar voren, nu en dan bukkend om de buizen te ontwijken, tuurde naar links en rechts en voor zich uit. Het hele souterrain was een wirwar van grote machines, smalle ruimten en donkere inhammen, en zijn zicht reikte nauwelijks verder dan een paar meter. Overal was het zoemen van de generatoren te horen. Het concert was nog maar nauwelijks waarneembaar.

Hij liep vlugger en kwam in een ruimte met panelen vol hendels, schakelaars en waarschuwingen over voltage. Hij streek met zijn hand over een van de panelen en zag dat het bedekt was met fijn stof en dus al een paar dagen niet was aangeraakt. Hij liep door een gedeelte met tientallen dunne buizen bij de vloer. Hij stapte eroverheen om op een deel van de vloer te komen waar helemaal niets was, en toen hij dat deed, hoorde hij een metalen geluid achter zich. Hij draaide zich om en zag dat het geluid afkomstig was van een van de buizen. Er ging iets door die buis heen, en dat deed hem trillen en tegen een andere buis kloppen. Will draaide zich om en liep door.

Toen voelde hij een hard voorwerp tegen zijn achterhoofd drukken.

Hij verstijfde en hoorde voeten over de vloer schuifelen. Het voorwerp drukte harder tegen zijn hoofd. Hij wist dat het de loop van een wapen moest zijn en dat het wapen van Megiddo's terrorist kon zijn, al was het waarschijnlijker dat het van een van de twee agenten van de geheime dienst was die een man zochten die zo vreselijk graag het operagebouw had willen binnengaan. Hij vroeg zich af of hij zich snel moest omdraaien om de loop en tegelijk de hand met het pistool vast te grijpen en beide te verdraaien, zodat hij het wapen in handen kreeg. Hij kon dat alles in minder dan viervijfde van een seconde doen, maar als het een agent van de geheime dienst was, had hij misschien zijn collega bij zich, en dan zou die op Will schieten voordat hij de beweging kon afronden. Hij draaide zich langzaam om.

Lana stond tegenover hem. Ze hield het pistool in haar hand.

Will fronste zijn wenkbrauwen. Hij keek naar links en rechts om te zien of iemand een pistool op haar gericht hield om haar te laten doen wat ze deed, zag niets en keek haar toen weer aan. Hij begreep er niets meer van. Er was geen touw aan vast te knopen.

'Wat doe je?' Will sprak de woorden langzaam uit, en het leek wel of de woorden niet van hem kwamen.

Lana staarde hem aan met ogen die ijskoud waren. Zo te zien was ze ongedeerd en fit en beheerste ze zich volkomen.

'Wat doe je? Wat is er aan de hand?'

Lana schudde langzaam haar hoofd. 'Als jij hier bent, is hij dood.'

Wills hart bonkte. Zijn verwarring werd nog groter. 'Wat is er aan de hand?' Hij rook Lana's parfum, voelde haar aanwezigheid en zag haar schoonheid. Maar hij zag ook de dood in haar ogen en dat ze hem wilde doden.

'Je bent zo dom geweest, Will Cochrane.'

Ze gebruikt mijn echte naam.

Ze glimlachte. 'Zo dom.'

'Heeft Megiddo je mijn echte naam verteld?'

'Ik heb je echte naam altijd geweten.'

Will was misselijk en woedend tegelijk. 'Heb je al die tijd met Megiddo samengewerkt?'

Ze glimlachte niet meer. 'Al sinds ik hem al die jaren geleden heb leren kennen. Van begin tot eind.'

Will schudde ongelovig zijn hoofd.

Lana bewoog de loop van het pistool licht heen en weer en richtte het toen weer op Wills hoofd. 'Je bent door ons allemaal bedrogen. Door Megiddo, door mij, en... ons allemaal.'

Will kneep zijn ogen halfdicht. Er drong iets tot hem door. 'Door jullie allemaal, ook door de man die jou met mij in contact bracht.'

Lana knikte. 'Harry ook.' Ze sperde haar ogen open. 'Ik heb altijd van Megiddo gehouden en hij heeft altijd van mij gehouden. Ik moest hier zijn om zijn meesterwerk af te maken, want jij hebt al zijn andere soldaten gedood.' Ze glimlachte. 'Ik ben hier om de bommen te laten afgaan wanneer iemand als jij zou proberen onze aanslag te voorkomen.'

Allerlei vragen en chaotische gedachten vlogen door Wills hoofd. Er was zo veel wat hij niet begreep, maar hij wist ook dat hij geen tijd had om antwoorden op die vragen te vinden. 'Hoe kun je de bommen tot ontploffing brengen?'

Lana klopte op een borstzakje. 'Er is een nummer in mijn mobiele telefoon geprogrammeerd. Als ik dat nummer bel, ontvangen de bommen mijn signaal en ontploffen ze eerder dan negen uur, de tijd waarop ze zijn ingesteld.'

Will keek op zijn horloge. Het was kwart voor negen.

Hij dacht koortsachtig na. 'Je hebt nog een ander nummer in je telefoon. Een nummer waarmee je kunt voorkomen dat de bommen om negen uur afgaan. Een nummer dat je alleen had mogen gebruiken als het concert naar een andere dag werd verschoven of helemaal werd geannuleerd.'

Lana kneep haar ogen samen. 'Dat nummer wordt niet gebeld, want alles wat ik nodig heb, is in de concertzaal: de vrouwen van de regeringsleiders en de duizenden kinderen.'

Will schudde zijn hoofd. 'Je wilt toch zeker niet dat zoiets gruwelijks echt gebeurt? Je wilt toch niet dat al die mensen sterven?'

Lana glimlachte. 'Ze zullen sterven, jij zult sterven, en ik zal weer bij Megiddo zijn. Ik zal gelukkig zijn wanneer de bommen alles om ons heen vernietigen.'

Will was misselijk. Hij kende de vrouw die tegenover hem stond niet. Lana meende wat ze zei. Als ze al een hart had, sloeg dat voor niets anders dan voor Megiddo. Hij kon nu alleen maar hopen dat ze een leugen zou geloven. Hij schudde zijn hoofd. 'Lana, jij bent hier degene die dom is. Megiddo heeft nooit van je gehouden.'

Ze keek hem fel aan. 'Jij weet niets van de liefde die wij voor elkaar voelden.'

Will schudde opnieuw zijn hoofd. 'Toen ik hiernaartoe kwam, dacht ik dat je vastgebonden zou zijn en dat een terrorist een pistool tegen je hoofd hield.'

Lana grinnikte. 'Megiddo wilde dat je dat verwachtte.'

Will knikte. 'Ja. Zelfs toen hij op zijn knieën zat en ik een pistool op zijn hoofd gericht hield, zelfs toen hij wist dat hij ging sterven, wist hij dat ik niets kon doen om zijn aanslag te voorkomen.' Will fronste zijn wenkbrauwen. 'Dus waarom zou hij de terrorist in het operagebouw een naïeve, lichtgelovige pion noemen, iemand van wie de dood net zo onbeduidend zou zijn als de dood van de kinderen? Waarom zou hij dat zeggen als dat nergens voor nodig was?'

Lana fronste haar wenkbrauwen. 'Je liegt.'

Will schudde zijn hoofd. 'Nee, maar die opmerking die hij maakte, was volstrekt overbodig. Als Megiddo van je hield, zou hij me helemaal niets over de terrorist hebben verteld. Of misschien zou hij iets in positieve zin hebben gezegd. Maar hij had geen enkele reden om zo laatdunkend over de terrorist te spreken, tenzij,' zei hij met een triest knikje, 'tenzij hij wilde dat ik begreep hoe ontzaglijk veelomvattend zijn strategie was. Hij wilde me laten weten dat hij alle mensen om hem heen had gemanipuleerd. Alle mensen, ook de man óf vrouw die zijn bommen zou laten ontploffen.'

Lana schudde haar hoofd, maar de twijfel stond nu duidelijk op haar gezicht te lezen. 'Hij... hij hield van me. Hij heeft altijd van me gehouden.'

Will keek op zijn horloge. Het was acht minuten voor negen. Zijn hart bonkte, maar hij sprak met kalme stem. 'Denk eens na, Lana. Hij is zijn hele leven altijd anderen te slim af geweest.'

'Jij weet niets van hem af!' snauwde Lana. 'Hij hield van zijn werk, maar hij hield ook van mij.'

Will sprak met kracht. 'Hij heeft jou altijd gebruikt en hij gebruikt je nu ook. Daarom noemde hij jou een naïeve, lichtgelovige pion. En ik ben het met zijn beschrijving eens, want dat is precies wat je bent!'

De generatoren naast hen leken nog harder te zoemen. Buizen ratelden en sisten. Luchtkokers kreunden. De muziek van het concert boven hen klonk ver weg, maar was nog hoorbaar.

Er liep een traan over Lana's wang. 'Ik houd van hem.'

'Maar hij heeft nooit van jou gehouden.'

Haar pistool bewoog licht.

Will keek naar haar. 'Lana, ík heb van je gehouden, maar híj hield alleen maar van zijn werk.'

Lana wendde even haar blik af. Toen ze Will weer aankeek, rolden er tranen over beide wangen. Ze sprak met een zwakke, trillende stem. 'Dan was ik inderdaad degene die dom was.'

Will glimlachte met een blik vol medelijden, al had hij helemaal geen medelijden met de vrouw tegenover hem. 'We zijn allebei dom geweest. En we waren slachtoffer.'

Ze deed een stap achteruit en leunde tegen een luchtkoker. Ze haalde snel adem en Will vroeg zich af of ze zou gaan hyperventileren. Vloekend schudde ze haar hoofd. Ze liet het pistool zakken, hield het langs haar zij en keek naar het souterrain en naar het plafond. Ze schudde opnieuw haar hoofd en sloeg met de kolf van het pistool tegen de luchtkoker. Ze keek Will aan. 'Wat... wat moet ik doen?'

Will deed een stap naar haar toe. 'Je moet iets doen om Megiddo te laten zien dat je niet dom meer bent, dat je zijn pion niet meer bent. Je moet dat ene doen dat hem het diepst treft. Je moet het nummer bellen om de bommen uit te schakelen.'

Lana schudde haar hoofd. De tranen stroomden nu over haar gezicht.

'Lana, als je hier sterft, zul je nooit bij hem zijn. Je zult voor niets zijn gestorven. Iedereen hier zal voor niets zijn gestorven.'

Lana sloeg weer met haar pistool tegen de luchtkoker en mompelde: 'O mijn god.' Ze keek Will aan. 'Hij zei dat hij van me hield. Hij heeft me laten zien dat hij van me hield.'

'Dat deed hij opdat jij nu hier zou zijn.'

Lana keek naar het plafond en schreeuwde: 'Een pion, verdomme?'

Ze liet haar hoofd zakken en haalde langzamer adem. Toen sloot ze haar ogen en wreef met de rug van de hand waarin ze het pistool had over haar gezicht. Ze keek Will aan.

'Bel het nummer.' Will keek hoe laat het was. Het was drie minuten voor negen.

Ze greep in haar borstzakje en haalde haar mobiele telefoon tevoorschijn. Ze keek er een hele tijd naar, fronste haar wenkbrauwen en keek toen Will aan om ten slotte weer naar de telefoon te kijken.

Het was nu één minuut voor negen.

'We hebben geen tijd, Lana!' Wills hart ging wild tekeer.

Ze ademde langzaam in. Ze toetste cijfers van haar telefoontje in. Ze hield het bij haar oor. Ze wachtte even, knikte en liet haar arm toen naar haar zijde zakken, met de telefoon nog in haar hand. Ze huilde en beefde.

'Zijn de bommen uitgeschakeld?'

Lana sloeg haar armen om zichzelf heen en schudde hevig van emotie.

Will schreeuwde: 'Lana, zijn ze uitgeschakeld?'

Lana ademde langzaam in en haar lichaam kwam tot bedaren. 'Ja. Ze zijn veilig.'

Will keek op zijn horloge. Het was negen uur. Hij keek om zich heen, wachtte, telde seconden af, kon het concert nauwelijks horen, maar het was duidelijk dat het leven doorging in het gebouw. Hij zuchtte en keek Lana aan.

Haar pistool was op hem gericht. Ze wreef tranen van haar gezicht en haalde hoorbaar adem. Ze haalde haar schouders op. 'Dan is het nu dus voorbij.'

'Doe dat pistool weg, Lana.'

Ze schudde haar hoofd.

'Doe dat pistool weg, Lana.'

Lana keek verontwaardigd. 'Je zet me voor de rest van mijn leven in de gevangenis.'

'Lana, doe dat pistool weg! Je hebt de bommen onschadelijk gemaakt. Dat werkt in je voordeel.'

Lana schudde opnieuw haar hoofd.

'Doe dat pistool weg.' Die stem was niet van Will.

Hij draaide zich snel om en zag een man die zijn pistool op Lana en Will gericht hield. Een van de mannen die Will op de verdieping daarboven had gezien. Een agent van de geheime dienst. Hij was alleen.

De man keek Will aan. 'We hebben naar je gezocht.'

Will knikte. Nu de bommen waren uitgeschakeld, zat zijn werk erop. Hij besloot de geheime dienst te vertellen wat er aan de hand was.

De man keek Lana aan en richtte zijn pistool op haar.

'Ik ben een Britse inlichtingenagent,' zei Will.

De man van de geheime dienst keek Will even aan.

Er galmde een schot en een kogel trof de man van de geheime dienst midden in zijn hoofd. Will sloot zijn ogen. Hij draaide zich langzaam om en keek Lana aan. Haar pistool was gericht op de dode agent die op de vloer lag. Ze richtte het pistool op Wills hoofd.

Lana glimlachte. 'Mijn volgende kogel is voor jou.'

Will schudde zijn hoofd. 'Waarom heb je hem doodgeschoten? Waarom heb je dat pistool nog in je hand?'

'Omdat ik nu helemaal niets heb. Omdat ik blijkbaar nooit iets heb gehad.'

Will zuchtte en had heel even medelijden met haar. 'Je had zo veel meer kunnen hebben. Ik hoopte dat jij en ik samen zouden zijn.'

'Dat weet ik.' Ze lachte vreugdeloos. 'Ik mag dan een pion in Megiddo's spel zijn geweest maar jij was beslist een pion in het mijne. Ik wilde dat je van me hield. Ik wilde dat je door je gevoelens voor mij niet zou vermoeden wat mijn werkelijke rol in Megiddo's plan was. Ik wilde je overhalen je ziel voor me bloot te leggen, zodat ik je kon zien lijden op het moment dat je het bedrog inzag.'

Will schudde zijn hoofd. Er kwam een koud gevoel in hem opzetten. Hij voelde zich tijdelijk verdoofd. 'Ik begrijp het.'

Lana keek hem zonder enige emotie aan. 'We zien de waarheid pas vaak helemaal aan het eind. We kennen nu allebei onze waarheid, en toch zal maar één van ons hiervandaan lopen.'

'Dat weet ik.' Met een beweging die te snel was om gezien en tegengehouden te worden kwam Will naar voren. Hij pakte de loop van Lana's pistool vast, gebruikte zijn andere hand om haar hand te verdraaien en nam bezit van het pistool, dat nu op háár hoofd was gericht.

Will hield het pistool dicht bij haar. Hij voelde zich niet verdoofd meer. In plaats daarvan was hij vervuld van woede, spijt en verdriet. 'Ik heb tegen je gelogen. Megiddo heeft je nooit een pion in zijn spel genoemd. Ik denk dat hij echt van je heeft gehouden.'

Lana's mond viel open van een verbijstering die snel omsloeg in woede. 'Je hebt me bedrogen!'

'Ik heb voorkomen dat je een afschuwelijke fout maakte.'

Lana keek vlug van links naar rechts. Blijkbaar maakte ze een berekening. Ze keek Will aan. 'Ik moet weer bij Megiddo zijn.'

'Nee, Lana.'

Ze bracht haar hand omhoog en hield haar mobiele telefoon dicht tegen haar borst.

'Lana, doe dat niet.'

Ze glimlachte en bracht haar andere hand naar de toetsen van het telefoontje.

'Lana, hou op.'

Ze bracht één vinger dicht naar de telefoon toe. Haar glimlach verflauwde. 'In een ander leven zou het geweldig zijn geweest je te leren kennen.'

Wills hart ging als een razende tekeer. 'Raak die telefoon niet aan! Laat de bommen niet afgaan!'

Haar vinger bewoog tot hij twee centimeter bij de telefoon vandaan was. Ze glimlachte weer. 'Vaarwel, Will Cochrane.'

Haar vinger bewoog naar de toetsen.

In die fractie van een seconde wist Will dat het te laat was om nog iets te zeggen. Nu telde alleen nog actie, maar toen hij haar vinger zag bewegen en met zijn eigen vinger vliegensvlug op de trekker van zijn pistool drukte, voelde hij alleen een ontzaglijk verdriet. Hij hoorde het geluid van zijn pistool, voelde de terugslag van het wapen en zag dat de kogel Lana in de zijkant van haar hoofd trof en haar mooie gezicht openscheurde. Hij zag haar bij hem vandaan wankelen, zag haar knieën knikken, haar lichaam vallen en haar hand bij het telefoontje vandaan gaan. Hij zag de dood van Lana Beseisu.

Hij sprong naar voren en ving het telefoontje op voordat het naast haar op de vloer viel. Hij keek naar het schermpje en slaakte een zucht van verlichting toen hij zag dat zijn vinger sneller was geweest dan de hare. Er was geen toets ingedrukt.

Hij keek naar Lana's dode lichaam en werd duizelig en misselijk. Hij had gedacht dat deze vrouw alles voor hem zou veranderen, maar nu staarde hij naar haar lijk, wetend dat ze Megiddo had willen helpen miljoenen mensen af te slachten – om geen andere reden dan dat ze van het monster hield.

Hij keek om zich heen en stelde zich de verdiepingen van het operagebouw boven hem voor, de loges waarin de vrouwen van de regeringsleiders tijdens de voorstelling zaten, de andere loges en de zaal met kinderen, de orkestruimte met de opgewonden kinderen die daar hun instrument bespeelden. Hij stelde zich voor dat er bommen ontploften en er vuur regende vanaf het plafond, een vuur dat door dat alles heen scheurde en dat een gruwelijke wereldoorlog zou hebben veroorzaakt als hij nu niet bij het lijk van Lana Beseisu had gestaan. Hij schudde ongelovig het hoofd.

Hij keek nog één keer naar Lana. Hij wilde zo veel over haar weten, zo veel waarvan hij niets begreep. Maar hij wist dat het anders had kunnen zijn. Hij knielde bij haar neer en streek over haar bebloede gezicht. Toen streek hij over haar haar en fluisterde: 'Als ik er in het begin was geweest, zou je nu niet hier zijn.'

Hij sloot zijn ogen en zag de jonge Lana wanhopig door ijskoude Bosnische bossen lopen, haar kleren gescheurd en onbeschermd tegen de felle winter, wankelend op haar benen, haar ogen wijd open van angst, haar lichaam zwak en geschokt omdat ze verkracht was, al haar gedachten gericht op één ding: de belegerde stad Sarajevo bereiken en bij de man komen die Megiddo werd genoemd. Hij stelde zich voor dat ze op de grond viel, door dichte sneeuw kroop, zich weer overeind hees, naar voren wankelde, weer viel, weer kroop, maar intussen al de kracht die haar restte bleef gebruiken om bij de man te komen van wie ze geloofde dat hij haar redder was. Hij zag elke beweging die ze maakte, elke inspanning die haar centimeter voor centimeter dichter bij een man bracht die haar leven zozeer zou corrumperen dat het met een kogel in haar hoofd zou eindigen.

Hij wenste dat hij erbij was geweest toen ze haar geest en geschonden lichaam door die vreselijke bossen, door die vreselijke oorlog sleepte. Hij zou naar haar toe zijn gegaan, haar hand hebben gepakt en haar hebben weggeleid van Sarajevo en de dodelijke man daar. Hij zou zacht maar krachtig tegen haar hebben gesproken: Kom met mij mee. Ik breng je naar een beter leven.

53

Will keek naar de heldere blauwe hemel boven hem, naar de besneeuwde Zwitserse Alpen om hem heen, naar het lege bergdal ver beneden hem. Zijn mobiele telefoon ging, en hij zag dat het Alistair was. Hij nam op, luisterde naar wat zijn supervisor te zeggen had, sloot zijn telefoon, draaide zich om en keek naar het chalet naast hem. Hij nam zijn pistool, liep vlug door de sneeuw, opende de deur en liep door een kamer om in de volgende kamer te komen.

Daar zat Harry achter een bureau een sigaret te roken, geflankeerd door twee mannen van de Britse Special Forces. Ze hadden Harry naar dit chalet gebracht nadat ze hem in de stad Lausanne hadden opgespoord.

Will liep naar het bureau, schopte een extra stoel opzij, richtte zijn pistool op Harry's hoofd en zei: 'Praat.'

Harry keek op naar Will. Hij zag er doodmoe maar niet bang uit, als iemand die de angst voorbij was en in een staat van kalmte en berusting verkeerde, een kalmte die voortkwam uit de wetenschap dat zijn executie nu onvermijdelijk was. Hij krabde over de stoppels op zijn kin, drukte zijn sigaret uit en stak er weer een op. Hij nam een slokje water, schraapte zijn keel en fronste zijn wenkbrauwen.

Will schopte tegen het bureau, zodat het tegen Harry's borst dreunde en het glas water naar de andere kant van de kamer vloog. 'Ik weet dat je al die tijd met Megiddo hebt samengewerkt. Praat.'

Harry huiverde van pijn, liet zijn sigaret in een asbak vallen, legde zijn beide handen plat op het bureau en sprak met een gespannen maar afgemeten stem.

'Toen Megiddo merkte dat de NSA van zijn plannen voor een grote aanslag op het Westen wist, werkte hij met een tweeledige strategie om de bijzonderheden van zijn aanslag verborgen te houden. Ten eerste manipuleerde hij het lek naar de NSA om desinformatie over de plaats van de aanslag te verstrekken en daardoor de westerse inlichtingendiensten veel onnodig werk te bezorgen. Ten tweede lokte hij een westerse inlichtingenagent naar zich toe om die agent in de waan te brengen dat hij de locatie van de aanslag had ontdekt. Voor die tweede, complexe taak zette hij Lana en mij in.' Hij wendde zijn blik even af en richtte hem toen weer op Will. 'De chef van jullie post Sarajevo bracht me met jou in contact. Je leek me belangrijk genoeg voor de rol en ik doodde Ewan om rechtstreeks contact met jou te kunnen onderhouden.'

Harry keek naar een van de Special Forces-mannen. 'Mag ik nog een glas water?'

'Nee, dat mag je niet!' Will schreeuwde de woorden uit. 'Blijf praten.'

Harry haalde diep adem. 'Alles moest geloofwaardig zijn – de brieven via de Iraanse ambassade in Kroatië, het Iraanse team dat Lana volgde – zodat Megiddo de indruk kon wekken dat hij heel voorzichtig was. En al die tijd manipuleerde Megiddo het lek naar de NSA. Zo probeerde hij jou te laten denken dat het echte doel Berlijn was. Toen je die list doorzag, concentreerde hij zich op het tweede onderdeel van zijn strategie. Hij liet een van zijn mannen – de man die jij als zijn plaatsvervanger Gulistan Nozari kent – doen alsof hij Megiddo was. Hij gaf mij opdracht je op het HBF-kantoor attent te maken, hij liet Dzevat Kljujic vermoorden om nog aannemelijker te maken dat Megiddo vanuit dat kantoor opereerde en hij zorgde ervoor dat de naam van de plaatsvervanger op een lijst in dat kantoor voorkwam, want jij zou dat kantoor natuurlijk doorzoeken en dan zou je die naam vinden.' Harry fronste zijn wenkbrauwen. 'Hij wist dat jij zou denken dat zijn plaatsvervanger Megiddo was, en het verbaasde hem dan ook dat je Gulistan Nozari niet volgde of gevangennam. Hij besefte dat jij Nozari niet automatisch voor Megiddo had aangezien en dat Lana dus niet kon doen alsof de man Megiddo was, want dat zou argwaan wekken. En dus moest ze tegen je zeggen dat de man die ze in Sarajevo had ontmoet niet de man was die je zocht.'

Will knikte. 'Als ik zo belangrijk voor Megiddo was, waarom liet hij zijn mannen me dan in Zagreb en Wenen aanvallen?'

Harry haalde zijn schouders op. 'Je dwong hem daartoe doordat je je identiteit in je brieven bekendmaakte en je je samen met Lana in de Diana Bar van het Westin Hotel vertoonde. Zijn mannen moesten op een agressieve manier achter je aan gaan, maar Megiddo hoopte dat jouw mannen je meteen na je gevangenname zouden redden. Doordat je de meeste mannen van Megiddo doodde en zelf niet gevangen werd genomen, loste je dat probleem voor hem op.'

Will kwam dicht bij Harry staan. 'Wist je, toen je verdween, wat er daarna gebeurde?'

Harry schudde zijn hoofd pakte zijn sigaret op en inhaleerde. 'Hoe zou ik dat kunnen weten?'

Will knikte. 'Ik begrijp nu dat Megiddo van strategie veranderde toen hij bemerkte dat zijn plan om zijn plaatsvervanger te gebruiken niet werkte. Hij beval zijn mannen Lana in Boston gevangen te nemen. Hij wist dat ik achter haar aan zou gaan om haar te redden en hoopte dat ik haar zou geloven als ze tegen me zei dat ze bij Megiddo was geweest en had gehoord waar de aanslag zou worden gepleegd.' Hij kneep zijn ogen samen. 'Het is Megiddo bijna gelukt.'

Harry zuchtte. 'We wilden je altijd laten denken dat Camp David het doel was, terwijl het Metropolitan Opera House altijd het echte doel was.'

Will hield zijn pistool dichter bij Harry. 'Hoe is Megiddo aan personeelspasjes voor het operagebouw gekomen? Hoe konden zijn mannen hun bommen verstoppen zonder bang te zijn dat die bommen daarna werden ontdekt?'

Harry blies rook uit. 'Dat had hij aan mij te danken. Ik kwam erachter dat het Metropolitan Opera House voor het concert een grote opknapbeurt zou krijgen, vooral het podium, de verdiepingen, de zaal en de balkons. Omdat er bij die verbouwingen veel rommel werd gemaakt, zouden er in de week voor het concert extra schoonmakers nodig zijn. Ik richtte een bedrijfje op, benaderde de directie van het gebouw, zei dat mijn bedrijf zich in professioneel schoonmaakwerk specialiseerde en dat ik een team van vijf mensen had die ik kon contracteren. Ik zei dat ze erg betrouwbaar en goedkoop waren en dat ze zo nodig zelfs de lucht konden schoonmaken. De directie maakte graag gebruik van mijn aanbod, want ze hadden nog steeds te weinig mensen en wilden dat het gebouw er goed uitzag voor het concert. Megiddo koos vier van zijn mannen en één vrouw uit om in de loop van vijf dagen dertig bommen naar binnen te smokkelen. Die bommen waren klein – elk ongeveer zo groot als een dun pocketboek, en de bommenleggers konden ze gemakkelijk op hun lichaam verbergen wanneer ze in de loop van die dagen het gebouw binnengingen.' Hij wreef over zijn slapen. 'Het was de bedoeling dat er grondig werd schoongemaakt, niet alleen op de grond maar ook bij de plafonds. De meeste bommen zouden worden verstopt in inhammen bij de plafonds, veel te hoog om te worden gezien en opgemerkt, en trouwens, ze waren allemaal voorzien van een dikke waslaag om de geur te minimaliseren.'

'Alle bommen zijn door de FBI gevonden en veilig verwijderd.' Will fronste zijn wenkbrauwen. 'Hoe zijn de bommenleggers door de veiligheidscontroles gekomen om daar te kunnen werken?'

Harry drukte met een bevende hand zijn sigaret uit. 'Megiddo vond een vrouw bij een westerse inlichtingendienst die een hoge positie had en die de gegevens van de bommenleggers kon wissen voordat ze dit land binnenkwamen – en die ook financiële problemen had.'

Will keek Harry scherp aan. 'Wie is die vrouw?'

'Dat weet ik niet. Megiddo vond dat die vrouw erg nuttig was en dat haar identiteit moest worden beschermd. Ik weet wel dat ze niet te horen heeft gekregen waarom ze die gegevens moest wissen. Ze verwijderde alle sporen waaruit bleek dat de bommenleggers tot het IRGC behoorden, nam Megiddo's geld aan en hield haar mond.'

'Ook al wist die vrouw niet waarom de gegevens van die personen moesten worden gewist, ze is toch een verraadster. Ze zal worden gevonden en gestraft.'

Harry zuchtte.

Will klemde zijn hand om zijn pistool. 'Hoe is Lana het operagebouw binnengekomen?'

'Het was aanvankelijk niet de bedoeling dat ze daar zou zijn.' Harry haalde zijn schouders op. 'Misschien heeft ze de identiteit aangenomen van de vrouwelijke bommenlegger in de schoonmaakploeg.'

Will knikte. 'Megiddo kwam op het eind naar me toe. Waarom?'

Harry schudde zijn hoofd. 'Er was kanker bij hem vastgesteld. De aanslag op het operagebouw en de oorlogen die daarop zouden volgen hadden zijn laatste en grootste meesterwerk moeten worden. Hij had de ambitie gehad om de Arabische en Perzische naties te leiden, maar hij wist dat hij daarvoor niet lang genoeg in leven zou blijven.' Hij keek Will aan. 'Toen hij ontdekte wie jij was, was hij van plan naar jou toe te gaan zodra hij het gevoel had dat niets de bomaanslag nog kon stoppen. Hij wist ook dat je hem misschien zou doden. Daarom wilde hij je over het operagebouw vertellen, want dan zou je ernaartoe gaan en sterven. Hij had er niets bij te verliezen en alles bij te winnen door naar je toe te komen.' Harry ademde langzaam uit en bracht zijn handpalmen omhoog. 'Dat is alles wat ik weet.'

Will bewoog zijn vinger over de trekker van zijn pistool.

Harry keek hem aan en glimlachte. 'Jij bent anders dan ik had gedacht. Je hebt me een andere kijk op de dingen gegeven. Daarom besloot ik je alles over Megiddo's plan te vertellen toen ik je in mijn huis zou ontmoeten.' Zijn glimlach verflauwde. 'Maar Megiddo ontdekte mijn verraad en kwam naar mijn huis om me te doden. Ik kon alleen ontsnappen doordat jij kwam en hij zich moest verstoppen.' Harry haalde zorgvuldig weer een sigaret uit het pakje op zijn bureau, stak hem aan en keek naar de brandende punt voordat hij Will aankeek. Hij glimlachte weer, maar ditmaal keek hij verdrietig. 'Ik werkte voor Megiddo omdat hij zei dat hij anders mijn naam en verblijfplaats zou doorgeven aan bepaalde Bosnisch-Servische mannen die me graag in stukken zouden scheuren om wat mijn mannen in de oorlog in dat Servische dorp hebben gedaan. En ook omdat ik een lafaard was. Ik wilde mijn eigen hachje beschermen, al zouden daardoor miljoenen mensen om het leven komen.' Hij zuchtte weer. 'Uiteindelijk kon ik het niet doen.' Hij bracht de sigaret naar zijn mond, inhaleerde en knikte een keer. 'Toch verdien ik het om in dit huis te sterven, en ik ben blij dat jij en niet Megiddo mijn beul wordt.'

Will keek naar de twee Special Forces-mannen. 'Ga de kamer uit. Ik wil niet dat jullie getuige zijn van wat hier gaat gebeuren.'

De mannen liepen de kamer uit.

Will pakte een stoel, zette hem recht tegenover Harry en ging zitten. Hij drukte de loop van het pistool tegen het voorhoofd van de agent en vroeg kalm: 'Ben je hier klaar voor?'

Harry knikte. 'Ja.'

'Wil je me nog iets vertellen voordat ik de trekker overhaal?'

Harry glimlachte. 'Je mannen hebben me verteld dat je Megiddo hebt gedood. Ik ben blij dat ik voor mijn dood nog heb gehoord dat jij hebt gewonnen en hij heeft verloren.'

Will knikte, stond op, hield de loop weer tegen Harry's voorhoofd, legde zijn vinger op de trekker en zette zich schrap voor het schot. Toen haalde hij diep adem en ontspande zijn hand. 'Ik ga je niet doden, Harry. Je bent te nuttig voor mij.'

Hij liet het pistool zakken.

Harry fronste zijn wenkbrauwen.

Will keek naar de ramen van het chalet. Hij keek naar de Alpen en de Zwitserse bergen in het oosten. Toen glimlachte hij, draaide zich om en keek Lace aan. Toen hij niet meer glimlachte, sprak hij met staal in zijn stem. 'Ik heb een nieuwe missie, Harry. Jij hebt geld. Je hebt ook bijzondere, zeldzame talenten en connecties. Je kunt me helpen.'

Spartan bracht zijn pistool weer omhoog en richtte het op de informant. 'Mensen zijn óf mijn bondgenoten óf mijn vijanden. Wat ben jij?'

Dankbetuiging

Met dank aan Luigi Bonomi, en Alison en de rest van het team van LBA, Judith, het team van Orion (Groot-Brittannië), het team van HarperCollins (Verenigde Staten) en de Secret Intelligence Service (MI6).